PARIS AI LEMAND

Henri Michel

PARIS ALLEMAND

Albin Michel

© Éditions Albin Michel, 1981
22, rue Huyghens, 75014 Paris

ISBN 2-226-01276-1

Sommaire

Préface   9

1   LE 14 JUIN 1940, PARIS, COMME UN FRUIT MÛR   13

La bataille s'approche – Ordre « formel », défendre Paris, quoi qu'il en coûte – Défendre Paris Comment ? Avec quoi ? – Contre-ordre : on ne défend plus Paris – Une grande ville calme. Une ville vidée de toute autorité – Une ville déserte – L'entrée du conquérant – L'occupant s'installe – L administration française s'adapte, agit et obéit – Le « lâche soulagement » des Parisiens.

2.   PARIS, CAPITALE ALLEMANDE DE LA FRANCE   53

Les pouvoirs de l'occupant – L'autorité militaire – Otto Abetz, ambassadeur d'Allemagne à Paris – L'ambassade d'Allemagne – L'autorité policière avant Oberg – Oberg, grand maître de la police – De l'occupation totale à la répression sévère – Réquisitions abusives et pillages – Les victimes : des Juifs aux otages.

3.   PARIS, CAPITALE DE LA COLLABORATION — LES « COLLABOS »   91

Qui est « collabo » ? Pourquoi ? – Les Allemands et la collaboration – Les cheffaillons – Le « Grand Jacques » – Le PPF – Le professeur Déat et le RNP – Quelques types de collaborateurs – Le gratin et le menu fretin de la collaboration – Sous l'uniforme allemand – La LVF – Joseph Darnand et la Milice – La collaboration dans la répression

4.   UNE PRÉFECTURE RÉGIONALE   133

La mainmise allemande. L'exemple des PTT et des transports parisiens – Des administrations isolées – Une délégation générale : pour quoi faire ? – La délégation de F. de Brinon : une boîte aux lettres – Les préfets de police et de la Seine : des exécutants dociles – Une assemblée de figurants – Le conseil municipal – Une université surveillée, mais non dirigée - Une justice dépossédée.

5.   TRAVAILLER POUR LE ROI DE PRUSSE   173

La mainmise allemande sur l'économie – Le grand marasme de l'été et de l'automne 1940 - Le contrôle des banques – Entreprises prospères, entreprises allemandes – Stagnation, régression. fermetures – Chômage et réquisition de main-d'œuvre - Epargnants et spéculateurs

6.   LA GRANDE MISÈRE DES PARISIENS   207

La faim, toujours recommencée – Le cycle : arrivages, rations, queues, déception - Trucs et recettes, œuvres, cousins de Bretagne - Une autre obsession : le froid des longs hivers – Un costume en quatre ans – Ersatz et récupération – Métro et vélos – La course des prix et des salaires – La hantise des bombardements – Les affres de la ménagère – Les soucis quotidiens des administrateurs – L'évolution des esprits.

7. LA SANTÉ DES PARISIENS   253

Le retour des « exodiens » – Combien de Parisiens ? – Mariages, naissances, décès – La grande misère des hôpitaux – Le problème des médicaments – Les maladies de l'occupation – De quoi mourait-on sous l'occupation ? – Mesures sociales et sanitaires.

8. CRIMES FRANÇAIS, CRIMES ALLEMANDS, CRIMES FRANCO-ALLEMANDS   281

Meurtres, assassinats, viols et monstres – Tout est bon à voler – Fraudes et escroqueries en tout genre – Le marché parallèle : une obligation pour les Parisiens – Le « gross marché noir » : une création des Allemands – La pègre du marché noir – Filles publiques, filles pour Allemands – Les parias : le crime d'être communiste – Le crime d'être juif.

9. L'ACTIVITÉ CULTURELLE : ÉVASION OU SOUMISSION ?   315

Les institutions allemandes – Une presse dominée, orientée, servile et vénale – « Radio-Paris ment » – Des films allemands « sérieux », des films français « frivoles » – Fureur d'écrire, auto-censure, rage de lire – Spectacles en tout genre.

Conclusion   347

Sources et bibliographie   355

Index   365

Préface

Ce livre retrace la période la plus sombre, la plus humiliante, de la vie millénaire de Paris. Quatre années qu'on a envie de rayer de son histoire. Précisons-le tout de suite, ce n'est pas un livre anti-allemand ; dans les relations difficiles de la France et de l'Allemagne, après trois guerres, le tournant pacifique a été heureusement pris, on peut croire définitivement ; l'hostilité héritée du passé a été dominée de part et d'autre, et rien ne doit être fait ou écrit qui puisse la ranimer ; si cette étude devait se situer dans l'optique du couple France-Allemagne, ce serait dans la condamnation commune, unanime et sans appel, du national-socialisme ; ce sont ses méfaits qui sont rappelés dans ces pages.

Tout simplement, notre ambition a été d'écrire un livre d'histoire. Il nous a paru, en effet, que la façon dont Paris avait vécu à « l'heure allemande », entre juin 1940 et août 1944, était sans exemple dans le passé, et sans équivalent au même moment. Jamais une aussi vaste agglomération urbaine, la capitale d'une grande puissance, n'a été aussi totalement et aussi durablement subjuguée, et comme dénationalisée, par l'ennemi vainqueur ; en 1814 et 1815, Paris ne comptait que quelques centaines de milliers d'habitants, et les cosaques n'ont campé que quelques mois dans la plaine Monceau ; en 1945, lorsque les alliés entrent en vainqueurs dans Berlin ou dans Tokio, ils ne régentent guère que des ruines.

En juin 1940, Paris demeure intact, épargné par les combats, seulement vidé provisoirement par l'exode d'une grande partie de ses habitants ; malgré quelques bombardements, Paris se repeuplera et demeurera préservé des dommages de la guerre jusqu'en août 1944. Mais Paris n'est plus dans Paris. Au cours du conflit, la Wehrmacht a conquis huit capitales étrangères ; mêmes privées de gouvernement, Oslo, La Haye, Bruxelles ou Athènes sont demeurées chacune le centre incontesté, le cœur et le poumon de leur pays ; la capitale de la France, qui sort démembrée de sa lourde défaite, s'est logée dans une petite ville d'eaux de province, Vichy : la capitale des Français qui refusent la défaite, c'est Londres avec le général de Gaulle et la « France Libre » ; c'est Lyon pour la résistance clandestine naissante.

Dans la vie politique française, Paris n'est plus guère qu'une énorme préfecture de province, dont les administrateurs sont pratiquement coupés de leurs ministres, et livrés à eux-mêmes en face de l'occupant. Par contre, celui-ci en a fait la tête de tous les services qui dirigent la moitié du territoire qu'il occupe, et qui surveillent et tiennent sous leur coupe l'autre moitié, qu'il occupera deux ans plus tard. Certes, l'administration allemande est tricéphale — militaire, diplomatique, policière — et cette nature multiforme engendre des rivalités, des divergences perceptibles, parfois des heurts ; mais, pour le Parisien, aucun doute n'est possible ; quels qu'ils soient, les Allemands sont omniprésents et omnipuissants ; rien ne peut être fait qu'ils n'aient décidé ou approuvé ; qu'il s'agisse du prix du pain, ou des salaires des vendeuses de la Samaritaine, des programmes des cinémas ou de la diffusion des journaux, des règles de la circulation ou de la répartition des matières premières dans les entreprises, c'est un service, ou un cheffaillon allemand, qui prend les décisions, et les Français, fonctionnaires ou citoyens, n'ont plus qu'à exécuter ou à se soumettre ; Paris est devenu la capitale allemande de la France ; dans les écrits du nouveau pouvoir, la ville perd jusqu'à son nom, pour prendre celui, ridicule, de « Gross-Paris ».

Si Paris reste une capitale, on n'ose pas dire française, c'est celle des valets de l'occupant que sont les collaborateurs ; les groupements nés de la défaite, et qui s'en réjouissent, engraissés de marks, forts du soutien de leurs maîtres, ont installé leurs bureaux, et tiennent leurs meetings, dans Paris ; leurs seuls journaux remplissent les kiosques, et leurs militants paradent sur les Champs-Elysées, grotesques marionnettes dont les maîtres tirent les ficelles.

Paris est aussi la capitale de la vie malsaine née de l'occupation, des grands trafics frauduleux du marché noir, des immenses profits procurés par la spoliation des Juifs, des scandaleuses ripailles dans les restaurants de luxe, de la vénalité et de la prostitution généralisées. L'occupation ennemie corrompt tout, parce qu'elle peut tout acheter : les entreprises, le travail, les consciences. Certes, la célèbre « vie parisienne » n'est pas totalement éteinte ; des livres sont publiés, des spectacles montés, des expositions et des concerts organisés ; le talent, l'esprit, l'originalité, le goût ont encore droit de cité. Mais cette flamme ne brille guère que pour la satisfaction et le plaisir de l'étranger et de ses complices ; ce sont des profiteurs de la défaite qui raflent les tableaux ou sablent le champagne dans les boîtes de nuit ; les meilleures travées des salles de spectacles sont réservées aux uniformes vert-de-gris ; aux premiers rangs des présentations de mode se pressent les épouses des nouveaux maîtres de la ville, les « souris-grises » de l'administration allemande, ou des acheteuses venues en touristes d'outre-Rhin ; et tous les milieux sociaux fournissent à l'occupant leur contingent de serviteurs zélés — rabatteurs de « bonnes affaires », indicateurs, dénonciateurs, hommes de main.

Pour le peuple parisien, c'est l'enfer ; il vit péniblement au jour le jour, toujours affamé, transi de froid l'hiver, affublé de défroques, avec l'espoir que ce n'est qu'un purgatoire et que les portes du paradis de la libération s'ouvriront bientôt toutes grandes. Apparemment, les Parisiens s'adaptent progressivement à leurs difficiles conditions d'existence, mais ce n'est qu'en apprenant à ruser avec tout le réseau de réglementations qui les corsette dans sa trame serrée. Dans la grande ville tombée en léthargie, deux modes de vie, d'abord parallèles, se mettent en place. L'officiel est fait d'injonctions, d'interdictions, d'autorisations chichement mesurées, de sanctions, au prix de soumission, de résignation, d'effacement et de crainte permanente. Mais l'autre façon de vivre, qui peu à peu supplante la première, est tissée de désobéissances, de règlements tournés, de violations de tabous ; elle se nourrit de ressentiments et de colères rentrés, se réconforte de bons mots et de moqueries, s'enhardit par le refus et, l'espoir revenu et le courage retrouvé, se groupe enfin dans l'action.

En face du « Paris allemand » et contre lui, prend ainsi forces et formes un « Paris résistant », qui, tout naturellement, quand il sentira qu'il en a les moyens et que le moment en est venu, se soulèvera pour se délivrer de l'autre, et faire à nouveau de Paris, le cauchemar de quatre années fini, la capitale d'une France libérée. Mais ce sera l'objet du second tome de cet ouvrage.

Henri MICHEL

1.

Le 14 juin 1940,
Paris, comme un fruit mûr...

La bataille s'approche

C'est à partir du 15 mai 1940 que les Parisiens commencent à avoir des appréhensions sur l'issue des combats de la campagne de France ; non qu'ils mesurent la gravité irréparable de la défaite — les mauvaises nouvelles, diffusées toujours avec du retard, sont enveloppées de propos rassurants, de décisions apparemment volontaires, de perspectives plus souriantes ; mais commencent à traverser la ville, sous les regards incrédules des passants, les réfugiés de Belgique et du Nord ; les mieux lotis fuient en automobile, en ayant pris la précaution de fixer des matelas sur les toits des voitures, pour se protéger contre la mitraille des avions.

Mieux renseigné, le gouvernement vit, le 16 mai, une journée dramatique. Il n'y a pas de doute ; si, après avoir percé les lignes françaises, les colonnes ennemies foncent sur Paris, rien ne pourra les arrêter, ni troupes, ni obstacle naturel. Le désastre apparaît dans toute sa désolation et, en même temps, à l'évidence, l'impossibilité d'y remédier. Que faire ? Que décider ? La situation commanderait, par précaution, que le gouvernement quittât la capitale, que les usines qui travaillent pour la défense nationale soient repliées, main-d'œuvre et machines ensemble, que les affectés spéciaux se mettent à l'abri. Mais, d'un autre côté, ce comportement alarmiste, outre que les moyens nécessaires font défaut pour une évacuation globale improvisée, aurait pour résultat certain de créer la panique, de susciter le désordre, de provoquer peut-être l'émeute ? Sans compter que tout préparatif sérieux de la défense de la ville deviendrait impossible.

Le général Gamelin, consulté, se déclare impuissant ; il a perdu tout moral ; il est malade ; il pressent qu'il va être remplacé. Il ne reste plus qu'à espérer un miracle, qui ne pourra pas être une seconde bataille de la Marne, faute de moyens. Le miracle ne se produit pas, l'avance ennemie est toujours irrésistible, mais son orientation vers l'ouest, vers la mer, donne à Paris deux semaines de sursis. Fidèle à son personnage d'homme d'Etat indomptable, de second Clemenceau, Paul Reynaud prescrit à Gamelin de préparer la défense de Paris. Après qu'il eut remplacé Gamelin, le général Weygand, le

27 mai, donne ses instructions au gouverneur militaire de Paris, le général Héring ; instructions bien minces, en vérité, qui ne prévoient que les mesures à prendre contre des raids de blindés, des largages de parachutistes, et l'action éventuelle d'une cinquième colonne [1] Comme si une offensive massive n'était pas encore à redouter.

Mais le 29 mai, après la capitulation de l'armée belge, et l'encerclement des meilleures troupes franco-belges dans une poche dont elles ne sortiront que par la porte étroite de Dunkerque, le général Weygand ne cache plus son pessimisme, bien qu'il prépare une nouvelle ligne de résistance sur la Somme et sur l'Aisne.

A partir du 6 juin, les Parisiens commencent à voir arriver des soldats français, en déroute ; des fuyards, hagards, sales, fourbus. Désormais, les événements vont se précipiter d'une façon irréversible. Le 7 juin au soir, la Xe armée du général Altmayer, coupée en deux, reçoit l'ordre de se replier sur la Seine, et ce qu'on appelle, à tort, le « camp retranché de Paris [2] ». Cent mille hommes sont bien revenus d'Angleterre, mais ils sont démunis d'armes, à peine vêtus, sans moyens logistiques ; les hommes sont fatigués, la plupart ont vécu l'angoisse de Dunkerque, leur moral est bas ; on ne peut pas en attendre grand-chose. Le général Georges prescrit de les grouper en un corps d'armée à quatre divisions ; du matériel neuf, tout juste sorti de l'usine, est livré à deux divisions légères mécaniques, à effectifs réduits, en cours de reconstitution à Rambouillet. Mais tout cela exige du temps, et la IVe armée allemande est déjà venue border la Seine, au sud-est de Rouen.

Le 8 juin, le corps blindé Hoth arrive devant Gournay ; le commandement allemand est convaincu que l'armée française va se retirer au sud de la Seine ; mais le général Georges ordonne de tenir « au centre », sur « la position de défense de Paris », c'est-à-dire sur une ligne en demi-cercle, formant bouclier en avant de Paris, et passant par Pontoise, Chantilly et Senlis ; la position sera occupée par la nouvelle « armée de Paris », hâtivement constituée, du moins sur le papier, et dont le commandement est confié au général Héring.

Le 9 juin, la journée est très dure pour la VIIe armée du général Frère, qui retraite avec de grandes difficultés entre Compiègne et Chantilly, durement attaquée par les avions et les blindés ennemis au passage des rivières. La situation paraît si grave au général Weygand que, devant le « Comité de guerre » réuni rue Saint-Dominique, il exprime la crainte que Paris ne soit prochainement, c'est une question d'heures, tourné par l'ouest et par le sud.

Le 11 juin, la situation est encore plus alarmante ; à l'ouest, les Allemands

---

1. Jean-Marc de FOVILLE, *Les Allemands entrent à Paris*, Calmann-Lévy, 1965 ; p. 70.
2. BENOIST-MÉCHIN, *Soixante jours qui ébranlèrent l'Europe*, t. II, 1956, Albin Michel, p. 64-83.

ont franchi la Seine en plusieurs points, Vernon, Les Andelys, Elbeuf ; partout, le faible barrage élevé par les Français est enfoncé, et le corps blindé de Hoth fonce sur Evreux. A l'est, les colonnes allemandes, qui avaient atteint l'Ourcq le 9, viennent border la Marne vers Château-Thierry. La crainte de Weygand se révèle justifiée ; l'encerclement de Paris se dessine ; nul doute, l'étau va se resserrer sur la capitale. Le communiqué du 11 juin lâche le tragique aveu : « Il est manifeste que l'ennemi cherche à forcer la décision. »

Mais, à cette date, le gouvernement a quitté Paris ; la caravane des voitures ministérielles munies d'une cocarde tricolore roule vers la Loire. Et la terrible série : ordre, contrordre, désordre, a commencé à sévir.

Ordre « formel » : défendre Paris, quoi qu'il en coûte

Dans ses souvenirs, Paul Reynaud se défend d'avoir jamais déclaré emphatiquement : « Paris sera défendu pierre par pierre ». Mais, dans ses souvenirs, le sénateur Bardoux écrit que, devant la commission de l'armée du Sénat, Paul Reynaud avait déclaré : « Les instructions sont données pour défendre Paris jusqu'à la mort[*]. » Cependant, et nul ne saurait le lui reprocher, le président du Conseil était bien décidé à ne pas laisser la capitale de la France tomber sans combat aux mains de l'ennemi. Le 2 juin, en visite d'inspection avec le maréchal Pétain, il avait constaté, et déploré, la lente progression des travaux entrepris pour élever des fortifications de campagne. Après un bombardement par la Luftwaffe, il avait magnifié le courage dont avaient fait preuve les Parisiens, et la volonté qui les animait : « Pour le peuple de Paris qui ne sait pas trembler, un raid colossal ce n'est rien[3]. »

Le gouverneur militaire de Paris, le général Héring, avait fait preuve de la même résolution : « Je suis décidé à défendre la capitale à outrance[4] », écrit-il au général Weygand, en lui demandant ses instructions. Le 7 juin, Weygand pense encore pouvoir établir un barrage sur la Seine pour recueillir la Xe armée ; il répartit « le front de Basse-Seine » entre le général Duffour, commandant de la région militaire de Rouen, et le général de La Laurencie, débarqué d'Angleterre. Il pense que si les armées tiennent sur la Basse-Seine et sur la Marne, Paris sera défendu par là même ; mais son espoir est mince ; il ne dissimule, ni à lui-même ni aux autres que, si cette ligne était forcée, « la défense de Paris ne serait plus d'aucune utilité militaire, au contraire » ; il faudrait alors « regrouper, dans le meilleur état possible, les grandes unités

3. Paul REYNAUD, *La France a sauvé l'Europe*, t. II, Flammarion, 1947, p. 267.
4. R. LANGERON, *Paris juin 1940*, Flammarion, 1947, p. 17.
* *Journal d'un témoin de la IIIe République*, A. Fayard, 1957, p. 352.

sur une ligne Caen-Tours-Loire moyenne-Clamecy-Dijon-Dole », une ligne
où la large plaine, sans défense naturelle, s'introduisait comme une invitation
à y pénétrer, entre les môles accidentés des extrémités [5].

Il n'est pas sûr que Paul Reynaud soit réellement convaincu, le 10 juin,
lorsque s'adressant solennellement au président Roosevelt pour obtenir une
aide immédiate, il lui affirme « qu'il se battrait devant, dans et derrière
Paris ». Même si, comme il le soutient dans ses souvenirs, il n'a pas dit *dans*
Paris, le président du Conseil croit de son devoir, à juste titre, de tenir le
langage d'un Chef, que l'adversité ne rend que plus résolu encore ; il est clair
aussi que, pour convaincre l'homme d'Etat américain il ne fallait pas paraître
pessimiste. Mais si le cœur y était vraiment, l'espoir était-il dans le cœur ?

Le 11 juin, il n'y a plus guère que deux hommes qui croient encore une
défense de Paris nécessaire, et possible : le général Héring et Winston
Churchill. Le 11 juin, Héring convoque les préfets de police et de la Seine
pour leur dire qu'ils passent sous ses ordres, et que « la ville sera défendue
jusqu'au bout » ; mais, à ce moment, le général ignore tout des intentions du
commandant en chef. A Briare, devant les ministres français ébahis,
Churchill évoque Foch et Clemenceau qui, en 1918, avaient rétabli une
situation jugée désespérée. Il montre les possibilités qu'offre une grande
agglomération urbaine : « On peut se battre à la périphérie, au cœur de la
cité ; sur les grandes places et à tous les carrefours ; on peut la défendre
quartier par quartier, rue par rue, maison par maison ; vous n'imaginez pas
combien une grande ville peut engloutir d'effectifs ennemis ; des armées
entières peuvent y trouver leur tombeau. » Il n'avait convaincu personne [6].

Dans ce passage des Français de la résolution fanfaronne à la passivité
résignée, seul le parti communiste aurait-il fait preuve de constance dans la
volonté de lutte ? Dans toutes les histoires officielles du parti, comme dans
les souvenirs de ses chefs, Jacques Duclos en premier, dans le récit romancé
d'Aragon *les Communistes* également, il est affirmé que le philosophe
G. Politzer (effectivement très anti-allemand, très en avance sur ce point sur
la direction du parti, et qui mourra sous les balles de l'occupant) avait été
porteur à de Monzie, le 6 juin 1940, d'un message en cinq points, rédigé par
Benoît Frachon, qui proposait « d'armer le peuple pour faire de Paris une
citadelle inexpugnable ». Démarche bien étonnante, en vérité, dont on ne
trouve aucune confirmation dans la littérature du parti à ce moment. Le
colonel Groussard, adjoint, comme nous le verrons, du général Dentz, écrit à
juste raison que, de par ses fonctions, il lui était impossible d'ignorer une
telle demande, si elle avait reçu un commencement d'exécution, fût-il

5 Général WEYGAND, *Rappelé au service*, Flammarion, 1950, p. 191-197
6 BENOIST MÉCHIN, *op. cit.* p 233 ; W CHURCHILL, *La Deuxième Guerre mondiale* t II
1re partie Plon, 1950, p 161

minime[7]. En outre, comme le fait remarquer J. Fauvet, le philosophe Politzer n'appartenait pas à la direction du parti ; comment espérer qu'il serait pris au sérieux ? Quant à de Monzie, étrange choix en vérité, pour faire décider un comportement de résistance à outrance, et une guérilla urbaine, que celui de ce grand bourgeois sceptique, très anticommuniste par ailleurs, et que Paul Reynaud avait été obligé, la veille, d'expulser du gouvernement à cause de son défaitisme, et de son amitié agissante, à la limite de la trahison parfois, avec Mussolini[8] ; un politicien de la IIIe République que, par la suite, l'historique du « parti communiste dans la Résistance » qualifiera de « quartier général de la 5e colonne ».

A vrai dire, à l'époque, les responsables français avaient plutôt tendance à voir dans le parti communiste, depuis son approbation du pacte germano-soviétique, le fourrier de l'ennemi, et une possible « cinquième colonne ». La propagande de Goebbels n'avait rien négligé pour les en convaincre. A partir du 10 juin, tous les postes allemands de radio, surtout « Radio-Humanité », dont Goebbels disait, pour accentuer le matraquage, que ses speakers étaient des communistes français, s'efforçant de déchaîner dans les masses parisiennes les passions populaires, parlaient de « propager la révolution », encourageaient un putsch communiste à Paris[9]. Les élus parisiens redoutaient une marche, sur Paris, des militants communistes détenus à Antony ; le général Weygand, sur la foi d'informations reçues de Paris, avait même déclaré au conseil des ministres en exode à Cangé, le 13 juin, que M. Thorez avait pris le pouvoir et s'était installé à l'Elysée, ce que le préfet Langeron démentit aussitôt, par téléphone, à la demande du ministre de l'Intérieur, G. Mandel[10].

La démarche communiste, si elle avait eu lieu, ne serait donc certes pas passée inaperçue ; elle avait bien peu de chances d'être écoutée. Mais, comme l'a souligné Stéphane Courtois, le programme communiqué théoriquement à de Monzie, en cinq points, n'était en rien nouveau. A ce moment, le parti communiste, et probablement le Komintern, étaient convaincus que « le gouvernement Paul Reynaud était à bout de souffle, qu'il allait passer la main et que l'heure du PC était arrivée[11] ». En somme, Paul Reynaud aurait été le Kerenski français ! Comme en Russie, en 1917, de la défaite nationale

7 Cl. GROUSSARD, *Chemins secrets*, t. I, Bader-Dufour, 1948.

8. J. FAUVET, *Histoire du parti communiste*, t. II, Fayard, 1965, p. 50-53. Cf. aussi : Pierre LABORIE, *Résistants, vichyssois et autres*, CNRS, Toulouse, 1980, p. 133.

9. Cf. sur ce point la subtile analyse de J.-C. CRÉMIEUX-BRILHAC, *La Propagande radiophonique vers la France en 1939-1940, mythes et réalités*, communication présentée au colloque de Bucarest « Sur la propagande » en août 1980 ; article à paraître dans *La Revue d'histoire de la Deuxième Guerre mondiale*.

10. Sur cet épisode, Cf. BENOIST-MÉCHIN, *op. cit.* p. 176-177.

11 *Le PCF dans la guerre*, Ramsay, 1980, p. 129

serait sortie la révolution sociale. Après tout, Thorez n'avait-il pas affirmé, en 1935, en pleine Chambre des députés, que les choses, en cas de guerre, se passeraient ainsi ? Armer le peuple de Paris aurait été la condition première d'une action d'envergure ; sans qu'on puisse affirmer que ce calcul ait été fait, il est exact que les allusions à la Commune de Paris étaient fréquentes à ce moment dans *l'Humanité* clandestine ; vrai aussi que l'ancien communiste allemand, Törgler, lançait sur les postes allemands de délirants appels pour « saboter les dernières défenses du capitalisme... sonner le tocsin de la révolution... abattre toute la classe pourrie » ; vrai, enfin, que le parti communiste français était, aveuglément, inféodé à Staline.

Défendre Paris : Comment ? Avec quoi ?

C'est donc sans aucun appui des communistes que des mesures furent prises pour mettre Paris en état de défense, à trois niveaux : l'organisation d'un commandement, la construction de fortifications, l'appoint de nouvelles unités.

Théoriquement, la défense éventuelle de Paris avait été prévue, dès septembre 1939, par la formation de régiments régionaux, et la création d'une « ligne de sécurité » jalonnée par l'Oise, la Nonette, la forêt de Chantilly, Ermenonville, le canal de l'Ourcq et le cours de la Marne. Rarement tant de plans auront été conçus, pour une guerre perdue si rapidement ! Mais, pratiquement, pendant la drôle de guerre, rien n'avait été fait, ni même commencé. Lorsque, après le 16 mai, le péril parut imminent, il fallut donc mettre les bouchées doubles.

L'organisation du commandement était d'un rare illogisme. L'autorité à Paris était en effet partagée entre la région et le gouverneur militaire, et l'Etat-Major recevait des ordres des deux. Le 4 juin, le général Weygand nomma commandant de la région le général Dentz, rappelé de son commandement de l'Est, et qui n'avait pas combattu — d'après Paul Reynaud, Weygand aurait refusé la nomination de De Lattre de Tassigny, parce qu'il le jugeait trop jeune ; (Paul Reynaud souligne malicieusement que Weygand avait porté le même jugement sur le général de Gaulle). La nécessaire clarification fut effectuée lorsque le général Dentz jumela les fonctions de commandant de la région avec celles de gouverneur militaire, et que le général Héring eut été placé à la tête d'une armée de bric et de broc, chargée de défendre Paris et appelée tout simplement « armée de Paris » ; mais un temps précieux avait été perdu et le général Héring était, aux yeux de certains, vieux et las.

La défense proprement dite était prévue sur deux positions : l'une, dite « de sûreté extérieure », s'appuyait sur la Seine, l'Ourcq et la Marne, sous le commandement d'un adjoint du général Dentz, le général Pichot-Duclos, qui avait établi son PC à Saint-Denis ; l'autre, dite de « sûreté intérieure », passait par Montmorency, Gonesse, Villeparisis, Neuilly-sur-Marne, et relevait du gouverneur militaire ; comme celui-ci n'avait pas de service propre, il utilisait ceux du commandant de la région militaire. Cette dualité, qui ne cessa qu'avec les nouvelles attributions du général Héring, non seulement avait provoqué divergences, querelles et récriminations mais, surtout, l'absence d'un commandant unique n'avait pas permis l'étude, et à plus forte raison la solution, de problèmes aussi graves que : l'évacuation de la population, le ravitaillement, le maintien de l'ordre, les destructions.

Constatant la lenteur des travaux, Paul Reynaud avait décidé d'en confier la direction au directeur des Travaux publics de Paris et de la Seine, M. Giraud, en plaçant le génie militaire sous ses ordres. En outre, le président du Conseil demanda au directeur de la main-d'œuvre du ministère du Travail, M. Parodi, d'acheminer 100 000 travailleurs sur Paris. Parodi effectua l'opération avec succès, et les travailleurs requis arrivèrent bientôt au rythme de 3 000 par jour ; mais il fallut improviser leur encadrement, leur équipement, leur répartition selon les chantiers ; faute de temps, selon le colonel Groussard, cette arrivée massive ne fit qu'accroître le désordre, d'autant plus que, si les plans pullulaient, les camions, le matériel, les armes et les munitions faisaient souvent défaut [12].

Toutefois, on réussit à construire plusieurs centaines d'abris bétonnés, de nids de mitrailleuses creusés aux points de passage importants ; plus d'un millier de tétraèdres antichars obstruèrent les routes. C'était un bon résultat, en peu de temps, mais largement insuffisant pour les 125 km de la ligne choisie. 10 000 hommes à peine occupèrent la position, soit 80 au km, ce qui laissait de larges trous dans le filet ; et ils disposaient au maximum de 200 canons et d'une trentaine de chars.

Quant aux hommes, on essaya de récupérer les fuyards ; trois camps furent improvisés pour les accueillir à Colombes, Maisons-Laffitte et Massy-Palaiseau ; mais ils furent vite saturés ; toutes unités étant confondues, et les cadres manquant, la discipline avait disparu ; les hommes étaient surexcités, pessimistes ; les armes à leur donner étaient insuffisantes, et il était difficile de prévoir quel usage ils en feraient ; bref, il fallut se résigner à renoncer à reprendre en main ce magma humain, et à laisser partir « vers le sud », une horde, bientôt grossie des travailleurs civils inutilisés ; tous cheminent à pied, dans le plus grand désordre, faute de trains et de camions.

Le gros des troupes de « l'armée de Paris » était constitué d'unités prélevées sur la Xe et la VIIe armées, qui s'étaient beaucoup battues et qui étaient fatiguées. Le 8 et le 9 juin, on put alors ajouter deux divisions

12. Cl. GROUSSARD *op. cit.* p 49-52.

d'infanterie en provenance d'Afrique du Nord Dans Paris même, outre la police municipale et la garde républicaine, deux bataillons de Sénégalais et quatre pelotons de gardes mobiles, étayés par quelques chars, ont la charge de maintenir l'ordre. La garde républicaine a reçu en outre mission de redoubler de surveillance pendant les alertes, et de défendre les casernes qu'elle occupe et qui sont considérées comme de solides points d'appui ; elle a placé des mitrailleuses dans des rues et formé des groupes d'intervention motorisés, qui se porteront rapidement où la situation l'exigera[13].

Contre-ordre : on ne défend plus Paris

Qu'aurait donné ce dispositif s'il avait été mis à l'épreuve ? Probablement pas grand-chose, étant donné sa légèreté et le degré d'usure des hommes, et aussi le fait qu'on n'envisageait pas de transformer en blockhaus chaque maison de Paris — aucune mesure ne fut décidée dans ce sens. Mais tout cet effort s'est avéré inutile, car la décision fut prise de ne pas persévérer.

Le premier qui tira la sonnette d'alarme fut le général Vuillemin, commandant en chef de l'aviation ; le 7 juin, il préconisa une évacuation massive, par crainte de gros bombardements que l'aviation française ne serait pas en mesure d'empêcher. Le général Weygand estima que tout le dispositif devait rester en place ; il n'admit le départ que des enfants âgés de moins de seize ans. Mais le 9 juin, le général Weygand avait changé d'avis ; c'est lui maintenant qui « juge prudent de procéder à l'évacuation des pouvoirs publics » ; seuls resteraient à Paris les ministères « dont la présence serait jugée indispensable jusqu'au dernier moment ». A vrai dire, le général, qui n'aime pas beaucoup les hommes politiques, et qui ne croit pas qu'ils soient en aucune façon indispensables, a même préconisé, ce qui lui valut une verte réponse de Paul Reynaud, que le gouvernement, « comme autrefois le Sénat de Rome, restât à Paris, pour être fait prisonnier par les barbares ». Dans ses souvenirs, le général reconnaît qu'il eut tort de formuler cette phrase, et admet qu'un gouvernement ne doit pas se laisser capturer — ce qui paraît une évidence.

Quoi qu'il en soit, à partir de ce moment, c'est Weygand seul qui va prendre les décisions concernant Paris ; dans ses souvenirs, il en a revendiqué d'ailleurs totalement la responsabilité[14] ; il s'est borné à les faire connaître au maréchal Pétain et au président Paul Reynaud, qui les ont acceptées sans piper mot ; il les a prises sans demander l'avis du général Georges, pourtant responsable de l'ensemble des opérations, et contre l'opinion du responsable

13 BENOIT-GUYOT, *L'Invasion de Paris*, Le Scorpion, 1962
14 *Op. cit.*, p. 191

sur place, le général Héring, qui ne s'est soumis qu'en maugréant ; le gouvernement n'a pas eu à en discuter ; il n'a été informé qu'après coup, comme les Parisiens eux-mêmes. L'événement est significatif du rôle grandissant que le général Weygand joue désormais dans les décisions gouvernementales qui conduiront à l'armistice ; on peut dater de ce 11 juin la prééminence du généralissime, un exécutant, sur le président du Conseil, responsable de la politique, et qui conduira celui-ci à démissionner quelques jours après, et la France à cesser le combat.

Pour expliquer son comportement, le général Weygand, appuyé par le général Georges, a fait valoir des raisons exclusivement militaires. « Je n'aurais pas hésité, a-t-il écrit, à demander à Paris, qui les eût consentis, les plus grands sacrifices, si nous avions pu à ce prix arrêter définitivement l'ennemi et gagner la bataille défensive. » Il fallait empêcher que l'armée de Paris et la VIIe armée fussent faites prisonnières, alors que les deux ailes de la progression ennemie pouvaient se refermer assez vite au sud de Paris. Ce faisant, conclut le général, « nous avons sauvé Paris de dommages incalculables [15] ».

Sur le moment, personne n'a mis en doute la sagesse des décisions du généralissime ; les préfets de la Seine et de police, comme les édiles parisiens, furent soulagés en les apprenant ; seul le général Héring exigea une confirmation que Weygand lui donna par téléphone. Par la suite, même un adversaire de l'armistice comme le journaliste Pertinax approuva l'abandon de Paris à l'ennemi : « Paris devait-il être martyrisé ? Les Français devaient-ils être blessés dans des monuments, dans des souvenirs, dans des pierres qui sont pour eux le corps spiritualisé de la Patrie [16] ? » Même Paul Reynaud a fait amende honorable, quand il s'est défendu, dans les versions successives de ses *Mémoires*, d'avoir voulu « défendre Paris pierre par pierre », et se battre « dans Paris ». Seul, le subtil J. Giraudoux s'est élevé contre la livraison, sur un plateau, des clés de la capitale à l'adversaire : « La meilleure façon de conserver les villes, les cathédrales de France, a-t-il écrit, c'était de les laisser détruire, de les détruire [17]. »

En fait le comportement de Weygand, et l'approbation quasi unanime qu'il recueillit, exprimaient à la fois une certaine conception de la façon de se battre, et une certaine idée de la guerre. La conception, c'est le refus, l'incompréhension, le « non-penser » de la guérilla, jugée préhistorique à l'âge des canons lourds et de l'aviation. L'idée de la guerre, c'est qu'elle est perdue, que, au fond, elle était perdue avant d'avoir commencé, et que c'était

15. Cf. les dépositions, devant la *Commission d'enquête parlementaire,* du général GEORGES, t. III, p. 740 et du général WEYGAND, t. IV, p. 1010.
16. *Les Fossoyeurs,* t. I, p. 274.
17. Cf. *Armistice à Bordeaux,* écrit le 21 juin 1940, publié à Genève en 1945.

un crime de l'avoir déclarée Un air de Vichy semble déjà habiter l'esprit du généralissime Quand, d'une façon sur laquelle on s'interroge encore, toutes les villes de plus de 20 000 habitants sont déclarées villes ouvertes [18], cela signifie que les Français veulent se battre, mais à condition de refuser des destructions qui sont le prix de la guerre. « Que fait cette nation de combat, continue Giraudoux, qui, tout d'un coup, dans une amnésie, ne comprend plus la guerre ? » Lorsque Churchill préconise d'ensevelir des armées ennemies dans les ruines de Paris, ses interlocuteurs français ne voient dans cette suggestion que la volonté hypocrite de l'allié britannique de se battre jusqu'au dernier Français — un air de Vichy aussi. Ce serait exact si, par la suite, le même Churchill, et la nation anglaise avec lui, n'avaient pas accepté, plutôt que de cesser la lutte, le risque que Londres fût réduit en cendres par la Luftwaffe ; en somme, Londres payait, pour Paris, la rançon qui délivrerait Paris. L'URSS aurait-elle gagné la guerre si l'armée rouge avait abandonné Léningrad et ne s'était pas apprêtée à défendre Moscou « pierre par pierre » ? Imagine-t-on Staline, après la guerre, s'excusant, se mortifiant, des combats de rues qui avaient détruit Stalingrad, mais qui avaient douloureusement marqué le début de la victoire soviétique ?

Quoi qu'il en soit, leurs édiles rassurent les Parisiens en leur distribuant des copies des instructions de Weygand : « on ne défendra ni la ligne des anciens forts ni les ceintures de fortifications de la ville, aucune destruction de pont ou autre n'aura lieu dans la ville ; les troupes combattantes ne devront pas la traverser, mais la contourner par les boulevards extérieurs ». Le responsable de la délicate opération, le général Dentz, demande une confirmation et des instructions détaillées, par TSF ou par fil ; il ne lui fut jamais répondu. Alors, le 12 juin à 16 heures, Dentz se résolut à faire savoir à Bullitt, l'ambassadeur des USA, demeuré à Paris, que la ville était déclarée « ville ouverte », en lui demandant de le communiquer aux Allemands. Bullitt réussit à toucher Berlin par l'intermédiaire de l'ambassadeur américain à Berne. A 24 heures, la radio allemande accusa réception, et reconnut le fait [19].

Décision fut prise alors de détruire les dépôts d'essence à l'extérieur de la ville (Le Pecq, Port-Marly, Colombes, Vitry, Villeneuve-le-Roi, Villeneuve-Saint-Georges, Juvisy) ; les Parisiens, le 13 juin au matin, découvrirent un ciel obscurci de noires fumées, et une atmosphère traversée de flammèches. Des instructions sont aussi données « de faire sauter tous les ponts de la Seine et de la Marne en amont de Paris » ; elles ne furent pas exécutées par les responsables ; l'application de l'ordre, souligne Groussard, « aurait

18. Cf. sur ce point l'article de Louis MARIN dans la *Revue d'histoire de la Deuxième Guerre mondiale*, N° 9, 1953.

19. GROUSSARD, *op. cit.*, p. 24-28 et J.-M. de FOVILLE, *op. cit.*, p. 181-193.

parfois provoqué la rupture des canalisations électriques ou des adductions d'eau ». Le même jour, l'armée de Paris reçoit l'ordre de se replier sur la Loire. Le général Héring fait placarder une affiche, annonçant « qu'il a remis le gouvernement militaire de la ville au général Dentz », que « Paris est déclaré ville ouverte » et que « toutes mesures ont été prises pour assurer, en toutes circonstances, la sécurité et le ravitaillement des habitants ».

Cette décision n'est accueillie sans satisfaction que par quelques personnes. Ainsi les représentants de la police municipale font savoir que les gardiens de la paix, presque tous sous-officiers de réserve, parfois même officiers, n'acceptent pas l'idée de ne plus se battre, et d'être pratiquement capturés. Le préfet Langeron dut réunir les responsables de la police et leur signifier que leur devoir était « de rester à Paris pour assurer l'ordre » ; ce qui n'empêcha pas 550 d'entre eux de manquer à l'appel le lendemain, en préférant obéir à l'impératif de leur conscience plutôt qu'à celui de leur chef. Par la suite, quelques bavures se produisirent ; on ne put pas empêcher que sautent en banlieue quelques canalisations d'eau et d'électricité ; il était difficile aussi d'interdire à des groupes de soldats, plus ou moins débraillés, de traverser Paris du nord au sud, plutôt que de le contourner en perdant du temps. Mais, dans l'ensemble, la décision du général Weygand fut bien accueillie par la population parisienne, administrateurs et administrés, parce qu'elle répondait à un profond désir de ne pas subir les horreurs de la guerre La place est donc faite nette pour les Allemands. Comme pour bien marquer que la ville est à la disposition de son vainqueur, toute entière, et qu'elle accepte son sort, à 16 heures, toutes les gares sont fermées. Le magnifique cadeau de la capitale de la France est ainsi offert au vainqueur ; c'est une ville calme qui l'attend, en retenant sa respiration, mais c'est aussi une ville vidée de ses autorités et des trois quarts de ses habitants.

Une grande ville calme...

Si on lit le *Bulletin municipal*, il faut bien regarder entre les lignes pour trouver quelque trace d'inquiétude pour des lendemains qui ne chanteront pas. Le certificat d'aptitude à la carrosserie demeure fixé au 30 juin ; l'examen pour l'entrée à l'école d'horticulture le 20 juin ; le CAP de commis libraire le 6 juillet. Le préfet de police prend un certain nombre d'arrêtés concernant des alignements de rues, et informe les Parisiens que les plans sont à leur disposition à l'Hôtel de ville ; sur les pages de choix du *Bulletin* s'inscrit toujours la publicité pour la souscription des bons d'armement « pour la victoire » [20].

20. *Bulletins municipaux* du 31 mai au 6 juin, et du 6 au 14 juin 1940.

Les Parisiens ne semblent pas tellement réagir à ce qui les attend. Certes, on a couché des lampadaires en travers de la chaussée, placé des autobus en biais dans certaines artères et, un peu partout, des obstacles hétéroclites, qui seraient emportés comme des fétus de paille même par un char léger Mark III. Mais le dimanche 9 juin, Pierre Audiat constate que les terrasses des cafés sont toujours remplies de consommateurs, et que le visage de ceux-ci reflète, plus que la peur, l'ennui d'être dérangés dans leurs habitudes [21]. La loterie nationale annonce son prochain tirage pour le 20 juin.

Jusque-là, certes, les bobards les plus divers ont circulé ; J. Bardoux s'en est fait avec délices le colporteur : « un sénateur tient d'un autre, qui le tient d'une source sûre, que grâce à nos nouvelles méthodes d'artillerie, nous avons détruit mille chars ». Autre nouvelle « contrôlée » : les Allemands vont « lâcher un bataillon de parachutistes qui, aidés par la cinquième colonne, vont tenter un coup spectaculaire sur une présidence [22] ».

C'est surtout vers cette « cinquième colonne » que se porte l'appréhension. Le grand succès de la propagande de Goebbels, c'est d'avoir convaincu les Français qu'elle existe, énorme, sournoise, bien placée dans les allées du pouvoir, ou dans les ruelles des quartiers besogneux. C'est pour lutter contre elle que les gardiens de la paix portent le fusil Gras en bandoulière et que le général Héring fait effectuer chaque jour dix patrouilles dans les égouts « pour assurer la surveillance, empêcher les sabotages et, s'il y a lieu, arrêter les suspects », et cela dès le 31 mai. Pour mieux la combattre le sénateur Bardoux propose de constituer des patrouilles d'officiers ; Héring le rassure : « Il fait surveiller les points stratégiques, les centres éventuels de destruction et d'inondation par des groupes de gardes mobiles, des pelotons cyclistes de régiments régionaux et des unités de travailleurs » — les deux dernières catégories sans armes ! Ce qui inquiète les Parisiens, qui captent les informations émises par Radio-Stuttgart, c'est de constater combien elles sont fondées : les défaites françaises sont annoncées bien avant qu'elles soient reconnues par les Français ; des listes de prisonniers sont diffusées heure par heure à partir du 11 juin.

Cette « cinquième colonne », les autorités sont convaincues que ce sont les communistes qui l'animent. C'est contre eux que le préfet de la Seine rappelle que « tout membre du personnel coupable de servir la propagande d'un parti dissous sera révoqué immédiatement ». L'ambassadeur américain Bullitt était persuadé de l'existence d'un poste émetteur clandestin communiste dans la région parisienne, et il redoutait par-dessus tout « les 400 000 communistes de la banlieue » [23]. Cette banlieue, le colonel Grous

21 Pierre AUDIAT, *Paris pendant la guerre* Hachette, 1946, p 7-12
22 *Op. cit.*, p. 354-357
23 CREMIEUX-BRILHAC art cit

sard, chef d'état-major du général Dentz, la scrutait aussi avec inquiétude. Le 13 juin, il constata « une certaine fermentation ; quelques éléments indéfinissables avaient commencé à piller magasins et casernes ; ils avaient pris de tout et, particulièrement, ils avaient pris des armes ». Mais cette agitation ne revêtit pas de forme politique ; elle s'éteignit d'elle-même ; Groussard ne rejette pas l'idée d'un complot, voire de l'installation d'un gouvernement fantoche ; mais rien ne se produisit de tel ; « l'agitation était le fait d'un noyau faible ».

La masse des Parisiens ne partageait pas ce genre de crainte. Ce qui inquiétait le plus chacun, ce n'était pas le sort de la République, et guère celui de Paris, mais sa tranquillité personnelle. C'est l'annonce du départ du gouvernement, le 10 juin, qui saisit les Parisiens à la gorge ; du coup, les journaux cessèrent de paraître, les spectacles et les cafés fermèrent, la plupart des commerçants baissèrent leurs rideaux ; le Crédit municipal en fit autant. Seuls restèrent ouverts les bureaux de poste et les commissariats de police. Un lourd silence s'appesantit sur la grande ville désertée ; devant la crainte de lendemains chargés de menaces à la fois précises et indéterminées, c'est dans la fuite qu'autorités et habitants cherchèrent le salut.

Une ville vidée de toute autorité

Pour ne pas effrayer les Parisiens, le gouvernement a quitté Paris, sans préavis, presque à la cloche de bois ; certes, ce départ ne s'est pas effectué sans remue-ménage, et pouvait difficilement passer inaperçu. Mais la plupart des habitants de la région parisienne n'apprirent que quelques jours après, par les affiches, la radio (allemande) et les propos de bouche à oreille que le gouvernement avait quitté Paris « pour donner une nouvelle impulsion à la défense nationale ».

Dans la nuit du 9 au 10 partent les ministres et leurs cabinets ; d'abord, ceux qui ne sont pas concernés directement par la défense nationale ; puis, à quelques heures près, tellement les événements vont vite, tout le monde. Le 10 juin, un train spécial emmène les parlementaires demeurés à Paris. Les administrations suivent comme elles peuvent, avec ou sans les familles des fonctionnaires, avec ou sans leurs archives. En principe, tout a été préparé, chacun doit savoir où il va ; en fait, tout s'accomplit dans le plus grand désordre, faute d'une autorité centrale chargée d'effectuer rationnellement les réquisitions de véhicules.

Du coup, tout fonctionnaire qui croit en avoir le droit, ou qui en possède le pouvoir, réquisitionne à tour de bras, au jour le jour, selon les besoins de ses services, ou ses besoins propres, sans grand souci que la guerre continue, que la décision n'a pas encore été prise de ne pas défendre Paris, et que la défense de la ville peut en être affectée. Le résultat est que camions, camionnettes, autos, disparaissent ; le 12 juin, l'autorité militaire ne dispose plus d'aucun véhicule pour approvisionner les unités en secteur ; il devient impossible d'évacuer des malades ; que se passerait-il si des combats se déroulaient dans Paris ; que deviendraient les blessés ? Il faut se résigner à laisser sur place du matériel militaire, à commencer par 90 coques d'avions Lioré. Le 11 juin, le Sénat n'avait plus qu'un taxi à sa disposition.

Dans ces conditions, les bavures sont nombreuses, et le colonel Groussard se complaît à en relever quelques-unes, puisqu'il peut décliner toute responsabilité à leur sujet. Ainsi, le ministère de la Guerre n'avait pris aucune disposition pour évacuer la mission franco-polonaise, alors que la Pologne a été rayée de la carte et que les Allemands considèrent comme des criminels de guerre les Polonais qui, en dehors de leur pays, continuent la lutte ; elle put partir sur six autobus. Aucune instruction n'avait été donnée pour évacuer les collections du Musée de l'Armée, pour lequel l'occupant, à peine arrivé, manifestera une extrême curiosité ; on put leur octroyer, à grand-peine, deux camions. Le ministère de l'Air, évacué sur Amboise, avait commencé par faire partir les fonctionnaires et leurs familles ; il se trouva ensuite dépourvu de moyens de transport, et les Allemands entrèrent en possession d'une partie de ses archives. Pour déménager le ministère de l'Intérieur, des policiers durent réquisitionner des voitures de réfugiés belges ; les archives du ministère avaient été embarquées sur deux péniches, qui devaient remonter la Seine ; une péniche coulera à Montereau ; les Allemands repêcheront les papiers, les feront sécher et garderont ceux qui concernent les étrangers[24].

Le sort des affectés spéciaux donna lieu à un magnifique désordre ; obligation leur fut d'abord signifiée de ne pas quitter leur lieu de travail ; puis, on craignit que l'ennemi ne s'emparât d'une main-d'œuvre de qualité. La consigne fut alors donnée de quitter Paris chacun par ses propres moyens, c'est-à-dire à pied. Certains furent ainsi invités par leurs chefs de service à les retrouver... à Marseille.

Parti le dernier, parmi les membres du cabinet, le ministre de l'Intérieur, Georges Mandel, chargea le préfet de la Seine, Villey, et le préfet de police, Langeron, de représenter le gouvernement. Difficile mission, qui laissait deux hauts fonctionnaires seuls en face du vainqueur, entièrement coupés du gouvernement pendant plusieurs jours, et contraints d'agir « au mieux », au jugé, sans pouvoir recevoir les instructions indispensables. Georges Mandel invita aussi les conseillers municipaux et généraux à partir, de peur que, livrés à eux-mêmes, ou placés sous la houlette du vainqueur, ils n'aient la tentation d'administrer directement la ville, et de constituer ainsi un ersatz de

---

24 Témoignage du directeur du cabinet du préfet de police Langeron

gouvernement qu'il pourrait être tentant pour les Allemands de reconnaître. Les édiles parisiens obtempérèrent, sauf six d'entre eux, qui se dévouèrent pour demeurer avec leurs électeurs, et subir le même sort qu'eux.

Parmi les employés des services publics, seuls furent astreints à demeurer à leur lieu de travail ceux des postes, de la SNCF, du métro, du gaz, de l'électricité, du traitement des résidus urbains, du nettoiement, c'est-à-dire tout ce qui était nécessaire à la vie quotidienne d'une grande ville. Mais les hôpitaux se vidèrent de leurs cadres administratifs et hospitaliers. Ainsi, au lycée Lakanal, transformé en hôpital militaire, il ne resta qu'un chirurgien et deux cents blessés. Les ministères perdirent également tout leur monde ; aux Affaires étrangères, pour recevoir les Allemands demeura ainsi le seul Georges Picot.

La population de Paris n'est pas privée de tout ce qui peut assurer la vie matérielle de la cité ; mais elle l'est de toute autorité de tutelle. Paris n'est plus la tête de la France ; celle-ci est sur les routes, à la recherche d'une capitale de fortune, qui sera d'abord Bordeaux, puis Vichy. Les Parisiens commencent à vivre, seuls, une longue nuit, qui durera quatre ans, et qui les laissera, sans protection, soumis à l'administration et au bon vouloir du vainqueur.

Une ville déserte

Mais, au 14 juin 1940, plus des deux tiers des habitants de Paris ont quitté leur domicile en quête d'un havre toujours plus lointain. L'évacuation de Paris avait été prévue, et partiellement préparée ; on avait, en particulier, réparti les partants éventuels dans diverses régions de refuge. Mais les plans avaient été conçus en fonction du précédent de 1914-1918, et de l'exode à ce moment des populations du Nord et du Pas-de-Calais, c'est-à-dire quelques dizaines de milliers de personnes. Or, entre le 16 mai et le 13 juin, Paris se vida de plus de deux millions de ses habitants ; c'est dire que le phénomène, par son ampleur, surprit tout le monde. Le mouvement commença aux mêmes endroits qu'en 1914-1918, mais il s'allongea démesurément vers le Sud ; Paris devint ainsi le lieu obligatoire de passage des provinciaux, depuis la Seine inférieure jusqu'à la Champagne.

Pourquoi ce fleuve humain s'écoulait-il avec tant de force, happant des pans de villes, vidant les régions traversées de leurs habitants ? Daniel Mayer, dans sa préface au livre de J. Vidalenc [25], a émis l'hypothèse que les gens quittaient leur pays pour pouvoir se battre ailleurs. Il n'en fut

---

25. Qui reste, de loin, la meilleure étude sur un phénomène qui a suscité une très abondante littérature J. VIDALENC, *L'Exode de mai-juin 1940*, Paris, PUF, 1957. p. 251-276.

malheureusement pas ainsi, en aucune façon. Partout où ils passèrent, les « exodiens » se comportèrent en fuyards, pillant sur leur chemin, semant de la graine d'émeute, provoquant un immense désordre. C'était en réalité une migration de grande peur collective, totalement irrationnelle ; les bombardements aériens furent parfois à son origine, avec l'annonce de l'arrivée imminente des Allemands ; mais, partout, se leva un vent de panique, qui prenait naissance dans les souvenirs de 1914-1918 et s'était fortifié de toute la propagande antiallemande de la drôle de guerre. Cette fuite éperdue, qui s'enflait en progression géométrique, n'était que le reflet de la décomposition de l'Etat et de la Nation, sous les coups de boutoir d'un désastre militaire sans précédent. Paris ne pouvait pas ne pas donner au phénomène un second élan, puisque tout événement national y était, par nature, senti avec plus de rapidité et de force que partout ailleurs.

Une faible fraction de la population parisienne avait quitté Paris dès le 10 mai ; mais, surtout, étaient arrivés, à partir de cette date, des réfugiés du Nord de la France ; c'étaient pour la plupart des paysans avec des charrettes, des tombereaux, attelés de chevaux de labour, transportant pêle-mêle literie, foin, basse-cour, ustensiles divers, tout un pauvre déménagement ; vieillards et enfants, volatiles, étaient juchés sur des chargements hétéroclites ; des vaches, des moutons, des chèvres, suivaient les voitures ; le tout transitait, ou trouvait un accueil momentané dans des centres d'hébergement.

A Paris même, c'est le bombardement du 3 juin qui donna le départ à des colonies scolaires, aux oisifs, aux privilégiés possédant des voitures particulières ; ce sont surtout les quartiers de l'ouest, les 8e et 16e arrondissements qui se vident. Par les gares, l'exode est encore modéré. Certains départs sont organisés et s'effectuent sans désordre ; ainsi, les autobus réservés pour les 150 collaborateurs du journal *Le Jour* ; ainsi, le barreau des avocats de Paris, dont les fonctionnaires de l'Ordre étaient allés reconnaître les lieux de refuge, si bien que, dès le 4 juin, les rares avocats demeurés à Paris trouvèrent toutes les salles d'audience fermées [26] ; ainsi, les fous de Sainte-Anne et la plupart des criminels détenus à la Santé.

C'est l'approche de l'envahisseur, et l'annonce du départ du gouvernement, qui accélèrent le mouvement ; c'est désormais un sauve-qui-peut général. Les gares de Montparnasse, de Lyon et d'Austerlitz sont prises d'assaut ; les voyageurs se battent pour monter dans les trains en formation ; les candidats au départ s'agglomèrent devant les grilles, campent sur les quais, dorment sur les trottoirs. La SNCF a pourtant produit un immense effort ; du 15 mai au 12 juin, la région SE a mis en service 97 trains supplémentaires, dont 12 pour la seule journée du 11 juin ; celle du SO 238, avec un maximum de 25 le 11, et encore 22 le 12 juin. Les fuyards prennent

---

26. Cf. Bâtonnier J. CHARPENTIER, *Au service de la liberté*, A. Fayard, 1949, p. 82-98.

d'assaut tous les wagons, de voyageurs ou de marchandises, civils ou militaires.

Par les routes, plus une seule voiture ne sort de Paris en direction du nord ou de l'est ; par contre, vers le sud, c'est un flot humain qui s'écoule avec lenteur, et beaucoup de heurts et d'altercations ; les portes d'Orléans et d'Italie sont la première étape. Tout est mêlé : automobiles, camions et camionnettes, autobus et autocars, charrettes et charretons, cyclistes et piétons ; parfois une grand-mère, un enfant, passent sur une brouette, sur un porte-bagages de bicyclette ; des soldats, qui ont la plupart du temps jeté leurs armes, se sont mêlés aux civils. Tout cela est morne, pauvre, pitoyable ; des embouteillages monstres bloquent la circulation pendant des heures, à des confluents de rues, personne ne voulant ou ne pouvant reculer. Des soldats ont été placés aux carrefours, mais ils s'avouent vite impuissants. La nuit venue, le black-out provoque des heurts de voitures, des échanges d'injures, de coups parfois. Les barricades élevées aux portes par l'autorité militaire, pour essayer de filtrer les départs, aggravent les embouteillages.

Le 13 juin, le grand flot est écoulé ; les partants par les derniers trains ont la surprise de trouver facilement de la place dans les wagons ; l'annonce qu'on ne se battrait pas dans Paris a produit l'effet d'un calmant, mais des convois de réfugiés venus d'ailleurs continuent à traverser Paris ; le 4 juillet, il y aura encore 8 000 personnes hébergées tant bien que mal au refuge des Tourelles. Mais voilà qu'un bruit court dans Paris : les hommes de quatorze à soixante-dix ans doivent s'efforcer de quitter la ville pour ne pas tomber aux mains de l'envahisseur. Alors la pagaïe redouble : les chevaux qui se cabrent, les cyclistes qui tombent ou crèvent, les enfants qui hurlent, les vieillards qui gémissent, les hommes qui jurent, tout cela dans un inextricable fouillis de voitures où se mêlent ambulances, camions de déménagement, bennes de ramassage des ordures, et même corbillards, tel est le spectacle, haut en couleur, mais désolant, que Paris offre sur certaines de ses artères, toutes orientées vers le sud, le boulevard Saint-Michel en premier.

Mais en dehors de cet inextricable encombrement, la plus grande partie de Paris est déserte et silencieuse. Les gares offrent un spectacle désolant de papiers sales, de bagages éparpillés ou éventrés, de quais et de dépôts vides. Les bureaux sont fermés à peu près partout ; les boutiques aussi ; dans la plupart des immeubles du centre, seules les concierges sont restées — le préfet de police le leur a demandé. Dans les rues, des pneus crevés, des voitures renversées, des bouteilles vides, des reliefs de repas, du papier journal, jalonnent le chemin suivi par les aventuriers de l'exode. Au-delà des portes de Paris, la colonne s'allonge sur des dizaines de kilomètres, en une file ininterrompue. Elle progresse à la vitesse de quelques kilomètres à l'heure, quand elle ne s'immobilise pas dans des haltes interminables. C'est dans une ville désertée par ses habitants que le vainqueur va faire son entrée le 14 juin ; une entrée préparée dans ses moindres détails, un triomphe militaire, un grand spectacle. mais auquel les spectateurs feront défaut pour en consacrer l'éclat.

L'entrée du conquérant

Dans la soirée du 13 juin, des unités légères allemandes sont parvenues à Pantin, Aubervilliers, Bondy, et s'arrêtent devant les postes de police. Une heure plus tard, le poste de TSF de la police capte un message du commandement allemand demandant l'envoi d'un parlementaire. Le général Dentz ne répond pas ; il pense, et son attitude est significative de l'idée que se font les généraux français de leur rôle — elle se rapproche singulièrement de celle adoptée par Weygand lorsqu'il refusa de signer un ordre de capitulation des armées françaises que lui demandait le président du Conseil — il pense que des chefs militaires laissés par un Etat en guerre dans une ville ouverte doivent uniquement maintenir l'ordre jusqu'à l'arrivée de l'ennemi, et n'ont pas à traiter avec lui ; autrement dit, Dentz voudrait bien ne jouer aucun rôle dans la reddition de la capitale française.

Mais il n'existe plus à Paris de pouvoir civil qui pourrait « traiter avec l'ennemi » ; les préfets de police et de la Seine ont d'ailleurs été placés sous les ordres de Dentz. D'autre part, les Allemands s'impatientent ; le 14 à 2 h 25 du matin, ils font savoir qu'un plénipotentiaire a été tué à Saint-Denis ; ils exigent que le meurtrier soit activement recherché, et que des négociations s'ouvrent le jour même à Sarcelles ; sinon, trois heures après, Paris sera sévèrement bombardé. Le général Dentz se résigne alors à envoyer deux officiers français — le commandant Devouges et le lieutenant Holtzer — accompagnés d'un trompette de la garde et munis... d'une taie d'oreiller comme drapeau blanc ; leur départ est annoncé par radio ; ils arrivent avec une heure de retard, ce qui aurait pu avoir de graves conséquences — ils n'avaient pas tenu compte de l'heure allemande.

On amène les plénipotentiaires français à Ecouen, où le commandant Brink leur donne communication des quatre conditions du vainqueur : cessation de toute résistance sur le front Saint-Germain, Versailles, Meaux ; garantie de l'ordre dans Paris et dans la banlieue ; fonctionnement des services publics (dont l'eau, le gaz, l'électricité) ; interdiction à la population de sortir de chez elle pendant quarante-huit heures.

Cette dernière condition montre combien les Allemands appréhendaient les réactions de la population parisienne ; n'allaient-ils pas se trouver inopinément devant ces barricades que les Parisiens ont toujours su élever aux heures chaudes de leur histoire ? Ne seraient-ils pas accueillis dans certains quartiers par des salves tirées des fenêtres ? En même temps que les premières unités font leur entrée des voitures automobiles, équipées de haut-parleurs, clament dans les rues « Parisiens, pendant quarante-huit heures, les troupes allemandes vont défiler dans Paris ; que chacun s'approvisionne et reste chez lui ; aucune manifestation ne sera tolérée ; la police et les services publics seront assurés ; déposez vos armes ; tout attentat commis contre des soldats allemands sera puni de mort. » Les quelques Parisiens rencontrés en route sont invités sans ménagement à rentrer chez eux.

Désormais, les événements vont se dérouler sur deux plans : celui de l'autorité, et celui de la rue. Aux Invalides, après le passage d'éléments légers d'infanterie à 6 h 30, des officiers allemands se présentent à 8 heures au gouverneur militaire. Le malheureux Dentz, qui a en vain demandé à Weygand l'autorisation de quitter la ville, s'entend réclamer, à son grand étonnement... où sont les drapeaux allemands de la dernière guerre. Un peu interloqué, Dentz répond qu'il l'ignore, ce qui n'empêche pas les Allemands de les trouver. Dentz, Groussard et le petit état-major du gouverneur militaire, sont alors considérés comme des prisonniers de guerre ; après quelques jours de captivité, une fois l'armistice signé, ils seront envoyés en zone non occupée.

De leur côté, les deux préfets ont requis les boulangers, les restaurateurs, les commerçants détaillants « de fonctionner au profit du ravitaillement des populations civiles... réquisitions que les intéressés doivent porter à la connaissance de leur personnel... Tout commerçant, tout citoyen, doit être aujourd'hui plus que jamais à son poste. La vie économique continuera normalement. La confiance doit être dans la pensée de chacun ». On ne sait pas trop en quoi et en qui il importe d'avoir confiance, en Paris ? en la France ? Se considérant comme prisonniers de fait, sinon de droit, les préfets ne parlent plus de la victoire ; probablement ils n'y croient plus.

Constatant que toute résistance a cessé, que le calme est total à Paris, et que la population est plus assommée par l'événement que portée à en annuler les effets, s'apercevant en outre que les termes de leurs exigences sont contradictoires, car comment les services publics pourraient-ils fonctionner si les responsables multiples et divers de leur fonctionnement doivent demeurer cloîtrés chez eux, l'autorité allemande annule l'ordre intimé aux Parisiens de ne pas sortir.

Les pourparlers à Ecouen étaient à peine terminés, ils n'avaient pas exigé plus d'une demi-heure, que deux camionnettes chargées de soldats et cinq à six motocyclistes étaient arrivés à la porte de la Villette. Puis, à 5 h 35, les unités commencent à se montrer rue de Flandre et se dirigent vers les gares du Nord et de l'Est. Au fur et à mesure de la progression, des agents de la circulation sortent de la troupe et s'installent aux différents points de trajet ; derrière leurs persiennes, les Parisiens n'en croient pas leurs yeux, tant les

[annotation margin, handwritten: 8 a.m. 14 Juin 1940 dead dogs]

soldats ont belle tenue et leur ordre est parfait ; ce n'est plus la guerre, mais un spectacle, une sorte de ballet bien réglé.

Arrivant à son poste vers 8 heures du matin, le commissaire de police de la gare du Nord commence par découvrir, dans les rues adjacentes, des cadavres de chiens, de toutes races, de toutes tailles, tués par leurs maîtres avant de s'enfuir. Puis il tombe sur deux gendarmes allemands, casqués et armés, avec la fourragère blanche et la plaque « Feldgendarmerie » ; l'un brandit un petit bâton muni d'un disque rouge pour régler la circulation.

Médusé, le commissaire assiste au défilé ; après des motocyclettes et des side-cars, viennent des voitures presque toujours découvertes, avec des officiers d'allure jeune, et des soldats armés de mitrailleuses ; les gendarmes leur montrent la route à suivre ; les suivent des chars légers, des voitures de DCA, des cuisines roulantes, et enfin des compagnies de soldats à pied, bottes bien cirées, marchant en ordre serré, mais pas au pas, flanqués, précédés et suivis par des éclaireurs, armés de grenades ou de mitraillettes prêtes à tirer sur tout ce qui est suspect. Leur succèdent enfin des cavaliers, des artilleurs à cheval conduisant leurs canons. Les hommes sont rasés, propres ; les chevaux ont le poil luisant ; le commissaire ne peut pas s'empêcher de faire des comparaisons avec les soldats français en retraite, qui ne sont pas favorables à ceux-ci.

L'après-midi, le commissaire trouve des officiers allemands dans son bureau. L'un d'eux, parlant un excellent français, lui présente le général du Faur, chargé du service de la place, qui veut réquisitionner plusieurs hôtels près de la gare ; comme le commissaire prétend qu'il n'a pas d'instructions, le général se fâche et répond sèchement : « Ne discutez pas, venez avec nous ; c'est nous qui donnons les ordres. » Sur place, les officiers se font remettre d'autorité les clés des hôtels fermés, et imposent silence aux employés qui ergotent.

Les unités allemandes se sont réparties dans Paris, chacune paraissant bien connaître l'emplacement qui lui est assigné. Le général von Stütnitz, gouverneur militaire de Paris, s'installe à l'hôtel Crillon, où le service d'ordre est assuré par des agents de police français. Des chars ont pris place autour de la statue de Strasbourg, tandis que des avions allemands survolent la place de la Concorde ; le Grand Hôtel, place de l'Opéra, a été réquisitionné par la Luftwaffe.

A l'égard des forces de sécurité parisiennes, non négligeables — la Garde républicaine groupe 6 200 hommes, tous sous-officiers de carrière — le comportement des Allemands est variable. Parfois ils désarment les patrouil-les qu'ils rencontrent, parfois ils se bornent à les regarder passer. Mais la méfiance est leur règle ; ils internent toute forte unité, ainsi la légion de Courbevoie dans une caserne de Clignancourt ; ils parquent un groupe rencontré près de l'Etoile au Bois de Boulogne, puis, sans en donner la raison, ils l'expédient en captivité en Allemagne — on aura toutes les peines du monde pour le faire revenir, à pied, de Laon.

Ainsi, dès les premières heures, les nouveaux maîtres de Paris donnent la tonalité des années d'occupation ; ils soufflent le chaud et le froid ; tantôt corrects, polis — des soldats, trompés par leurs galons qui les font ressembler à des officiers, saluent les gardes républicains — tantôt rudes, durs, impitoyables. Mais, pour l'instant, ce qu'ils découvrent, c'est une population parisienne dont la passivité les étonne, puis les rassure [27].

L'occupant s'installe

Se fondant sur l'article 43 de la Convention de Genève, l'occupant a pris, unilatéralement, des mesures présentées comme conformes au droit de la guerre. Trois principes guident son action : faciliter le retour à une vie normale dans les territoires occupés ; appliquer des mesures propres à l'aider dans la guerre contre l'Angleterre, et obtenir, en économisant ses propres moyens, les concours dans le calme de la population par l'intermédiaire de l'administration française. En qualité de responsable du « plan de quatre ans », c'est le maréchal Goering qui possède le commandement suprême pour tout ce qui concerne l'économie des territoires occupés, et il incline à la brutalité ; mais c'est l'armée de terre qui est responsable de leur administration, elle tend à un comportement plus souple, et les instructions de Hitler l'y invitent. De là, dans la façon de faire des Allemands un mélange de « correction », voire de courtoisie, et de violence ; ils sourient ; et, en même temps, ils menacent, ils utilisent la force, ils pillent.

Le 20 juin 1940, une ordonnance du commandement militaire constitue une véritable charte de l'occupation. L'armée allemande s'engage à respecter les propriétés privées et les autorités locales, pourvu qu'elles soient « loyales » ; tous les ordres de l'autorité occupante doivent être exécutés « très strictement » ; l'armée allemande regretterait de devoir prendre des mesures de représailles contre les habitants : « que chacun reste à sa place et vaque à ses occupations ». Désormais, toutes les décisions allemandes seront connues par « le *Journal officiel* pour les territoires occupés de la Seine, Seine-et-Oise et Seine-et-Marne » ; il est vendu 0,20, puis 0,10 mark ; on ne peut pas l'acheter dans les kiosques, mais seulement auprès des « Commandantures » — germanisme qui fait sourire les Parisiens.

La plupart des premières mesures sont d'ordre économique : interdiction

27. Cf. G. BENOIT-GUYON, *op. cit.*, p. 30-48 ; GROUSSARD, *op. cit.*, p. 30-43 ; G. WALTER, *La Vie à Paris sous l'occupation, 1940-1944*, Armand Colin, 1960 ; témoignages d'un commissaire de police et d'un professeur de médecine ; *Bulletin municipal* du 14 juillet 1940

de ventes et d'achats de vivres et d'articles courants « au-delà de quantités normales » ; interdiction « d'augmenter les salaires, les prix des marchandises de première nécessité et les tarifs des transports ; tout refus de livrer des marchandises au prix fixé sera considéré comme une augmentation des prix ; toute infraction pourra être punie par des amendes allant jusqu'à 600 000 F, et d'une détention pouvant durer six semaines ». Surtout, le taux du mark est fixé à 20 F, alors que le taux normal était à peine de 12 F ; ce taux très avantageux va permettre aux soldats allemands de multiplier les achats à bon compte, bien que, en principe, le commandement militaire ait stipulé que « les soldats n'achètent que le nécessaire pour couvrir leurs besoins immédiats », et pas pour plus de 500 marks. Mais comment vérifier ?

Ainsi, l'occupant précise bien, dès le commencement, sa volonté de corseter dans sa réglementation l'activité économique de Paris. Dès le 10 mai, il a stipulé que « les ordonnances et décrets allemands priment tous ceux propres au pays ». Cependant, il ne veut pas administrer directement la grande ville, pas plus que le reste de la zone occupée. A deux reprises, en juin 1940, il précise que toute demande, de quelque nature qu'elle soit, doit être adressée directement à l'administration française. Il déclare que les services publics, la police, les écoles, doivent poursuivre leur activité sous les ordres de leurs dirigeants ; mais ceux-ci sont directement responsables devant l'autorité allemande [28].

Le général Turner, premier chef de l'administration militaire à Paris, s'efforce habilement de gêner le moins possible la population parisienne. Mais il s'installe en force partout où la sécurité des troupes paraît l'exiger ; ainsi, les agents de police français sont en définitive autorisés à garder leurs armes, mais les Allemands assureront eux-mêmes la protection de leurs convois qui traverseront Paris ; les usines à gaz, les centrales électriques, les installations pour l'eau, les chemins de fer, les écluses et... les objets d'art, « se trouvent sous la protection particulière de l'armée allemande ».

Deux exemples montrent comment cette autorité allemande veut s'exercer : les PTT et la SNCF. Dès le 14 juin, des techniciens se sont présentés dans les centraux téléphoniques principaux — interurbain, militaire et régional ; ils en prennent possession, installent leurs hommes, et exigent l'exécution d'un certain nombre de travaux. Après seulement, ils entrent en relation avec la direction, qui n'a plus qu'à jouer le rôle de responsable de l'exécution de leurs ordres. Désormais, ils s'approprient les circuits à leur convenance, et ils en contrôlent le fonctionnement ; ils interdisent l'utilisa-

28. Cf. F. BOUDOT, « Aspect économiques de l'occupation », in Revue d'Histoire de la Deuxième Guerre mondiale, avril 1964 ; P. ARNOULT, Les Finances de la France et l'occupation allemande, PUF, 1951, p. 2-8 ; G. WALTER, op. cit., p. 47-48 ; « Journal officiel pour les territoires occupés de la Seine, Seine-et-Oise, Seine-et-Marne », 20 juin 1940 ; (nous dirons Vobif) ; Témoignage du chef de cabinet du Préfet de police

tion des autres par les Français, sans leur autorisation. Les transmissions appartiennent donc à leur domaine réservé.

A la SNCF, ils commencent par exiger les plans des gares et le fonctionnement du trafic. Puis, dès le 21 juin, un millier d'agents des chemins de fer allemands arrivent à Paris ; ils se renseignent sur l'organisation administrative, ils se font remettre des listes d'agents en activité, ils enquêtent sur les moyens en matériel ; ils interdisent même le retour à Paris des services généraux, car ils entendent exercer eux-mêmes la direction. Les communications font donc aussi partie de leur domaine réservé. Mais, très vite — et cet exemple est significatif de la faiblesse relative de l'occupant livré à lui-même — ils s'aperçoivent que — question de langue, manque d'informations, ou insuffisance de leurs effectifs — ils ne peuvent pas se passer des dirigeants français, et ils les envoient chercher en voiture à Bordeaux [29].

Les Parisiens ne connaissent évidemment pas ces problèmes et ces tractations. Ils sont sensibles surtout aux changements qu'ils subissent dans leur existence et aux modifications qu'ils constatent dans leur ville. Ils voient leurs carrefours se hérisser de panneaux signalisateurs en allemand ; ils déplorent que le drapeau français ait disparu — les récalcitrants ont eu trois minutes pour « amener les couleurs » — et soit partout remplacé par une floraison d'énormes bannières noir-blanc-rouge, ou rouge avec croix gammée. Des voitures allemandes à haut-parleur sillonnent les rues, annonçant le couvre-feu à 20 heures. Le samedi 15, l'heure allemande est imposée ; elle est en avance de soixante minutes sur l'heure d'été française. Pour l'instant, les Parisiens doivent rentrer chez eux deux heures avant le coucher du soleil ; l'hiver venu, ils devront se lever en pleine nuit. Paris vivra à l'heure allemande pendant 1 531 jours.

L'obscurcissement total est exigé du coucher au lever du soleil — mais de cela les Parisiens ont l'habitude ; il est seulement précisé, l'occupant est méticuleux, que « la lumière verticale, ou inclinée, ne doit pas être visible d'une hauteur de plus de 500 mètres » — ce qu'il est bien difficile de vérifier quand on est chez soi, portes et fenêtres calfeutrées ; les lumières non nécessaires, réclames lumineuses, étalages, sont mises « hors d'usage » — la ville lumière s'éteint. La réglementation est particulièrement stricte pour les automobiles ; leurs phares doivent être « camouflés de façon qu'il y ait seulement une ouverture horizontale de lumière d'une longueur de 5 à 8 centimètres et d'une largeur de 1,5 centimètre » ; on ne saurait être plus précis.

La seule bonne surprise pour les Parisiens, c'est qu'ils attendaient Attila et des Huns à croix gammée, et ils découvrent des acheteurs ravis de se

29. Rapport de l'ingénieur en chef directeur des PTT de Paris, ministère des PTT, P DURAND, *La SNCF pendant la guerre*, PUF, 1968, p. 106-114

procurer des produits français, des acheteurs si avides avec des besoins si illimités, que les vendeuses elles-mêmes les baptisent « des doryphores » ; comme l'écrit Pierre Audiat, « le cours du mark fait d'un simple adjudant un millionnaire » ; les tissus sont raflés par pièces, les bas de soie par douzaines, les parfums par litres, les chaussures par triples paires. Et miracle, ils ne volent pas, ils ne sortent pas leur revolver pour se faire remettre gratuitement la marchandise, ils paient rubis sur ongle et ils sourient, ils ne discutent pas, si bien que certains commerçants prennent une petite revanche sur le sort en leur vendant un peu plus cher qu'aux Français ; ils ne savent pas que l'argent qu'ils reçoivent c'est de l'argent français, celui de la contribution quotidienne d'occupation, dont le montant est exorbitant. Aussi bien, dans les restaurants, les vainqueurs peuvent satisfaire à bon compte leur goinfrerie : omelettes de six œufs, plat de viande sur plat de viande, bons vins et alcools à gogo. Dans la rue, ils caressent les cheveux des enfants ; dans les cafés ils promettent que la guerre sera bientôt finie ; ils photographient les monuments ; on dirait des touristes.

Tous les jours, sur les Champs-Elysées, a lieu le défilé pompeux des unités victorieuses ; le 24 juin, mais les Parisiens ne l'ont pas vu, Hitler est venu en catimini, pas en vainqueur arrogant, en touriste matinal, comme impressionné par son propre triomphe. Constamment des voitures allemandes circulent en diffusant de la musique, et des concerts sont offerts, régulièrement, à la population. C'est de la bonne musique. Pourquoi ne pas l'écouter : Beethoven, Mozart, Schubert ont-ils une nation propre [30] ?

Aussi bien, une certaine euphorie commence à gagner les Parisiens. Mais l'administration, elle, ne l'éprouve pas, car elle constate, quand son intérêt majeur l'exige, combien l'occupant peut être brutal. C'est ainsi qu'il procède, tour à tour, aux réquisitions les plus diverses, dans des conditions qui épouvantent le préfet de la Seine. Le 13 septembre, M. Villey lance un appel au secours à Vichy, dont il se doute bien que, s'il est entendu, il demeurera sans suite. Ce n'est qu'un aveu d'impuissance devant la brutalité des Allemands.

D'abord, s'ils ont laissé à la population des stocks de denrées, ils ont réquisitionné l'essence ; ils ne veulent pas en effet que les Parisiens disposent de plus de carburant que les Berlinois ; premier résultat : le ramassage de lait se fait plus lentement, et le lait manque ; d'autre part, la reprise de l'activité des usines est commandée par les possibilités de transport, et les industriels parisiens ne disposent que d'une attribution insuffisante de carburant.

En plus de ce qu'elles peuvent acheter dans les magasins, les diverses unités allemandes envoient chaque jour aux Halles des représentants qui se

30. Pierre AUDIAT. op. cit., p. 9-12 ; R. LANGERON, Paris, juin 1940, Flammarion, 1946, p. 111-124

font livrer, en priorité · viande, œufs, beurre, fromage, légumes frais, en quantités illimitées ; au marché de la Villette, en un mois, le quart des bovins et le cinquième des porcs ont pris le chemin des cantines de la Wehrmacht ; il en est de même pour le tiers des œufs ; résultat : la population manque déjà de charcuterie, de graisse aussi, et la fabrication des conserves est entravée. Les fabricants de pâtes alimentaires se sont vus demander 1 000 tonnes de nouilles à livrer en trois semaines, puis 1 000 tonnes par mois ; or, la fabrication totale, pour la France, est de 2 000 tonnes. L'autorité militaire a accordé à une marque un monopole pour traiter les tendons de pied de bœuf et en tirer de l'huile ; or, c'est cette huile qui donne son moelleux aux tripes à la mode de Caen ; une industrie qui faisait travailler 600 personnes est en péril.

Mais c'est surtout en matière immobilière que l'occupant a multiplié les réquisitions ; parfois toute une rue, en banlieue ; les propriétaires sont tantôt exclus, tantôt tolérés dans une partie de leur maison. Ces réquisitions ne sont pas effectuées seulement au bénéfice des troupes d'occupation, mais aussi en faveur de celles en opérations, pour des unités de la marine dans le XVIᵉ arrondissement, pour des pilotes d'aviation au palais du Luxembourg. Comme les services civils ne cessent de se multiplier, 300 bureaux ont été occupés autour de l'hôtel Majestic. Toutes les casernes ont été prises de guerre, après remise en état — les Allemands se sont plaints de leur saleté. La plupart des hôtels où l'occupant s'est logé, après en avoir expulsé les locataires, parfois manu militari, sont gérés par leurs propriétaires, mais certains le sont directement par l'occupant, comme l'hôtel Edouard-VII. De toute façon, c'est l'administration française qui paie, même pour les chambres inoccupées, et les Allemands, pour plaire à leurs logeurs à moindres frais, ont imposé une augmentation du prix de location. En principe, un accord a été conclu pour que les écoles soient préservées ; mais il n'est pas toujours respecté. Tous les quartiers luxueux de Paris sont en somme... colonisés ; les indigènes y sont admis par simple tolérance.

Comme les hôpitaux Lariboisière, la Pitié, puis Beaujon ont été mis à la disposition des services de santé allemands, ainsi que des centaines de lits dans d'autres hôpitaux, l'Assistance publique risque de ne pouvoir recevoir tous les malades français, une fois l'hiver venu avec son cortège de maladies.

Tous ces locaux, il faut les meubler au goût de leurs nouveaux habitants, et ils sont exigeants ! Les réquisitions ont ainsi porté sur du linge, des vêtements, de la literie, du matériel de cuisine, des meubles, et aussi de l'argenterie, des vins et des liqueurs, de la verrerie fine, des frigidaires, des appareils de TSF. Sans oublier les machines à écrire, les caisses enregistreuses, les coffres-forts. Les demandes ont été assez nombreuses pour que certains stocks soient en voie d'épuisement. Ce qui complique tout, c'est que chaque arme réclame son modèle de mobilier ; souvent le logement est déclaré en mauvais état, et des travaux de réfection sont commandés, d'électricité, de chauffage central. Le quartier général de l'armée à Fontaine-bleau fait aussi ses achats à Paris, 100 000 F de savons divers en une seule fois. Et chaque demande, gémit le préfet, est présentée comme importante et urgente, à satisfaire tout de suite. Un officier s'est plaint qu'on n'ait pas mis de fleurs dans son bureau ; ce ne pouvait être qu'une erreur d'un subor-donné, a-t-il admis, magnanime ; qu'on le réprimande et qu'il ne recom-mence plus.

Plus graves encore, car elles portent sur le capital économique de la France, sont les mesures concernant les entreprises. Les industriels ont été invités à faire connaître sans tarder la nature des produits fabriqués, les réserves de matières premières, l'importance des locaux, avec des plans, le nombre d'employés habituels, et de ceux du moment. Par la suite, des usines ont été privées de leurs machines et d'une partie de leur matériel — pour un montant estimé à 100 millions de francs chez Gnome et Rhône. Parfois des ateliers entiers ont été requis pour travailler pour l'armée allemande, par exemple à la « Société des transports de la région parisienne ». Sans oublier les prises, d'autorité : de cent péniches pour le débarquement en Grande-Bretagne, de nombreuses automobiles parfois enlevées à leurs propriétaires en pleine rue, de fortes quantités de cuir, de pneumatiques. De grandes entreprises sont en voie de passer bientôt sous la coupe de l'occupant, qui traite directement avec les propriétaires : c'est le cas de Simca, Blériot, Hispano-Suiza, Matford, l'Alsacienne.

Bref c'est, sous une apparence de bonnes manières, le *vae victis* dans toute son horreur [31].

Et puis, il arrive que l'occupant se fâche, et, sans autre forme de procès, utilise sa force, de façon violente. Venu à Paris dès le 14 juin avec des « amis français », le professeur Grimm, dont les militaires allemands pensent qu'il a l'oreille de Hitler, a recommandé une grande fermeté, « car la population française n'attend que ça », et la plus extrême vigilance à l'égard des nombreux ennemis de l'Allemagne à Paris : les administrateurs bien sûr, à commencer par les deux préfets, la police, le clergé, les francs-maçons, les Juifs et les « politiciens corrompus ». Il ne faut pas hésiter à se saisir de certains de ces ennemis, et à leur faire des procès spectaculaires, conclut Grimm.

Alors l'autorité militaire a ordonné d'arracher illico toutes les affiches rappelant la guerre et, de ce fait, d'inspiration évidemment antiallemande ; elle a interdit la vente et la criée de journaux sur la voie publique ; elle a obligé les particuliers à venir déposer toutes leurs armes dans leurs commissariats, ce que tous se sont empressés de faire ; dans chaque

---

31. Rapport de M. VILLEY, en date du 13 septembre 1940 ; collection du *Bulletin municipal.*

commissariat de police a été placé un policier allemand, qui demande que lui soient signalés tous accidents et incidents, et qui fait un rapport sur la physionomie du quartier ; un gardien de la paix, qui avait oublié de saluer un officier allemand, a reçu un coup de poing en pleine figure ; les agents sont tenus de déférer à la réquisition de n'importe quel soldat allemand, le responsable allemand de la gendarmerie, un nommé Wilter, ne cesse de compter et de recompter les armes, de se faire donner des états, de réclamer des explications ; courant août, toute tonalité militaire est enlevée à la garde républicaine, devenue garde de Paris, qui passe sous le contrôle du préfet de police, et dont le rôle ne sera plus que d'apparat [32].

La méfiance est donc de règle et les perquisitions commencent : dans les appartements parisiens des ennemis d'hier, Daladier, Mandel, P. Reynaud, Jouhaux ; au Grand Orient ; au parti radical ; à la ligue de l'enseignement ; au siège de l'*Action française* ; au *Crapouillot*, de Galtier-Boissière, les tiroirs sont vidés, des numéros saisis... et, quand les policiers se retirent, le propriétaire s'aperçoit qu'on lui a volé une collection de timbres, et des publications rares. On perquisitionne chez des officiers, des avocats, des fonctionnaires, des hommes de lettres et... à l'archevêché de Paris, rue Barbet-de-Jouy, qui demeurera fermé jusqu'au 26 juillet — on cherchait des papiers ayant appartenu au cardinal Verdier, notoire antinazi. On se venge comme on peut des ennemis d'avant-hier ; on déboulonne la statue de Mangin ; on démolit le monument aux morts de la grande guerre de Vincennes, dont l'inscription est jugée « injurieuse pour l'Allemagne » [33].

L'occupant menace des plus lourdes sanctions des adversaires potentiels. Ainsi, il exige que lui soit communiqué le fichier des Juifs, et il est tout surpris d'apprendre qu'il n'en existe pas ; il est plus difficile de lui dissimuler les adresses des émigrés politiques allemands — mais la plupart sont internés en zone non occupée. Les ordonnances du commandant militaire sont remplies de menaces de sanctions graves, avec citation devant les tribunaux allemands, et utilisation du droit allemand, pour : tout acte de violence, tout sabotage (le dommage causé à une affiche allemande est considéré comme un sabotage), l'assistance à un militaire non allemand, la distribution de tracts, les manifestations non autorisées, les attroupements dans la rue, l'incitation au chômage volontaire, le refus du travail, la fermeture d'une entreprise, l'écoute d'une émission de radio non allemande, le colportage de nouvelles antiallemandes. Et, racisme oblige, ordre a été donné de ne plus délivrer de billet de 1re classe à des Noirs dans le métro.

Bref, la suspicion est générale, et totale. Ce que pourrait être la violence

32. F. DUPUY, *Quand ils entrèrent dans Paris*, s.d., S. l. ; témoignage du général MARTIN in *La Vie de la France sous l'occupation*, Institut Hoover et Plon, 1954, t. I, p. 598-600.
33. GALTIER-BOISSIÈRE, *Mon journal sous l'occupation*, La Jeune Parque, 1944.

des réactions allemandes, deux incidents le laissent augurer ; quatre commissaires de police ayant été arrêtés et menacés de déportation, le préfet de
police Langeron, qui a protesté, est destitué, interné, et remplacé par un
haut fonctionnaire de la police ; c'est une violation flagrante de la convention
d'armistice, mais le gouvernement de Vichy a toutes les peines du monde
pour faire réintégrer Langeron dans son poste. Une collision de voitures
s'étant produite à Saint-Denis le 24 juin 1940, et trois soldats ayant été tués,
la première décision, avant même l'enquête, est de prendre trente otages et
de les fusiller. Le manque de confiance est tel que le général von Briesen,
redoutant l'effervescence d'une grande agglomération urbaine, veut interdire
le retour des Parisiens partis en exode ; on a toutes les peines du monde à lui
démontrer qu'un Paris dépeuplé ne sera pas le Paris productif que l'autorité
militaire souhaite [34] ; il arrive que, dans les rues de Paris, une véritable chasse
à l'homme se produise contre des soldats français, égarés ou cachés, ou des
prisonniers évadés

L'administration française s'adapte, agit et obéit

Le 8 août 1940, le préfet de la Seine, Villey, a adressé au délégué général du
gouvernement de Vichy dans les territoires occupés, Léon Noël, un tableau
de la situation à Paris ; il est proprement alarmant. L'inquiétude première est
le ravitaillement, en tous produits et denrées, de la population. En temps
normal, Paris était tributaire de la France entière pour son ravitaillement, et
son approvisionnement se faisait à la fois par la Seine, par le rail et par la
route. Fort heureusement, les destructions sont légères. Seuls ont été touchés
des bâtiments et une centaine d'immeubles ; mais les ponts routiers et
ferroviaires, sont intacts dans une région de 30 km. Seulement, à part le
métro et quelques lignes de banlieue, rien ne circule plus ; Paris est coupé du
reste de la France ; le service des téléphones, le service postal sont en pleine
réorganisation. A Paris, 16 bureaux de poste seulement sont ouverts ; les
chèques postaux, la caisse d'épargne sont toujours repliés en province, et
25 % seulement du personnel des PTT sont à leurs postes [35].
   Très désireux que reprenne une activité économique normale, l'occupant a
alloué de l'essence aux transporteurs routiers, aussi bien, la viande, le
beurre, le lait, les pommes de terre, arrivent convenablement ; les difficultés
demeurent graves pour les graisses végétales, les œufs, le fromage, les
légumes secs, le riz, le café, le cacao, les conserves de poissons, la viande de

34 Témoignage du chef de cabinet de R Langeron , *Vobif,* numéros du mois de juin 1940
35 P Bourget, *Histoires secrètes de l'occupation de Paris,* Hachette, 1971, t I, p 97
G Waiter, *op cit* , p 47-48

mouton ; en particulier, la fabrication des pâtes alimentaires est arrêtée faute de semoule de blé dur.

Aucune usine n'a véritablement souffert de la guerre ; la main-d'œuvre et la maîtrise ne font pas défaut ; mais les archives et la comptabilité, la caisse, les cadres dirigeants ont été, pour la plupart des entreprises, repliés en province ; aussi bien, les usines d'automobiles et d'avions n'ont pas repris, et l'occupant, s'il facilite de son mieux la reprise en général, n'entend pas favoriser celle des industries de luxe ; pour pallier les absences, le tribunal de commerce a désigné des administrateurs provisoires, qui se heurtent aussitôt aux contrôleurs mis en place par l'autorité militaire allemande.

Environ 1 600 boulangeries sont demeurées ouvertes, mais la plupart commencent à manquer de farine ; les épiceries ont du mal à se ravitailler ; grâce aux arrivages de viande frigorifique, les boucheries sont à peu près convenablement approvisionnées ; les rares pharmacies demeurées ouvertes ne peuvent plus répondre à la demande de tous les médicaments, et un grand nombre de médecins ne sont pas rentrés.

La situation est particulièrement préoccupante pour les combustibles ; il y a pénurie de mazout pour les boulangeries ; il va falloir chauffer les fours au bois, et aucun stock n'a été constitué ; quant au charbon, qui arrivait du Nord et du Pas-de-Calais, désormais en zone interdite, les disponibilités sont à peine de 150 000 tonnes ; on a décidé de comprimer « au moins de 50 % les besoins de l'administration et du commerce, de 25 % ceux des écoles, de 15 % ceux de l'administration » ; après quoi, il resterait 59 kg de charbon par ménage et par mois, soit à peine un tiers des besoins « modérés », ce qui conduira à supprimer le chauffage central ; encore faut-il que les exigences de l'occupant n'augmentent pas ! L'hiver s'annonce rude pour les Parisiens.

Dans ce sombre tableau, heureusement, figurent quelques touches plus claires ; l'eau, le gaz, l'électricité, sont convenablement distribués ; le service des assurances sociales n'a jamais cessé de fonctionner ; il en est de même, au ralenti, du Tribunal de la Seine et de la cour d'appel de Paris ; l'Institut Pasteur continue à fabriquer sérums et vaccins ; 12 000 agents de police assurent l'ordre dans la rue et règlent la circulation avec des gestes qu'un témoin veut voir « automatisés à la prussienne » ; le recteur de Paris a fait savoir que ses bureaux et les bibliothèques étaient ouverts, ainsi que de nombreuses écoles primaires « pour regrouper, recenser et encadrer les enfants »... « La vie intellectuelle continue », a conclu M. Roussy ; et, pour le prouver, il a organisé un cycle de grandes conférences à la Sorbonne, au cours desquelles parleront des « hommes de droite » comme Abel Bonnard ou Bernard Fay, promis à la collaboration, mais aussi de grands universitaires « de gauche », comme l'historien G. Lefebvre, éminent spécialiste de la Révolution de 1789, et l'ethnologue Paul Rivet, un des fondateurs du « Comité de vigilance des intellectuels antifascistes », prélude au Front populaire. Du coup, les séances de l'Institut ont l'honneur d'être citées au *Bulletin municipal*. Signe plus rassurant encore, que tout le monde ne s'affole pas : des enfants continuent à jouer aux Tuileries et les pêcheurs à la ligne n'ont pas cessé de lancer le bouchon dans la Seine[36].

Dans le désordre généralisé, devant un avenir si sombre, livrée à elle-même, il faut reconnaître que l'administration de Paris et de la Seine, avec les deux préfets à sa tête, s'est mise courageusement au travail, et qu'elle a obtenu d'excellents résultats, rapidement. La première condition était de ne pas capituler complètement devant l'adversité. Le 15 juin, le préfet de la Seine demande « à chacun de rester à son poste et de faire son devoir ». Il rassure tout le monde en affirmant que « toutes mesures de sécurité, d'hygiène, de ravitaillement ont été prises pour que continue l'activité locale ». Il est sûr que « la population fera preuve de dignité dans l'ordre, la discipline et l'union des cœurs ». Pour donner l'exemple de la fermeté, le préfet révoque des fonctionnaires qui ont abandonné leurs postes et fui leurs responsabilités.

Cette exhortation resterait lettre morte si l'activité économique demeurait en sommeil, faute de crédits. M. Villey en est pleinement conscient. Aussi bien, des billets au nom de la ville de Paris et du département de la Seine sont-ils prêts à être mis en circulation ; mais, « l'autorisation des Allemands est nécessaire », et elle risque de n'être pas accordée, l'occupant ayant tout intérêt à proposer, « avec insistance », des capitaux allemands. Le préfet autorise le receveur municipal à consentir des « avances remboursables » ; quelques fonds peuvent ainsi être mis à la disposition des entrepreneurs, industriels et commerçants, « à titre provisoire » ; ainsi les travaux pourront être continués, les salaires payés, le chômage combattu. En même temps, deux moratoires de trente jours chacun sont décidés pour les effets de commerce, et le retrait d'argent dans les établissements de crédits est temporairement suspendu. La situation redevient à peu près normale lorsque l'approvisionnement en francs par la Banque de France est assuré.

L'organisation du ravitaillement demeure toutefois très préoccupante. Quelques décisions permettent de limiter le gâchis ou la pénurie. Ainsi, le préfet de police Langeron donne l'ordre de répartir aux Halles les marchandises en souffrance dans les gares, qui sont l'objet de pillages incessants auxquels, selon un rapport de la SNCF, participent même des soldats allemands ; il prescrit aussi de centraliser les médicaments des pharmacies abandonnées, afin de pouvoir servir les hôpitaux. En même temps, le *Bulletin municipal* donne des indications sur les endroits où on peut se

---

36. Rapport du préfet Villey ; rapport de l'administration des PTT au maréchal Pétain, novembre 1940 ; G. WALTER, *op. cit.*, p. 51-61 ; R. LANGERON, *op. cit.* ; *Bulletin municipal* numéros de juillet et août.

procurer du lait condensé, de la viande fraîche, de la farine en gros ; en attendant que soit constitué et formé le corps des fonctionnaires nécessaire, c'est un intendant militaire qui est chargé de toutes questions concernant le ravitaillement de la Seine.

Ce ne sont là que palliatifs. Des mesures plus amples, plus durables, s'imposent, de fixation des prix et de rationnement du ravitaillement ; l'occupant d'ailleurs les réclame, avec insistance. Le préfet de la Seine institue dans chaque arrondissement de Paris, et dans chaque commune de banlieue, des « commissions de répartition de denrées », chargées d'étudier et de proposer toutes mesures de nature à assurer la satisfaction des besoins de la population ; pouvoir est donné aux maires de réquisitionner des stocks de denrées qui ne seraient pas proposées à la vente, dans un but probablement spéculatif. Sous la présidence des maires, les commissions sont composées surtout de fonctionnaires (commissaires de police, administrateurs) et de retraités (inspecteurs de l'enseignement, officiers).

Sont nommés ensuite des « délégués » au ravitaillement, spécialisés par denrée (boulangerie, viande, sucre, beurre, lait, vins, etc.). « Ils se tiendront au courant des stocks et prendront toutes mesures qu'ils jugeront nécessaires ; ils pourront procéder à des réquisitions ; les sorties de marchandises des Halles et des magasins généraux devront être autorisées par eux. » C'est accorder beaucoup de pouvoir à un ersatz d'administration non rodé ; comme un minimum de technicité est indispensable, ce sont des mandataires des Halles qui sont généralement choisis. Etant donné que, en même temps, les Halles centrales sont réservées à « des commerçants détaillants patentés », c'est une organisation corporative qui s'esquisse, avec le péril que les délégués soient parfois juge et partie.

Et des décisions draconiennes sont édictées, de rationnement de la consommation ; le 3 juillet, la ration mensuelle de sucre est fixée à 500 g ; les hôteliers, restaurateurs et cafetiers ne délivreront qu'un morceau de sucre par boisson ! La fabrication de pain de seigle, croissants et autres biscottes est interdite ; seule est autorisée la fabrication d'un pain de 2 kilos vendu au poids ou à la pièce, avec obligation pour les acheteurs de s'inscrire chez le boulanger de leur choix ; le même jour, les restaurants ne sont autorisés à servir, au même repas, qu'un potage ou hors-d'œuvre, un plat de viande garni, un dessert. Ces restrictions sont imposées aux Français ; rien ne peut obliger les Allemands à les respecter.

En même temps, les prix sont fixés très strictement pour à peu près tous les produits du ravitaillement : légumes, beurre (32 F le kilo), œufs (1,05 la pièce), pâtes (8,80 le kilo), huile, sucre, café, pommes de terre, viande (une infinité de prix), fruits, vins, pain. Toute une réglementation très stricte est ainsi progressivement mise en place, annonciatrice de multiples contraintes et de pénibles restrictions.

Cette réglementation ne pouvait pas ne pas concerner la circulation. Dès le 16 juin, la répartition obligatoire des denrées est étendue aux combustibles : le fuel ne pourra plus être vendu qu'aux boulangers. Un recensement est prescrit des véhicules à moteur, et aussi à traction animale, pour « réglementer la répartition de l'essence et du fourrage ». Additif prévisible : la circulation des véhicules à moteur est interdite, sauf autorisation spéciale, SP (« lettres noires sur fond bleu »). Tout dépôt de carburant doit être déclaré ; le jour n'est pas loin où les rues de Paris seront vides d'automobiles.

Pour éviter que se répandent les maladies, le conseil d'hygiène publique de la Seine, tout en constatant avec satisfaction que la situation sanitaire est satisfaisante, donne quelques conseils pour l'accommodement de la viande congelée. Par précaution, les Parisiens revenus de l'exode sont vaccinés contre la typhoïde. Pour faire face aux besoins sociaux de la population, les assistantes sociales sont groupées dans un « corps sanitaire » ; des listes de médecins rentrés et de pharmacies rouvertes sont régulièrement tenues à jour, et affichées dans les mairies [37].

Toute réglementation nouvelle suscite des vocations de fraudeurs ; plus elle est tatillonne, plus la tentation est grande, et les facilités nombreuses pour la tourner. Désormais le *Bulletin municipal* va peu à peu se remplir d'annonces de sanctions contre des contrevenants à la fixation des prix, ou au contingentement des denrées. Déjà, le 28 juin, les dossiers de 25 commerçants ont été transmis au Parquet, 8 fermetures temporaires de boutiques ordonnées, 9 autorisations de vente retirées. En une semaine, les services responsables de la préfecture de police ont procédé à 4 000 inspections de commerce, rédigé 800 rapports. Et ce n'est qu'un commencement.

Les préfets de police et de la Seine et leurs services, ont incontestablement agi de leur mieux, avec compétence et célérité, pour pallier les graves conséquences de la défaite et de l'occupation. Bien sûr, tout ce qu'ils ont décidé, les Allemands l'avaient approuvé, parce que les décisions allaient dans le sens de leurs intérêts ; l'administration de Paris et de la Seine a donc travaillé pour le roi de Prusse. Pouvait-elle faire autrement ? N'y était-elle pas contrainte par la convention d'armistice ? Du moins, les mesures adoptées avaient eu l'heureux effet, sans qu'il fût possible de les supprimer, d'atténuer quelque peu les insurmontables difficultés qui allaient désormais être le lot quotidien des Parisiens.

Le « lâche soulagement » des Parisiens

L'expression est de Léon Blum au lendemain des accords de Munich ; elle signifiait, pour le leader socialiste, un certain contentement que la paix eût

---

37. *Bulletin municipal* du mois de juin ; rapports du préfet Villey en date du 8 août et du 13 septembre 1940 ; R. LANGERON, *op. cit.* ; P. DURAND, *op. cit.*, p. 106-114

été préservée, et pas mal de remords que, pour ce faire, l'innocente Tchécoslovaquie ait dû être sacrifiée au Minotaure hitlérien. C'est un fait que les Parisiens ont, dans leur très grande majorité, accepté passivement leur nouveau sort ; nulle part, il n'y eut d'incident, d'opposition véritable, ni même de contestation. A mesure que la vie a repris, même différente de celle d'avant-guerre, comme tronquée et anémiée par l'occupation, la population s'y est adaptée progressivement, sans joie certes, mais aussi sans passion et sans révolte.

Peu à peu, dans un cadre bien délimité, et qu'il n'appartenait pas aux Parisiens d'élargir, les choses se remettaient en place. La banlieue reprenait vie, tirée de son isolement par 14 trains par jour pour Colombes et Rueil-Malmaison ou Versailles, et pour le reste au rythme quotidien de 3 à 5 convois. La grande banlieue, Rambouillet, Lagny, Moret, était atteinte à son tour. Une impression de liberté s'empara des Parisiens quand ils surent que, une fois par jour, ils pouvaient aller à Chartres, Creil, Etampes, puis Orléans.

La poste aussi recommença, assez vite, à fonctionner régulièrement. Dès le 20 juin, les communications téléphoniques étaient rétablies avec Versailles et Melun ; le 22 août, 91 % des agents des PTT étaient revenus à Paris, et 115 bureaux de postes étaient ouverts au public ; deux levées du courrier, et deux, puis trois distributions étaient assurées par jour ; l'émission et le paiement des mandats-cartes étaient redevenus possibles, du moins pour la région parisienne ; le service des pneumatiques fonctionnait à nouveau. Les services des chèques postaux s'étaient réinstallés le 20 août et, le 22, il était loisible à chacun de retirer 500 F de la caisse d'épargne, également rapatriée.

« Dans les limites des dispositions arrêtées par les autorités militaires allemandes » — une nuance restrictive devenue désormais la règle — les relations postales, courant août, sont rétablies dans toute la zone occupée pour le dépôt et l'expédition des lettres, cartes postales, imprimés, paquets, envois recommandés, articles d'argent. Paris redécouvre ainsi son hinterland provincial ; mais il faudra attendre octobre pour que soit autorisé l'envoi d'une zone à l'autre d'une « carte familiale » standard, d'un type obligatoire, aussi sèche qu'une facture. Et la correspondance vers l'Allemagne ne peut partir que dans des enveloppes non cachetées. Mais « les services ambulants » de jour et de nuit circulent vers Granville, Brest, Nancy ; SVP recommence à renseigner les curieux à partir de septembre, et il devient chaque jour possible de téléphoner un peu plus loin.

L'animation a également repris dans les rues de Paris ; les cafés sont rouverts et, sur leurs terrasses, les Parisiens apprennent à côtoyer les uniformes vert-de-gris. Les cinémas reçoivent des spectateurs de plus en plus nombreux ; mais les hôtes les plus accueillants des nouveaux touristes sont évidemment les maisons closes — « le Chabanais » en tête — les cabarets, boîtes de nuit, et les music-halls. Le Concert Mayol fait promener des hommes-sandwiches dont les pancartes promettent la nudité féminine la plus totale au « Kabarett Mayol ».

Chaque Parisien s'efforce de reconstituer sa vie normale, à son travail d'abord, dans ses relations amicales et familiales aussi. Les banques rouvrent leurs guichets, le Crédit Lyonnais en premier ; 700 écoles primaires et 7 lycées reçoivent et gardent les enfants, bien que les vacances ne soient pas achevées ; les avocats revêtent leurs robes et recommencent à plaider. Et les nez peuvent se replonger, dans le métro matinal, dans les pages des journaux anciens réapparus, tels *Le Matin,* en premier, et *Paris-Soir,* et des journaux nouveaux, tel *La France au travail ;* beaucoup de lecteurs reniflent aussitôt la forte odeur d'outre-Rhin que tous exhalent [38].

L'image qu'offre Paris à ceux qui le retrouvent, et, d'un coup d'œil, découvrent les changements intervenus, varie naturellement suivant l'optique de chacun. Ainsi, un journaliste de *L'Illustration,* replié à Bordeaux et qui, peu de semaines après, réintégrera ses bureaux parisiens pour se mettre au service de l'occupant, admire la « correction totale » des soldats allemands, et « la méticuleuse propreté de la ville » — chacun sait que les Germains sont propres et les Celtes sales ! Il ne s'étonne pas que les seules voitures qui circulent soient officielles et, en majorité, allemandes ; il constate, sans s'en scandaliser que, dans les restaurants « cotés », Maxim's, le Colisée, le Fouquet's, les seuls clients sont des gradés allemands de haut rang, et la clientèle française absente ; il se réjouit de rencontrer « déjà », de pacifiques touristes allemands aux Champs-Elysées et à Montmartre ; et il se félicite que les Allemands soient des clients empressés dans les boutiques de luxe. Sa « chance » fut de pouvoir parler avec un officier qui s'exprimait dans un excellent français, tutoyait la patronne du restaurant, et conversait avec les Français sur un ton « de grande distinction et d'extrême courtoisie » ; il avait été étudiant à Paris. Bref, des amis découverts, sinon retrouvés, ces Allemands, qui poussaient la délicatesse jusqu'à se borner à contrôler les agents de police français, sans s'ingérer dans leur service ; après tout, la police française n'était-elle pas à leurs ordres ?

Tout à fait autres sont les impressions de Vercors, en qui l'écrivain commence à percer sous le dessinateur, et le résistant sous le pacifiste. Ce qui le frappe, dès la gare d'arrivée, « c'est l'absence de vie, l'absence de bruit, et comme un silence de cimetière... Sur la place (c'est il est vrai au petit matin), aussi loin que mes yeux pouvaient voir, pas une voiture, pas un autobus, pas un taxi. Je me serais cru dans un vieux film de René Clair ». Et puis, un haut-le-corps : dans les kiosques à journaux, rien que des journaux allemands ou

38. *Bulletin municipal,* juillet-août 1940 ; Rapport de l'administration des PTT au maréchal Pétain, novembre 1940 ; Bâtonnier CHARPENTIER, *Au service de la liberté.* A. Fayard, 1949, p. 82-98.

franco-allemands et, immédiate, une réaction de rejet ou de dégoût « Pendant des années, sous la douce aisselle de la France, grouillait donc toute cette vermine, qui n'attendait que l'occasion de se manifester ? » Heureusement, au téléphone, Vercors entend une voix amie, une voix qui s'exprime comme la sienne ; et voilà un groupe d'opposants, un groupe du refus, qui balbutie.

Ainsi, s'affirment deux sensibilités différentes, bientôt deux comportements adverses, en attendant les deux partis ennemis. Léon-Paul Fargue a d'autres réactions. Ce vieil amoureux de Paris, comme tous les vieux Parisiens, est volontiers passéiste ; ce qui le charme, c'est que Paris « a rajeuni de cinquante ans » ; pour cet infatigable promeneur des rues de Paris, « les bruits oubliés et revenus... les sabots des chevaux », les « hommes-bagages » sur les vélos, les vaches qui arrivent à pied de la campagne, l'odeur du crottin à la « place de celle de l'essence », tout cela a une vertu de jouvence. Ainsi s'esquisse une troisième catégorie de Parisiens qui recrutera beaucoup parmi les gens de voix et de plume, ceux qui ne veulent pas voir, ceux pour qui comptent seulement la satisfaction de leur métier, l'assouvissement de leurs manies, l'épanouissement de leur égoïsme [39].

Ce que pensait la masse des Parisiens ne peut être décelé qu'à travers quelques témoignages, et il faut bien constater qu'ils sont contradictoires. Ce qui est certain, c'est qu'aucun coup de feu ne fut tiré, aucune véritable hostilité manifestée. Des photographes ont vu quelques gens pleurer, des journalistes ont entendu quelques réflexions peu amènes au passage des « vert-de-gris » ; le préfet Villey est allé déposer une gerbe de fleurs à l'Arc de Triomphe le 14 juillet, mais presque en se cachant ; sous la dalle du poilu inconnu, la flamme est constamment rallumée, mais les soldats allemands rendent eux-mêmes hommage à leur adversaire de la Grande Guerre. Le seul acte dramatique, c'est le suicide du chirurgien Thierry de Martel, un petit-neveu de Mirabeau, un combattant de 1914-1918 ; mais, comme tout suicide, cet acte est ambigu ; il signifie certainement le refus de la déchéance, mais pas la volonté de relever le défi. Imagine-t-on le général de Gaulle se suicidant le 17 juin ?

Ce qui domine, c'est l'apathie, la résignation, et l'inaction. Cette passivité est, somme toute, compréhensible. Les Parisiens, comme cela se produit lorsque une intense propagande a été démentie par les faits, ont le sentiment d'avoir été trompés ; pour l'instant, leur colère se retourne contre les Français qu'ils estiment responsables de leurs malheurs pour avoir déclaré, et perdu, la guerre. Ceux qui ont été obligés de rester en veulent un peu à ceux qui ont réussi à se mettre à l'abri. Et puis, il faut bien vivre, et « ils » paient,

39. *L'Illustration*, 13-21 juillet 1940 ; Vercors, *La Bataille du silence*, Presses de la Cité, 1967, p. 107-108. Article de Léon-Paul Fargue dans *L'Illustration* du 7 septembre 1940.

c'est inespéré ! A quoi bon d'ailleurs lutter, avec quoi, et soutenus par quel espoir, alors que l'armée française, jugée invincible, a été écrasée ? Dans ce climat de veulerie, l'appel du 18 juin passe totalement inaperçu ; peu l'ont entendu.

Inversement, les gestes de sympathie affirmée à l'égard de l'occupant sont rares. Certes, des émigrés suspects, des Italiens fascistes, manifestent de la joie ; aux terrasses des cafés, des femmes lient vite conversation avec les soldats allemands ; mais, en somme, ne changent-elles pas seulement la nationalité de leurs clients ? Devant le zinc des bistrots, des échanges de propos ont lieu, dénués d'animosité, en charabia, des échanges vin-cigarettes aussi. On entend quelques réflexions admiratives : « Ah ! qu'ils sont beaux, qu'ils sont forts », un hommage du sportif battu à son vainqueur, en somme.

Le préfet Langeron rend hommage à « la dignité parfaite des passants... ils regardent devant eux comme si les uniformes ennemis étaient invisibles ou transparents ». Mais le colonel Groussard fait état, dans les « quartiers populaires », de groupes de badauds qui se forment spontanément autour des soldats allemands, qui plaisantent avec eux, « et offrent leurs services pour n'importe quoi ». De véritables scènes de fraternisation se sont même produites[40].

Dans les « quartiers populaires », c'est-à-dire dans la « ceinture rouge » de Paris, celle qui vote communiste. A ce moment, aucun autre parti que le parti communiste ne se manifeste à Paris ; aucun groupe de collaborateurs ne s'est encore véritablement constitué ; J. Doriot et le PPF sont « maréchalistes » ; Déat hésite encore entre la nouvelle capitale et l'ancienne ; à Paris, l'Action française a été interdite par l'occupant. Seul le parti communiste a une politique, dispose de groupes d'action, peu nombreux mais sûrs et fidèles ; seul il diffuse, clandestinement, une presse.

Or, incontestablement, le parti communiste recommande à ce moment aux ouvriers français une collaboration avec les soldats allemands qui, dans le civil, « sont eux aussi des ouvriers allemands » ; certes, il ne s'agit en aucune façon de louanger le nazisme ; la démarche vers les Allemands demeure bénigne, surtout comparée à ce que feront plus tard « les collabos » * ; mais, à ce moment, et avec des limites certaines à ne pas dépasser, il ne fait pas de doute que la direction du parti a recommandé une réconciliation franco-allemande ; la demande de faire reparaître L'Humanité, au grand jour, avec l'autorisation de l'autorité militaire allemande ; l'exigence que soient libérés les communistes emprisonnés par Daladier parce que « ils s'étaient opposés à la guerre » ; l'invitation aux ouvriers de reprendre le travail, alors qu'ils

---

40. Cf Pierre AUDIAT, op. cit., p. 12-19, témoignage du directeur du cabinet du Préfet de police et d'un médecin des hôpitaux ; R LANGERON, op. cit., p. 64 ; Cl. GROUSSARD, op cit . p 38-43
    * Cf le chapitre III

travailleront inévitablement pour les Allemands ; des manifestations publiques de militants dans les rues et cafés dans un « légalisme » que, plus tard, des dissidents qualifieront de « crétinisme » ; certaines formules percutantes de *L'Humanité,* comme « le soldat allemand n'est pas l'ennemi du peuple français » ; autant de façons pour le parti communiste d'affirmer une position en flèche, qui lui vaudra sur-le-champ de s'exposer à de faciles arrestations opérées par la police française, et longtemps à de cinglants reproches qui étaient loin d'être immérités [41].

Deux questions se posent alors : pourquoi ce comportement ? et pour quels résultats ? Si les communistes ont cru que leur heure était arrivée et qu'ils pourraient prendre le pouvoir comme les bolcheviks en Russie en 1917, il faut en déduire qu'ils étaient bien naïfs, en imaginant que l'armée allemande tolérerait des troubles dans un territoire conquis où elle désirait ardemment le calme ; il faut bien constater aussi qu'ils en sont restés au stade des intentions. Il est plus probable que la direction du parti était inspirée par une soumission totale à l'URSS, et qu'elle n'était pas ouvertement hostile à l'Allemagne parce que les Soviétiques ne l'étaient pas aux Allemands ; à côté, le « perinde ac cadaver » des Jésuites est une formule de rhétorique ! Quant aux résultats, ils sont difficiles à mesurer, mais ils paraissent avoir été faibles ; d'abord parce que les communistes sont très peu nombreux à Paris — 200 à 300, a écrit Jacques Duclos ; ensuite parce qu'ils n'ont pas réussi à convaincre toutes leurs troupes et que certains communistes, comme Charles Tillon, adopteront une attitude tout à fait opposée ; enfin, parce que la police française, tout en étant obligée parfois de remettre en liberté, sur ordre des Allemands, les meneurs communistes arrêtés, « 500 défaitistes remis en liberté » ; écrit Langeron, fut assez agissante pour mettre rapidement un terme à une agitation superficielle. On peut se demander si, ce faisant, elle n'a pas rendu un fier service au parti en l'empêchant de s'enfoncer dans une voie erronée où il se coupait totalement de la nation.

41. Cf. dans la très abondante bibliographie sur le sujet ; J FAUVET, *Histoire du parti communiste français,* t. II, A. Fayard, 1965, p. 66-70 ; témoignage de M. GABOLDE (alors procureur général à Paris), in *La Vie de la France sous l'occupation, op. cit.,* t II, p. 622-623 ; et, surtout, Pr. ROBRIEUX, *Histoire intérieure du parti communiste français,* t I, Fayard, 1980 p. 508-510, et Stéphane COURTOIS, *Le PCF dans la guerre,* Ramsay, 1980, p 137 et 377-378

2.

Paris, capitale allemande de la France

Dans le puzzle de l'Europe conquise et dominée par la Wehrmacht, aux statuts très divers, la France occupe une situation en principe particulière, que ses dirigeants, nés de la défaite, et parfois l'étranger, ont même considérée comme privilégiée. En effet, du moins sur le papier, le vainqueur n'a plus la faculté d'imposer unilatéralement sa volonté ; il est lié par un texte, la convention d'armistice signée à Rethondes. Certes, c'est un « diktat », que les Français n'ont pas pu discuter et qu'ils ont dû signer sous la forme que lui avait donnée le vainqueur. Mais celui-ci, on pouvait du moins l'espérer, s'était lié les mains du fait qu'il avait, lui aussi, signé le même texte : il s'était donc engagé à le respecter.

Or, cette convention d'armistice laisse subsister un gouvernement français, théoriquement libre et indépendant, dans une moitié de la France que la Wehrmacht n'occupe pas jusqu'en novembre 1942 ; ce gouvernement possède sur le papier tous les pouvoirs et tous les droits que confère la souveraineté, il légifère, il négocie avec les puissances étrangères, sa justice est indépendante de l'occupant, il possède une armée et une police propres. Et les rapports entre le vainqueur et le vaincu, en application de la convention d'armistice, sont régis par une commission allemande, qui siège à Wiesbaden et auprès de laquelle le gouvernement français a envoyé une « délégation ».

On pourrait donc penser que Wiesbaden est devenue, comme autrefois la carolingienne Aix-la-Chapelle, une sorte de capitale franco-allemande, où les deux partenaires discutent à égalité, si la différence entre les termes de « commission » et de « délégation » ne suffisait pas à montrer l'inégalité des pouvoirs : l'Allemand commande, le Français écoute, discute, et obtempère. En fait, en dehors de ce jeu de marionnettes qui, avec le temps, perdra de plus en plus de son importance jusqu'au point de cesser totalement, le vainqueur a dirigé les régions qu'il occupait, comme il l'entendait, totalement à sa guise, et c'est à Paris qu'il établit le siège de son autorité.

Les pouvoirs de l'occupant

L'article III de la convention d'armistice stipule « Dans les régions occupées de la France, le Reich allemand exerce tous les droits de la puissance occupante. Le gouvernement français s'engage à faciliter par tous les moyens les réglementations relatives à l'exercice de ces droits, à leur mise en exécution avec le concours de l'administration française. Le gouvernement français invitera immédiatement toutes les autorités françaises et tous les services administratifs français du territoire occupé à se conformer aux règlements des autorités militaires allemandes, et à collaborer avec ces dernières d'une manière correcte. »

On ne saurait être plus clair : le gouvernement français, s'il conserve quelque autonomie en zone non occupée, n'est guère qu'une utile courroie de transmission entre l'autorité allemande et les Français de la zone occupée ; en principe, il peut légiférer pour cette zone, donner des instructions aux administrateurs, en fait, il est coupé d'elle par une « ligne de démarcation » devenue une véritable frontière ; tous les textes qu'il édicte, lois, décrets, règlements divers, ne seront appliqués que si l'occupant le veut bien, et avec son autorisation explicite ; inversement, le gouvernement français est dans l'impossibilité totale d'empêcher l'autorité allemande de prendre les mesures qu'elle voudra, et ses protestations demeureront forcément platoniques [1].

Les pouvoirs de l'occupant ne sont limités que par la convention de La Haye selon laquelle « il doit assurer l'ordre et la vie publique, en respectant les droits de la puissance occupée... l'honneur et les droits de la famille, les convictions religieuses ». Mais s'il a l'intention de n'en respecter ni la lettre ni l'esprit, qui l'en empêchera ? Qui le sanctionnera ?

Le rôle qu'il doit jouer, comment le vainqueur le conçoit-il ? Et d'abord, le chef suprême, devant la volonté de qui tous s'inclinent, le Führer Adolf Hitler ? Dans *Mein Kampf*, il décrivait dans la France l'ennemi héréditaire de l'Allemagne, que celle-ci devrait définitivement abattre si elle voulait jouer un grand rôle historique. Maintenant, la France est à terre. Comment la traiter ? Durement, ou magnanimement ? Hitler n'a guère révélé son intention profonde à ce sujet ; probablement, ce pragmatique était encore indécis. Mais qu'il ait eu tout de suite et toujours l'intention de tirer le maximum de sa proie ne fait aucun doute. Cependant, d'après Otto Abetz, Hitler n'aurait pas été partisan de « tenir en tutelle la vie culturelle française », il se serait moqué de la manie allemande de vouloir tout régenter. Il admirait beaucoup Paris, au point, aurait-il dit, que « si Paris n'avait pas été déclarée ville ouverte, les armées avaient l'ordre de la contourner à 30 km à l'est ou à l'ouest, de façon à protéger cette belle ville de la destruction ». Mais, même si cette opinion prêtée à Hitler est exacte, elle

---

1 Voir le texte de la convention d'armistice in *La Délégation française auprès de la Commission allemande d'armistice*, t. 1, Imprimerie nationale, 1947, p. 1-8 ; cf. aussi Henri MICHEL, *Vichy Année 1940*, Robert Laffont, 1966, p. 36-56 ; et, du même, « Aspects politiques de l'occupation » in *Revue d'histoire de la Deuxième Guerre mondiale*, avril 1964

est contredite par tout un comportement d'hostilité profonde, que Abetz lui-même reconnaît, lorsqu'il reproche au Führer de « n'avoir pas eu une politique constructive à l'égard de la France ».

D'ailleurs, pour les grands chefs nazis, aucun doute n'est possible : la France est un adversaire irréconciliable. Ainsi Goering, grand maître de l'économie, ne pense qu'à en tirer le maximum de subsistances pour donner à l'Allemagne les moyens nécessaires à gagner la guerre contre l'Angleterre. Goebbels, le ministre de la Culture et de la Propagande, veut, toujours selon Abetz, « briser la prédominance française dans la propagande culturelle... En particulier, Paris ne doit plus être la capitale de la mode... Toute assistance à la culture française serait un crime vis-à-vis de la nation ».

Les Français, les Parisiens d'abord, n'ont donc rien à attendre de bon des autorités berlinoises ; mais il arrive qu'un administrateur se fasse davantage le représentant de sa circonscription que l'ordonnateur des décisions prises en haut lieu, qu'un ambassadeur devienne auprès de son gouvernement l'avocat du pays dans lequel il le représente. Abetz affirme que tel fut le comportement des dépositaires de l'autorité allemande à Paris, diplomates, militaires, et même policiers : « Ils faisaient souvent front commun contre leurs supérieurs de Berlin. » En fait, nous le verrons, les divergences de vues n'ont jamais porté que sur des points de détail ; tout-puissants à Paris, les détenteurs de l'autorité allemande étaient tout petits à Berlin, et prompte-ment relevés de leurs fonctions. Quant à la commission allemande d'armis-tice à Wiesbaden, dès ses premières dépêches, elle affirma à Berlin sa volonté d'appliquer de façon très sévère la convention, et de n'admettre ni manquement, ni accommodement, dans son application [2].

La marge de jeu des Français était donc très étroite. Il reste que, pour mieux diriger et exploiter la France, les Allemands ont été obligés de multiplier les services différents ; il en est résulté un certain désordre, quelques conflits d'attribution, des luttes d'influence, parfois des divergences de vues ; chaque branche de l'administration avait tendance à en appeler, au moindre problème, à son ministère à Berlin. Les institutions allemandes, qui ont toutes leur siège central à Paris, ont été mises en place à différentes reprises, leurs compétences n'ont pas toujours été très clairement délimitées. Toutefois, selon la règle du droit international, l'administration d'un pays conquis relève d'abord de l'autorité militaire ; la France ne fit pas exception à la règle ; s'il fut parfois battu en brèche, le pouvoir des militaires demeura prépondérant, du moins en théorie, jusqu'au dernier jour de l'occupation ; après tout, la guerre continuait, et la France restait une ennemie, puisque la paix n'avait pas été conclue.

2. Otto ABETZ, *Mémoires d'un ambassadeur*, Stock, 1953, *passim* ; Lucien STEINBERG, *Les Autorités allemandes en France occupée*, Editions du Centre, 1966.

L'autorité militaire

Le théâtre d'opérations occidental avait été placé sous l'autorité de l'armée de terre ; aussi bien, dans les territoires conquis et occupés, Hitler confia l'autorité au commandant en chef de celle-ci, le général von Brauchitsch ; celui-ci constitua un embryon d'administration, avec des cadres de l'armée de terre ; tout avait été préparé longtemps à l'avance et avec minutie, les généraux responsables, jusqu'à l'échelon de la division, avaient reçu toutes les directives appropriées, comme si la victoire avait été certaine ; on n'imagine pas les généraux français munis, au 10 mai 1940, des instructions nécessaires pour administrer des territoires allemands !

Le schéma de l'organisation n'avait rien d'original, il s'inspirait des expériences de 1870-1871 et de 1914-1918. Il était purement militaire, et conçu par des militaires qui, s'ils n'étaient pas hostiles au parti nazi, ne lui étaient pas non plus totalement inféodés ; avec eux, on pouvait penser que les « lois de la guerre » seraient respectées. En particulier, les SS, dont plusieurs généraux avaient dénoncé et condamné les exactions qu'ils avaient commises en Pologne, ne figuraient que comme des unités combattantes, entre d'autres.

Ce système sera vite abandonné en Norvège et en Hollande, mais maintenu en France. Responsable devant le seul Hitler, von Brauchitsch a donné des instructions de « correction », une correction qui, nous l'avons vu, a vivement impressionné les Parisiens. Les occupants ne devaient pas non plus donner l'impression qu'ils étaient là pour toujours, avec des arrière-pensées d'annexion. La guerre continuait, le nord de la France était devenu une base d'opérations contre la Grande-Bretagne, dont on ne pouvait prévoir la durée, il importait donc que la France devint une terre de calme et de tranquillité. Pour laisser croire que peu de choses étaient changées, et que la vie des Français se déroulait toujours selon les mêmes normes, il avait été bien stipulé, conformément au procédé très intelligent que Hitler avait expliqué à Mussolini, que l'administration directe demeurait aux mains des Français ; les responsables allemands devaient travailler avec leurs homologues français, en se bornant à les surveiller, à leur transmettre leurs décisions, et à en contrôler l'exécution [3].

Ainsi, après un intermède de quelques jours où, sous les ordres du général de groupe d'armées von Bock, le premier gouverneur militaire de la région

---

3. E. JÄCKEL, *La France dans l'Europe de Hitler*, Fayard, 1968, p. 90-97 ; à Münich, les 18 juin et 19 juin, Hitler a expliqué à Mussolini que les Français obéiraient plus volontiers à leurs compatriotes, et qu'administrer directement le pays serait une « responsabilité désagréable ». Cf. *Archives Secrètes de la Wilhelmstrasse*, t. IX, livre II, p. 470.

parisienne est le général Vollard-Bockelberg, celui-ci, le 8 août, passe sous les ordres du général Streccius, nommé par Brauchitsch commandant militaire en France (Militärbefelshaber in Frankreich, en résumé MBF). Bien qu'il dépende de Brauchitsch, celui-ci est assez occupé, et le MBF dispose d'une assez grande latitude d'action, pour que la personnalité qui occupe le poste puisse influencer les relations de l'occupant avec les occupés. Le général Streccius, Autrichien barbu rappelé en activité au début de la guerre, donc assez âgé, n'était pas du tout nazi ; il avait longtemps servi en Chine, où il s'était imprégné de la pensée de Lao-tseu, orientée vers la méditation plus que vers l'action. Il se montra pourtant assez peu compréhensif pour qu'on ait pu le surnommer « Monsieur Nein ». En septembre, le général von Briesen remplaça le général Wollard-Bockelberg comme gouverneur militaire de Paris.

A l'automne 1940, le général Streccius, jugé trop âgé, est remplacé par le général Otto von Stülpnagel, appartenant à une famille d'officiers, mais sorti du rang. Sa carrière est assez mouvementée ; capitaine en 1914-1918, puis chargé de la propagande au ministère de l'Armée, il a abandonné le métier des armes pour, en 1931, s'occuper de scoutisme, alors qu'il était général de division, pour d'obscures questions de prééminence. Appelé par Goering pour l'aider à réorganiser la Luftwaffe, il quitte l'armée à nouveau en 1939, mis à la retraite comme général de corps d'armée. La guerre lui fait reprendre du service et, après avoir commandé la région militaire de Vienne, il est nommé à Paris. C'est un officier général de type prussien, tel que les caricatures l'ont dessiné pour des générations de Français, qui semble être né avec un monocle vissé dans l'œil.

Ce général, pétri de discipline, aime l'armée, mais pas la police. Quand commencent les attentats contre des soldats de l'armée allemande *, il applique la règle vieille comme l'armée de tous les pays, qui consiste à fusiller des otages. Ce qui lui coûte, c'est de prendre lui-même les décisions ; il aimerait mieux se borner à exécuter des ordres, l'obéissance faisant taire ainsi sa conscience. Le maréchal Keitel, encore plus prussien que lui, enjoint à von Stülpnagel « de ne pas faire de politique et de n'être qu'un soldat ». Mais le MBF a perdu le feu sacré ; réellement malade, prétextant aussi de ses soixante-cinq ans, il demande et obtient son rappel le 15 février 1942.

Il est remplacé momentanément par le général de division Schaumburg, jusque-là commandant du Gross-Paris (Paris, Seine, Seine-et-Oise et Seine-et-Marne), ancien colonial qui a commandé une unité en Pologne et en France ; un colosse qui répondrait assez bien à la définition souvent donnée d'un général allemand de l'époque impériale : un reître doublé d'un amateur de musique. Selon le préfet de police Langeron, « il haïssait les Français et il

---

* Cf. le tome II de cet ouvrage.

ne pensait qu'à brimer les Parisiens, tous les prétextes lui étaient bons pour cela ».

Pour succéder à Otto von Stülpnagel le choix de Hitler se porta curieusement sur son cousin et homonyme Heinrich von Stülpnagel ; la décision pouvait s'expliquer par le fait que, avant de partir commander une armée sur le front de l'Est, H. von Stülpnagel avait présidé la commission d'armistice à Wiesbaden, on pouvait en déduire qu'il connaissait bien les problèmes français. De santé fragile, il avait effectué de fréquents séjours dans les hôpitaux ; en septembre 1939, il était un des adjoints de von Brauchitsch, puis il avait commandé un corps d'armée dans la campagne de France. Il est âgé de cinquante-quatre ans, et il paraît se situer aux antipodes des nazis ; l'écrivain E. Jünger le dépeint comme un homme grand, mince, les yeux bleus, un peu mystérieux, « il recherche la compagnie des mathématiciens et des philosophes, et en histoire c'est Byzance qui l'attire [4] ». Heinrich von Stülpnagel avait pour les exécutions d'otages encore plus de répulsion que son cousin Otto, bien qu'il n'ait pas hésité à en ordonner. Pour être débarrassé de cette lourde responsabilité, au lieu d'exiger un accroissement de ses pouvoirs, il suggéra une « division des compétences », et une séparation nette entre les attributions militaires et les autres, politiques ou policières. Ce désir, satisfait, sera à l'origine de la modification la plus importante dans les structures des autorités allemandes en France, comme nous le verrons plus loin.

Heinrich von Stülpnagel a pour chef d'état-major le colonel Speidel, qui avait été attaché militaire adjoint à l'ambassade allemande à Paris, avant la guerre, et qui savait très bien se servir de ses relations. Destitué après qu'il eut trempé dans le complot contre Hitler du 20 juillet 1944, von Stülpnagel n'eut que d'éphémères successeurs : le général de division Blumentritt du 21 juillet au 6 août 1944, puis le général de division d'aviation Kitzinger, du 7 au 16 août 1944, date de l'évacuation de Paris par les services du MBF.

Pendant ce temps, au commandement militaire du Gross-Paris, Schaumburg avait été remplacé, en avril 1943, par le général de division von Boinelburg-Langsfeld qui lui-même cédera la place, le 10 août 1944, au général de corps d'armée von Choltitz, avec qui prendra fin l'occupation de Paris par l'insurrection de la Résistance et la capitulation de la garnison.

Tels furent les chefs de l'autorité militaire allemande en France, des soldats de la vieille école de l'armée impériale, disciplinés et polis, rudes et corrects, brutaux et hommes du monde. Ils commandent un organisme complexe aux multiples rouages, qui exige d'eux des compétences étendues ;

---

4 P BOURGET, *Histoires secrètes de l'occupation*, op. cit., p. 126-133 ; E JACKEI, *op. cit.*, p 279-283 ; E. JÜNGER, *Journal*, t II, Julliard, 1951, p 122-144

comme ils ne les possèdent pas, ils sont bien obligés de laisser un peu la bride sur le cou à leurs subordonnés, aux civils surtout.

En effet, la mission du commandant militaire en France est d'assurer le ravitaillement et la sécurité des troupes, mais aussi de contrôler, et de diriger, par Français compétents interposés, l'économie et l'administration françaises ; pas une branche de l'activité française ne doit donc échapper à sa surveillance. Aussi bien, ses services sont-ils organisés de façon à orienter toute la vie de la zone occupée en général, et de Paris en particulier, mais il n'y a pas toujours parfaitement équivalence entre les branches de l'activité française et les bureaux allemands chargés de travailler avec elles. La coopération est assurée, pour chaque binôme franco-allemand, par la présence d'officiers allemands dans le service équivalent français qu'ils supervisent, et de responsables français auprès de leurs homologues allemands, aux ordres de ceux-ci.

L'ensemble est réparti entre deux états-majors. L'état-major de commandement pour les questions militaires a la responsabilité de la remise en état des routes et des ponts, de la garde des prisonniers, de la propagande, des PTT, des prises de guerre, des renseignements et du contre-espionnage, de la justice militaire, de la sûreté aux armées. Les opposants à l'occupant, ou supposés tels, auront maille à partir avec ses services, mais pas l'ensemble de la population parisienne.

En principe, cet état-major militaire a le pas sur l'état-major civil, mais celui-ci ne cessera de se diversifier, d'accroître ses compétences, et de gagner en importance. Au début, c'était un secrétaire d'Etat au ministère de l'Economie, Posse, qui avait reçu les pleins pouvoirs pour intégrer l'économie de l'ensemble des pays occupés en Europe occidentale dans l'économie de guerre allemande. Il sera remplacé par un ministre d'Etat du Wurtemberg, le Dr Jonathan Schmidt, qui ne tardera pas à partir en principe pour raisons de santé.

Au moment de son plein épanouissement, l'état-major civil se subdivisait en trois parties. Un organisme central avait compétence pour les problèmes de personnel, d'interprètes, de permissions, avec à sa tête, le Dr Werner Best, réputé comme un bon nazi, qui deviendra ministre plénipotentiaire du Reich au Danemark. La section administrative avait de multiples attributions, elle surveillait aussi bien la police que les écoles, les finances municipales que les transports, sans oublier « la culture », les archives et « la protection des œuvres d'art et des bibliothèques » (bureau confié à l'affable comte Wolff Metternich).

La troisième section est de loin, en définitive, la plus importante, car l'économie est son domaine ; relèvent d'elle tous les problèmes du ravitaillement, de la circulation fiduciaire, de la réglementation des prix, des questions sociales et de la main-d'œuvre, des assurances, ainsi que la

« déjudaïsation des entreprises ». A sa tête est le Dr Elmar Michel, qui n'a que quarante-trois ans ; c'est un fonctionnaire du ministère des Finances, qui, pendant des années, avait dirigé les services du contingentement des matières premières au ministère de l'Economie. Son rôle est de remettre en marche les entreprises industrielles françaises et de les faire travailler pour le Reich [5]. Il a prétendu, après la guerre, avoir freiné les exigences de Goering ; en fait, dans tous ses rapports, il s'était vanté d'avoir fait de la France la plus rentable des nations vassalisées, pour l'approvisionnement du Reich, et cela, disait-il, parce qu'il avait fait adopter par l'économie française les méthodes de l'économie nazie.

Dans cet ensemble, le commandant du Gross-Paris a ses propres services, dont les attributions se confondent souvent avec celles des services du MBF, auxquels ils sont subordonnés, mais dont l'organisation interne est la même. Ainsi il y a un état-major administratif, sous la direction de Rademacher, que Hitler a félicité pour la réussite, par ses soins, de « l'aryanisation » de l'administration de Liège ; les bureaux civils sont logés au Palais-Bourbon, avec à leur tête un géant blond nommé Turner, que R. Langeron qualifie de « soudard qui ne réussit pas à passer, de temps en temps, pour un homme bien élevé » ; Kruger, à l'Hôtel de Ville, contrôle le budget de la ville de Paris (octroi, impôts, assistance publique) et il épluche la gestion financière des sociétés concessionnaires de l'eau, du gaz, de l'électricité, du métro — la ville ne pourra plus passer un seul contrat sans son autorisation. L'Assistance publique relève d'une section spéciale, aux ordres de Prahlov, et le Dr Kreifeld assure la liaison entre l'administration allemande et les autorités municipales françaises — fonction toute honorifique, étant donné les maigres pouvoirs, encore réduits par Vichy, des édiles parisiens.

La tranquillité et l'ordre dans la ville de Paris sont confiés à une division dont les effectifs seront progressivement happés par le front de l'Est. La ville est divisée en trois secteurs, Est (QG à l'hôtel Ambassador, boulevard Haussmann), Nord-Ouest (QG à l'hôtel Vernet, rue Vernet), et Sud (Hôtel d'Orsay, quai d'Orsay). Le détachement des chasseurs blindés et l'unité des camionnettes demeurent à la disposition du commandant du Gross-Paris. Des postes de garde, comprenant entre 9 et 30 hommes, sont placés à toutes les portes, dans toutes les gares, et dans les immeubles des ambassades des pays amis. Des mesures de « disponibilité renforcée » sont prévues en cas de troubles imminents, ainsi que des interventions pour une répression rapide et impitoyable ; des mots de code sont prévus pour leur mise en application Parmi les décisions particulières possibles figurent le renforcement de la

5. G. WALTER, op. cit. p. 43-44 ; Henri MICHEL, art. cit. ; E. JÄCKEL, op. cit. p. 96-99, L. STEINBERG, op. cit., introduction ; témoignage du Dr MICHEL in La Vie de la France sous l'occupation, op. cit. t. III, p. 1770.

garde de certains points, l'interdiction de sortir en ville pour tous les militaires, et le désarmement de la police française.

L'ensemble des employés civils du MBF à Paris forme ainsi un ensemble, a compté E. Jäckel, de « 600 fonctionnaires de très haut grade, 400 de haut grade, et 100 de grade moyen » ; la majorité (65 %) est composée de fonctionnaires de diverses administrations du Reich, 20 % viennent d'organismes économiques, tels que les chambres de commerce, 10 % d'entreprises privées ; en plus, des professeurs, juristes, archivistes. L'esprit général est plus conservateur que nazi : « La couleur n'est pas le brun du parti, conclut E. Jäckel, mais le gris de l'armée [6]. » Laval disait d'eux « qu'ils n'étaient pas nécessairement idiots, j'en ai connu à qui on pouvait faire comprendre certaines choses ». Ainsi, il n'y a en France de « Gauleiter * » que dans l'Alsace-Lorraine annexée ; pas de gouverneur général comme en Pologne, ou de haut-commissaire du Reich, comme en Norvège, pas plus que de chef allemand de l'administration civile, comme au Luxembourg. Pendant toute l'occupation, le pouvoir exécutif demeurera aux mains des militaires de l'armée de terre, et il sera centralisé à Paris. Les pouvoirs du MBF sont considérables, discrétionnaires même, du seul fait de la convention d'armistice, à plus forte raison si elle est « interprétée », ce qui sera souvent la règle. Son emprise se fait sentir à tous les échelons, dans les domaines les plus variés : demandes de comptes rendus périodiques sur la vie économique, l'état d'esprit de l'opinion, les écoles et les universités, interdiction d'augmenter les salaires, de modifier les prix ou la répartition du ravitaillement, contrôle du budget des communes, censure des journaux, de l'édition, des actualités de cinéma, mainmise sur la radio et les films, autorisation préalable pour la nomination de hauts fonctionnaires, possibilités de commandes directes aux entreprises, communication de listes d'organismes ou de personnes, contrôle de la police, réquisitions de toutes natures pratiquement illimitées, arrestations et détentions ad libitum, pressions sur la justice française, recrutement de main-d'œuvre, prélèvements de matériel, strict contrôle, nous l'avons vu, des communications ferroviaires ou postales, etc.

Cependant, la diversité des besoins allemands, et leur ampleur croissante, amenèrent souvent une érosion, ou un partage, de l'autorité du MBF. D'abord, sur le plan militaire, il est, pour toute opération, subordonné au commandant en chef à l'ouest ; l'aviation et la marine lui échappent (le QG de celle-ci est au ministère de la Marine, celui de l'Aviation au Luxembourg). Bien qu'il soit un bureau de l'armée, le service de renseignements et de

---

6. Annexe du journal de marche de la 2ᵉ armée ; doc. AOK2, 187/2, Nᵒ 78, bobine A 182 au « Comité d'histoire de la Deuxième Guerre mondiale » ; E. JÄCKEL, *op. cit.*, p 99
* Les Gauleiters sont les chefs régionaux du parti national-socialiste

contre-espionnage, l'Abwehr, prend ses ordres directement auprès de son grand patron, l'amiral Canaris, à Berlin ; à plus forte raison, les SS se considèrent-ils comme aux ordres de Himmler, d'autant plus que les militaires aiment mieux ne pas se salir les mains à leur vilaine besogne.

Progressivement, tous les ministères allemands eurent leurs propres services à Paris ; tous étaient en principe subordonnés au MBF ; en fait, leur tendance naturelle était d'échapper à sa tutelle, de revendiquer une certaine autonomie et, en cas de différend, d'en appeler à leur supérieur à Berlin. Sur le plan financier, l'organisme de paiement, la Reichkreditkasse, et certains postes de surveillance des administrations françaises, sont mis hors d'atteinte des militaires par leur haute technicité ; ainsi le Dr Carl Schaefer, placé à la tête de l'office de surveillance des banques, prend le titre de « Haut-Commissaire pour la Banque de France » (et il s'installe à la Banque de France). Il en était de même du Devisensdeutschkommando, chargé de surveiller le trafic des devises et le marché noir de l'or, et qui relevait du maréchal Goering ; comme responsable du « plan de quatre ans », et donc de l'économie de guerre, celui-ci désirait placer des hommes à lui un peu partout.

Totalement indépendant était le service de Rosenberg, très intéressé par les œuvres d'art. Il en sera de même des services du gauleiter Sauckel, lorsqu'il deviendra le négrier en chef chargé, grâce au service du travail obligatoire, d'alimenter en main-d'œuvre la machine de guerre allemande ; Sauckel nommera un délégué en France qui discutera directement avec les autorités françaises.

Nous verrons que tout ce qui concernait la propagande, dont l'importance était considérable dans le comportement adopté par le Reich à l'égard de la France, échappera peu à peu au MBF, en raison de la rivalité des services allemands de Goebbels et de Ribbentrop ; bien que Hitler ait attribué au ministre des Affaires étrangères la responsabilité de l'action de propagande hors d'Allemagne, c'était Goebbels qui fixait la tactique et qui possédait les moyens techniques ; cette dualité se prolongera en France.

Au fur et à mesure que l'économie française s'intégrait à celle de l'Allemagne, la tendance naturelle était que chaque branche se rattachât à son homologue allemand, d'autant plus que les relations commerciales se doublaient de prises de participation dans les affaires françaises, en raison d'une volonté d'hégémonie allemande. Le ministère de l'Armement, qui travaillait sur des projets élaborés par des groupes de travail et des commissions spécialisées, envoya en France ses propres délégués ; fin 1943, il y en avait ainsi 28 à Paris, qui se bornaient à quelques visites de courtoisie à l'administration militaire, et travaillaient ensuite chacune de son côté

Quand la France cessa d'être un territoire tranquille, et que la répression devint un moyen de gouvernement, le MBF ne fut pas fâché de céder ses attributions de police à un spécialiste de la SS, le général Oberg. Et, sur le plan politique, après quelques rivalités avec la commission d'armistice de Wiesbaden, après avoir laissé totalement libre l'antenne du parti nazi à Paris, le MBF cessa d'avoir le monopole des relations avec le gouvernement de Vichy ; celui-ci fut attribué à l'ambassadeur Otto Abetz.

Si on ajoute que les fonctionnaires du MBF avaient été recrutés dans toutes les administrations allemandes, et qu'ils voulurent conserver des liens avec leur maison mère, ne serait-ce que pour protéger leur carrière et assurer leur avancement, on mesurera ce que l'autorité militaire perdit progressivement comme pouvoir, au fil des années ; c'était l'inévitable conséquence d'une situation qui n'était plus la guerre, et pas encore la paix, mais seulement l'armistice. C'était aussi le résultat de la politique générale du gouvernement du Reich allemand, et de Hitler lui-même, d'intégrer durablement toute l'activité française dans celle de la « Grande Allemagne », et de l'Europe constituée sous son magistère. Créé en pleines opérations militaires, le MBF devenait progressivement anachronique, il se transformait en un lieu de rencontre, un centre de coordination, il n'était pas assuré de pouvoir imposer sa volonté à des services théoriquement sous ses ordres, quand ceux-ci, en divergence d'idées avec lui, faisaient appel de ses décisions à Berlin. Il conserve toutefois la principale force, l'armée et, comme toute possibilité de reprise des combats n'est pas exclue, il demeure à la barre, même si, pour l'instant, le navire est ancré au port.

Paris devient ainsi, du point de vue allemand, un petit Berlin ; on y retrouve, à l'échelle française, les hommes, les clans, les rivalités, qui divisent la classe politique allemande. Avec, toutefois, une grande différence ; à Berlin, les divisions peuvent se donner libre cours ; à Paris, elles sont subordonnées à un objectif commun : surveiller, dominer, exploiter la France. La « fédération (apparente) des administrations » peut faire illusion, les Français peuvent parfois jouer une partie contre l'autre, profiter de l'inévitable désordre ; leur marge d'action demeure très étroite, contre eux, les Allemands feront toujours front.

Otto Abetz ambassadeur d'Allemagne à Paris

Dès le 14 juin 1940, le ministre des Affaires étrangères du Reich, J. Ribbentrop, qui désirait mettre son nez dans les affaires françaises, obtint de Hitler l'envoi à Paris d'un homme à lui, Otto Abetz, comme son représentant auprès du commandant militaire en France ; Abetz n'a pas d'instruction bien précise ; c'est un observateur, qui doit « conseiller le MBF », bien que celui-ci n'ait jamais fait savoir qu'il sentait le besoin d'être conseillé. Le 3 août, Abetz gravit un échelon ; il est nommé ambassadeur du Reich à Paris.

Il était difficile de choisir un homme connaissant mieux les problèmes et les hommes de la politique française. Abetz a alors trente-sept ans seulement, il est bel homme, avec une tendance à l'embonpoint, et son abord est naturellement accueillant. Il avait été très marqué par la Première Guerre, bien qu'il n'y ait pas pris part, à quelques années près. De tendance socialiste, professionnellement professeur de dessin, il se dévoue corps et âme dès 1930 à un rapprochement franco-allemand, entre deux démocraties, et deux jeunesses désireuses de surmonter une hostilité qui avait fait verser trop de sang. Marié à une Française, la secrétaire du journaliste Luchaire, il organise des rencontres de jeunes, Français et Allemands ; il se lie alors, au cours de fréquents séjours à Paris, avec des groupes et des hommes « de gauche », pacifistes et internationalistes dans l'esprit d'Aristide Briand : jeunesses communistes et socialistes, auberges de la jeunesse, journalistes et écrivains qui militent « pour l'Europe », comme J. Luchaire ou P. Brosso-lette, anciens combattants « républicains », souvent francs-maçons, comme René Cassin.

Rallié au national-socialisme, il accepte le poste de « rapporteur des questions françaises dans la direction de la jeunesse hitlérienne » ; il entre au « service Ribbentrop », doublure nazie de la Wilhelmstrasse ; il demeure auprès de Ribbentrop lorsque celui-ci devient ministre, il est son conseiller pour les affaires françaises et il l'accompagne à Paris en 1938. Sans rompre avec ses amis français « de gauche », dont beaucoup, par mauvaise conscience envers la République de Weimar, se raccrochent à l'idée qu'il n'est pas impossible de s'entendre avec Hitler, il milite surtout dans la « Société germano-française », dont le pendant à Paris est le « Comité France-Allemagne », au recrutement diversifié, mais comprenant en majo-rité des « hommes de droite », tels les tenants de « l'Action française », Thierry Maulnier et Brasillach, les journalistes Carbuccia (de *Gringoire,* un hebdomadaire agressif) et de Brinon, les écrivains fascistes A. Bonnard, Henri Bordeaux, Pierre Benoît, Louis Bertrand ; des hommes qui voient surtout, en Hitler, le défenseur d'une « civilisation chrétienne », contre le marxisme athée et niveleur.

Les relations d'Abetz le mènent également plus haut ; il a de nombreuses conversations avec des parlementaires français, et aussi des hommes d'Etat comme E. Herriot, G. Bonnet, A. de Monzie, Paul Reynaud, que le nazisme déroute, et qui s'interrogent sur la façon de se comporter à son égard. Abetz, qui mène grand train de vie, et reçoit beaucoup quand il vient à Paris, se montre si entreprenant — il édite des cahiers, multiplie les conférences - qu'il éveille la méfiance du 2ᵉ bureau, et que le journaliste nationaliste antialle-mand Henri de Kerillis l'accuse d'être un espion Abetz s'apprête à le faire citer en justice pour diffamation, lorsque Daladier décide de l'expulser Ribbentrop intervient en sa faveur, et obtient du gouvernement français une demi-rétractation : ce n'est pas pour espionnage qu'Abetz a été expulsé mais la décision d'expulsion n'est pas rapportée. Cet ostracisme tire Abetz de sa demi-obscurité en Allemagne ; en octobre 1939, il est nommé chef adjoin[t] du « service Ribbentrop », avec mandat de « préparer la propagande à l'égard de la France[7] ». En mars 1940, il entre dans la diplomatie, avec le titre, auquel rien ne l'a préparé, de ministre plénipotentiaire[8].

C'est probablement son expulsion de France, c'est du moins son avis, qui a décidé Hitler à charger Abetz de mission à Paris. A-t-elle laissé du ressentiment chez celui qui en avait été victime ? Les Français qui l'ont approché l'ont jugé de façon très diverse. Pour le général de la Laurencie, qui fut un temps, nous le verrons, délégué général du gouvernement de Vichy en zone occupée, Abetz était « une sorte de brute gonflée d'orgueil, de formation intellectuelle primaire... On est saisi par la vulgarité de son esprit, de ses sentiments, de ses manières[9] ». Mais il est probable que le général en voulait à Abetz d'être responsable de son rappel par Vichy, et qu'il ne possédait pas un sens psychologique très affûté. Au contraire, le président du Conseil municipal de Paris, P. Taittinger, fait l'éloge du « parler doux » d'Abetz, de son « caractère amène », et conclut : « Tout le prédisposait à un rôle diplomatique. » Un de ses biographes prête un jugement encore plus favorable à Pierre Laval, qui, il est vrai, avait beaucoup misé sur une coopération confiante avec Abetz, avant de se fâcher avec lui : « Il était nazi de conviction, mais il ne l'était pas de tempérament... Il connaissait bien la France, ce qui le rendait plus compréhensif. Abetz était loyal envers ses chefs et son pays, mais ce n'était ni une brute ni un idiot. » Un rapport de la délégation française à Wiesbaden disait que « la simplicité de Abetz » le faisait bien voir dans « les milieux de gauche ».

Si les avis diffèrent sur Abetz, c'est peut-être que sa mission, et par suite son comportement, étaient ambigus. Singulière ambassade que la sienne ! Il n'est pas accrédité auprès du gouvernement de Vichy, dont l'agrément n'a

7. Cf. Henri MICHEL, *Vichy, année 1940, op. cit.*, p. 159 sq. ; G. WALTER, *op. cit.*, p. 43-44 ; L. STEINBERG, *op. cit.* ; p. 11-14 ; interrogatoire de Abetz, au cours de son procès, dossier au « Centre de documentation juive contemporaine » ; P. BOURGET, *Histoires secrètes..., op. cit.*. p. 133-134.

8. Cf. ABETZ, *Mémoires d'un ambassadeur, histoire d'une politique franco-allemande*, Stock, 1953 p. 210-211 ; *Documents on German Foreign policy*, t. X, p. 407-408 ; H. MICHEL, *Vichy année 1940, op. cit.* p. 81 ; E. JÄCKEL, *La France dans l'Europe de Hitler, op. cit.*, p. 99-100 : P. BOURGET, *Histoires secrètes... op. cit.*, p. 135-138, interrogatoire d'ABETZ à son procès. dossier au CDJC.

9. Cité par Pierre BOURGET, *op. cit.*, p. 137 ; Pierre TAITTINGER, *Et Paris ne fut pas détruit*, Nouvelles Editions latines, 1956 ; Y.-F. JAFFRÉ, *Les Derniers Propos de Pierre Laval*, André Bonne, 1953.

pas été demandé, puisque l'état de guerre subsiste entre l'Allemagne et la France. Il réside d'ailleurs à Paris, et non à Vichy, comme le font tous les véritables ambassadeurs ; en plus, il n'a pas d'homologue à Berlin. Sa mission est multiforme : d'abord, il doit conseiller les autorités militaires « sur les questions d'ordre politique » ; dans la zone occupée, il lui revient, et son passé le désignait tout à fait pour cette tâche, « d'exercer son influence sur des milieux différents » ; pour cela, il aura à assurer le « contrôle politique de la presse, de la radio et de la propagande », ce qui revient à déposséder en partie l'autorité militaire sans que, de son côté, elle ait reçu l'instruction de se dessaisir, ce qui pourrait provoquer une belle rivalité. En tout cela, Abetz est l'œil de Ribbentrop à Paris, dont il reçoit des directives. Mais il est chargé aussi « de garder un contact permanent avec le gouvernement de Vichy et ses représentants en zone occupée », ce qui tend à confiner l'autorité militaire dans des besognes strictement administratives, et enlève une bonne partie de ses pouvoirs à la Commission d'armistice de Wiesbaden.

Mais, outre cette mission de diplomate, assez étonnante déjà, et bien imprécise, Abetz doit s'atteler à deux autres tâches : « informer la police secrète et la Gestapo des documents d'importance politique qui pourraient être découverts », ce qui, à l'occasion, le transformera en mouchard, et aussi « mettre en sûreté et saisir les collections d'art publiques et privées, celles appartenant notamment à des Juifs », ce qui risque de faire de lui un pillard [10].

Quoi qu'il en soit, Abetz s'installe rue de Lille, au siège de l'ancienne ambassade d'Allemagne, et il se lance dans les mondanités parisiennes ; disposant de crédits considérables — à son procès on a parlé d'un milliard de francs — il offre réception sur dîner, où le Tout-Paris se presse. Il s'y montre amateur de vins, bon connaisseur de la culture française, galant envers les dames, déférent à l'égard des talents de ses hôtes ; bref, avec lui, revient dans la vie d'un Paris meurtri un peu de l'existence douillette d'autrefois, dans une ambiance de chaleur humaine très différente de la morosité rigide dans laquelle se complaisent les militaires. Abetz retrouve aussi la plupart de ses amis d'autrefois, moins quelques hommes « de gauche » comme Brossolette, qui fait tout autre chose dans la Résistance, René Cassin qui est à Londres, et des esprits clairvoyants comme le germaniste E. Vermeil ou Georges Duhamel. Il a pu cependant dire, à son procès, sans trop exagérer, « qu'il ne se rappelait pas un seul cas où un intellectuel important ait refusé d'accepter une invitation à l'ambassade ». De leur côté, tous les acteurs et artistes de talent, ceux dont la présence confère à la réunion un caractère bien parisien, y courent : virtuoses, comédiens, danseurs, chanteurs. Abetz sait prendre le Tout-Paris par son péché mignon : la vanité et le snobisme.

10. Texte in *Les Procès de la Collaboration. Le Procès de Jean Luchaire*, Albin Michel, 1948, p. 371

L'ambassade d'Allemagne

Abetz s'est entouré de collaborateurs qui connaissent bien la France, et dont il avait de bonnes raisons de croire qu'ils seraient bien acceptés par les Français. Ainsi le conseiller Achenbach avait déjà été en poste à l'ambassade d'Allemagne à Paris : il est chargé des problèmes de presse et, de façon plus générale, de la propagande. Rudolf Schleier, négociant de son état, avait été prisonnier de guerre en France, de 1918 à 1920 ; par la suite, il y avait fait de fréquents séjours ; grand blessé de guerre, il avait, comme Abetz, milité pour une réconciliation franco-allemande par l'amitié entre les anciens combattants ; rallié au parti national-socialiste, il est nommé responsable du service du parti « pour l'action en France ». Mais il est également fondateur et président de la « Société franco-allemande des villes hanséatiques, et membre du Conseil de la Présidence de la « Société franco-allemande » à Berlin. Rattaché à l'ambassade d'Allemagne comme consul général, il sera promu par la suite ministre plénipotentiaire ; il a la responsabilité des problèmes politiques et, à ce titre, il supplée souvent Abetz. Il sera rappelé en Allemagne en 1943, le service de renseignements du parti le trouvait trop francophile.

L'animateur des questions culturelles est le Dr Karl Epting, directeur avant la guerre du bureau des échanges universitaires en France. Il dirige l'Institut allemand et s'occupe aussi des relations avec le public ; son activité dans la propagande a beaucoup de force de pénétration, car il parle de l'Allemagne à travers les noms prestigieux de Goethe, Schiller, Beethoven, Fichte, Schubert, A. Dürer, comme si les nazis en étaient les successeurs directs.

Dans l'orbite de l'ambassade, prolongeant l'action d'Abetz en province par leurs conférences, gravitent deux écrivains bien connus en France. Ainsi l'avocat-docteur Friedrich Grimm, dit « professeur Grimm » ; il avait écrit, en 1926, un livre de 1 229 pages intitulé *Volk ohne raum* (peuple sans espace), où il affirmait que les Français, marxistes à 50 %, n'étaient plus depuis longtemps un peuple de race blanche. Cette thèse, voisine de *Mein kampf*, lui avait valu l'amitié de Hitler et le titre, pompeux, mais sans portée, de « conseiller juridique » du Führer. Entré au Reischtag en 1933 comme député national-socialiste, il avait écrit en 1938 un livre sur « Hitler et la France » ; il était aussi l'auteur d'une étude sur « le testament politique de Richelieu et les traités de Westphalie » ; dès avant la guerre, il avait noué quelques contacts avec des hommes politiques aussi divers que Blum, Chautemps, Déat, Flandin, Herriot, Laval. Il était membre également de la « Société germano-française », sa connaissance supposée des problèmes français en faisait le complément naturel d'Abetz ; il fut doté du titre de Consul général. En fait, il travaillait peu à l'ambassade, mais l'amitié que, croyait-on, lui manifestait Hitler, donnait du poids à son personnage et à sa parole.

L'autre écrivain, encore plus coté en France, était l'ancien correspondant de la *Frankfurter Zeitung* à Paris, le Dr Friedrich Sieburg, auteur d'un livre à grand succès, *Dieu est-il français*, où il vantait la douceur de la vie dans une France en pleine décadence, dont il célébrait « le rayonnement du samedi soir, fait de liberté, de plaisirs simples ». A l'époque, il était anti-raciste, il avait écrit qu'il n'y avait qu'en France « qu'il était possible, en une génération, à un Roumain, à un Américain et à un Russe, de devenir des écrivains français éminents ». Sans doute pensait-il à Panaït Istrati, Julien Green et Joseph Kessel [11] ? Ce genre d'opinion jurait avec les thèses en honneur dans le IIIe Reich. Aussi bien Sieburg, s'il avait ses entrées à l'ambassade, n'en faisait pas partie, bien qu'il ait carrément retourné sa veste ; la délégation française à Wiesbaden le considérait « comme un petit bourgeois par l'esprit et le comportement et un adversaire déterminé du régime de Vichy », qui estimait « inutile tout essai de collaboration avec la France », mais dont la culture générale « était plus vaste que celle d'Abetz » [12].

Telle était l'équipe de l'ambassade, complétée par le conseiller de légation Dr Gossmann, et par les deux secrétaires de légation von Nostitz-Wallwitz et Krafft von Dellmessingen. E. Jäckel a raison de relever que ce sont, sauf Abetz, des hommes âgés, formés au temps de Weimar, certes pas des opposants au national-socialisme, mais pas non plus ses partisans convaincus. Cependant, il y a parmi eux des nazis bon teint, comme le second conseiller R. Rahn, auteur d'un livre sur Talleyrand, et responsable de la propagande par la radio, et surtout, nazi fanatique celui-là, le docteur en médecine et membre de la SS Carlthéo Zeitschel, qui se disait enfant naturel de Guillaume II, ce qui avait joué certainement moins de rôle que ses convictions personnelles pour lui faire attribuer la responsabilité des « problèmes juifs ». Il est de plus chargé de s'approprier des tableaux de valeur, pour Ribbentrop, pris aux Juifs naturellement [13].

L'ambassade comptait environ 600 employés jusqu'en 1943, où les pertes en hommes sur le front russe imposèrent des compressions. La section

---

11. Témoignage de Rudolf SCHLEIER, in *La Vie de la France sous l'occupation, op. cit.*, t. III, p. 1750-1751 ; Henri MICHEL, *Le Procès de Riom*, Albin Michel, 1979, p. 374 ; Odyle YELNIK, *Jean Prévost*, A. Fayard, 1979, p. 146.

12. Il s'agit d'un rapport de la délégation française à Wiesbaden, saisi par les Allemands et récupéré par le « Comité d'histoire de la Deuxième Guerre mondiale » dans les archives du Reich capturées par les Américains. (OKW n° 1160/40 g kdos, doc n° 98, bob. B. 153, au CH 2e GM).

13. E. JÄCKEL, *op. cit.*, p. 104-105 ; L. STEINBERG, *op. cit.*, p. 14-20 ; P. BOURGET, *Histoires secrètes. op. cit.*, p. 137-139.

politique, la plus importante, Abetz s'en était réservé, au moins en théorie, la direction, surtout après le départ d'Achenbach, puis de Schleier ; elle avait en charge : les partis politiques, c'est-à-dire les groupements de collaboration *, les questions ouvrières, les questions sociales et féminines, les prisonniers de guerre, et les problèmes concernant les jeunes ; une liaison fut, en 1942, mise en place avec le « Front du Travail » de Sauckel, et aussi avec les services de police, après leur réorganisation.

La section de presse et de radio comprenait des émissions en arabe, à destination de l'Afrique du Nord française, et un service d'écoutes confié à un Autrichien, Kulterer ; un autre Autrichien, Bolo, jugé indésirable par les services de police, sera envoyé dans un camp de concentration en 1944 ; « les éditions contrôlées » dépendaient de Hibbelen qui, nous le verrons, constituera un solide trust de la presse ; le tout était coordonné par Rudolf Rahn.

A l'origine, l'ambassade n'avait pas de « service économique », puisque les questions économiques étaient traitées à Wiesbaden, par une commission spéciale, présidée par le ministre Hemmen, dont l'importance ne cessera de croître, au fur et à mesure que l'exploitation des ressources françaises deviendra plus intensive ; jusqu'en juin 1941, Abetz s'était contenté d'utiliser les services du directeur de la chambre allemande de commerce à Paris, Kunter ; après cette date, Hemmen et son service sont déplacés à Paris ; sur le papier, ils constituent une branche de l'ambassade ; en fait, comme Hemmen reçoit la mission « de traiter avec le gouvernement français toutes les questions économiques qui déborderaient le cadre de la gérance des intérêts allemands dans la zone occupée », Abetz se trouve en partie dépossédé, surtout à partir du moment où deviendra patent l'échec de la politique de collaboration dont il s'était fait l'ardent promoteur.

Le dernier service, dit « d'information », sous la direction du Consul général Gerlach, assisté par le Dr Von Kutzschenbach, avait dans son ressort la liaison avec les églises et les autorités militaires, ainsi que la production du matériel d'information et tous les problèmes techniques des achats, des fichiers, des photographies, des projections de films, etc. Enfin, le service consulaire, sous le Consul général Quiring, s'occupait de l'état civil des Allemands non militaires résidant en France, et des visas et passeports délivrés pour l'Allemagne — pour ce dernier point sous le contrôle d'un SS détaché à l'ambassade.

Au cours de son procès, Abetz a évidemment toujours essayé de minimiser son rôle ; il a fait valoir qu'il ne décidait pas : il conseillait, et les militaires n'étaient pas obligés de suivre ses conseils. Et il est exact qu'il ne détenait pas le pouvoir exécutif, et qu'il n'avait pas d'antennes en province. Avec les militaires, ses relations dépendaient donc de leurs rapports personnels

* Cf. le chapitre III de cette étude.

réciproques, et l'influence d'Abetz en grande partie du degré d'influence qu'on lui attribuait à Berlin. Il était en rivalité, d'autre part, avec le général Hanesse, représentant du maréchal Goering à Paris, et absolument démuni de toute possibilité d'action sur les diverses polices. Rosenberg avait placé auprès de lui Ebert, comme « conseiller idéologique ».

Dans ces conditions, le rôle et l'action d'Abetz sur la vie des Parisiens sont minimes ; ce n'est pas de lui que dépendent les heures du couvre-feu, les rations du ravitaillement, les rafles et, à plus forte raison, les arrestations et les internements, même pas les laissez-passer pour la zone non occupée, il n'en a la charge que pour « la catégorie (limitée) des personnes pour lesquelles il existe un intérêt politique ».

Sa mission, c'est essentiellement l'application de la politique allemande à l'égard du gouvernement de Vichy. Sur ce point également il a des rivaux ; parfois les ministres techniques de Vichy (finances, ravitaillement, industrie) nouent des contacts directs avec les services compétents du MBF, le secrétaire d'Etat à l'information avec la « propaganda-staffel », l'Instruction Publique avec l'Institut allemand, J. Darnand avec les SS. Bien que disposant d'un représentant à Vichy, Abetz ne peut pas agir directement sur le gouvernement français, il doit en bonne règle passer par la « délégation générale » de Vichy à Paris, avec laquelle il est en relations constantes.

C'est dans ces limites que l'ambassadeur doit jouer le rôle politique qui lui est dévolu ; il est servi par le fait que, peu à peu, la plupart des services de l'administration française sont revenus à Paris et aussi que, en raison de l'absence à Paris du ministre français des Affaires étrangères et des ambassadeurs des autres pays, les multiples obligations ordinairement du ressort du protocole reviennent à l'ambassade allemande. « Il y en avait plus en une semaine, écrit Abetz, qu'en une année en temps de paix dans une ambassade. Pas de jour sans dîner ou sans réception. » Abetz est ainsi, par sa position bien en vue, une sorte de façade de l'Allemagne en France, il a plus de prestige que de pouvoir, on lui prête plus de puissance qu'il n'en possède.

S'est-il pris au sérieux ? Ou a-t-il voulu reprendre le droit fil de son activité d'avant-guerre pour un durable rapprochement franco-allemand ? C'est un fait qu'il s'est fait le défenseur de la politique de collaboration, et il est probable qu'il a été lui-même abusé, sur les chances réelles de réussite de cette politique, par l'entrevue spectaculaire de Hitler et de Pétain à Montoire en octobre 1940. Dans cette voie, il a trouvé son alter ego à Vichy, en la personne de Pierre Laval. Les deux hommes se sont longtemps appuyés l'un sur l'autre, ils se sont valorisés mutuellement, car ils s'étaient passionnés pour le même objectif. S'ils avaient réussi, les Parisiens en auraient peut-être ressenti les conséquences ; mais, pendant qu'elles se déroulaient, ils n'étaient guère concernés par les tractations en cours, qui passaient par-dessus leur tête, à supposer même qu'ils en aient eu connaissance.

Certes, Abetz ne souhaite en aucune façon un rapide et net redressement français. Il est tenu d'ailleurs par les directives de Ribbentrop, selon lesquelles « l'intérêt du Reich exige le maintien de la France dans un état de faiblesse intérieure ». Tout doit être entrepris du·côté allemand pour provoquer la désunion des Français : « le Reich n'a aucun intérêt à soutenir les vraies forces populaires ou nationales en France, au contraire, il faut appuyer les forces propres à créer des discordes, tantôt ce seront des éléments de gauche, tantôt des éléments de droite ». Si on ajoute que Hitler était fermement décidé à jouer jusqu'au bout la « carte Pétain », car il y voyait la garantie de la tranquillité des Français, la marge de manœuvre d'Abetz était bien étroite. Il se trouva vite, même, sur la corde raide.

Ce qu'il souhaite, c'est convaincre ses supérieurs à Berlin, d'employer le moins possible la manière forte en France. C'est pourquoi il se plaint de la brutalité d'un Goering ou d'un Sauckel. Il voulait que les Français ne soient pas trop mécontents de l'occupation allemande, de façon qu'ils n'éprouvent pas de ressentiment à l'égard de l'Allemagne quand elle prendrait fin. Mais ce francophile est d'abord un nationaliste allemand et, s'il aime la France. c'est durablement asservie au Reich. Il voulait épurer l'administration et la police « avec effet rétroactif jusqu'en 1933 » ; interdire en zone occupée le développement d'entreprises pouvant concurrencer les entreprises alleman-des, diviser la France en provinces avec un droit de regard allemand sur les nominations des gouverneurs, remplacer la France par l'Allemagne dans toutes les formes du rayonnement français à l'étranger. Il consentait à laisser à la vie culturelle française un minimum de possibilités d'expression parce qu'il espérait que les Français y trouveraient un dérivatif à l'abaissement et à l'affaiblissement de leur pays. Bref, il souhaite que la France devienne la terre des bons vins, de la bonne chère, de l'élégance et des jolies femmes : le parfait lieu de repos pour le guerrier germanique [14]. Pour lui, collaboration égale vassalisation.

Aussi bien sait-il élever la voix et hausser le ton lorsque le comportement des Français lui déplaît. Lorsque la « délégation » française à Paris prend du retard dans les transmissions, il attend que « le plus haut fonctionnaire responsable présente ses excuses pour cet incident ». Si une société française envoie à Alger de la correspondance privée sans passer par la censure allemande, il se fâche et impose le contrôle de la censure, « d'autant plus, écrit-il, que celle-ci est effectuée dans l'esprit le plus large ». Il s'emporte quand il apprend que la Préfecture de la Seine n'a pas payé les loyers des appartements réquisitionnés par l'ambassade — quelques faits entre mille [15]

14 Lettre d'Abetz à de Brinon, du 14 mars 1941, dossier Abetz, CDJC, interrogatoire d'Abetz, *ibid*

15. Diverses notes à de Brinon, dans le dossier Abetz, CDJC, O. ABETZ, *Mémoires d'un ambassadeur* op. cit., p. 137-142

Si bon Allemand qu'il soit, si respectueux de ses directives qu'il se montre il arrive que, à Berlin, il soit jugé trop francophile. Pour Ribbentrop, il est un informateur, ou un porte-parole, plus qu'un conseiller. Avancé sur le devant de la scène française comme un appât, il en est retiré lorsque, à Berlin, on a décidé de parler fort et de commander, sans admettre de discussion. Ainsi, en novembre 1942, il est rappelé, en disgrâce, à Berlin ; pendant une année, il ne verra pas Ribbentrop ; pour sauver la face, il feint d'attribuer sa mise à l'écart au mauvais état de son cœur et de ses poumons. En novembre 1943, il reprend du service, Hitler, honneur insigne, le reçoit et l'exhorte à l'énergie, en lui recommandant de « se défier des bons sentiments », car lui-même a été trop souvent « victime des siens » ! Une deuxième fois, il tombe en disgrâce en mars-avril 1944, et, une deuxième fois, il est décidément irremplaçable, il est renvoyé à Paris, où il essaiera en vain, lorsque les Américains s'approchent de la ville, et que l'émeute gronde dans celle-ci, de monter avec Pierre Laval, en qui il voit « un des plus grands hommes politiques de notre époque », une vaste combinaison politique, qui échoue totalement, parce qu'elle se situe en dehors de toute réalité et que personne n'y croit *.

L'autorité policière avant Oberg **

Si le plus francophile des Allemands n'envisage que par tactique d'améliorer quelque peu le sort des Français, et s'il est destitué cependant pour cela, il est clair que ce n'est pas du côté des autorités policières qu'une compensation pourra être attendue, surtout si elles sont sous la coupe de membres du parti, et, pire encore, de la SS. Or, progressivement va être introduit en France le même système implacable d'organisation de la police qui existe en Allemagne, et qui est pratiquement sous la direction de la fraction la plus dure du parti national-socialiste, la Schutzstaffel, vite connue, et tristement célèbre, par ses initiales SS.

Une des premières actions de Hitler et de Goering avait été, en effet, d'unifier les diverses polices et de les placer sous la même direction, alors que, antérieurement, elles étaient sous la dépendance des autorités régionales ou locales. Le 11 juin 1936, un décret fusionne la police de sûreté (Sicherheitspolizei ou SIPO) avec le service de sécurité et de renseignements propre au parti, le Sicherheitsdienst (appelé couramment SD). Le tout comprend ainsi : une police criminelle, chargée de la répression des délits de

---

* Cf. sur ce point le chapitre sur « La libération de Paris », dans le deuxième tome de cet ouvrage).

** L'essentiel de cette partie sera relevé dans le tome II de l'ouvrage, *Paris résistant*.

droit commun, la Kriminal Polizei (ou KRIPO), la police secrète d'Etat (Geheimestaat Polizei), qui existait avant les nazis, mais à laquelle ils vont donner une extension qui la rendra synonyme de répression dans toute l'Europe sous le vocable de Gestapo, et un service de renseignements et de contre-espionnage, le SD. Ainsi est créé « l'Office central de sécurité du Reich » (Reichssischerheitshauptamt) ou RSHA, dont le grand patron est d'abord R. Heydrich puis, après son exécution par des patriotes tchèques, Kaltenbrunner. La fusion est totale : les fonctionnaires de l'ancienne police d'Etat sont intégrés dans les SS avec des grades correspondant à leurs fonctions.

L'autre branche de la police du temps de la République de Weimar, celle du maintien de l'ordre, Ordnungspolizei (ou ORPO) demeure autonome, avec ses diverses parties : police urbaine, gendarmerie, police des côtes, sapeurs-pompiers, défense passive, mais elle est également commandée par un général SS Kurt Daluege et, comme le RSHA, et tout l'ensemble des polices du Reich, avec les prisons, les camps de concentration et les unités de combat SS, elle relève du Reichsführer SS Heinrich Himmler, qui se trouve ainsi à la tête de la plus formidable concentration policière jamais instituée. Seules restent momentanément en dehors de son emprise les diverses unités de renseignements et de sécurité de l'armée [16].

Ce sont elles qui entrent à Paris, avec les armées allemandes victorieuses. Elles comprennent la Feldgendarmerie dont les membres règlent la circulation, et que les Parisiens, à cause de leur collier à mailles d'acier muni d'une plaque métallique, surnomment « les militaires à collier de chien » ou « des vaches de premier choix », et la Geheimefeldpolizei, ou police secrète de campagne, correspondant à la prévôté aux armées.

Mais l'élément le plus important en est le service de renseignements et de contre-espionnage de la Wehrmacht, l'Abwehr. Avant la guerre, trois grands postes de l'Abwehr se répartissaient la surveillance de la France, à Münster, Wiesbaden et Stuttgart ; celui de Münster avait dans son ressort le nord de la France, dont Paris. En juin 1940, les trois postes installent des antennes en France, celui de Münster se loge à l'hôtel Lutétia sous le commandement de son chef d'avant-guerre, le colonel Rudolf ; le lieutenant colonel Oscar Reile dirige le contre-espionnage. En principe, l'Abwehr est un bureau classique de la Wehrmacht, son antenne parisienne est donc sous les ordres du commandant militaire. En fait, elle reçoit des directives de son chef à Berlin, l'amiral Canaris. Celui-ci attachait tellement d'importance à son bureau de Paris, en raison de la préparation du débarquement en Angleterre, qu'il fit le voyage à Paris, pour l'installer, du 15 au 18 juin 1940. Canaris commence par

16. Cf. L. STEINBERG, *op. cit.*, p. 18-27 ; étude du magistrat instructeur au procès d'Oberg archives personnelles.

vérifier si les diplomates étrangers sont restés à Paris, chaque ambassade pouvant devenir un centre d'espionnage ; il donne des instructions pour que les bureaux de l'Abwehr soient bien camouflés, il recommande de ne pas les loger dans des maisons particulières, « car les concierges surveillent tout, en liaison étroite avec les policiers », il conseille de les installer dans des bâtiments publics, où la circulation des visiteurs est intense ; ils passeront plus facilement inaperçus.

Pour mieux échapper au contrôle du MBF, souvent tatillon, surtout dans le domaine financier, alors que le type d'enquêtes menées par l'Abwehr exige des méthodes à la limite de l'irrégularité, sinon même au-delà, les chefs de l'Abwehr eurent l'ingénieuse idée d'installer à Paris un organisme apparemment commercial, qui camouflerait les agents et fournirait des subsides dont il ne serait pas nécessaire de rendre compte au MBF ; des locaux somptueux furent réquisitionnés au square du Bois de Boulogne, c'est l'origine de ce qu'on appellera par la suite le « bureau Otto », qui s'avérera vite, bien plus qu'une « couverture » classique, une officine où toutes sortes d'affaires seront traitées, avec de criants abus.

C'est l'Abwehr qui, le premier, donnera la chasse aux Résistants, en y mettant un minimum de formes. Pour opérer, il dispose de la Geheime Feld Polizei, dont les effectifs se montent seulement à 400 hommes lorsque l'amiral Canaris vient à Paris ; mais ils s'accroîtront rapidement, selon ses instructions. La GFP est sous les ordres d'un Direktor qui s'installe également à l'hôtel Lutétia ; c'est lui qui commande les groupes qui procèdent aux arrestations et aux interrogations des suspects, et qui établissent les dossiers à présenter aux tribunaux militaires.

Mais, subrepticement, dans les fourgons de l'armée, et sous l'uniforme usurpé de la GFP, était entré aussi à Paris un détachement du SD, composé d'une vingtaine d'hommes. Les autorités militaires l'ont-elles ignoré, ou ont-elles fait semblant de ne pas le voir en raison de sa faible importance numérique ? Le groupe est sous les ordres de Knochen, un jeune homme de vingt-huit ans, docteur en philosophie ; inscrit d'abord au mouvement nationaliste des « Casques d'acier », il est entré ensuite aux « Sections d'Assaut » (SA) du parti nazi, puis à la SS, dont il est lieutenant. Il s'est illustré en capturant à Venloo, en novembre 1939, deux agents anglais de l'Intelligence Service qui avaient essayé de prendre des contacts avec l'opposition allemande. Il est sous les ordres du général de brigade SS Thomas, responsable du RSHA pour la Belgique et la France occupée, et installé 57, boulevard Lannes.

Au début, Knochen se garde de heurter l'autorité militaire, il ne s'occupe pas de l'espionnage militaire, et se borne à rechercher les adversaires idéologiques du nazisme-communiste, émigrés allemands, Juifs, maçons — une tâche que von Stülpnagel lui laisse volontiers. Mais les militaires s'irritent de cette dualité de polices; ils croient triompher de leurs rivaux lorsque ceux-ci, aidés de quelques « collaborateurs » français, plastiquent des synagogues parisiennes en octobre 1941; l'affaire est jugée grave, car elle risquait de susciter des troubles dans le territoire occupé où la Wehrmacht tenait beaucoup à ce que règnent l'ordre et la tranquillité — bien troublés déjà par les attentats, qui ont commencé. Stülpnagel obtient que Thomas soit rappelé, mais son succès est sans lendemain [17].

En effet, devant la montée du péril résistant, Hitler a pris deux décisions qui rendent la répression implacable; l'une, en juin 1941, a créé les Einzatzgruppen, commandos destinés à semer la terreur par la torture et l'assassinat; l'autre, appelée « Nuit et Brouillard », livre au RSHA, pour des sanctions qui vont de la déportation à la mort, toute personne coupable d'atteinte à la sécurité du Reich. Von Stülpnagel, qui ne tient pas à mettre au compte de l'armée les opérations répressives, ne s'oppose plus que mollement aux demandes réitérées et énergiques de Heydrich, qui envoie à Paris plusieurs commandos du SD et de la SS.

Oberg, grand maître de la police

Et c'est la décision de Hitler, exécutée par Himmler, d'installer en France un système policier identique à celui qui existe en Allemagne, pratiquement indépendant de l'autorité militaire. Ce faisant, Hitler manifestait son irritation envers les cadres de l'armée de terre, irritation qui allait croissant depuis les revers subis en URSS. De leur côté, Himmler et Heydrich se réjouirent de voir leurs pouvoirs élargis dans les territoires occupés. Il fallait un Himmler pour la France. Le choix du Reichsführer SS se porta sur son ami personnel, le général d'armée SS Karl Albrecht Oberg, un des premiers membres du SD, qui avait fait la guerre comme lieutenant, puis exercé, avec toute la rigueur nazie désirable, les pouvoirs de police à Radom, en Pologne. C'est un homme de quarante-six ans, qui ne connaît rien de la France, et qui parle difficilement un mauvais français. Laval dira que, avec lui, il avait « l'impression de s'adresser à une borne, c'était un homme obtus, cadenassé »; il étend ce jugement d'ailleurs à l'ensemble des SS, « des super-militaires, les plus bornés et les plus féroces, qui ne comprenaient rien à rien, et n'avaient pas la moindre idée de la France ». Heydrich vint lui-même introniser Oberg à Paris en mai 1942.

17. P. AUDIAT, *op. cit.*, p. 29-35; rapport de l'Amt Ausland Abwehr du 20 juin 1940, microfilmé au « Comité d'histoire de la Deuxième Guerre mondiale », document OKW 1026, n° 73, bobine A 154; article de M. de Bouärd, « La répression » in numéro spécial de la *Revue d'histoire de la Deuxième Guerre mondiale*, avril 1964.

Himmler a ainsi fixé la mission d'Oberg : « Vous êtes mon représentant direct auprès du commandant en chef à l'ouest (von Rundstedt), du commandant militaire en France (von Stülpnagel), de l'ambassadeur Abetz et du gouvernement français. Vous avez la charge de l'ordre et du calme en France ». En fait, Oberg est le pion en France du vaste plan de Himmler et de la SS pour éliminer les militaires de la direction des affaires dans les territoires occupés, en attendant de les supplanter dans le commandement des armées.

Certes, pour la sécurité militaire, Oberg reçoit ses instructions du MBF, qu'il doit « tenir au courant » de ses décisions importantes, comme il lui revient de garder des « contacts étroits » avec l'ambassade. En pratique, l'essentiel des pouvoirs de police des militaires passe sous la direction de la SS, à savoir : la Geheime Feld Polizei et les mesures de représailles contre « les opposants », c'est-à-dire les résistants, les communistes et les Juifs. Le MBF conserve la Feldgendarmerie, la direction des prisons et, pour un certain temps encore, l'Abwehr, mais démuni de la plupart de ses moyens d'action. Il ne reste plus au responsable des affaires de police du MBF, le Dr Werner Best, qu'à rentrer à Berlin. En outre, c'est désormais Oberg qui « a le droit de donner des ordres aux autorités et forces de police française, de les contrôler et de les engager dans la zone occupée ». Aussi bien, Oberg ne tarde pas à convoquer le directeur de la police à Vichy, le préfet Bousquet, pour « répartir les tâches », en réalité pour faire passer la police parisienne aux ordres de la SS.

Il se trouve qu'Oberg et H. von Stülpnagel se connaissaient, qu'ils avaient appartenu à la même division pendant la Grande Guerre et qu'Oberg avait un certain respect pour le commandant militaire en France, beaucoup plus âgé que lui. Cela ne l'empêche pas d'accomplir sa mission à ses dépens. Cinq ou six des groupes territoriaux qui opèrent à Paris pour le MBF sont dissous, et leur personnel est intégré au RSHA. Après la disgrâce de Canaris, l'Abwehr, très épuré, passe sous la surveillance du SD, il lui sera intégré en février 1944 [18], le colonel Rudolf regagnera Berlin, le chef du contre-espionnage, Reile, restera en France, mais entrera dans la Gestapo. Après plusieurs conflits d'autorité, le MBF crut pouvoir prendre une revanche totale le 20 juillet 1944, lors du putsch militaire contre Hitler, dans lequel H. von Stüpnagel avait trempé [19]. Dans la nuit, les soldats encerclent les immeubles dans lesquels sont logés les services de police, ils arrêtent et désarment les membres du SD, ainsi qu'Oberg et Knochen. Les hommes sont amenés à la prison de Fresnes, dont une partie des détenus a été

18 E JACKEI, *op cii*, p 282-283, Y -F JAFFRÉ, *op cii.*, p 133-134, M DE BOUARD art cit
19 Cf VON SCHRAMM *les Généraux contre Hitler le 20 juillet 1944 à Paris*, Hachette 1957

évacuée, tandis que les chefs sont installés dans le hall de l'hôtel Continental, pas une goutte de sang n'a été versée. Mais, dès que l'échec de l'attentat contre Hitler est connu, et qu'on apprend que le Führer est vivant, le commandant en chef à l'ouest, Von Kluge, se désolidarise des conjurés. auxquels il ne s'était d'ailleurs lié que du bout des lèvres. Le 21 juillet, à 1 h 45, sur ordre de von Stülpnagel, le général von Boineburg-Lengsfeld, commandant militaire du Gross-Paris, va libérer Oberg et Knochen ; les conjurés avaient d'ailleurs reçu des menaces de rétorsion de la part de la marine, restée fidèle. Les policiers enfermés à Fresnes sont reconduits dans leurs bureaux.

Ce qui aurait pu être un « drame » s'achève en comédie. Désireux que personne ne perde la face dans l'aventure, les protagonistes se mettent d'accord sur une version élaborée par Abetz : von Stülpnagel a été « victime d'une méprise » ; les opérations de la nuit étaient, en fait, « des manœuvres », élaborées en commun par le MBF et les SS. Oberg accepte cette version, qui lui évite le ridicule, et lui épargne de prendre une revanche, car il sait que von Stülpnagel a été condamné à Berlin. (En route en automobile vers l'Est, von Stülpnagel se tirera une balle dans la tête, près de Verdun ; il survivra à ses blessures, sera jugé par le « Tribunal du Peuple », et pendu à un croc de boucher.) Tout s'achève alors dans un banquet nocturne, où on sable le champagne à la victoire de l'Allemagne ; mais le ver est dans le fruit ; ailleurs, des chefs de la SS sont entrés en relation avec les Alliés (notamment en Italie).

A part cet incident, qui aurait pu lui coûter cher, Oberg s'était affirmé, à partir de l'été de 1942, comme le véritable maître allemand de la zone occupée, puisque c'est sous ses ordres qu'est advenu le règne de la terreur. Il s'est installé au 57, boulevard Lannes, avec son cabinet dirigé par le SS Herbert Hagen. Lui-même est, comme Himmler pour la grande Allemagne, chef suprême de la police et de la SS (Höherer SS und Polizeiführer) ; Knochen devient son adjoint comme chef de la police de sécurité et du SD, et va s'installer au 72, avenue Foch. Le RSHA, intervient désormais dans toutes les affaires françaises, y compris celles de la zone sud, lorsque la Wehrmacht y fait son entrée en novembre 1942. Le SD s'infiltre dans tous les services allemands, administratifs, judiciaires, culturels, les « noyaute » et y instaure sa loi. Même la police criminelle sort de son rôle et se met au service de la police politique.

Les Allemands ont ainsi réussi à construire en France un Etat policier, sur le modèle de celui qui existe en Allemagne. Ce qui est surprenant, c'est qu'ils soient parvenus à le rendre efficace, avec des moyens aussi limités. L'affaire du 20 juillet 1944 a montré en effet la grande faiblesse numérique de la police allemande à Paris ; en raflant à peu près tout le monde, y compris les téléphonistes, les militaires n'ont réussi qu'à arrêter 1 500 personnes, l'effectif de la SS en France ne dépasse pas 2 000 personnes ! Il est possible, ce fut l'impression des responsables français des services spéciaux de l'armée de l'armistice, que l'effacement de l'Abwehr se soit traduit initialement par une baisse de régime ; mais, par la suite, ses officiers mettront leur expérience et leurs qualités au service du SD. L'ensemble fonctionne donc, non sans quelques bavures, avec une redoutable efficacité. C'est que, d'une part, la tâche était préparée, et pour une bonne part accomplie, par les 20 000 hommes que comptaient les divers services de la police parisienne ; d'autre part, les méthodes désormais adoptées sont la brutalité allant jusqu'à l'assassinat, des méthodes dont l'application est du ressort de la redoutable Gestapo et de ses agents français.

La Gestapo a laissé de telles traces dans la conscience collective des Français qu'ils ont tendance à prendre la partie pour le tout et à désigner sous ce vocable l'ensemble des polices allemandes. En fait, la Gestapo est l'organe exécutif du RSHA pour la recherche et la répression des adversaires du Reich, son bras séculier en quelque sorte. Elle ne fait qu'appliquer avec ponctualité le principe nazi que « aucune entrave ne doit gêner la défense de l'Etat », avec ses corollaires que tous les moyens sont bons quand il importe de combattre les ennemis de l'Etat, et que aucun scrupule ne saurait être admis, surtout lorsque ces ennemis sont des « sous-hommes » comme les Juifs. L'objectif, c'est d'annihiler toute opposition, de l'empêcher même de s'exprimer, par une répression impitoyable. Peu importe d'atteindre le vrai coupable ; l'important est de dissuader, de prévenir toute action hostile et, si on n'y réussit pas, d'enlever aux opposants toute possibilité de recommencer, après les avoir très durement punis, et s'il le faut, en les exterminant.

A Paris, la Gestapo est le 4e service, ou Amt IV, du RSHA. Son responsable est le Sturbannführer SS (commandant) Boemelburg, dont « les bureaux » sont avenue Foch ; en 1943, il sera envoyé à Berlin et remplacé par le colonel Stinst ; celui-ci « fonctionne » aussi dans des locaux du ministère de l'Intérieur, 11, rue de Saussaies. Les divers « services » de la Gestapo concernent : le communisme, les questions juives (avec Dannecker), le contre-espionnage (avec Kieffer), et la résistance (avec Wentzel). Dannecker, qui relève directement de Eichmann, dans une sorte de seigneurie dans l'Etat-SS, s'est logé 31, avenue Foch. La plus belle avenue de Paris est devenue le lieu de concentration des chambres de torture des SS.

L'autorité de la Gestapo est telle, et l'importance de son activité est jugée si grande que, pratiquement, les autres sections du RSHA sont appelées à lui prêter leur concours, si nécessaire ; c'est-à-dire qu'elles participent aux enquêtes, aux rafles, aux saisies ; le SD et la police criminelle la renseignent. Quant à l'armée, lorsque les effectifs de la Gestapo s'avèrent insuffisants, elle fournit les troupes nécessaires. Il est arrivé, au début, que les militaires rechignent un peu à la besogne, demandent des explications ; ils ont toujours fini par s'incliner ; conscients que, en définitive, la sécurité de l'armée dépendait de l'efficacité de la Gestapo, ils se sont ainsi souvent rendus complices des crimes des « Gestapistes » ; la Gestapo fixait les objectifs, elle était le cerveau de la répression ; l'armée exécutait, elle était le fournisseur des forces nécessaires[20].

On mesure ainsi l'évolution de l'autorité allemande à Paris ; placée d'abord sous la direction des militaires de l'armée de terre, qui la monopolise, elle leur échappe peu à peu, sauf dans les zones de combat, lorsque la guerre recommencera à l'ouest ; ainsi, lorsque Paris s'insurgera, les résistants ne trouveront plus devant eux les SS, déjà partis outre-Rhin, mais seulement les troupes fatiguées de von Choltitz. L'étoile montante d'Abetz a pu laisser croire un moment que le pouvoir de décision allait être donné aux politiques et aux diplomates. Mais l'échec de la politique de « collaboration » dont Abetz s'était fait le champion, les défaites subies par l'armée allemande, qui rendent plus nécessaire encore une exploitation intensive des territoires occupés, et la France était le plus riche, le développement d'une résistance agressive qui entrevoit, avec l'espoir retrouvé, la possibilité de jouer son rôle dans la libération du pays, font que le pouvoir, tombé des mains de l'armée, et qui n'a jamais véritablement trouvé sa place à l'ambassade, échoit à la police ; une police unifiée, renforcée, de plus en plus rigoureuse, au point de s'identifier, dans l'esprit des Français, à sa branche la plus répressive. C'est ainsi que, progressivement, l'occupation allemande va devenir synonyme de « crimes de la Gestapo ». Comme tous les services allemands ont leur tête à Paris, c'est à Paris que s'effectue cette mutation, c'est à Paris que les effets en sont les plus sensibles.

De l'occupation totale à la répression sévère

Après la guerre, un sketch du chansonnier P. Colline décrivait les affres du maire d'un village du centre de la France, honteux que ses administrés n'aient pas pu faire leur devoir : ils n'avaient jamais vu d'Allemands. Les Parisiens eux, n'avaient qu'à sortir de chez eux pour constater leur présence multiforme et obsédante ; ce n'étaient que bannières, oriflammes, pancartes « verboten », emplacements réservés, défilés, patrouilles, survols d'avions, concerts, affiches, convois, journaux, etc. Tout le quartier de l'avenue Kléber est réservé aux administrations des occupants ; des barrières de bois ou des chicanes, derrière lesquelles des sentinelles montent une garde vigilante, en interdisent l'accès, sauf aux Français munis d'une autorisation. Place de la Madeleine, une affiche et une flèche indiquent une armurerie

20. Cf. Y. DELARUE, *Histoire de la Gestapo*, A Fayard, 1954, p 275-318.

allemande ; salle des pas perdus, gare Saint-Lazare, on peut lire un écriteau :
« Banhof-Offizier » ; le théâtre de l'Empire est devenu « Deutsches soldaten
theater », sous le signe « Kraft durch freude ». Devant l'ABC, des affiches
en allemand invitent les soldats à entrer voir le spectacle : « Hinein, meine
Herren, Ya Wohl, Hinein ». Place de la Concorde, des plaques indicatrices
orientent les camions : Lille, Metz, Le Havre, Brest, Bruxelles ; l'idée n'est
pas encore venue aux Parisiens de les intervertir. Plus inquiétante est
l'interdiction, en français et en allemand, de circuler sans s'arrêter autour de
l'hôtel Meurice, siège du MBF.

La Feldgendarmerie dispose de trois immeubles ; la poste militaire est
installée 51, rue d'Anjou ; la Geheime Feld Polizei est répartie dans six
hôtels ; les services de la propagande, de la censure sont à l'hôtel Majestic,
et aussi aux Champs-Elysées ; le « Kommandeur » des chemins de fer de
l'Ouest a réquisitionné l'immeuble du journal *le Temps,* sur les grands
boulevards ; la Luftwaffe, avec le général Hanesse, siège rue du Faubourg-
Saint-Honoré, et l'état-major de la Kriegsmarine au ministère de la Marine.
rue Royale ; le Cercle Interallié, rue du Faubourg-Saint-Honoré, s'est
transformé en « Casino » pour les officiers allemands ; Polytechnique en
caserne. Les plus grands cinémas, le Marignan, le Rex, le Paris, sont devenus
Soldaten-kino, et nombreux sont les restaurants dans lesquels les Français
n'ont plus le droit d'entrer. La densité de l'occupation, très forte dans le
centre de la ville, va en diminuant vers la périphérie, mais aucun point n'est
épargné.

Des noms de rues ont changé, ils ont été « déjudaïsés » ; le boulevard
Péreire est ainsi octroyé à l'antisémite de combat, Edouard Drumont. Le
couvre-feu oblige à célébrer la messe de minuit de la Noël en plein jour,
dans l'après-midi ; les livres scolaires ont été épurés de tout ce qui n'était
pas « aryen » ; en hiver, tout le monde part à son travail, écoliers compris,
alors qu'il fait encore nuit et que, sécurité oblige, il faut cheminer dans
l'obscurité.

Pour les Parisiens, la vie devient difficile, aigre. Les journaux continuent à
célébrer la correction, la bonté, des Allemands. Ainsi *L'Illustration* relate
avec émotion qu'un officier, docteur dans le civil, a publié ses photographies
de Paris, sous le titre *Reflets de Paris.* Il écrit dans la préface que, « dans la
capitale de la France, il a été frappé par la fluidité de l'atmosphère, les
paysages délicats et changeants du ciel, la grâce et la variété des tonalités,
l'extraordinaire éloquence de la pierre, la somptueuse élégance des perspectives ». La Seine devient « un fleuve royal, couronnée de ponts et de
marches ensoleillées », la rue Royale, « le plus beau coin de Paris ». Il y a
ainsi, sous les uniformes vert-de-gris, des amoureux de Paris, des poètes, des
artistes, des hommes pacifiques, qui se demandent ce qu'ils font là, des pères
de famille qui pensent à leurs enfants quand ils caressent une jeune tête

blonde française, probablement même des adversaires de la guerre et des ennemis du nazisme.

Mais le cœur n'y sera vite plus. A mesure que la guerre se prolongera, que l'espoir de victoire s'estompera, que plus personne ne se sentira en sécurité dans Paris à cause des bombardements alliés, ou des attentats et sabotages de la Résistance, les sourires se figeront, la sérénité fera place à l'anxiété nerveuse ; le Français cessera d'être le vaincu résigné et de commerce facile. A son égard, le comportement allemand le plus favorable est une indifférence teintée d'incompréhension. Ainsi E. Jünger entend des propos anti-français de responsables allemands qui le hérissent, mais il ne proteste pas contre eux ; il se promène dans Paris et il observe ; il voit ainsi, au printemps de 1941, sur le talus du château de Vincennes, un homme qui coupe de l'herbe, et qui range soigneusement des escargots dans une boîte ; Jünger est amusé par cette scène, il la compare à d'autres, du même genre qu'il a vues ailleurs, en Chine. Mais sa réflexion ne va pas plus loin ; il ne se dit pas que cet homme est tenaillé par la faim au ventre, et qu'il se livre à une misérable cueillette pour l'apaiser, il ne s'interroge pas sur les causes de cette famine, et sur la responsabilité qui en revient à l'occupation allemande, donc à lui-même. C'est d'une autre existence que la sienne qu'il s'agit, lui-même ira bien déjeuner au Cercle interallié.

Cependant, ses congénères commencent dès 1942 à préparer une éventuelle défense. Les immeubles qu'ils occupent s'entourent de sacs de sable, les fenêtres se garnissent de grillages et parfois se transforment en meurtrières, les sous-sols sont aménagés en casemates et en abris ; les Parisiens ne peuvent plus les apercevoir que de loin, de 100 mètres pour le Palais du Luxembourg, car des chicanes les contraignent à de longs détours ; d'énormes blockhaus de plusieurs mètres s'élèvent à des points importants, avec des tranchées et de petits abris bétonnés pour mitrailleuses dans les espaces découverts (carrefour Médicis, place de la République). Les chaussées sont trouées pour pouvoir, avec des rails, installer des barrages antichars. Certains immeubles deviennent de petites forteresses : la Chambre des députés, le Luxembourg, les hôtels Meurice et Majestic. Lorsque les Français font mine de s'en approcher, les commandements des sentinelles sont plus rauques que par le passé, on sent leur doigt plus nerveux sur la gâchette du fusil ou de la mitraillette[21].

21 Cf. R. ARON, *Histoire de Vichy*, t. I, A Fayard, 1954, p. 222 sq. , fonds de photographies, musée Carnavalet ; *L'Illustration*, 5 avril 1941 ; E. JÜNGER, *Journal*, t. I, Julliard, 1951 *passim* P AUDIAT *op. cit.*, p 208-209.

Réquisitions abusives et pillages

Avec le temps, les militaires allemands ne se limitent pas à ne plus se déplacer qu'en groupes et en armes, à rester sur le qui-vive, à fuir les contacts avec les Parisiens. Leurs besoins ayant augmenté considérablement, en raison de la grande dévoreuse d'hommes et de matériel qu'est la guerre sur le front de l'Est, leur appétit en biens de toutes sortes est devenu plus vorace, leurs exigences plus impérieuses, leur comportement encore plus brutal. Les préfets de la Seine et de police, impuissants, ne cessent de se plaindre auprès du gouvernement de Vichy, qui n'y peut rien en ce qui concerne les locaux, au 1er juillet 1944, l'occupant avait effectué dans la Seine 8 046 réquisitions immobilières ; le débarquement en Normandie ayant vidé la capitale d'une partie des troupes, l'administration française obtint que 346 réquisitions soient levées, mais la plupart persistaient, même lorsque les occupants étaient partis, sous prétexte qu'ils pouvaient revenir. Dans tous ces locaux, d'importants travaux d'aménagement sont demandés, « toujours dans de très brefs délais », précise le préfet Bouffet ; en un mois, pour prendre un exemple, entre le 15 octobre et le 15 novembre 1942, dans Paris, 187 travaux de réfection ont été effectués — en priorité bien sûr, et alors que les matériaux indispensables manquent pour l'entretien des immeubles.

Dès fin 1940, le gouvernement de Vichy s'est plaint à Wiesbaden de l'ampleur et du rythme des réquisitions, « elles rendent impossible le plan de rationnement... elles créent un sentiment d'insécurité... les achats massifs de denrées pour l'Allemagne vident l'économie française... et la vident de wagons qui ne reviennent pas, ce qui perturbe les transports... les troubles ainsi apportés sont considérables, il y a 500 000 chômeurs dans la région parisienne... Par suite de la réquisition des péniches, le charbon du Nord n'arrive plus à Paris ». En outre, l'Allemagne ne tient pas ses promesses de fournir, en échange, des excédents de ses produits : « les 100 000 tonnes de pommes de terre promises pour Paris ne sont pas arrivées ». En avril 1941, le gouvernement de Vichy demande qu'une commission mixte d'experts « détermine les règles des réquisitions, les dommages et les réparations qu'elles entraînent » ; il ne lui est même pas répondu ; les réquisitions, même les plus inattendues, continuent à proliférer.

Ainsi, en septembre 1942, l'occupant bloque 50 tonnes de cuivre ; de ce fait, la construction de trolleybus, envisagée pour Paris, est ralentie. En mars 1943, l'occupant fait recenser « les locaux vacants et les bicyclettes ». Il exige que des mesures soient prises pour lui assurer, en cas de besoin, la fourniture de 30 000 bicyclettes. Les automobiles, les camions, les locomotives et les wagons sont prélevés d'office — 3 000 locomotives en juin 1941, parmi « les types les plus puissants et les plus modernes » ; quand elles seront livrées, et le plus grand nombre se trouvent dans les dépôts de la région parisienne, il n'en restera plus que 1 600, les plus anciennes, pour l'ensemble de la zone occupée. Comment assurer alors le ravitaillement de Paris ? En novembre 1943, neuf trolleybus, à peine fabriqués et pas encore en service, sont envoyés dans des villes allemandes. En mai sont réquisitionnés certains tronçons du métro, entre les stations Pyrénées et Porte des Lilas, mairie d'Ivry aussi, pour installer des ateliers souterrains au service de la Luftwaffe ; sont prélevés en même temps 800 camions du département de la Seine « pour des destinations inconnues ». Note inattendue : les SS demandent, poliment, qu'on expédie à Berlin, mais seulement à titre de prêt, les dossiers des Archives nationales relatifs aux Huguenots ayant quitté la France après la révocation de l'Edit de Nantes, étant donné que « des familles allemandes illustres en descendent ». Le directeur des archives, P. Caron, obtempère, sur avis de la délégation générale de Vichy à Paris, mais, méfiant, il n'enverra les cartons que par paquets séparés, un nouvel envoi ne sera effectué qu'après que les dossiers du précédent seront revenus.

Tels sont quelques exemples, entre des milliers de cas, l'énumération en serait fastidieuse ; il suffit de savoir que ces exigences ont persisté jusqu'aux derniers jours de l'occupation, et que, avant de fuir Paris, certaines unités ont bradé sur les trottoirs des denrées de toutes sortes en quantités trop importantes pour être emportées, alors qu'elles avaient cruellement manqué aux Parisiens : farine, tissus, légumes secs, café, chocolat, boîtes de lait concentré, conserves, etc. La question, jamais réglée, des frais de cantonnement, illustre, mieux que toute autre, les méthodes allemandes. Rappelons que, dédaignant le plus souvent les casernes, les militaires allemands, les policiers également, aimaient mieux s'installer chez des particuliers, hôtels meublés ou appartements privés. La notion de « prestations accessoires au logement » était entendue au sens large ; on prenait, et on ne rendait pas, des meubles, des tapis, des lustres, des réfrigérateurs, des postes de radio, etc., les dépenses de luxe étaient devenues la règle : bergères, fauteuils, moquettes, velours, billards, rideaux, tables de jeux, gravures, etc.

Le nombre d'organismes et de personnes bénéficiant de cette manne n'a cessé de s'accroître ; elle était d'abord réservée aux militaires, puis en profitèrent les services annexes : administrateurs civils, ouvriers et employés des journaux allemands, cheminots, postiers, personnel de l'Organisation Todt (200 entreprises avaient leur siège à Paris), et même conférenciers, artistes ou troupes de théâtre de passage. On aménage ainsi : les installations des foyers des soldats et des maisons de tolérance qui leur sont réservées — ce qui était une aubaine pour les tôliers, mais le ministre des Finances se fit tirer l'oreille pour payer ; des cliniques et hôpitaux occupés, et même des cours d'immeubles et des trottoirs ; on ajoute à la note les salaires des gardiens des édifices et des interprètes, les frais d'affiches et de circulaires, les réparations de matériel. La France paiera ! Pour donner un seul exemple, l'installation du dépôt de matériel de Paris-Batignolles entre novembre 1941 et août 1942, a coûté 190 millions de francs (petite consolation : le matériel sera capturé à peu près intact lors de la libération de Paris).

Toutes ces dépenses n'auraient dû être payées qu'une fois, et cesser une fois l'installation terminée ; en fait, les commandes continuaient à se renouveler, de façon à approvisionner les troupes allemandes occupant des pays moins riches que la France. Ainsi, en plus de l'exorbitante indemnité quotidienne d'occupation, les Français pouvaient s'attendre à payer des sommes d'un montant illimité. D'autant plus que, pour faire plaisir aux personnes déménagées de chez elles, l'occupant préconisait une augmentation des loyers qui ne lui coûtait rien, puisqu'elle était payée par la France, et qu'il entendait mettre les frais des réparations sur les notes qu'il présentait. Lorsqu'une demande n'était pas immédiatement satisfaite — par exemple des livraisons de linge — le préfet de la Seine s'entendait rappeler que « les besoins de l'armée d'occupation priment ceux de la population civile ». On ne saurait être plus net.

Dans cette lutte inégale, les Français ne peuvent pas ne pas être battus. Ils obtiennent parfois de petits succès ; ainsi, la restitution, à Paris, du « laboratoire central des poudres », transformé en « laboratoire de recherche physique et chimique », ainsi le refus de payer les réparations des véhicules remis à l'Organisation Todt et endommagés par cette même organisation. Mais, la plupart du temps, ils n'ont qu'à s'incliner ; par exemple, ils n'obtiennent pas que soit remise en question une décision unilatérale de l'autorité occupante, exemptant les achats allemands des taxes de 9 % à la production et de 1 % à la transaction [22].

De pareils procédés, et plus encore l'esprit de rapine dont ils faisaient preuve, relevaient purement et simplement d'une volonté de pillage systématique. Les mesures précitées se situaient cependant dans l'application — élastique dans le sens des intérêts allemands — de la convention d'armistice. Dans bien d'autres cas, les méthodes furent encore plus brutales, et aucune discussion n'était acceptée. Devant les commandants militaires des régions occupées réunis à Berlin le 6 août 1942, Goering avait donné le ton : « Je considère toute la France occupée par nous comme un pays conquis... Je songe à piller, et rondement... Je vais envoyer une quantité d'acheteurs munis de pouvoirs exceptionnels, qui auront tout loisir d'acheter à peu près tout ce qu'ils voudront... Que les Français livrent tout ce qu'ils peuvent jusqu'à ce qu'ils n'en puissent plus... Dans peu de temps, d'ailleurs, ils n'auront plus rien à acheter. »

---

22. *Rapports mensuels* du Préfet de la Seine, Archives nationales ; *Comptes rendus de la délégation... op. cit.*, t. II, p. 169-171 ; t. IV, *passim* ; P. ARNOULT, *op. cit.* p. 141-143.

Effectivement, dès la fin de 1940, le Musée de l'Armée avait été vidé, par les soins de conservateurs des musées de Berlin et de Vienne : les portes de bronze du tombeau de Napoléon avaient été forcées avec des pinces — comme par des cambrioleurs ; des canons disposés dans les cours, des armes et des armures, des objets et des collections d'art subtilisés. Les uns étaient d'origine allemande, mais d'autres avaient toujours appartenu à la France. Il est significatif que, par peur des représailles, le général Doyen n'ait pas voulu donner les noms des témoins du « prélèvement ». En même temps, des dizaines de milliers de volumes étaient dérobés à la Bibliothèque de la guerre 1914-1918, à Vincennes.

Mais ce sont surtout les œuvres d'art, et en priorité les tableaux, qui attirèrent les convoitises des pillards nazis, même lorsqu'il s'agissait d'œuvres qui, selon leur idéologie, appartenaient à un « art dégénéré ». Dans les attributions d'Abetz figurait la « protection des œuvres d'art » — Tartuffe peut être aussi amateur d'art. Contrairement au service du commandement militaire, dirigé par le comte de Metternich, qui estime que rien ne doit partir de France avant que le traité de paix n'en ait décidé, Abetz fait grouper des « œuvres d'art » dans une maison vide, près de l'ambassade, pour en « établir un catalogue détaillé », a-t-il déclaré sans rire à son procès ; un catalogue pour l'élaboration duquel, sur les conseils d'Epting, des experts étaient venus de Berlin, le professeur Ernst et le Dr Weltz. Le travail avait été effectué par un colonel de la police militaire, Zeitschell, plus connu pour son nazisme bon teint et son antisémitisme que pour son érudition en matière esthétique.

Puis, Abetz fut officiellement dessaisi au profit du « service » de Rosenberg, un Balte, théoricien fumeux du nazisme ; selon Rosenberg qui, après juin 1941, avait été chargé par Hitler de l'administration des territoires conquis en Europe orientale, le Reich, puissance en guerre, avait le droit d'exproprier et de s'approprier les biens, mobiliers et immobiliers, de ses ennemis — et, en temps de guerre, qui n'est pas ennemi ? Le « service Rosenberg », représenté en France par le Dr von Beer, envoie ainsi régulièrement des trains de mobilier français vers les villes allemandes sinistrées après les bombardements alliés. Sont également saisies des bibliothèques et des archives appartenant à des Juifs, dont les partitions des éditions musicales *L'oiseau Lyre*, les collections de Florine Ebstein-Langweil et de David Weill, et 760 caisses de papiers, objets, œuvres d'art, appartenant aux Rothschild !

Les tableaux sont l'objet d'une particulière attention. Les coffres de la Banque de France sont forcés pour s'emparer de près de 80 toiles, que Mlle Wesserman y avait déposées, et dont elle avait fait don à la France. Zeitschell a saisi également la très riche collection Wildenstein, mais, le Comte Metternich ayant élevé des objections, la collection est « achetée », à bas prix, par les éditions photographiques H. Hoffmann, de Munich. A la fin de 1941, des « expositions » sont spécialement organisées pour Goering, qui retient pour sa collection personnelle dix Renoir, dix Degas, deux Monet, trois Sisley, quatre Cézanne, cinq Van Gogh ; en somme, un véritable musée personnel de cet art impressionniste, formellement condamné par le national-socialisme, et par Hitler en personne. Goering procède aussi à des échanges, et cède des tableaux de peintres français contre des toiles de maîtres italiens. Le service Rosenberg, pour procurer des devises à l'économie nazie, vend à la maison Bührle à Zurich 21 903 œuvres d'art, provenant pour la majeure partie de galeries et de collections appartenant à des Israélites français de Paris[23].

En même temps que ces « transactions » ont lieu avec le concours de toute une faune d'intermédiaires, le Dr von Beer procède à des autodafés dans le jardin des Tuileries ; il a certainement brûlé ainsi des cadres, des copies, des photographies de tableaux célèbres ; le bruit courut dans Paris qu'étaient également détruits des Miro, Picasso, Picabia, — et il n'est pas sûr que c'était un faux bruit.

Les victimes : des Juifs aux otages

En ce qui concerne les Juifs, leur sort était réglé par avance puisque, dans l'idéologie nazie, ils étaient le mal absolu. Nous n'avons pas l'intention d'étudier ici, de façon détaillée, le sort tragique des Juifs sous l'occupation allemande, un crime d'autant plus monstrueux qu'il était gratuit. Dans l'abondante littérature consacrée à ce triste sujet, nous renvoyons le lecteur aux études publiées par le « Centre de Documentation juive contemporaine », sous le titre *Editions du Centre* ; nous en citerons quelques unes au cours des deux tomes de cet ouvrage. Il s'agissait d'identifier les Juifs, de les priver des droits les plus élémentaires, puis de les spolier, pour enfin les déporter et les exterminer. Dans toute sa sécheresse, l'énumération des décisions de l'occupant les concernant suffit à montrer l'ampleur et la continuité de ses desseins ; l'agglomération parisienne étant, avec l'Alsace, un des lieux de groupement de la communauté israélite française, la population parisienne put en mesurer la nocivité.

La première ordonnance allemande du 27 septembre 1940 prescrit un recensement des Juifs, auquel les intéressés se prêtèrent docilement. La deuxième ordonnance, du 18 octobre 1940, fit obligation aux entreprises

23. *Cahiers d'histoire de la guerre*, n° 4, mai 1950, p. 78-82. Le général Doyen présidait la délégation française à Wiesbaden ; cf. *Délégation, op. cit.*, t. III, p. 272-273 ; F. BOUDOT, art. cit., *Revue d'histoire de la Deuxième Guerre mondiale*, avril 1964 ; interrogatoire d'Abetz à son procès, dossier au CDJC ; L. STEINBERG, *op. cit., passim.*

juives, de toutes natures, de se déclarer, pour être pourvues d'administrateurs provisoires. Ainsi la matière sur laquelle portera l'action destructrice et spoliatrice est bien délimitée, et soigneusement fichée.

Viennent alors, en série, des mesures vexatoires, interdictions ou obligations : interdiction aux Juifs de pratiquer certaines activités (5 mai 1941), interdiction aux capitaux juifs de circuler — il faut savoir où ils se trouvent pour mieux s'en emparer (10 juin 1941) —, confiscation des postes récepteurs de radio appartenant à des Juifs (22 août 1941), imposition, le 14 décembre 1941, d'une amende de 1 milliard de francs aux Juifs, interdiction aux Juifs de changer de domicile (7 février 1942), imposition du port de l'étoile jaune à tous les Juifs âgés de plus de 6 ans (1er juin 1942), interdiction aux Juifs de pénétrer dans les lieux publics, et obligation de faire leurs achats en dehors d'une heure par jour (15 juillet 1942).

Après quoi, il ne restait plus qu'à arrêter et interner les Juifs. La dernière ordonnance est d'autant plus cynique qu'elle fut annoncée la veille de la grande « rafle du Vel' d'hiv' » ; en deux jours, la police française, aux ordres de l'occupant, arrêta 12 884 Juifs, sur un objectif initial de 28 000 ; les véritables responsables de l'opération étaient les SS Dannecker et Röthke, chargés de la « question juive » à la Gestapo de Paris. Pierre Laval disait « qu'il n'avait jamais vu un excité, un dingo comme Dannecker, il écumait et les yeux lui sortaient de la tête lorsqu'il parlait des Juifs ».

Auparavant, en application des ordonnances précitées, toutes passées au *Vobif*, le journal officiel de l'occupant, et au *Bulletin municipal* pour que nul n'en ignore, il avait été interdit aux Juifs : de gérer des commerces, des restaurants ou des hôtels, de travailler dans les assurances, les agences de voyage et les entreprises de transports, d'être employés dans des banques ou chez des agents de change, ainsi que dans des agences de publicité ou de transactions immobilières. Si on ajoute qu'ils ne pouvaient pas participer à l'activité de la presse, du cinéma, du théâtre, de la radio, qu'ils étaient exclus du barreau et de tout poste dans la fonction publique, la conclusion est horriblement claire : les Juifs forment une catégorie de parias, à qui il était interdit d'exercer tout emploi supérieur, et qui étaient systématiquement dépouillés de leurs biens par la vaste entreprise d'escroquerie baptisée « aryanisation des entreprises ». En même temps ils sont régulièrement injuriés, et chargés « de tous les péchés d'Israël » par une presse ignoble, dans laquelle brille de toute sa noirceur l'hebdomadaire *Au Pilori*[24].

Si beaucoup de Parisiens purent s'imaginer qu'ils n'auraient rien à redouter de l'occupant parce qu'il avait assouvi sa colère sur les Juifs, il leur fallut bien vite déchanter. Dès septembre 1940, prévoyant le pire, l'autorité

---

24. Cf. Henri MICHEL, art. cit., in *Revue d'histoire de la Deuxième Guerre mondiale*, avril 1964 ; Cl. LÉVY, Paul TILLARD, *La Grande Rafle du Vel' d'hiv.*, Robert Laffont, 1967.

militaire allemande avait proclamé que, s'il le fallait, « des otages garanti-
raient de leur vie l'attitude correcte de la population ; leur sort était entre les
mains de leurs compatriotes ». Effectivement, de-ci de-là, à mesure de
l'avance de la Wehrmacht, des otages avaient été désignés, généralement
parmi les notables ; aucun incident sérieux ne s'étant produit, ils avaient été
régulièrement relâchés.

Il n'en fut pas de même lorsque commencèrent les attentats perpétrés par
la Résistance ; taxer les Juifs — c'est l'explication de l'amende de 1 milliard
de francs — apparut bientôt sans effet notable. Le 16 septembre 1941, le
chef de l'état-major de la Wehrmacht, Keitel, fit connaître la décision de
Hitler : pour tout soldat allemand tué, 50 à 100 otages seraient fusillés, de
préférence des communistes. Le 30 septembre 1941, von Stülpnagel décida
que les fusillés seraient pris parmi les personnes détenues par les Allemands,
ou par les Français pour le compte des Allemands. Les listes étaient établies
par le SD. C'est ainsi que l'accusation française, au procès de Nuremberg,
pourra faire état de 11 000 personnes fusillées à Paris. Le martyrologe, de la
population parisienne sera étudié, en relation avec la Résistance, dans le
tome II de cet ouvrage. Parmi les 11 000 fusillés à Paris, la grande majorité
avaient été transférés de province dans les prisons de la région parisienne [25].

25. Cf. M. de BOUARD, art. cit. ; *Procès de Nüremberg*, t. XXXVII, p. 211-212.

3.

Paris, capitale de la collaboration
Les « collabos »

Nous verrons, tout au long de cette étude, qu'il était bien difficile à un Parisien, obligé de frayer quotidiennement avec les occupants, souvent professionnellement, de ne pas, de temps en temps, coopérer avec eux ; l'administrateur y était tenu par ses fonctions mêmes, de par la convention d'armistice ; les commerçants ne pouvaient pas refuser de leur vendre leurs marchandises ; les ouvriers étaient bien obligés de travailler pour eux, s'ils voulaient vivre, et leurs patrons d'accepter leurs commandes, pour faire marcher leurs entreprises. Puisqu'ils étaient partout, et partout les maîtres et que, pratiquement, rien ne pouvait se faire qui n'eût reçu leur accord, pourquoi ne pas jouer le jeu ? Que faire d'autre ?

Nous ne retiendrons évidemment pas ce genre de « collaboration » quotidienne, permanente, imposée par des contraintes qu'il n'appartenait pas aux Parisiens de modifier. Mais, parmi ces Parisiens, il en fut qui tirèrent largement profit de la présence allemande, qui recherchèrent l'appui de l'occupant et lui offrirent leurs services, qui applaudirent à ses succès et œuvrèrent pour qu'ils se pérennisent et s'accroissent, qui rivalisèrent de zèle, de servilité, pour lui être agréables.

Ceux-là sont les « collaborateurs », des volontaires, pas des résignés. Ils sont tantôt groupés en mouvements, qu'ils appellent partis, par lesquels ils espèrent accéder au pouvoir ; mais, le plus souvent, ils travaillent pour l'ennemi dans leur sphère d'activité, professionnellement mais toujours dans le sens de leurs profits, parfois selon leurs idées. Ce sont ces « collabos » qui constituent le petit monde que nous allons essayer de décrire ; un monde étrange, grouillant, véreux souvent, toujours vociférant et plastronnant. Ils sont peu nombreux et ils parlent, ils écrivent, ils agissent comme s'ils étaient tout Paris à eux seuls ; ils se gonflent de leur importance, mais ils ne peuvent vivre et durer que grâce à l'occupant, à ses appuis, à ses subsides, et ils sont rejetés par l'ensemble de la population parisienne. Et ils ne cessent de se disputer entre eux.

Bien sûr, ils existent dans toute la France ; mais Paris est leur capitale, puisque c'est celle du vainqueur. Comment vivraient-ils ailleurs que dans son ombre, et sous sa protection ? C'est à Paris que leurs groupements ont leurs sièges, que leurs dirigeants tiennent leurs meetings, que s'imprime leur presse, que se tissent leurs intrigues, et que se manigancent les « bonnes affaires » de la collaboration.

Qui est « collabo » ? Pourquoi ?

Il résulte de l'enquête menée dans toute la France par le « Comité d'histoire de la Deuxième Guerre mondiale »[1] que les groupements de collaboration n'ont jamais groupé plus de 1 ‰ de la population adulte ; les chiffres manquent pour la région parisienne ; mais le phénomène de la collaboration, s'il n'avait pas forcément plus de force qu'en province, y était plus visible parce qu'il s'étalait dans la presse et à la radio, et que les provinciaux y venaient souvent défiler, faire nombre autour de leurs chefs, ou prendre leurs directives. Les femmes représentent environ 1/5 de l'ensemble ; la moyenne d'âge des adhérents est relativement élevée, mais on trouve des jeunes dans les équipes de combat.

Ces proportions sont évidemment très faibles ; certes, des partis de la IIIᵉ République ne comptaient guère plus de membres, et leur discipline, leur cohésion étaient généralement plus lâches ; les femmes n'y proliféraient pas, elles étaient sûrement moins nombreuses que le cinquième des hommes ; les jeunes non plus. Mais il faut tenir compte du fait que la collaboration, plus qu'un parti politique, était une tendance, et que les partis traditionnels étaient loin d'avoir disposé des moyens d'action qui lui étaient alloués. Si on ajoute que les groupements de collaboration, bien que souvent rivaux. interféraient sur les bords, ou s'unissaient pour des tâches communes, et qu'il était rare qu'un « collabo », successivement ou simultanément, ne se soit pas inscrit à plusieurs formations, on peut induire des procès qui leur furent intentés à la libération, et au cours desquels la tendance existait de grossir leur rôle pour mieux pouvoir les sanctionner, que les collaborateurs parisiens n'ont jamais représenté, même au solstice de la puissance allemande, qu'une infime minorité de la population parisienne.

Mais ils en sont un microcosme, car ils viennent de tous les horizons, et ils appartiennent à tous les milieux. Les moins virulents ne sont pas ceux issus des associations d'anciens combattants. Nombreux sont les « collabos », et ce n'est pas le moindre de leurs paradoxes, qui ont brillamment, courageusement, fait leur devoir en 1914-1918 et, pour certains — comme Darnand — à nouveau en 1939-1940, contre les Allemands ! Tantôt les carnages dont ils ont

1 Cf. sur l'ensemble de ce chapitre, l'analyse pénétrante de Pascal ORY, *Les Collaborateurs*. Le Seuil, 1976 ; collection du « Bulletin intérieur » du *Comité d'histoire de la Deuxième Guerre mondiale*, plus particulièrement les comptes rendus des réunions de la « Commission d'histoire de la collaboration »

été les témoins, dont ils auraient pu être les victimes, les ont conduits à vouloir à tout prix une réconciliation avec leurs adversaires de la veille, entre soldats également valeureux, également loyaux. Tantôt ils ont été séduits par les qualités montrées par leurs ennemis. Tous ont évoqué avec nostalgie la camaraderie fraternelle, la communauté de destin, le « socialisme des tranchées », qu'ils avaient vécus. Tous ont été traumatisés par la défaite de l'été 1940, la fuite de l'exode, le manque trop fréquent de combativité. Ceux-là, il ne sera pas difficile à Abetz, qui les comprend si bien, de les utiliser.

Déjà, en 1914-1918, le front s'était souvent opposé à l'arrière, les « poilus » aux « politicards ». C'est à ceux-ci que les « collabos » attribuent la responsabilité de la catastrophe de 1940, s'ils leur refusent celle de la victoire de 1918. Pour eux, la démocratie, le régime parlementaire, les libertés qui dégénèrent en licence, sont à l'origine de la décadence de la France, de la petitesse bourgeoise, du débraillé, du laisser-aller, du règne du mastroquet et de la partie de boules, de la médiocrité dominante. Parmi eux, certains viennent de « l'Action française » ; ils se délecteraient presque d'avoir eu raison ; mais ils ne suivent pas leur vieux chef Charles Maurras dans son culte pour Pétain et son adhésion à la « révolution nationale » ; pour eux, le régime de Vichy n'est qu'un prolongement, avec trop souvent les mêmes hommes, de la mollesse républicaine ; trop faible, trop tiède, trop libéral. D'autres ont vu fondre leur antigermanisme au cours de leurs voyages dans la « terre promise », à Nuremberg, cette Mecque du nazisme ; ils ont été séduits par l'ordre, la discipline, la dureté, l'apparente jeunesse, du nazisme. La victoire allemande, par sa rapidité et sa totalité, a achevé de les convaincre que, dans le fascisme allemand se situait l'avenir du monde. Ces athlètes blonds, sains, propres, au regard ferme, aux muscles lisses, dorés par le soleil, c'étaient les champions d'un ordre nouveau qui préserverait, et sauverait la France, tant d'une démocratie veule que d'un communisme asiatique destructeur.

Et puis il y a tous les profiteurs de la présence allemande ; ceux qui vont naturellement au succès parce qu'il leur paraît la vérité du moment ; ceux qui, étonnés, puis ravis, découvrent un occupant apparemment correct, souvent cultivé ; ceux pour qui l'Allemagne de Beethoven, de Goethe ou de Schiller n'est pas forcément morte avec le docteur Goebbels. Il y a ceux qui espèrent faire revenir un frère ou un mari prisonnier de guerre ; d'autres qui aspirent tout simplement à manger un peu mieux et à être mieux chauffés, fût-ce en Allemagne ; et les simples, les dociles, pour qui tout pouvoir doit être obéi puisqu'il est le pouvoir, pour qui aussi la puissance entraîne le droit dans son sillage ; sans oublier la force de l'habitude qui fait qu'on continue à écrire dans le même journal, puisqu'on y est imprimé depuis trente ans, et que son titre n'a pas changé ; pourquoi refuser d'aller à une réception, sous prétexte que les uniformes allemands y seront nombreux, alors que le Tout-

Paris s'y pressera ? Comment refuser de serrer une main alors que l'autre vous tend un ausweis ? Quelle raison donner pour ne pas laisser paraître sa photographie dans un journal, même si c'est au sortir d'une manifestation de propagande allemande ? Et, après tout, puisque les Allemands sont là, pourquoi ne pas en tirer parti, ou profit ? Les moins motivés ne sont pas les profiteurs, de tous acabits ; les uns pensent que leur heure est venue et qu'ils doivent ne pas laisser passer leur chance ; les autres qu'ils disparaîtront de la scène s'ils ne montent pas dans le train en marche ; la pègre, du maquereau à l'homme d'affaires véreux, voit avec ravissement s'ouvrir de nouvelles voies pour exercer ses talents et faire fortune. Car si le « collabo » de petite taille vit mieux que son semblable, le Parisien moyen, le « collabo » de haut lignage, lui, mène l'existence la plus fastueuse qu'il ait pu imaginer. Jean Luchaire, le directeur des *Nouveaux Temps*, acquiert deux propriétés, dispose de deux appartements, ramène de la campagne des centaines de kilos de viande, des litres de crème, des centaines d'œufs. De quoi faire bombance en permanence, alors que les Parisiens crèvent de froid et de faim[2]. Telle est, en raccourci, cette faune de la collaboration, que le directeur du Cabinet civil du maréchal Pétain, Du Moulin de la Barthète, qualifiait de « lèpre du cœur et vice de l'esprit ».

Les Allemands et la collaboration

Le parti national-socialiste, par la section française de son organisation étrangère, possède une antenne en France, qui comprendra jusqu'à 103 groupes locaux en 1944 ; le quartier général est naturellement à Paris, 12, boulevard de la Madeleine ; le chef en est Richard Zeissig, venu du parti nazi d'Argentine, et dénué de toute connaissance sur la France — ce qui n'a aucune importance, puisque son rôle est seulement de veiller à ce que les nazis ne perdent pas quelque peu de leurs dures convictions au contact de la « douce France » et des délices de Paris. Les groupes nationaux-socialistes se recrutent parmi le personnel civil de l'administration allemande, et aussi parmi les ressortissants de pays récemment annexés au Reich, et jugés dignes d'être germanisés — Tchèques, Polonais, Luxembourgeois ; des Hollandais et des nordiques également. Mais pas de Français, sauf exception. Les groupes ne sont pas en rapports directs avec les collaborateurs français, ils les ignorent même ; ils sont d'une autre nature, évidemment et éminemment supérieure, puisqu'ils sont allemands.

2. D'après Claude LÉVY, *Les Nouveaux Temps et l'idéologie de la collaboration*, A. Colin, 1974 ; p. 69-70 ; cf. aussi H. AMOUROUX, *op. cit.*, t. III, p. 205-215 ; DU MOULIN DE LA BARTHÈTE, *Le Temps des Illusions*, Le Cheval Ailé, 1946.

Ce particularisme allemand, hautain et méprisant, illustre bien la nature des liens qui unissent les services allemands de l'occupation aux collaborateurs ; ce sont des liens d'étroite dépendance, de totale subordination. Les Allemands font vivre, parfois largement, les collaborateurs ; ils leur donnent le feu vert, sans lequel ils ne pourraient pas démarrer ; ils les paient, souvent grassement, et de manières diverses ; ils autorisent leurs publications, ils les couvrent par rapport aux autorités françaises, et ils font libérer ceux que, par hasard, ces autorités auraient pu arrêter [3] ; ils leur font obtenir tout ce dont ils peuvent avoir besoin en locaux, matériel, facilités diverses, mais ils ne leur accordent qu'une marge d'action, tracée par eux, à ne pas dépasser sous peine de sanctions, et ils ne leur laissent jamais totalement la bride sur le cou. Si les valets déplaisent, ils sont remerciés, parfois sans dédommagement, pas toujours sans punition ; ce ne fut pas une petite surprise, pour les Résistants, de découvrir dans leurs prisons, la présence de quelques amis des occupants qui avaient déplu à ceux-ci, ou dont ils avaient voulu se débarrasser, parfois même en les envoyant dans des camps de concentration. Bref, le « collabo » doit obéir à son maître, au doigt, à l'œil et à la baguette.

L'inégalité est donc très grande entre le nazi allemand et le fasciste français, et celui-ci s'en est souvent plaint. Il n'existe pas d'internationale fasciste, même pas semblable au Komintern de l'époque qui, sous l'étroite sujétion de l'URSS, comprenait des sections nationales unifiées. Nulle part, et surtout pas en France, l'occupant n'a voulu que soient coordonnés les efforts et unies les forces de ceux qui, pourtant, s'affirmaient comme ses amis fidèles. Les Allemands sont tellement convaincus de détenir, grâce à leur idéologie, le secret de la puissance et de la réussite, qu'ils ne veulent pas prendre le risque de voir leurs amis devenir des rivaux à force d'avoir profité de leurs leçons. Ils divisent pour mieux régner ; ils opposent les factions les unes aux autres ; ils les utilisent toutes, et ils les usent, en entretenant leurs rivalités, les unes contre les autres ; ils favorisent celle qui, sur le moment, et selon l'objectif, leur paraît la plus utile ; ils la remplacent lorsque cette utilité n'est plus aussi évidente, ou qu'elle est devenue moindre. Surtout, ils ne donnent des armes aux « collabos » qu'au compte-gouttes et à condition qu'elles soient strictement employées selon leurs instructions — on ne sait jamais si un nationaliste français ne va pas percer un jour sous l'uniforme du plus fidèle, apparemment, des serviteurs.

Dans ces conditions, les divers services de l'occupant ne cessent, certes, d'encourager leur meute de collaborateurs parisiens à aboyer contre le régime de Vichy ; à le mordre aussi, à belles dents ; ils veulent bien que les

3 La police a parfois mené la vie dure aux collaborateurs tant que la protection allemande ne leur était pas assurée : interdictions de tenir des réunions, arrestations pour port « d'emblème interdit » (le brassard) ou distributions de tracts sur la voie publique ; des locaux sont fermés, les scellés apposés (notamment pour le « parti national-socialiste français » en janvier 1941)

« collabos » réclament que le pouvoir, tombé en quenouille entre les mains du vieux maréchal, leur échoie ; ils se réjouissent que ces prétentions inquiètent le gouvernement de Vichy et affaiblissent ses velléités de discutailler leurs exigences. Mais tous les Allemands responsables sont d'accord pour estimer que la plus grave erreur serait de déposséder le maréchal Pétain des quelques parcelles d'autorité qui lui ont été laissées ; c'est que la présence du maréchal est garante de la docilité des Français, parce qu'elle les rassure. Au contraire, les Français n'obéiront pas aux fantoches de la collaboration parisienne, parce qu'ils les savent à la solde et à la dévotion de l'occupant. Les collaborateurs parisiens ne formeront un « gouvernement français » qu'à la fin de la guerre, et ce sera en Allemagne, à Sigmaringen. Auparavant, ils n'ont jamais été qu'un épouvantail pour Vichy.

Cette politique de l'occupant explique qu'il ait recruté ses valets dans tous les milieux, et que chaque service ait eu ses domestiques, qui tendaient la sébille. Abetz a pour cheptel la « gauche » socialisante, radicale, syndicaliste, les anciens parlementaires ; les services de la propagande cherchent à s'attacher le plus possible d'écrivains, d'artistes, d'acteurs, d'hommes de voix et de plume, dont la signature et le nom connus pourront séduire des Français et en rassurer d'autres. La préférence des militaires va, non sans réticence ni hésitation, à ceux qui se battent et, en définitive, à la milice, parce qu'elle est engagée comme une unité anti-guérilla, dans un genre de combat que n'aime aucune armée régulière *. Le responsable des questions juives, Dannecker, s'adressera tant aux trafiquants qu'aux antisémites. Oberg et Knochen recruteront leurs hommes parmi les plus fanatiques des « collabos », et aussi dans la pègre, dont ils couvriront les méfaits.

On le voit, les « collabos » sont payés, aidés, loués, parfois armés, quand ils servent : la propagande de l'occupant en célèbrant sa grandeur et sa loyauté : l'économie de guerre allemande en approvisionnant le Reich en main-d'œuvre, machines, matières premières et produits fabriqués ; la sécurité de l'armée en l'aidant à découvrir et mettre hors de nuire ses adversaires. Mais, plaqué sur cette dure réalité, le discours politique de la collaboration, si pro-nazi qu'il soit, et quel que soit le discoureur qui le prononce, n'est qu'un jeu purement verbal, vide et vain, une outre gonflée d'un vent qui ne fait se courber personne [4].

---

4. HERZTEIN, « Le parti national-socialiste face à la France », dans *La Revue d'histoire de la Deuxième Guerre mondiale*, octobre 1981 ; STEINBERG, *op. cit.*, nos 1215 et 1216.

* Il faudra attendre décembre 1943 pour que H. von Stülpnagel enjoigne aux autorités allemandes de se montrer, à l'avenir, moins réservées à l'égard des collaborateurs français

Les cheffaillons

Paris s'était vidé de toute vie politique française ; il n'y avait plus de président de la République, plus d'Assemblées délibérantes, plus de gouvernement ; des ministères, il restait les carcasses des édifices et, à l'intérieur, les fonctionnaires, les exécutants, mais pas un ministre. A part le représentant des Etats-Unis, les ambassadeurs avaient, eux aussi, abandonné la ville, pour de singulières vacances dans une ville d'eaux thermales de la zone non occupée. Les partis politiques, les syndicats, n'avaient plus pignon sur rue ; rien n'indiquait même qu'ils aient autrefois existé. Toute une pâture quotidienne d'informations avait disparu des journaux et de la radio, et si la presse reparaît, c'est teintée d'une couleur vers-de-gris ; personne ne peut plus acquérir dans un kiosque l'hebdomadaire, la revue, le journal quotidien répondant, comme avant-guerre, à son éthique, ou à ses préférences politiques. Quant à ce qui se passe à Vichy, les Parisiens le savent mal, et toujours de façon tronquée et tardive ; la nouvelle capitale de la France leur paraît aussi éloignée d'eux qu'une planète d'une autre galaxie.

Dans le trou ainsi creusé, certainement de façon durable, de nouveaux venus vont s'engouffrer, conscients qu'ils ont des places à prendre, et des positions à occuper dans l'opinion. Il leur suffit, pour se manifester, d'obtenir l'agrément de l'ambassade allemande, avec quelques subsides — et il entre précisément dans la mission d'Abetz de susciter en France occupée un semblant de vie politique, de préférence apparemment diversifiée. L'important est d'avoir un local où recevoir, et d'où pouvoir téléphoner — les appartements abandonnés par leurs propriétaires juifs paraissent avoir été construits pour cela. Après quoi, on recrute quelques amis, des camarades de lycée ou de régiment, des gens avec qui on a autrefois milité ou sympathisé, des chômeurs aussi. On les munit d'un uniforme ; leur première tâche est de coller des affiches et de diffuser des tracts, un journal à parution régulière quand un nouveau pas a été franchi. Puis, on les fait défiler, de préférence un dimanche après-midi, sur les Champs-Elysées ou sur les grands boulevards. Ils crient d'autant plus fort qu'ils sont peu nombreux et qu'ils n'attirent guère l'attention ; pour prouver leur virilité, ils molestent quelques passants qui ne leur ont pas cédé le pas assez vite ; le comble de l'action « courageuse » est de lancer des pavés dans des magasins juifs.

Ainsi naîtront dans les premiers mois de l'occupation de Paris 15 groupements ; 7 s'affirmeront, inégalement. Comme l'écrit drôlement Pascal Ory, on a ainsi le spectacle paradoxal « d'une douzaine de partis uniques, chacun prétendant représenter le totalitarisme » Bien qu'ils ne cessent de se chamailler entre eux[5], ces apprentis dictateurs sont interchangeables. Tous compensent par la violence du discours, la faiblesse de leurs moyens ; tous imitent Mussolini ou Hitler, et adoptent un rituel inspiré de leurs modèles. La plupart ont eu maille à partir avec les autorités de la IIIe République et une revanche à prendre ; c'est le cas de Boissel et de son *Front franc*, un architecte, ancien combattant, pensionné à 100 %, orateur à Nuremberg de la « ligue mondiale anti-juive », dont le journal s'appelle simplement *Le réveil du peuple*, mais ne se vend guère. *Le maître du feu*, avec son hebdomadaire *la Tempête* est, lui, un ancien député du Calvados, M.R. Delauney, dont l'ennemi juré est la franc-maçonnerie. Le fondateur du « Parti français national collectiviste », Clementi, est un ancien journaliste sportif ; émeutier du 6 février 1934, il en a gardé le langage ; il est « contre la pourriture », pour « le redressement national », et directeur du *Pays libre* ; ses bureaux sont, naturellement, aux Champs-Elysées. Le commandant Pierre Constantini, comme Boissel, est sorti pensionné à 100 % de la Grande Guerre. Corse nourri de mythologie bonapartiste, il ne pouvait pas mieux faire, pour s'affirmer, que déclarer, tout seul, par affiches apposées sur les murs de Paris, « la guerre à l'Angleterre » ; Mers el-Kébir venant après Sainte-Hélène, c'était trop. Et, avec plus ou moins d'éclat, sont nés ainsi, sortis tout armés du cerveau de leurs créateurs, le« parti national-socialiste de France », la « Croisade française du national-socialisme », les « gardes françaises », le « Front de la jeunesse », etc.

Tous ces groupuscules ont une existence plus ou moins brève, mais aucun ne réussit à recruter plus de quelques centaines d'adhérents ; ils sont peu représentés en province. Avec Deloncle, les choses deviennent un peu plus sérieuses, car l'homme et ses adhérents ont un lourd passé de conspirateurs, et l'ennemi qu'ils veulent abattre, c'est le communisme. Cet ancien ingénieur du génie maritime, qui fut adhérent de l' « Action française », cette pépinière de l'antidémocratie, avait fondé en 1936, le « Comité secret d'action révolutionnaire », le CSAR, plus connu sous le nom de « Cagoule », responsable de plusieurs attentats, et d'assassinats, comme celui des anti-fascistes italiens, les frères Rosselli. Deloncle reconstitue la « Cagoule » sous la forme du « Mouvement social révolutionnaire », en recrutant dans le même milieu d'officiers et de sous-officiers. Il commande ainsi, en 1941, plus d'un millier d'hommes nantis de chemises bleues avec un baudrier en cuir ; ils se font la main dans la nuit du 2 au 3 octobre 1942, en

---

5. *Au Pilori*, le directeur chasse le rédacteur en chef, qui revient, occupe les locaux, en est à nouveau chassé ; le « parti national collectiviste » s'installe de force dans les bureaux du « Jeune front », qui vient les réoccuper, et les perd à nouveau ; des militants du « parti national-socialiste français » saccagent les installations du « parti national collectiviste » ; les uns déchirent les affiches des autres, qui ripostent en venant chahuter les réunions des premiers etc. C'est un affreux « panier de crabes »

faisant sauter sept synagogues à Paris. Ils avaient été approuvés par le SD ; mais ils sont blâmés par l'autorité militaire. Cet homme secret a-t-il alors inquiété les Allemands ? S'est-il interrogé sur sa mission véritable après la dissidence de l'amiral Darlan à Alger ? A-t-il su que d'anciens cagoulards étaient à Londres auprès du général de Gaulle ? Il est significatif des troubles et des incertitudes du moment que cet obsédé de l'anticommunisme se soit fâché avec à peu près tous les autres collaborateurs, et qu'il ait fini sous les balles de policiers allemands venus l'arrêter chez lui, en janvier 1944.

Marcel Bucard est un homme moins compliqué, mais lui aussi un vieil adversaire de la République. Fils de maquignon, profondément catholique, décoré sur le front de la croix de guerre à dix-neuf ans, colistier d'André Tardieu, collaborateur de Georges Valois, le promoteur d'un fascisme français, Marcel Bucard n'a pas varié d'un iota, de 1930 à 1945. Il a un Dieu qu'il sert et imite : Mussolini. En 1933, il a fondé le « Francisme » qui recrute surtout parmi les anciens combattants. Comme son modèle, Bucard affectionne l'uniforme, les titres ronflants, la gloriole. La Francisque est l'insigne du groupement, la chemise bleue son uniforme, le culte du chef sa doctrine. Subventionné par le fascisme italien avant la guerre, Bucard l'est par l'ambassade d'Allemagne après la défaite. Ses quelques milliers d'adhérents, pour une bonne moitié des Parisiens, sont des artisans, des petits commerçants, des employés ; quelques ouvriers, quelques anciens communistes, des marginaux aussi et des chômeurs et, comme service d'ordre, des voyous de Montmartre — apparition de la pègre dans la collaboration.

Mais Bucard a aussi sa garde personnelle, « la Main bleue », liée à lui par un serment et par des rites, une équipe de choc, chargée des expéditions punitives et des « missions particulières », qui lui vaudront bientôt l'estime de la Gestapo et les avantages de la chasse aux Juifs. Bucard, étant donné son passé, son ascendant sur ses hommes, malgré son absence de relief et de pensée, peut-être grâce à eux, aurait pu devenir un des meneurs de la collaboration, s'il n'avait été très malade, des suites d'une grave blessure reçue en 1914-1918. Sa maladie le contraindra à un demi-effacement à partir de septembre 1942 [6].

Le « *Grand Jacques* » — *Le PPF*

Sous la III⁰ République, et la menace des ligues, deux forces d'opposition violente s'étaient manifestées à l'extrême-droite ; les « Croix de Feu » du

6. Pascal ORY, *op. cit.*, p. 91 et sq ; Henry COSTON, *Dictionnaire de la vie politique française.* 2 vol., 1967, 1972 ; Cl. GROUSSARD, *op. cit.*, p. 110-114 ; DU MOULIN DE LA BARTHÈTE, *op. cit.*, p. 30 ; Cf. sur Bucard, surtout l'excellente analyse de A. JACOMET, « Les chefs du francisme, Marcel Bucard et Paul Guiraud », in *Revue d'histoire de la Deuxième Guerre mondiale*, janvier 1975

colonel de la Rocque, groupement devenu le « Parti Social français » (PSF)
et le « Parti Populaire français » (PPF) de Jacques Doriot — outre bien sûr
« l'Action française » et ses satellites ; interdite à Paris à cause de l'antigermanisme de Charles Maurras, l'« Action française » n'y était plus représen-
tée que par d'anciens disciples du maître, en désaccord avec lui moins sur la
doctrine que sur la tactique. Le colonel de la Rocque avait découvert dans la
« Révolution nationale », l'accomplissement des idées qu'il avait toujours
défendues et, bien qu'il fût un peu marri de ne pas jouer le rôle auquel il se
croyait promis, et qu'il ait le sentiment d'une injuste dépossession, cet
homme de devoir s'était loyalement, comme tant de bons soldats, rallié au
« plus illustre des Français », le maréchal Pétain ; à aucun moment il ne
trempera dans la collaboration. Il recommandera à ses adhérents à Paris de
ne pas tenir de réunion politique et de n'organiser que des manifestations à
caractère sportif ou social — Jean Borotra, haut-commissaire aux Sports
appartenait au PSF.

Restait donc le « Parti Populaire français », le PPF, à première vue le parti
fasciste par excellence, du moins par sa composition, puisqu'il groupait
d'anciens communistes avec des tenants de l'extrême-droite. Jacques Doriot
avait été, lui aussi, « l'homme du Maréchal » ; seul de tous les « collaborateurs », il s'était rangé à ses côtés, le 13 décembre 1940, lorsque le chef de
l'Etat français s'était, sans y mettre les formes, débarrassé de son dauphin,
Pierre Laval. Puis, déçu lui aussi par la politique et les hommes de Vichy,
Doriot était « monté » à Paris, qui sera désormais le centre de son action, et
le siège de son parti — bien que le PPF, privilège rare, ait continué à être
autorisé en zone sud dite « libre », et en Afrique du Nord, et que Doriot soit
demeuré pétiniste jusqu'en juillet 1941.

Socialiste à dix-huit ans, communiste à vingt-deux, Doriot ne pouvait
guère se targuer de ses services de guerre ; au contraire, comme secrétaire
des Jeunesses communistes, il avait été emprisonné pour menées anti-
militaristes ; il avait dénoncé avec force la politique coloniale de la
IIIᵉ République, et envoyé un télégramme à Abd el-Krim, en pleine révolte
du Maroc. Ce « national » revenait donc de loin. Mais ce qui lui valut la
confiance et les adhésions de nationalistes. c'est que, rival malheureux de
Maurice Thorez pour le poste de secrétaire général du parti communiste, en
désaccord avec le Komintern, bien qu'il ait reçu à Moscou la formation du
parfait agent professionnel, sur l'unité d'action qu'il préconisait avec les
socialistes, Doriot avait été exclu du parti pour indiscipline.

Communiste dissident d'abord, puis devenu anticommuniste par une
révolution à multiples exemples, Doriot avait fondé en 1936 le « Parti
Populaire français », PPF. Il avait fait de son fief électoral, Saint-Denis, en
pleine « banlieue rouge », un bastion de la lutte contre le parti communiste.
Dès lors, il avait pris la stature d'un véritable leader du fascisme français et

Mussolini l'avait subventionné ; Doriot ne se vantait-il pas d'avoir rassemblé 300 000 adherents ? Avec lui, foin des groupuscules aux effectifs squelettiques, et des conspirateurs ne comptant que sur eux-mêmes. Comme ses aînés, le fascisme italien, le nazisme allemand, le PPF était un parti de « masses populaires ».

Et Doriot avait le physique de l'emploi de tribun populaire. Du Moulin de la Barthète le décrit comme taillé en lutteur — un jour de colère il avait failli étrangler Maurice Thorez — avec « un corps massif, un dos voûté qui menaçait à tout moment de rompre les barreaux de la chaise, des bras tombants, des mains d'étrangleur, un visage de mauvais prêtre, peu d'élégance, un col mou défraîchi »[7]. Il ne manque certes pas d'appétits : de table, de femmes, d'argent. Mais pour qui voit dans le stalinisme le seul danger menaçant le monde, et dans un rassemblement populaire fasciste l'unique contre-feu possible, J. Doriot, un chef « populaire » incontestablement, un homme qui connaît le communisme du dedans, pour qui l'Internationale n'a guère de secret, devient le leader que le nationalisme français attendait —, Mussolini avait bien été socialiste[8] !

Il est probable que, en 1936, lorsque J. Doriot se vantait d'avoir obtenu 300 000 adhésions, il grossissait déjà beaucoup le chiffre. Par la suite, il est probable que le PPF n'a jamais compté plus de 20 000 membres, dont près de 3 000 à Paris. Lorsqu'il revient à Paris en août 1940, Doriot a bon espoir de constituer « le parti unique » de ses rêves, qui rassemblerait d'anciens communistes détachés du parti depuis le pacte germano-soviétique, tels Gitton et Clamamus, et des gens d'extrême-droite, comme le conseiller municipal Trochu, en passant par tout l'arc-en-ciel politique. A cet effet, il fonde le *Rassemblement pour la Révolution nationale* ; le titre annonce la couleur, encore pétiniste, et c'est le cabinet du maréchal qui lui fournit les fonds pour lancer son premier journal. Mais est-ce parce qu'il apparaît comme une cinquième colonne vichyste en zone occupée ? ou parce que la stature de Doriot l'effraie ? Toujours est-il qu'Abetz refuse à Doriot l'autorisation de faire paraître un journal intitulé *l'Humanité Nouvelle* ; c'est le *Cri du Peuple* qui paraîtra, avec un tirage limité, oscillant entre 30 et 60 000 exemplaires, et une subvention fournie par les services de la propagande du MBF.

Les effectifs ne s'accroîtront plus désormais ; quand les responsables de la région parisienne se réunissent en mai 1941, ils sont 598. Lorsque, le 4 novembre 1942, après une grande campagne de presse et d'affiches, Doriot

7 En 1924, *l'Humanité* le décrivait comme « un grand garçon, fort, brun, à la figure mâle, aux yeux francs ; tout en lui respirait l'énergie ».

8. G. ALLARDYCE, « Jacques Doriot et l'esprit fasciste en France », *Revue d'histoire de la Deuxième Guerre mondiale*, janvier 1975 ; Ph. ROBRIEUX, *Maurice Thorez, Vie secrète et Vie publique*, A Fayard, 1975 ; Pascal ORY, *op. cit.*, p. 103 ; DU MOULIN, *op. cit.*, p. 306.

convoque à Paris le ban et l'arrière-ban de ses cadres, au Gaumont-Palace, ils sont au grand maximum 7 000, venus des deux zones et de l'Afrique du Nord. Le procédé classique est alors employé pour recruter de nouveaux membres : la multiplication et la diversification des organisations du parti. Sont ainsi créées, entre autres, des « Jeunesses populaires françaises. » Mais sans grand succès ; c'est que les attentats ont commencé contre les membres du parti — Doriot avance même le chiffre, excessif, de 600 victimes. En outre, l'appui allemand est relativement tiède ; Abetz, pour lever toute équivoque, a interdit que le Congrès réuni au Gaumont-Palace soit appelé « Congrès du Pouvoir » ; paradoxe qui veut que l'occupant ne mette pas en avant le plus puissant de ses amis ! Le veto est décrété d'ailleurs de Berlin, de Ribbentrop, au nom de Hitler lui-même.

Certes les adhérents viennent de tous les bords : communistes, socialistes, radicaux-socialistes, « Parti Social français », « Jeunesses patriotes », et même quelques déserteurs des autres groupements de collaborateurs, dont des Francistes. Toutes les professions sont également représentées, avec, phénomène exceptionnel dans la collaboration, une forte minorité d'ouvriers de la métallurgie et du bâtiment, et de mineurs. Mais une rupture s'est produite avec Vichy quand Darlan a appelé près de lui, comme ministres, des dissidents du PPF, comme Marion et Pucheu. Les « cellules » professionnel-les se vident de leurs adhérents. De nombreuses vedettes de la plume n'écrivent plus dans *Le Cri du Peuple*. Doriot en est réduit à recevoir de l'argent de l'Abwehr, puis du SD, à qui ses hommes passent des renseigne-ments. Mais, autour de lui, demeure un solide noyau de militants convaincus, de propagandistes, et d'hommes de main, les « gardes françaises », char-gés de la sécurité — qu'Oberg refuse d'armer. Le PPF demeure encore, cependant, le groupement de collaboration le mieux structuré et le plus cohérent — Doriot n'a pas oublié les leçons reçues à Moscou[9].

Le drame de Doriot, comme celui de toute la collaboration, c'est de dépendre du bon vouloir allemand. Dans ces conditions, les idées qu'il professe, les programmes qu'il élabore, peuvent bien attirer quelques Français ; il n'est pas sûr, s'ils étaient très nombreux que, en conséquence, l'aide allemande ne serait pas amoindrie. A vrai dire, avoir des idées, les énoncer, les ramasser en une doctrine, en tirer un programme, ce n'est pas le point fort de Doriot ; la doctrine, la morale, l'éthique du PPF, ce sont les intellectuels du parti qui les élaborent, Drieu la Rochelle en premier ; mais la masse des adhérents paraît s'en soucier si peu qu'on a parfois l'impression qu'il existe deux PPF : un qui pense, l'autre qui agit ; deux faces d'une même médaille, qui ne se connaissent guère.

Sur les points essentiels du combat des « collabos », ceux que les

---

9 Cf Dieter WOLFF, *Doriot, du communisme à la collaboration*, A. Fayard, 1967

Allemands aiment leur voir soutenir parce que tel est leur intérêt, le PPF ne se distingue par aucune originalité, sauf que l'antibolchevisme de Doriot est plus virulent que tout autre ; il voit dans le communisme une sorte d'ennemi personnel dont la destruction devient un impératif politique. Doriot n'a pas été un des premiers adeptes français de Hitler ; il a même été son adversaire en 1939, surtout après la conclusion du pacte germano-soviétique, qui l'a totalement déconcerté ; seul entre les collabos, il a loyalement soutenu le maréchal Pétain, dans les deux zones. Sa voie véritable, et il n'en déviera plus, il l'a trouvée lorsque la Wehrmacht a envahi l'URSS ; alors l'ancien député communiste de Saint-Denis a fait de la croisade antibolchevik prêchée par Hitler son affaire personnelle. Mais ce solide champion de la cause la plus chère au Führer, cet éternel candidat à la prise du pouvoir pour lancer toute la France dans la « croisade des Temps modernes », ce volontaire de l'unité de la collaboration, Hitler ne l'investira d'une parcelle d'autorité qu'après que la Wehrmacht aura quitté la France, en Allemagne. Singeant de Gaulle, Doriot en sera réduit à appeler les Français à se libérer de l'occupation américaine, en envoyant quelques équipes dérisoires de saboteurs pour les y aider.

Cependant la composition socio-professionnelle du PPF oblige ses dirigeants à se préoccuper plus particulièrement de certaines catégories ; de là, un système corporatif proche de celui de Vichy, pour plaire aux artisans et aux commerçants. De là aussi la « main tendue » aux catholiques ; de là enfin des contradictions, comme l'aspiration à un grand Empire colonial — en principe Hitler n'y revendique rien — et l'acceptation d'un dépècement de l'unité française par les approches vers les autonomistes bretons, assorties, bien sûr, du silence sur l'Alsace. Certaines affirmations demeurent ambiguës, telle celle sur l'unité ethnique de la France, qui semble un alignement sur le racisme hitlérien, mais qui pourrait être aussi considérée comme une hérésie, puisque la pureté raciale française est revendiquée comme celtique, et non germanique.

Si telle fut l'intention, il ne s'agissait que d'une velléité. Le comportement de Doriot suit une pente descendante, qui l'amène à une soumission de plus en plus grande à l'égard de l'occupant. Il abandonne le neutralisme prudent de Vichy pour réclamer que la guerre soit déclarée à la Grande-Bretagne et aux Etats-Unis — plusieurs milliers de « gardes françaises » défileront, groupés par province, vers l'arc de triomphe, pour proclamer cette volonté. Il poussera à la formation de la « Légion des Volontaires contre le bolchevisme » et, seul parmi les « grands » des « collabos », il ira se battre sur le front de l'Est, même si ses rivaux purent l'accuser d'avoir été essentiellement préoccupé par le racolage des volontaires pour le PPF. Il préconisera la constitution d'une légion d'autres volontaires pour délivrer l'Afrique du Nord du « joug anglo-saxon »

En France, c'est avec Sauckel, responsable de la déportation des ouvriers français en Allemagne, et avec les SS, que Doriot nouera les contacts les plus étroits pour accéder au pouvoir grâce à leur appui ; c'est dire que les membres du PPF participeront à la traque des réfractaires au « Service du Travail obligatoire », à la dénonciation des « mal pensants [10] », à la spoliation des Juifs, aux arrestations et à la « question » des Résistants. Dans les membres des « Gardes françaises » se glisseront de plus en plus de repris de justice, de personnages louches du « milieu » parisien. On était loin de la sublimation du « Grand Jacques » par la plume inspirée d'un Drieu la Rochelle ou d'un Ramon Fernandez [11].

Mais, si exigeant et si regardant était l'occupant qu'un tel zèle ne lui suffit pas. En définitive, pour faire régner son ordre dans une France de plus en plus rétive, c'est à la Milice de Darnand qu'il accordera sa confiance, et qu'il distribuera des armes, pas à Doriot et au PPF, acceptés seulement comme auxiliaires. C'est parce que, probablement, Darnand était respectueux de Pétain et, en principe, sous la direction de Laval, tandis que Doriot se posait en rival de celui-ci, sinon même du maréchal. Jusqu'au bout joua la tactique de ne pas imposer à la population française une nourriture politique qu'elle aurait refusé d'ingurgiter. En définitive, Doriot mourra sur une route allemande, dans une voiture trouée de balles, probablement lancées d'un avion allié. Doriot ? Le plus puissant des collaborateurs, le plus utile à ses maîtres allemands, et le moins récompensé par eux ; une sorte de dupe de son propre destin.

Le professeur Marcel Déat et le Rassemblement National populaire (RNP)

Marcel Déat est un « grand » de la collaboration qu'on est tout étonné d'y trouver et, pour comprendre la complexité du phénomène, il n'est que de le comparer à son rival, Jacques Doriot. Tout les opposait, leurs origines, leurs tempéraments, leurs conceptions ; non seulement il leur fut impossible de s'unir, mais ils ne parvinrent jamais à s'entendre. Fils d'un petit fonctionnaire, élève de l'Ecole Normale Supérieure, agrégé de philosophie, Marcel Déat fut un valeureux combattant de la Première Guerre mondiale ; il en revint très marqué par l'horreur des combats, impressionné aussi par la solidarité, l'absence d'intérêt personnel des combattants, les germes d'une

10. En octobre 1941, un questionnaire avait été adressé aux « chefs de section » du parti, pour qu'ils indiquent les opinions des fonctionnaires de tous ordres, en relevant les noms de ceux « hostiles à la politique du maréchal ».

11. ALLARDYCE, art. cit. ; AMOUROUX, op. cit., t. III, p. 401-419 ; D. WOLFF, op. cit., p 366-389

morale nouvelle dont ils étaient porteurs — ce qu'il appela le « socialisme des tranchées ».

Il a découvert Jaurès et adhéré au parti socialiste en 1926. Dès lors a commencé une carrière politique en dents de scie. Plusieurs fois élu député, puis battu, ministre de l'Air dans un gouvernement de transition, il aspire au secrétariat du parti, où il est barré par Léon Blum, pour qui il semble avoir éprouvé du coup une haine tenace. Son socialisme, sous l'influence de théoriciens français comme Saint-Simon, sous l'influence aussi de la sociologie naissante de C. Bouglé, l'éloigne du marxisme. Mais il demeure convaincu du rôle prépondérant de la technique dans les sociétés industrielles ; pour conquérir l'Etat, il ne suffit pas de gagner les élections, il faut disposer aussi « d'équipes d'action », paramilitaires et techniques. Il s'écarte aussi du régime parlementaire, qu'il trouve inopérant et impuissant.

Un des fondateurs du néo-socialisme, sa réflexion et son expérience le portent vers le « planisme » du socialiste belge, Henri de Man. Pour eux, la marche vers le socialisme est plus un problème de gestion du capitalisme que de collectivisation de la propriété privée. Il entend donc dépasser le marxisme qui divise, réconcilier le socialisme et la nation, pour aboutir à un nouvel humanisme, le tout dans un processus plus pragmatique que doctrinal. De là une certaine admiration de la force des Etats fascistes, du rôle du parti unique et du corporatisme qui fait le lien entre l'autorité et l'organisation d'une part, la liberté d'autre part. On peut s'étonner de cette conversion et du fait que cet homme cultivé et sensible n'ait pas été révulsé dès l'abord par la brutalité foncière du nazisme, son régime policier, le sort infligé aux Juifs.

Il est vrai que, entre-temps, le libéral Déat avait découvert la nocivité du communisme, et que le pacifiste Déat condamnait un certain raidissement des démocraties à l'égard des prétentions des Etats totalitaires, dans lequel il voyait le signe précurseur d'un nouveau conflit mondial. Après s'être opposé avec violence à tout appui apporté aux Polonais en 1939 — « Ne pas mourir pour Dantzig » — et s'être prononcé pour une paix blanche pendant la « drôle de guerre », Marcel Déat essaya en vain, à Vichy, de convaincre le maréchal Pétain de créer un « parti unique » ; mais les deux hommes n'avaient pas d'atomes crochus, et ils découvrirent que les opposait une forte incompréhension réciproque.

Marcel Déat vient alors à Paris ; soutenu immédiatement par Abetz, il prend la direction du quotidien *l'Œuvre*, un journal lu, avant la guerre, par la gauche laïque, radicale, un peu frondeuse. C'est un homme de petite taille mais râblé, très conscient de sa puissance intellectuelle — il tape lui-même, le dimanche, sur une machine à écrire portative, tous les éditoriaux de la semaine. Malgré son expérience des meetings électoraux, il demeure très professeur ; il adore disserter, expliquer, bâtir une démonstration logique en plusieurs points ; il est plus capable de persuader que d'emporter des adhésions enthousiastes ; desservi par sa taille, sa voix, son style, il n'est pas tellement à son aise devant des auditoires de masses. Du Moulin de la Barthète le qualifie de « normalien de la plèbe, gonflé d'orgueil universitaire, rongé d'ambition politique ».

Revenu à Paris dès septembre 1940, Marcel Déat fonde, avec les encouragements d'Abetz qui croit avoir trouvé en lui l'homme qu'il lui faut, le « Rassemblement National populaire », en janvier 1941. Abetz est ravi car il pense que le nouveau parti va recruter dans des couches de la population, fonctionnaires et intellectuels, parmi lesquelles domine un esprit antifasciste[12] ; mais il ne donne pas pour autant à Marcel Déat les moyens lui permettant de supplanter ses rivaux ; ce n'est qu'un pion, de qualité, dans le jeu de l'ambassade, fait de propagande et de semis de divisions[13].

A l'origine, le RNP, comme tout mouvement fasciste, se propose de concilier les inconciliables. Deloncle y a adhéré avec ses cagoulards, ainsi que Jean Goy, président de « l'Union Nationale des Combattants », et Jean Fontenoy, un ancien partisan de Doriot ; la tendance « de gauche » est fournie par de nombreux anciens « néo-socialistes » et des syndicalistes pacifistes et anticommunistes. Mais, par la suite, Deloncle se retira, Goy fut exclu, le RNP regroupa la « gauche » de la collaboration, et reçut l'appui de la nouvelle intelligentsia.

Désireux de rassembler la collaboration autour de lui, Déat créa au début de 1943 le « Front national révolutionnaire » auquel s'agrégèrent les Francistes, le « Mouvement social révolutionnaire » et plusieurs autres sous-groupes, mais pas Doriot. En septembre de la même année, c'est avec Darnand et la Milice que la même opération est tentée : un plan de « redressement national français » est élaboré, qui exige « un passage inconditionnel aux côtés de l'Allemagne et la nazification de la France » ; Doriot propose en fait le même programme ; il aurait dû applaudir des deux mains et signer lui aussi ; il s'en abstint ; la rivalité des deux hommes était plus forte que leur communauté de destin.

L'année 1942 est la grande année du RNP ; chaque jour se tient, à Paris ou en banlieue, une réunion politique ou une réunion corporative. Marcel Déat multiplie les organismes annexes : le « Front national du travail » chargé d'organiser les cellules d'entreprises ; les « Comités techniques », qui forment les militants et dispensent des cours d'économie politique ; un service de « documentation » qui distribue le matériel de propagande ; les « Jeunesses », pépinière de futurs cadres. S'ajoutent des organismes spéciali-

---

12. Le jour de la première grande réunion, Abetz câbla à Berlin : « la mobilisation de l'opinion en zone occupée est commencée contre les menées réactionnaires de Vichy ».

13. S. GROSSMANN, « Le destin de Marcel Déat » in *Revue d'histoire de la Deuxième Guerre mondiale*, janvier 1975 ; Dieter WOLFF, *op. cit.*, p. 342-385.

sés qui touchent des catégories déterminées : « l'Amicale des familles de prisonniers », le service « d'entraide », le « Centre syndical de propagande ». Le parti emploie ainsi des centaines de permanents. Déat chante victoire et proclame dans *l'Œuvre* que son groupement comprend 300 000, puis 500 000 adhérents. En fait, ils sont à peine 20 000 en tout, dont 8 000 à Paris ; *l'Œuvre* tire à moins de 200 000 exemplaires.

Mais la base est plus homogène que celle du PPF ; les adhérents les plus nombreux sont des instituteurs, des professeurs de collèges et de lycées, des membres des professions libérales, des cadres de l'industrie et du commerce, tous laïques, socialisants et pacifistes ; parmi eux d'anciens parlementaires comme Lafaye, Montagnon, Paul Perrin ; des socialistes de la tendance Paul Faure, comme Albertini ; l'ancien communiste et ancien PPF Henri Barbé, qui estime que Doriot a viré trop à droite ; des écrivains et des journalistes sont des sympathisants, au premier rang Luchaire.

L'originalité de Déat dans le magma de la collaboration, c'est qu'il n'a pas renoncé à certaines valeurs « républicaines » — il défend d'ailleurs le terme « République » contre celui de « Etat français ». Il ne pourfend pas les francs-maçons, ses adversaires l'accusent d'ailleurs, faussement, d'en être un ; il ne récuse pas totalement le suffrage universel, du moins sur les plans corporatif et municipal ; il se bat pour l'Ecole laïque, que la Révolution nationale charge de tous les péchés, à commencer par la responsabilité du désastre de 1940. Bien qu'il se soit converti, et c'est une surprenante conversion, au mythe nazi de la race, il y voit moins une communauté du sang que le facteur de l'unité des nations, « une façon de prendre conscience des différences », c'est-à-dire la caution de la diversité des nations ; mais il admet la spoliation des Juifs « exploiteurs » — quoique, sur ce point, Doriot lui reproche sa « modération ».

Sur le plan social, Déat rejoint les autres groupements et le fascisme en général, en préconisant la suppression du prolétariat, et en voulant unir ouvriers, employés et petits patrons contre « la ploutocratie qui les exploite tous ». Il rejoint le national-socialisme lorsqu'il réclame un totalitarisme populaire « prenant ses racines dans l'enthousiasme des masses ». Pour y arriver, dit-il, s'il le faut, la France se couvrira de camps de déportation.

Mais son ennemi personnel, c'est le régime de Vichy, en qui il dénonce l'alliance, fatale aux Républiques, du sabre et du goupillon, dont il pourfend la « Charte du travail » et qu'il accuse de travailler secrètement à préparer une revanche, en faisant à nouveau couler le sang des Français. Ses attaques sont particulièrement violentes au moment du procès de Riom, où il reproche aux dirigeants de Vichy de protéger les chefs militaires, dont l'impéritie est, selon lui, à l'origine du désastre. Comme il ne ménage pas le maréchal, sacro-saint pour tous les autres, il est la bête noire de celui-ci, au point de l'avoir fait arrêter à Paris le 13 décembre 1940, en même temps que Laval à Vichy[14].

Toutefois, Déat ne suit pas Deloncle dans ses projets pour tenter à Paris un coup d'Etat contre Vichy; Abetz, informé, n'a d'ailleurs pas voulu en entendre parler. Son plan, c'est de faire revenir P. Laval au pouvoir à Vichy, d'investir en quelque sorte, la place de l'intérieur, et d'entrer lui-même au gouvernement avec Laval. Mais quand Laval revient en grâce à Vichy, au printemps de 1942, Déat, désillusionné, dénonce sa mollesse et se fâche avec lui. Il milite alors pour la formation d'un gouvernement de collaborateurs à Paris; mais, comme l'autorité occupante n'en veut pas, il ne lui reste plus qu'à se faire propulser ministre du Travail par ses amis allemands, contre le gré du maréchal, et en forçant la main à Pierre Laval.

Dérisoire destinée que celle de Marcel Déat! A son crédit, il faut mettre, et c'est rare parmi les collaborateurs, le fait qu'il n'a pas de sang sur les mains. Le RNP n'a guère envoyé de volontaires dans la LVF et dans la Milice; il est possible que certains de ses membres aient été des auxiliaires des polices allemandes, mais leur chef est resté sur le plan de la politique; il a collaboré avec Abetz, non avec Oberg ou Knochen. Déat, autre qualité, était désintéressé; il n'a jamais profité de sa situation pour gagner de l'argent; il n'était non plus ni coureur, ni buveur.

Il reste que tant de qualités, de courage incontestable, de propreté morale, d'intelligence surtout, ont été lamentablement dévoyées. Tout ce qu'a dit, écrit, ou fait Déat, avait comme seul but, et comme unique effet, selon la volonté d'Abetz, de donner au nazisme, pour ceux qui le suivaient ou pour ses lecteurs de l'Œuvre, un brevet d'un certain humanisme — une effroyable duperie. L'échec de Déat n'est pas seulement celui de toute la collaboration parce qu'elle avait misé sur la victoire allemande, et que l'Allemagne a été battue; il était le résultat d'une cécité volontaire; il était inéluctable, même en cas de victoire hitlérienne.

Quant à la fin du chef du RNP, elle est proprement shakespearienne. L'ennemi juré de Vichy devient ministre à la fin du régime, dans un gouvernement sans pouvoir, où son rôle est nul, car il n'ose pas aller participer aux réunions à Vichy, et il demeure à Paris, ministre à un poste où tout ce qu'il peut faire, c'est aider à pourvoir en main-d'œuvre française la machine de guerre allemande. Et, en définitive, à la déroute de la Wehrmacht, si Déat a échappé au peloton d'exécution, c'est parce que cet anticlérical de combat a été sauvé par la générosité des moines d'un couvent italien, où il coulera des jours paisibles jusqu'à sa mort.

---

14 Collection de « RNP Information », Pascal ORY, op. cit., p. 110-113, GROSSMANN art cit ; Henri MICHEL, Le Procès de Riom Albin Michel, 1979, passim

Quelques types de collaborateurs

La plus grande partie des collaborateurs qui pensent leur engagement viennent de l'extrême-droite traditionnelle, telle l'équipe dissidente de l' « Action française » qui écrit dans *Je suis partout*, et dont le meneur est l'écrivain, de grand talent, Brasillach, qui n'a jamais pardonné à la République que son père officier soit mort, mal soutenu, en combattant au Maroc. Ce sont des adversaires de toujours, dans le sillage de Maurras, de la démocratie, du libéralisme, du système parlementaire, des « grands principes de 1789 » ; la violence de leurs propos est inouïe ; leurs adversaires leur paraissent juste bons à être pendus, fusillés, décapités ou, à défaut, dynamités. Ainsi Brasillach verra dans l'assassinat de Marx Dormoy, l'ancien ministre de l'Intérieur du Front populaire, « le seul acte de justice accompli depuis l'armistice » ; la lâcheté de l'assassin ne le choque pas : il avait placé une bombe à retardement sous le lit de la chambre d'hôtel, où Dormoy était en résidence surveillée.

Pour ces fanatiques, les premiers adversaires à abattre sont les francs-maçons et les Juifs. Les francs-maçons, l'historien Bernard Faÿ et le catholique intégriste Robert Vallery-Radot s'acharnent à dénoncer leurs méfaits ; ils les accusent d'être à l'origine de la Révolution de 1789, et les auteurs de la déclaration des Droits de l'homme, qui nie l'inégalité naturelle ; ils leur reprochent d'avoir perverti cent cinquante ans de la vie politique et sociale française. Dans « les documents maçonniques », dans des expositions, puis dans un musée permanent à Paris, avec l'aide de quelques renégats de la maçonnerie, la nocivité des francs-maçons est abondamment démontrée aux Français. Quant aux Juifs, l'antisémitisme français traditionnel qui voyait en eux surtout des étrangers difficiles à assimiler,... et des agents de l'Allemagne, est vite transformé en un racisme délirant, qui n'a rien à envier à celui de J. Streicher en Allemagne, dans le journal *Au Pilori* ; du « numerus clausus », humiliant mais non inhumain, on passe à l'acceptation du génocide.

Ces thèmes, et tous ceux qui reviennent comme des leitmotive dans le discours des « collabos », deux hommes les dispensent au grand public par le canal de la radio. Herold-Paquis est un marginal ; vosgien, fils d'un négociant, journaliste, il s'est révélé une vocation d'orateur, au cours de la guerre civile espagnole, en parlant à la radio franquiste de Radio-Saragosse. Il devient la vedette de Radio-Paris avec ses diatribes antisémites, antibolcheviques, mais surtout anti-anglaises. Il lance le slogan : « l'Angleterre, comme Carthage, doit être détruite ». C'est un violent, dans l'ironie, comme dans l'invective ; il vit de mots, de formules à l'emporte-pièce. Il répète inlassablement que « les Allemands se battent pour les Français » Philippe

Henriot, lui, vient de la conservatrice « Fédération nationale catholique » ; ancien député, collaborateur à l'hebdomadaire d'extrême-droite *Gringoire*, il est au nombre de ces nationalistes antiallemands que la défaite de 1940 jette dans les bras de Hitler. Il parle d'abord à Radio-Vichy, adhère au groupe « Collaboration », entre enfin à la Milice ; c'est un des rares fidèles de Pétain devenu un des leaders, par sa parole car il n'a pas de troupes, de la collaboration. C'est un ciseleur de mots, un artiste de la parole et une voix d'or. Il condamne quotidiennement tous les ennemis de l'Allemagne nazie, mais il s'en prend surtout aux résistants que, au moment du maquis des Glières, il traite d'assassins [15], [16].

Drieu la Rochelle est, lui, l'esthète des « collabos ». Romancier connu, adhérent du PPF en 1936, champion alors du nationalisme intégral, fasciste mais ennemi de Hitler, antimunichois en 1938, il bascule lui aussi, d'un coup, en 1940, vers la collaboration. Il participe d'abord à la rédaction du journal *Le Fait*, sans lendemain, puis il prend la direction de la *Nouvelle Revue française*, célèbre dans le monde entier pour avoir exprimé le grand élan littéraire français de l'entre-deux-guerres. Non sans duplicité — certains auteurs connus, trompés par le titre, acceptent d'être publiés parce qu'ils ignorent le tour pris par la revue — il met celle-ci au service de la propagande allemande. Il s'enflamme pour l'Europe de Hitler, quoiqu'il ne soit pas raciste, sa première femme était juive. Sa perception des nazis est inattendue ; il voit en eux l'aboutissement de tous les aventuriers du xxe siècle : l'aviateur, le gangster américain, le légionnaire, le grand reporter, « des hommes qui ne croient que dans les actes ». Il les aime, il les admire, pour leur virilité. En face d'eux, l'hédonisme bourgeois, la démocratie, le libéralisme, sont des « femelles ». Drieu, avec de telles conceptions, ne colle évidemment à aucune réalité de la collaboration. C'est un isolé, qui rompra avec Doriot, qui, singulière contradiction, ne s'engagera pas dans l'action, et finira par se suicider. Mais il est typique du comportement de bon nombre d'écrivains, à la recherche, avant tout, d'une certaine originalité, et dont les expressions successives ne sont guère reliées par le fil de la logique.

Abel Bonnard, écrivain de salon, est plus directement engagé. Maurrassien, dont les ouvrages sont réputés comme le « régal des délicats », c'est le Front populaire qui le fait lui aussi passer de la conversation de bon ton à la polémique. Il sympathise avec les « ligueurs » ; il voit un remède « très pénible pour un mal très profond », en un dictateur d'abord du type de Mussolini, ensuite de celui de Hitler, qu'il découvre en 1937. Il flirte avec le

---

15. Il sera exécuté dans son appartement ministériel à Paris, le 28 juin 1944, par un groupe franc du « Mouvement de libération nationale ».

16. Pour toute cette partie, nous nous référons à l'ouvrage de Pascal ORY, le meilleur sur le sujet, cf. GOUEFFON, « La guerre des ondes ; le cas de Jean Herold-Paquis ». *Revue d'histoire de la Deuxième Guerre mondiale*, octobre 1977.

PPF Puis, en 1940, c'est pour lui aussi la conversion totale : il collabore à *Je Suis Partout*, il dénonce « l'esprit juif, qui détruit le nôtre » ; il lance le slogan « famille, race, nation ». Il ne rompt pas cependant totalement avec Pétain, et en cela il est aussi une exception dans les collabos de Paris. Il deviendra ministre de l'Education nationale en 1944, et il encouragera les étudiants à aller travailler en Allemagne [17].

En face de ces tenants de l'extrême-droite, dont l'évolution est somme toute naturelle, même si le succès hitlérien lui a donné un élan supplémentaire, on trouve des émules de Marcel Déat, venus de « la gauche ». Il y a ainsi des laïques, comme le radical-philosophe, ancien élève d'Alain, René Chateau, qui essaie, en pleine occupation, de faire renaître à Paris des ersatz des ligues de l'Enseignement et des Droits de l'homme, qui dénonce lui aussi l'alliance du sabre et du goupillon, et refuse de voir celle de la schlague avec la Croix Gammée. Il y a d'anciens socialistes comme le polytechnicien Spinasse, ancien ministre du gouvernement de Léon Blum qui, dans l'hebdomadaire *Le Rouge et le Bleu*, ose prendre la défense du Front populaire, condamne le procès de Riom, ne s'affirme ni antimaçonnique ni antisémite, et voit ce présomptueux pari s'achever après dix mois, par la décision d'Abetz d'interdire le journal, sur lequel tout le reste de la collaboration avait tiré à boulets rouges au temps de sa parution.

Les pacifistes qui, retournant la pensée de Vauvenargues, pourraient dire que « la servitude est préférable à la mort », forment un groupe uni, avec le philosophe Challaye, le mathématicien Zoretti, l'économiste Delaisi, le professeur Emery, tous anciens partisans du Front populaire d'ailleurs.

Les communistes qui ont refusé d'approuver le pacte germano-soviétique vont tout droit à l'antisoviétisme et, par là, à la collaboration. L'ancien secrétaire du parti, Marcel Gitton, les parlementaires Clamamus, Marcel Capron, André Pascal, Marcel Brout, tous maires de la « banlieue rouge » parisienne, ainsi que d'anciens journalistes de *l'Humanité*, appelleront les « ouvriers communistes », dans une lettre ouverte de septembre 1941, à prendre leur part de la « guerre-éclair » que l'Allemagne mène à l'Est de l'Europe. Cela vaudra à certains d'entre eux, d'être exécutés par les hommes de main du parti, venus au patriotisme après un long détour.

Des syndicalistes de la tendance anticommuniste de la CGT, quand ils ne sont pas entrés au RNP, se retrouvent dans le journal *l'Atelier*; ils y dénoncent la « Charte du travail » de Vichy, œuvre du capital ; mais ils recommandent la coopération entre ouvriers et patrons dans un système corporatif. Leur leader est G. Dumoulin, et à Paris, Gaston Guiraud, ancien

---

17. Cf. PLUYMENE et LASIERRA, *Les Fascistes français*, Le Seuil, 1963 ; R. SOUCY, « Le fascisme de Drieu la Rochelle », in *Revue d'histoire de la Deuxième Guerre mondiale*, avril 1967 ; J MIÈVRE, *L'Evolution politique d'A. Bonnard, ibid.* octobre 1977

secrétaire de l'union des syndicats de la région parisienne. Les mêmes participent au Cosi (« Comité ouvrier de secours immédiats ») institué au lendemain des bombardements anglais d'usines travaillant pour les Allemands, dont Renault. Sous un prétexte de charité, l'organisme est en fait une partie de l'appareil de propagande allemande antibritannique ; il est d'ailleurs subventionné entièrement par de l'argent allemand, tiré de l'indemnité quotidienne d'occupation payée par la France, en application de la Convention d'armistice. Comme il permet de toucher beaucoup de monde, en offrant à des déshérités un visage de « petites sœurs des pauvres », le Cosi est un des théâtres de la lutte où ne cessent de s'opposer, plus ou moins sournoisement, le PPF et le RNP — un champ clos nouveau, comme toute institution en principe commune, de ces rivalités et de ces divisions qui déchirent les « collabos », et qu'il est dans la politique d'Abetz d'envenimer [18].

Le gratin et le menu fretin de la collaboration

La collaboration est une sorte d'épidémie qui n'épargne personne. Lorsque le bâtonnier Charpentier revient de l'exode, il trouve au barreau de Paris « une situation grave ».Un avocat lui fait savoir qu'il est chargé de la liaison entre le tribunal de commerce et les autorités d'occupation ; un autre lui crie son admiration de Hitler au visage et quitte bientôt le Palais pour diriger l'ersatz d'*Humanité* qu'est le journal *La France au travail*; d'autres vont régulièrement « prendre le thé » à l'ambassade d'Allemagne et ne cessent de vanter la gentillesse d'Achenbach ou de Schleier. Les maurrassiens, antimaçons, antisémites, catholiques intégristes, « communistes repentis », célèbrent « l'ordre nouveau », que la défaite va permettre d'instaurer. Il en est qui fréquentent régulièrement des officiers allemands, proclament que l'occupant laisse la Justice française suivre son cours, et l'en remercient ; certains vont plus loin encore, participent à l'aryanisation des biens juifs, à des opérations de mainmise allemande sur des entreprises françaises ; ils sont les conseillers juridiques de ces spoliations. Une minorité d'avocats ? C'est probable, mais bruyante et active en tout cas.

Cette perturbation dans une profession honorable, on la retrouverait sans doute dans celle des épiciers, des entrepreneurs, des restaurateurs, peut-être des égoutiers. Le monde de la science lui-même n'a pas été protégé contre elle. L'appât a été, ici, la visite de l'Allemagne et la découverte de son équipement scientifique ; la comparaison n'était pas flatteuse pour la France. Un postulat primait d'ailleurs tous les comportements : il n'y a pas de

18. Pascal ORY, *op. cit.*, p. 120-150.

frontières pour la science. La conclusion, le Pr Fourneau, de l'Institut Pasteur, la tirait en préconisant l'envoi au-delà du Rhin des jeunes chercheurs français. Georges Claude se fait le champion de cette collaboration entre collègues, mais il la préconise aussi entre les peuples — comme si la guerre était finie. Cet ancien combattant de 1914-1918, lui aussi, adversaire des politiciens qui ont failli faire perdre la guerre à la France, qui a fait, lui aussi, son temps à « l'Action française », parcourt la France en conférencier du groupe « Collaboration », précédé de sa réputation d'inventeur de procédés d'utilisation de l'énergie des mers chaudes. En 1943, il affirme avoir pris la parole dans plus d'une centaine de villes ; ses conférences, diffusées par la radio, touchent des millions d'auditeurs ; leur impact est d'autant plus profond que la conviction du savant semble détachée des contingences matérielles de ce monde, et comme éthérée par la prospective d'un avenir radieux, où la paix hitlérienne apportera à tous les infinis bienfaits d'une science franco-allemande.

Dans son analyse socio-professionnelle des lecteurs des *Nouveaux Temps*, Claude Lévy a retrouvé les lecteurs du *Temps*, des « lecteurs sérieux ». Trompés par le titre ? Abusés par la qualité de certains articles ? Les médecins, les hauts fonctionnaires, les universitaires — moins nombreux il est vrai — les industriels et les ingénieurs, les cadres du commerce, lisent la prose de la collaboration, sans oublier les journalistes, qui se lisent eux-mêmes. S'y reconnaissent-ils ? S'y complaisent-ils toujours ? Comment le savoir ? Ils lisent, et la « bonne parole » de la collaboration se distille en eux, lentement et sûrement. Aux *Nouveaux Temps* cette nourriture intellectuelle ne manque pas de finesse ; elle est moins délicate, plus brute sinon plus brutale, au *Petit Parisien ;* mais ce sont alors les ouvriers, les petits fonctionnaires, qui achètent ce journal, ou d'autres de la même tonalité. Il faut savoir quelles denrées seront en vente dans la semaine, c'est vrai ; se tenir au courant des « nouvelles » ; on peut ne pas tout lire, approuver tel article et désapprouver tel autre ; il reste que, insidieusement, les thèmes de la propagande allemande, les thèmes démobilisateurs du pays qui demeure en guerre avec la France, sont digérés par la population française [19].

Si les lecteurs ne font pas défaut — peut-on vivre sans son journal quotidien ? — c'est que les journalistes, comme les écrivains, ne se sont guère privés d'écrire. En zone non occupée, J. de Lacretelle, constatant la réapparition à Paris de certaines signatures, et d'étonnantes conversions, écrivait : « Il en est de sincères, il n'en est pas de pures ; il y a toujours, au fond, la peur de se faire oublier. » Revenu à Paris, Vercors fait la même

---

19 Bâtonnier CHARPENTIER, *Au service de la liberté*, A Fayard, 1949 , Pascal ORY *op. cit.* p 222-225 ; Cl. LÉVY, *op cit.*, p 47-48.

constatation, et parvient à la même conclusion : « Comment vivre sans écrire ? » Comment accepter de disparaître, de se suicider en somme ? Pourquoi ne pas s'exprimer si on est certain d'avoir quelque chose à dire ? Parmi ces folliculaires de la collaboration, il en est qui ont mangé, mangent et mangeront toujours à tous les râteliers. Galtier-Boissière raconte ainsi qu'il a été sollicité d'écrire dans un journal par un type « qui avait été, successivement, échotier à *l'Humanité*, rédacteur à *l'Emancipation nationale* de Doriot et, en même temps, au *Courrier* du Comte de Paris » ! Il avait trouvé son chemin de Damas aux côtés de Ferdonnet, le « traître de Radio-Stuttgart » pendant la « drôle de guerre » ; hier, il était miséreux ; « aujourd'hui, il ne se refuse rien ».

Ils sont certes nombreux ces anciens stipendiés des agences de presse allemandes, ces correspondants de journaux allemands à Paris, ces amis de toujours de l'Allemagne ; se joignent à eux quelques étrangers, tel le Suisse Oltramare ; mais, en fait, on retrouve, dans la presse et dans l'édition du temps de l'occupation, à peu près tous les noms qui y figuraient avant la guerre, à l'exception de quelques-uns qui, à la suite de l'exode ou volontairement, se sont repliés en zone sud.

Le cas de la *Nouvelle Revue française* est tout à fait éclairant à ce sujet. La surprise passée, la prose de Drieu la Rochelle ne pouvait faire illusion à personne. Pourtant, à côté de signatures de « collabos » avérés, ont continué à paraître des signatures d'auteurs en principe non engagés, comme Alain, Marcel Arland, André Gide, Louis Guilloux, Franz Hellens, Adamov ; la revue révèle aussi une nouvelle génération de poètes : Jean Bouhier, Guillevic. Ces auteurs, dont certains se reprendront par la suite, peuvent se dire qu'ils font leur métier ; ils servent leurs œuvres comme les garçons de café des bocks ; après tout, ils écrivent ce qu'ils veulent — oui, mais à condition de ne pas déplaire à l'occupant, c'est-à-dire qu'ils s'autocensurent. Leurs signatures paraissent à côté des attaques contre les Juifs, la démocratie, l'Angleterre ; par ce voisinage, elles contribuent à les justifier et à les faire accepter.

Le « Tout-Paris », si moutonnier, si avide de se faire connaître, conscient qu'on est très vite enterré si on cesse de parler de vous, ne pouvait pas ne pas suivre le mouvement, sinon même le précéder ; metteurs en scène, auteurs, éditeurs, acteurs, artistes, virtuoses, continuent à garnir les petits échos de la presse, tant ils sont ravis de se montrer aux réceptions, aux galas — surtout quand ils sont « en faveur des prisonniers » — aux inaugurations d'expositions, aux conférences. Il n'y manque guère de noms illustres, de Jean Cocteau à Hébertot et Gaston Baty ; des sculpteurs Despiau et Belmondo à Gaston Gallimard et Bernard Grasset ; et des têtes d'affiches comme Alice Cocéa, Edwige Feuillère, Marguerite Jamois à Marie Bell, A Luguet , et les grands noms de l'art musical, comme Cortot, Serge Lifar Germaine Lubin[20]

Ces noms connus, très connus, le bon public peut les lire tous les jours dans son journal, ou sur les programmes des spectacles ; ce sont eux qui, de tout temps, ont donné le ton, lancé la mode. Pourquoi pas la mode de la collaboration ? Leurs signatures, leurs visages, l'aisance dont ils font preuve dans les temps difficiles, les photographies où ils sympathisent avec les officiels allemands, n'est-ce pas autant d'appels, pour le commun des Parisiens, à les imiter ? Si l'amertume de la défaite peut être si aisément surmontée, si quelques-uns, et non des moindres, réussissent, au prix d'un peu de soumission, et tout en ne faisant que leur métier après tout, à surmonter l'adversité, pourquoi la masse des Parisiens n'essaieraient-ils pas, chacun dans son domaine, d'en faire autant en y mettant le prix qu'il faut ?

Ainsi peut s'expliquer que tant de petites gens aient pu se laisser prendre aux mirages de la collaboration. D'autant plus que les avantages qu'elle procure ne sont pas à dédaigner, quand tout fait défaut. Ch..., qui avait coopéré à *l'Ordre* puis au *Journal de Rouen*, est passé d'abord à la direction des œuvres sociales de *Paris-Soir*, puis à Radio-Paris ; il n'y a pas perdu, ses émoluments ont doublé. Il en est de même de Ma... qui est passé d'un journal de zone sud, au *Pilori* à Paris, l'organe d'un antisémitisme ordurier et névropathe : il en a retiré d'identiques avantages. Au... était surveillant d'un service d'électricité à la SNCF ; syndicaliste, il a écrit quelques articles contre le chômage dans *La France Socialiste* ; puis il est allé faire des reportages grassement payés en Allemagne, au cours desquels il a décrit l'existence paradisiaque des ouvriers français requis du travail obligatoire. Mau... qui vivait en province avec sa famille, devient le cousin d'un rédacteur de *Je Suis Partout*, fait ses premières armes dans ce journal, et finira dans la Milice. Parfois, la vocation d'un « collabo » s'accompagne de sérieuses prébendes, même s'il n'est pas une figure de premier plan. Ainsi ce directeur d'une galerie d'art, qui obtient le monopole de la publicité dans les *Nouveaux Temps*, et dans un hebdomadaire, *Toute la Vie*, et qui arrive à se faire des mensualités de trente mille francs, à une époque où un professeur agrégé débute aux environs de trois mille francs.

C'est Radio-Paris qui paraît présenter le plus d'intérêt pour ces « nouveaux messieurs ». Ainsi, Fel.... prisonnier rapatrié, se croit obligé de faire des conférences pour la relève, après avoir donné au micro ses « bonnes impressions » d'Allemagne ; il prononce des causeries dans les usines parisiennes, et il ira même dans les stalags engager les prisonniers à travailler pour leurs geôliers R.S., responsable des Jeunesses du RNP dans l'Ile-de-

20. *Le Figaro*, novembre 1940 ; VERCORS, *op. cit.*, p. 154-161 ; GALTIER-BOISSIÈRE, *op. cit.*, p. 10 ; L. RICHARD, « Drieu la Rochelle et la NRF des années noires », *Revue d'histoire de la Deuxième Guerre mondiale*, janvier 1975 · H. AMOUROUX, *op. cit.*, t. III, p 496 à 504.

France, fonde le journal des jeunes, *l'Essor,* et gagne 8 000 F par mois, plus un crédit annuel de 100 000 F dont il dispose à sa guise ; il augmente ses fins de mois en participant à des émissions sur la jeunesse à Radio-Paris. C'est à ce même poste que parle un honorable général, qui a fait toute sa carrière dans l'armée coloniale, et qui est convaincu qu'il faut préserver l'empire des convoitises britanniques. Un secrétaire de « l'Institut de coopération intellectuelle » à Genève veut lancer à Paris un hebdomadaire économique, *le XX⁰ siècle,* n'obtient pas l'autorisation, fait des bassesses pour se la procurer, et, sur sa lancée, rencontre un Allemand avec qui il fonde trois sociétés pour acheter des matières premières pour le Reich ; comme quoi, il n'y a pas de cloison étanche entre les diverses formes que peut prendre la collaboration. Tel chômeur commence comme garçon de bureau à Radio-Paris, remplace un jour un lecteur de textes défaillant et finit dans la Milice. Un présentateur d'émissions artistiques à la radio adhère au PPF pour conserver son poste et, désormais, place régulièrement une note politique dans ses comptes rendus de concerts. H... de V..., speaker à Radio-Paris a toujours gagné sa vie grâce à sa belle voix ; comment pourrait-il se passer du micro ? Il en vient à traduire des textes, puis à lire les siens propres ; il y gagne une augmentation [21].

Les procès des vingt mille personnes traduites devant la cour de justice de la Seine pullulent de ce genre d'évolution. Il faudrait ajouter à cette litanie les photographes de presse, les illustrateurs d'articles, les caricaturistes, les décorateurs des salles de spectacles, et tout le petit monde qui essaie de grappiller quelques miettes dans le festin des puissants. Pour beaucoup, la fin du processus fut la collaboration militaire ou policière.

Sous l'uniforme allemand — La LVF

Lorsque l'Allemagne attaque l'Union Soviétique, le 21 juin 1941, les collaborateurs ne se tiennent plus de joie ; enfin, disparaît l'équivoque du pacte germano-soviétique ; enfin, l'ennemi commun est retrouvé. J. Doriot exprime l'opinion générale en déclarant : « La France ne peut pas assister en spectatrice au combat décisif dont l'issue déterminera le sort du continent tout entier. » Pour une fois, chefs et cheffaillons sont d'accord : Clementi, Constantini, Boissel, Deloncle, Déat et Doriot. *L'Œuvre* annonce la création d'une « légion » dès le 7 juillet 1941 ; son siège est installé rue Auber, où était celui d'Intourist ; 80 bureaux de recrutement sont ouverts dans des locaux « aryanisés ». L'idée est très appuyée par Abetz, qui y voit le meilleur moyen d'assurer une collaboration franco-allemande et de lever les réticences du gouvernement de Vichy [22]. Mais si celui-ci laisse faire, la plupart de ses

---

21 Extraits de presse lors dès procès de collaborateurs devant la Cour de Justice de la Seine
22 Il se fait représenter en permanence par le conseiller d'ambassade Westrick.

membres, le maréchal Pétain en tête, ne manifestent que peu d'enthousiasme : après tout, cette armée sera levée et commandée par les hommes qui ne cessent de les attaquer, et qui veulent les remplacer, en zone occupée. Le général von Stülpnagel n'est pas moins réticent, et la Wehrmacht avec lui ; est-ce bien nécessaire, et n'est-il pas dangereux, de réarmer des vaincus ? Si, comme on en est convaincu, la campagne est de courte durée, on n'a pas besoin d'eux.

Hitler tranche ; il veut donner à l'agression contre l'URSS un caractère européen ; par le fer et par le sang, l'Europe hitlérienne se construira contre l'Asie ; mais il a besoin de détachements symboliques, non de masses d'hommes. Le Führer fixe donc à 15 000 hommes l'effectif maximum de la « légion » ; celle-ci servira sous l'uniforme et sous commandement allemands. Et toutes sortes de conditions furent mises aux incorporations ; ne seront acceptés que les hommes de dix-neuf à trente ans, ayant fait leur service militaire, d'une excellente condition physique, et avec un casier judiciaire vierge. Cependant, promesse fut faite aux volontaires que l'engagement de chacun d'entre eux entraînerait la libération de deux prisonniers de guerre ; mais par Abetz seulement, qui alla une fois de plus au-delà de ses instructions et de ses pouvoirs, et qui ne fut pas suivi à Berlin.

Quoi qu'il en soit, une colossale campagne est lancée, par des affiches, dans toute la presse, à la radio, dans les actualités cinématographiques. Un grand meeting, où tous les chefs « collabos » se succèdent à la tribune, est organisé au Vel d'hiv', le 8 juillet 1941 ; 8 000 personnes y participent, mais 2 000 appartiennent au service d'ordre et le vaste édifice aurait pu abriter 13 000 spectateurs. Tous les journaux font une grande publicité sur les soldes attribuées, sur le fait qu'un compte spécial est ouvert à la trésorerie allemande et que, de cette façon, chaque légionnaire pourra se constituer un pécule, qu'il touchera quand il reviendra. Et s'il ne revient pas ? Eh bien, il aura la consolation de savoir que sa veuve bénéficiera d'une pension bien supérieure à celle des veuves des poilus. Le bureau de recrutement du 3, rue Chaussée-d'Antin s'appelle « état-major des chasseurs de Jeanne d'Arc » ; le cardinal Suhard proteste contre cette utilisation abusive du patronage de la sainte ; sa réclamation est rejetée[23].

Déat lance une souscription publique. Il prédit que la « Légion des Volontaires français contre le bolchevisme » dépassera 100 000 hommes. Il tonne contre le gouvernement de Vichy, qui ne veut pas engager l'armée de l'armistice et qui fait des difficultés pour autoriser les engagements en zone non occupée. Le cardinal Baudrillart donne lui aussi de la voix[24], laissant

---

23. Le meilleur exposé sur la LVF est celui de J. DELARUE dans *Trafics et Crimes sous l'occupation*, A. Fayard, 1968, p. 166-220 ; cf. également Dieter WOLFF, *op. cit.*, p. 350-360 ; cf. *L'Illustration* de juillet 1941 ; Dossiers de la Délégation générale française à Paris, au CDJC.
24. Il déclare que « cette chevalerie délivrera le tombeau du Christ ». A Moscou ?

croire ainsi à un appui de l'Eglise, alors que celle-ci est très réservée dans son ensemble — le pape n'a-t-il pas refusé le terme de croisade à l'entreprise ? Un slogan est largement répandu sur les murs, dit à la radio repris dans la presse : « Pour un Français, combattre dans la LVF est un devoir, mais c'est aussi conforme à ses intérêts. » Un journal organise un concours, récompensé par des prix substantiels, pour écrire musique et paroles de l'hymne de la LVF. Bref, les Parisiens sont particulièrement chauffés pour s'engager.

Mais les temps de la passivité résignée ont bien changé. A peine ouverts, des bureaux de recrutement sont lapidés, les vitres brisées. En août, 2 000 hommes seulement sont arrivés à Versailles. Les docteurs allemands en éliminent beaucoup, souvent pour une denture en mauvais état ; parfois deux sur trois. La presse donne des indications sur les professions des volontaires ; la plupart sont des manuels, et il est avoué qu'un bon nombre sont des chômeurs ; les autres des étudiants, des employés et des fonctionnaires.

Il y a parmi eux des escrocs, qui viennent pour toucher la prime, et s'en vont pour ne plus revenir. Un volontaire a constaté, lors de l'examen médical, que certains de ses camarades étaient couverts de vermine ; il a fallu les doucher et les épouiller ; le moment venu de se rhabiller, tout a disparu de ses vêtements ; et le mécanisme de « l'industrie fructueuse » lui est dévoilé par un camarade : « le procédé consiste à échanger l'identité reconnue apte au service contre celle d'un inapte, qui veut absolument partir ; le troc est payé d'un bon prix et l'opération peut se renouveler à quelques semaines d'intervalle... A cela s'ajoutent le troc de montres et de vêtements, les quelques jours de nourriture gratuite à la caserne, et le remboursement d'importants frais de déplacement ». Aussi bien, si des idéalistes, par antibolchevisme , comme Bassompierre, s'engagent dans la légion, les procès de la libération révèleront de moins nobles motivations. Un volontaire a vu une affiche dans le métro ; il a été séduit par « les mots magiques de Taganrog, Dniepropetrovsk », et il avait toujours rêvé de grands voyages. Un autre avoue qu'il s'est battu contre les Russes par anticommunisme, mais « qu'il aimerait encore mieux les communistes au pouvoir que le retour à la IIIᵉ République ». F. B... était volontaire pour aller se battre en 1940 ; il a été tellement déçu par la défaite qu'il a décidé de « punir les communistes » qu'il en rend responsables. L. C... voulait obtenir la libération d'un beau-frère prisonnier de guerre. D. G..., expert fiscal, avait été condamné avec sursis pour recel ; il pensait que son engagement effacerait la condamnation sur son casier judiciaire. Tous d'ailleurs ne désirent pas aller se battre ; un capitaine d'administration retraité se borne à tenir à jour les fichiers de la Légion, pour 7 000 F par mois ; un général d'aviation, qui a fait les deux guerres, qui a été blessé deux fois, et qui est grand officier de la Légion d'honneur, s'est fait bombarder chef des services sociaux de la Légion, aux appointements de 12 000 F par mois, etc.

Un rapport de l'ambassade allemande à Paris, de juin 1943, donne des précisions sur l'étendue du recrutement. En deux ans, 10 788 volontaires se sont présentés, dont 6 429 ont été retenus. C'est peu. Surtout si on considère combien étaient alléchants les avantages promis[25]. Défrayé de tout, le volontaire, s'il est homme de troupe, gagne 1 800 F par mois, « payables d'avance par décade » s'il est célibataire, et 2 400 F s'il est marié. Plus des indemnités de 20 F par jour de combat et de 360 F par enfant. Le tout peut donner 3 480 F à un soldat père de trois enfants, 6 000 F à un adjudant, 13 600 F à un commandant ; c'est plus que ne gagnent les ouvriers qui vont travailler en Allemagne, c'est un peu plus aussi, pour les gradés, que les traitements moyens des rédacteurs des journaux[26].

De plus, quand il revient en France, permissionnaire ou blessé, le légionnaire mène la vie de château ; des « foyers » l'attendent dans les plus beaux immeubles de Paris ; les convalescents sont hébergés dans des maisons à la campagne, où ils reçoivent de multiples cadeaux : tabac, sucreries, linge, livres. S'ils sont reconnus, par leur état physique, inaptes à tout travail, des sinécures administratives les attendent, dans les services de la Légion bien sûr, mais aussi dans des services allemands, comme « l'Organisation Todt ». Les familles ne sont pas oubliées non plus : des enfants sont en colonie dans « une vaste propriété aryanisée », près du bois de Boulogne. Les épouses et les parents ont accès aux services sociaux de la LVF : coopératives et dispensaires. C'est du moins ce qu'affirme la propagande et il faudra du temps pour constater que la réalité est moins belle. Le 27 août 1943, dans la Cour des Invalides, pour le 2e anniversaire de la LVF, une grande cérémonie est organisée en présence du général Bridoux, ministre de la Guerre à Vichy, dont le fils sert comme capitaine dans la Légion. Après une messe à Notre-Dame, les légionnaires défilent aux Champs-Elysées et déposent des gerbes de fleurs à l'Arc de Triomphe, sur la tombe de l'Inconnu — dont personne ne semble se souvenir que, s'il est là, c'est qu'il a été victime des Allemands, dont les légionnaires portent l'uniforme. Les « amis de la LVF » organisent le service d'ordre et, pour faire nombre, défilent aussi — « en chemise blanche et brassard écarlate timbré de l'aigle impérial doré et de l'écusson tricolore », décrit la presse avec complaisance.

En fait, la LVF était pour les « chefs collabos » une vaste opération de politique intérieure. Elle leur fait de la publicité par les galas qu'elle leur permet d'organiser, auxquels des artistes de grande renommée prêtent leur concours. Elle leur donne, à bon compte, figure de combattants, bien que

---

25. En tout, en trois ans, 13 400 volontaires s'étaient présentés ; 5 800 étaient partis vers l'Est ; 800 déserteront.

26. Pierre AUDIAT, *op. cit.*, p. 230-231 ; X... *Væ Victis ou deux ans dans la LVF*, La Jeune Parque, 1948 ; extraits de presse des comptes rendus des procès à la libération ; pour les soldes, nous retenons les calculs avancés par le témoin Pierre Audiat.

seuls Doriot et Clementi aient fait un séjour au front ; mais les autres avaient juré qu'ils iraient, et Deloncle a dû en revenir après quelques algarades. Car la LVF est l'occasion de violentes querelles pour obtenir l'appui et les crédits de l'occupant. Chaque volontaire, à son arrivée, s'entend demander à quel groupement il appartient. Si Doriot va au front, c'est qu'il espère bien faire de la LVF sa troupe, et s'en servir, la victoire venue, pour la prise du pouvoir ; c'est pour parer à cette éventualité « d'armée privée » que Pierre Laval essaya de remplacer la LVF par une « légion tricolore », qui relèverait de Vichy ; sans succès, les occupants ne tenant pas plus à donner des armes au gouvernement de Vichy que le pouvoir à Doriot.

L'argent donné à la légion ne fut pas perdu pour tout le monde. La LVF emploie beaucoup de gens, dans ses services « civils », plus de 120 personnes, dont des « inspecteurs régionaux » et des « délégués » d'arrondissement ; elle occupe de beaux immeubles, 19, rue Saint-Georges, 12, et 16, place Malesherbes. Lorsque de Brinon fait vérifier ses comptes par un expert financier, celui-ci découvre une incroyable gabegie : pas de livres de comptabilité, disparition de matériel acheté, retraits et versements de fonds inexplicables, opérations obscures comme l'émission de timbres, apparition d'un gros déficit non justifié, etc. [27].

Même sous sa forme combattante la collaboration parisienne n'était décidément que bluff, désordre, désunion, inefficacité, Abetz lui-même en fut quelque peu découragé ; tirant la leçon de l'échec, les autorités militaires occupantes reportèrent toute leur attention sur la force neuve que leur paraissait représenter la Milice de J. Darnand.

Joseph Darnand et la Milice

La LVF est un groupement de collaboration né et développé en zone nord, mais jamais réellement implanté en zone sud, bien qu'autorisé à y recruter ; le gouvernement de Vichy n'a aucune prise sur elle, surtout après l'échec de la « légion tricolore » imaginée par Pierre Laval. Au contraire, la Milice est une création du gouvernement de Vichy, née en zone sud, et qui ne s'étendra à la zone occupée que tardivement, lorsque les Allemands le voudront bien. Dernière venue à Paris, sans disposer en zone occupée d'effectifs véritablement supérieurs à ceux des autres groupements, la Milice y jouera pourtant le rôle principal à la fin de la guerre. C'est que son avènement a coïncidé avec, dans les autorités occupantes, le rôle prépondérant pris par Oberg, et qu'Oberg a reconnu son homologue dans le créateur et chef de la Milice, Joseph Darnand. Avec Joseph Darnand, et avec la Milice, la collaboration

---

27 Sur les « comptes » de la légion, cf. J. DELARUE, op. cit., p. 196-200.

militaire, commencée par la LVF, continue, mais elle se transforme aussi en collaboration, et répression, policières.

La personnalité de Darnand n'est pas pour peu dans cette évolution. Ce fils de cheminot qui, faute d'argent, doit interrompre des études commencées au séminaire, s'engage en 1915, à dix-huit ans ; sa conduite au front a été si brillante que Raymond Poincaré l'a appelé « l'artisan de la victoire » ; mais il n'a pas les diplômes universitaires pouvant le faire nommer officier. Il monte alors une entreprise de camionnage à Nice, qui marche bien ; il s'affirme ainsi comme un self-made man. Son nationalisme l'amène à « l'Action française », puis aux « Croix de Feu » ; il est un des conspirateurs de la Cagoule, ce qui lui vaut d'être un temps arrêté ; il adhère alors au PPF. A nouveau mobilisé en 1939, il est, comme chef d'un corps franc, un des rares combattants de « la drôle de guerre » ; fait prisonnier, il s'évade, et revient à Nice. Il est alors dans la force de l'âge, il a 43 ans.

Son passé militaire le désigne comme le chef départemental de la Légion des combattants ; il éprouve pour le maréchal Pétain l'admiration et le dévouement sans borne d'un poilu pour le vainqueur de Verdun ; à son procès, son avocat dira qu'il s'était « donné à Pétain comme un moine fait un vœu, pour un don sans restriction ». Mais Darnand trouve la Légion trop molle dans son combat pour la Révolution nationale et il crée le « Service d'ordre légionnaire », SOL, plus musclé, plus combatif, qui se développe peu à peu dans toute la zone sud.

En janvier 1943, Pierre Laval le nomme chef de la Milice, qu'il vient de créer, dans laquelle il espère trouver une organisation paramilitaire relevant de lui et non, comme la LVF, des groupements de collaboration et des Allemands. Il compte ainsi faire échec à Doriot. Déat répond en lançant à Paris, en février 1943, la « Milice nationale révolutionnaire » dont le but est, une fois de plus, de regrouper tous les groupes paramilitaires de la collaboration ; mais il se heurte une fois encore au particularisme de ses collègues et rivaux.

Cependant, Darnand, très antiallemand encore à l'été 1940, avait cru de son devoir d'entrer dans la collaboration puisque son Dieu, le maréchal Pétain, avait invité les Français à le faire après sa rencontre avec Hitler à Montoire, en octobre 1940. Après l'invasion de l'URSS, sa voie lui paraît toute tracée, surtout au retour d'un voyage en Pologne : le bolchevisme, voilà l'ennemi. Il milite alors pour le recrutement de la LVF en zone sud. En juin 1943, les militaires allemands autorisent Darnand à venir à Paris pour la première fois. Il parle à la salle Wagram. C'est l'occasion d'une grande perturbation ; les cheffaillons de Paris sont mécontents car ils estiment que Darnand est venu chasser sur leurs terres. Quant aux miliciens venus du SOL, ils sont demeurés souvent antiallemands, ils ne suivent plus leur chef.

d'autant plus qu'ils ne sont guère satisfaits, beaucoup sont d'anciens officiers, qu'on puisse les confondre avec le ramassis du PPF ou du RNP[28].

Darnand, intellectuellement, est un simple, un homme sans culture ; « timide dans le raisonnement, dira à son procès l'aumônier de son corps franc, le RP Brückberger, il a besoin qu'on lui donne des directives ». Homme d'action, toute idée qui ne débouche pas sur l'action le rebute. Mais il est aussi, comme l'a noté Du Moulin de la Barthète, « impatient d'autorité, ambitieux de commandement ». Militaire dans l'âme, il aime la hiérarchie, la vie des camps. Il n'est pas un homme d'argent ; comme chef départemental de la Légion, il gagnait 3 500 à 4 000 F par mois ; comme chef de la Milice, 8 000 ; beaucoup moins que les folliculaires parisiens qui ont vendu leur plume. S'il a le respect des élites, il demeure plébéien dans l'âme, fruste de manières, avec quelques solides rancunes à satisfaire. Très solide physiquement, il est dur pour les autres, comme pour lui-même. Et, dans l'action, il sait être impitoyable.

Voilà un type d'homme fait pour plaire aux SS ! Ce n'est pas un intellectuel compliqué comme Marcel Déat, et il n'est pas marqué de la tache originelle du communisme comme Doriot. A la différence de la LVF qui n'a guère d'hommes et pas de chef, la Milice semble avoir les deux. De plus, c'est une création de Vichy, et s'accorder avec elle s'inscrit dans le plan général des autorités allemandes en France, qui est de coopérer de préférence avec les autorités légales, parce que c'est le moyen le plus sûr d'éviter des troubles superflus. De plus, si les militaires allemands répugnent toujours à armer des Français, les policiers cherchent le moyen homéopathique de détruire le virus de la Résistance française par des agents pathogènes français ; ils pensent découvrir le remède dans la Milice, et le médecin en Darnand.

Bref, en août 1943, à l'ambassade d'Allemagne, à huis clos, Darnand, nommé SS Sturmbannführer (commandant), prête serment à Hitler, « Führer germanique et réformateur de l'Europe ». Il jure de « lui obéir jusqu'à la mort ». Darnand fait ainsi son entrée dans la collaboration parisienne, dont il est le seul chef à avoir enrôlé ses hommes dans la SS. En septembre 1943, il signe avec Déat, mais sans Doriot, le « plan de redressement français », qui est envoyé à Hitler, mais aussi au grand maître de la SS, Himmler, et qui est approuvé par Sauckel ! En novembre, Darnand décide de créer un « parti national-socialiste français ». Le 19 décembre, au Vel' d'Hiv', grande manifestation d'un « Front uni des révolutionnaires européens », décrété sur le papier pour la circonstance, toujours sans

---

28. B GORDON, « Un soldat du fascisme, l'évolution politique de J. Darnand », in *Revue d'histoire de la Deuxième Guerre mondiale*, octobre 1977 ; *Les Procès de la collaboration, Brinon Luchaire, Darnand*, Albin Michel, 1948, p. 250-262

Doriot. Déat, Henriot, Herold-Paquis, Georges Claude, accueillent Dar-nand, qui fait figure de chef[29].

Darnand a donné suffisamment de preuves de sa volonté d'entière collaboration — aucun autre « chef » n'est allé aussi loin — pour qu'Oberg, qui a tout lieu de croire qu'il le tient bien dans sa main, accepte que la Milice s'installe en zone nord, en février 1944, et reçoive des armes. Darnand est décidément devenu l'homme des Allemands, mais ce soldat du fascisme continue à penser qu'il demeure aussi l'homme du maréchal — il sera tout surpris lorsque le maréchal le blâmera pour les exactions commises et, à son procès, il lui reprochera amèrement de l'avoir fait si tardivement.

A ce moment, pour toute la France, la Milice compte près de 30 000 hommes, dont 10 000 sont actifs. Sa doctrine, en 4 points, fait appel à l'enthousiasme, la hiérarchie, l'autorité, la discipline — le tout directement inspiré du « Service d'ordre légionnaire », mais tous les membres du SOL n'ont pas suivi Darnand dans sa mutation « naziphile ». La Milice recrute surtout dans des milieux ultra-catholiques, des anciens camelots du roi, parmi des jeunes hommes de la bourgeoisie, des étudiants, dont beaucoup n'ont pas vingt ans. Dans ses cadres, figurent en majorité des notables, médecins, avocats, notaires, industriels ; et quelques grands noms de l'histoire de France, Turenne, La Rochefoucauld, Vaugelas, de Bourmont, Bassompierre — revenu de la LVF. En zone nord, Déat ayant recommandé aux adhérents du RNP d'y entrer, toujours pour faire pièce à Doriot, car la simplicité politique de Darnand ne l'inquiète pas, elle comptera quelques membres venus « de la gauche ». Mais, dans l'ensemble des groupes de collaboration, elle conserve un relent de Vichysme — son orateur à la radio est Philippe Henriot, ce chevalier de la civilisation chrétienne contre l'athéisme de la démocratie et du marxisme.

Toutefois, à partir du moment, où elle est versée dans les Waffen SS, le recrutement de la Milice se modifie. A Paris, un intense effort est fait ; plusieurs conseils de révision ont lieu par semaine 4, square du Bois-de-Boulogne, puis 60, avenue Victor-Hugo ; on le rappelle plusieurs fois par jour à Radio-Paris. Des engagements spectaculaires sont contractés, et proclamés, de speakers de radio, de journalistes, notamment de *Je Suis Partout*. Tous les partis « collabos » n'ont cependant pas versé leurs troupes, notamment Doriot ; il arrive même que des bagarres éclatent entre miliciens et PPF ou Francistes.

Pour remplir les rangs de la formation de combat, la « Franc-Garde », il faut faire appel à des mercenaires, payés 4 à 5 000 F par mois, qui vivent dans des casernes, et reçoivent un entraînement intensif ; il faut faire aussi appel à

29. Du Moulin de la Barthète, *op. cit.*, p. 308 ; Delperrie de Bayac, *Histoire de la Milice*, A. Fayard, 1969 ; Pascal Ory, *op. cit.*, p. 250-254.

la pègre ; des recruteurs parcourent les prisons, et promettent la liberté contre une signature d'engagement. Au mieux, la « Franc-Garde » groupera entre 1 000 et 5 000 hommes[30].

Les miliciens ne seront jamais nombreux à Paris, 400 environ : leur mission, c'est de détruire les maquis. Cependant apparaissent, sur les boulevards, leurs bérets basques, leurs insignes Gamma (le bélier), blanc sur fond bleu cerclé de rouge, que la « Franc-Garde » porte blanc sur fond noir orné d'une tête de mort et des tibias. Comme tous les partis de la collaboration, la Milice s'est installée à son aise, dans de nombreux locaux somptuaires. Son siège officiel est, symbole évident, dans l'ancienne résidence du parti communiste, au carrefour de Châteaudun ; mais des hommes de la « Franc-Garde », sur les traits desquels P. Audiat lit « la brutalité ou l'ignominie » sont casernés au lycée Saint-Louis ; le secrétariat général est installé 44, rue Le Peletier ; le service de sécurité rue Alphonse-de-Neuville ; mais la Milice occupe aussi des hôtels particuliers, des hôtels meublés et des synagogues. Elle occupe beaucoup de place, pour laisser croire qu'elle mobilise beaucoup d'hommes.

Bassompierre est devenu l'adjoint de Darnand pour la zone nord ; le chef régional de l'Ile-de-France est André de Larivière, celui de la « Franc-Garde » le capitaine Emile de Monneuse, le responsable de la propagande Claude Maubourguet, secrétaire général de *Je Suis Partout*.

La Milice bénéficie du même surprenant concours intellectuel de qualité que les autres groupements de collaboration. A son journal *Combats,* né en mai 1943, et dirigé par Henri Charbonneau, fils d'un général, coopèrent Ph. Henriot et A. Bonnard, ce qui est normal, mais aussi Colette, Roger Vercel, Mac Orlan, Paul Morand. On retrouve quelques-unes de ces illustres signatures dans le bi-mensuel de la « Franc-Garde », *l'Assaut.*

Avec J. Darnand, la collaboration atteint son sommet, alors même que se multiplient les signes précurseurs de la défaite allemande. Avant lui, le même mot groupait deux tendances, pour certains deux réalités politiques. La première était celle du gouvernement de Vichy, une collaboration « dans l'honneur », d'Etat à Etat, sur un pied d'égalité, au moins théorique. La deuxième, à Paris, émanait de groupements stipendiés par l'occupant, parfois créés à son initiative, et qui n'auraient pas duré sans son aide ; c'était la collaboration dans la soumission. En zone sud, le maréchal Pétain avait fait longtemps une quasi-unanimité dans la population ; à Paris, les « collabos » n'avaient pas réussi à prendre de solides racines. A la veille du débarquement allié, à la veille de la libération de la France, voilà que les deux tendances se réunissent ; c'est avec des armes de l'armée de l'armistice

30. P AUDIAT *op. cit.* p 235-238 , B. GORDON, art cit., DELPERRIE DE BAYAC *op. cit* p 238-239

qu'est équipée la « Franc-Garde » dont les membres reçoivent une formation à la guerre civile ; Maurras salue en la Milice[31] « une bonne et sûre police » ; le maréchal Pétain admet qu'elle doit « avoir priorité dans le maintien de l'ordre ». Le régime de Vichy, et les « collabos » de zone occupée, arrivent ainsi au même terme d'un engagement commun contre d'autres Français, ceux de la Résistance. Pour couronner le tout, Darnand entre au gouvernement de Vichy comme secrétaire d'Etat au Maintien de l'ordre. Et il s'installe à Paris. La collaboration n'a désormais plus qu'un seul visage : celui de la répression policière.

La collaboration dans la répression

La collaboration des Français dans la répression, par les occupants, de ceux de leurs compatriotes qu'ils considéraient comme leurs ennemis — communistes, Juifs, gaullistes, résistants, la liste n'est pas limitative — a pris deux formes, l'une institutionnelle, résultant de la convention d'armistice ou d'accords interétatiques ; l'autre, organisée unilatéralement par l'occupant, grâce au recrutement d'auxiliaires rémunérés et chargés par lui de basses besognes à son service. L'autorité politique (Abetz) ou militaire (MBF) de l'occupation aurait mieux aimé ne pas avoir à utiliser la répression ; celle-ci leur a paru inévitable à partir du moment où la propagande, ou les succès de la Wehrmacht, n'avaient pas empêché l'opposition de naître puis de se muer en hostilité avérée — le sort tragique des Juifs se situant de toute façon hors de cette perspective. C'est à partir du moment, nous l'avons vu, où les revers allemands, en faisant renaître en elle l'espoir, tirèrent la population française de son apathie résignée, qu'Oberg et Knochen obtinrent tous les pouvoirs pour assurer en France la sécurité des armées allemandes, et préserver l'ordre qu'elles avaient établi ; en définitive, s'ils rechignèrent un peu, les militaires ne lui ménagèrent pas leur concours.

Cet aspect de la collaboration est le plus dramatique, le plus horrible aussi, parce qu'il est entaché de larmes, de souffrances et de sang. C'est sur lui que, à juste titre, les tribunaux de la libération se sont le plus penchés et à propos de lui qu'ils ont le plus sévèrement condamné. Depuis, il y a eu amnistie ; Oberg et Knochen ont été grâciés par le général de Gaulle lui-même ; notre but n'est certes pas de ranimer des plaies mal cicatrisées, ni de reciter des coupables à une soi-disant barre de l'histoire ; c'est d'ailleurs dans le second tome de cet ouvrage que la répression sera étudiée en détail, parce que son activité était liée à l'action de la Résistance. Ici, nous nous bornerons à

31. Le chant des miliciens répond « Présent au Maréchal ».

rappeler comment le mécanisme répressif a été enclenché, et comment il a fonctionné.

Il est compréhensible que les policiers français ne tiennent pas beaucoup à ce que soient ranimés de mauvais souvenirs ; tout a été largement étalé, sans indulgence, dans les procès de l'épuration, à la libération. Cependant, comme l'ont montré les travaux de J. Delarue, les policiers franchement collaborateurs n'ont pas été, proportionnellement, plus nombreux que dans d'autres catégories socio-professionnelles. Ils y avaient un mérite certain car l'exercice de leur métier était, de loin, le plus difficile, le plus délicat entre tous. Ils étaient des fonctionnaires d'exécution ; les ordres leur parvenaient de leurs chefs directs ; leur passé, leur formation, leur conscience profession-nelle leur commandaient d'obéir ; des retournements de situation, comme les changements de comportement des communistes, ou la soumission progres-sive des dirigeants de Vichy, n'étaient pas faits pour ne pas les désorienter. Ne jugeons pas, c'est trop facile ; essayons d'expliquer, et de comprendre. Et n'oublions pas que ces policiers, dans leur grande majorité, après des années d'accomplissement de besognes déplaisantes, sont les mêmes dont le soulèvement, en août 1944, permettra à l'insurrection parisienne d'éclater, et dont le courageux combat constituera le plus sûr garant de son succès.

La Convention d'armistice, et elle n'était en cela que l'application d'accords internationaux, prévoyait que, dans la zone occupée, l'administra-tion française, donc la police en premier lieu, serait aux ordres de l'occupant. Les Allemands à Paris, comme les tenants de la Révolution nationale à Vichy, se méfiaient de la police française, considérée comme de formation et d'esprit républicains ; la tentation était grande de la harceler, de la soupçonner de tiédeur, de l'épurer, et de la remplacer par des équipes plus dociles et, pouvait-on croire, plus efficaces. Mais la police, à Paris, constitue alors un ensemble impressionnant de 20 000 personnes, inspecteurs compris. La formation de ses membres est assurée en quelques mois par l'école spé-ciale annexée à la préfecture de police. Entre 40 000 et 43 800 supplétifs avaient été recrutés, au salaire journalier de 125 F. Enfin, la police auxiliaire comptait environ 12 000 agents choisis parmi les requis civils, dont la valeur, constatait une commission du conseil municipal, « appelle de grandes réserves ». L'ensemble était donc imposant mais hétérogène. En outre, les services de la police économique avaient été considérablement étoffés pour faire face à la multiplication de délits dont nous parlerons plus loin. La police doit se soumettre à toutes les exigences de l'occupant ; répondre à toute réquisition d'un militaire allemand ; tendre à tous moments, dans les rues ou dans le métro, des barrages pour vérifier les papiers des passants ; assurer le respect du couvre-feu ; veiller à l'application des prescriptions pour la défense passive ; combattre le marché noir en vérifiant aux sorties des gares, ou dans la rue, le contenu de bagages volumineux ; arrêter et interroger les suspects ; faire régulièrement des rapports d'activité ; participer aux rafles ordonnées par les Allemands dont, malheureusement, les rafles de Juifs. La communication des archives de la préfecture de police a été exigée ; un service de liaison est assuré avec la police judiciaire par un officier allemand qui fait, à son gré, procéder à des arrestations ou à des élargissements ; les locaux de la Sûreté nationale, rue des Saussaies, sont occupés par des policiers allemands, et les Parisiens qui y sont convoqués ne s'y rendent qu'en tremblant. A la moindre peccadille, au moindre soupçon, les policiers sont menacés ; des sanctions sont exigées contre eux, de leurs chefs ; ils sont parfois internés ; nombreux seront ceux qui seront envoyés dans des camps de concentration[32].

Le 28 juillet 1942, Oberg convoqua à Paris le patron de la police à Vichy, le préfet Bousquet. Un accord fut conclu, aux termes duquel la police française demeurait autonome aux ordres de ses chefs ; mais sa coopération avec la police allemande était plus étroitement déterminée — le type même des accords, auxquels on a dû se résigner à Vichy, qui ne reconnaissent l'autorité française que pour mieux l'assujettir. Dans chaque brigade territoriale de la police judiciaire fut créée une section des affaires politiques (SAP) qui va travailler en étroite collaboration avec la Sipo-SD. A Paris, en particulier, la « brigade spéciale » du commissaire David, dont le chef hiérarchique était Rottée, a procédé à de multiples arrestations, de résistants et de Juifs, mais surtout de communistes, sur demande des services allemands de la rue des Saussaies. Pour sa défense, à son procès, David a fait valoir qu'il poursuivait les communistes en application d'un décret de la IIIe République ; qu'il lui était arrivé de bagarrer avec des groupes de collaboration, notamment les Francistes, ce qui est exact ; qu'il a parfois, par sa présence, empêché les Allemands de tirer sur des manifestants ; et qu'il fallait conserver « l'indépendance » du Service ! Mais de nombreux témoins, parfois des policiers résistants, sont venus certifier qu'ils avaient été affreusement torturés par des policiers français, ce qui leur paraissait à juste titre le comble de l'abomination[33].

Ces méthodes devinrent la règle après que Darnand, par suite de la pression exercée par Oberg sur Vichy, eut été nommé secrétaire général au « Maintien de l'ordre », puis secrétaire d'Etat à l'Intérieur en mars 1944. A ce double titre, il commande toutes les forces de l'ordre, dont la gendarmerie, les sapeurs-pompiers, les services pénitentiaires, le contrôle économique, la police antijuive. La Milice, et la police doit suivre, est l'unité de pointe de l'ensemble, la « Franc-Garde » le fil de son épée. Au cours d'une réunion

---

32. La Résistance dans la police sera étudiée dans le second tome de l'ouvrage.

33. P. AUDIAT, *op. cit.*, p. 139 ; Comptes rendus de la 5e Commission du Conseil de Paris ; DE BOUARD. « La répression », art. cit. ; R. ARON, *Histoire de l'épuration*, t. II, A. Fayard, p. 300-322.

des intendants de police, Darnand leur déclare . « Lorsque les Allemands veulent des gens qui sont en prison, j'ouvre les portes et je les laisse se servir. » Un mois plus tard, il fait un pas de plus ; il refuse « de faire la différence entre les hors-la-loi, entre les assassins et les égarés » : ce discernement est « du ressort des tribunaux », non de la Milice ; en conséquence, il ordonne que toutes les activités des résistants, communistes ou non, soient communiquées aux Allemands. Pour pouvoir punir de façon rapide et exemplaire, la Milice se dote de cours martiales ; les inculpés n'y bénéficient d'aucune garantie ; ils n'ont pas d'avocat et les moindres présomptions servent de réquisitoire et de preuves ; ils sont à peu près tous fusillés après un court semblant de jugement, le plus souvent en leur tirant dans le dos, ce qui permet de les accuser de lâcheté, ou de délit de fuite.

Les cours martiales ont, en mai 1944, leurs pouvoirs élargis « à tous les cas envisageables » ; après le débarquement allié en Normandie, en juin 1944. de nouveaux tribunaux sont institués pour lutter contre les abandons de postes de fonctionnaires. Au siège de la Milice, rue Le Peletier, le tortionnaire en chef est un ancien barman, assisté d'un souteneur ; une autre équipe opère rue Alphonse-de-Neuville. Les méthodes de la Milice sont, parfois, encore plus expéditives, si possible. Elle s'introduit dans les prisons où des troubles se sont produits, et elle y installe des « cours martiales » dont les noms des « juges » sont gardés secrets. Ainsi, à la prison de la Santé, 28 détenus sont fusillés par groupes de 7 hommes, chaque groupe assistant à l'exécution du précédent [34].

Il paraît difficile de faire mieux. Pourtant, le SD et la Gestapo vont s'y employer. Ils font appel à la pègre pour constituer un réseau d'hommes de main, des truands connus de la police, des souteneurs, des tôliers, d'anciens légionnaires, des apatrides. Parfois ils les font libérer de prison ; parfois ils recrutent des marginaux qui pensent avoir une revanche à prendre sur la société, ou bien ils envoient des questionnaires aux groupes de collaboration, et ils puisent dans le vivier de leurs troupes. A Paris, ils engagent ainsi 2 000 auxiliaires, et ils recoivent plus de candidatures que pour la LVF — les risques sont moindres, et les profits attendus plus grands. Ces auxiliaires sont dotés de cartes de police, qui les rendent intouchables pour les policiers français. Parfois ils exercent en civil, ce qui leur confère un anonymat très rentable ; parfois au contraire, ils sont groupés en « bureaux de renseignements », et dotés d'un uniforme de SS marqué des lettres SD. Pour eux est ouverte une « école de gestapistes » à Taverny.

Ces gangsters, bien rémunérés, assurés de l'impunité, ne se limitent pas à arrêter, questionner et torturer les suspects qu'on leur désigne, ou qu'ils croient avoir découverts. Ils se spécialisent dans la spoliation des Juifs et le

---

34. B. GORDON, art. cit. , Pascal ORY, op. cit., p. 255.

pillage de leurs biens, la récupération de l'or et des bijoux, le marché noir, le chantage. Ils travaillent à peu près tous avec les offices et bureaux d'achat camouflés par les Allemands pour mieux vider l'économie française de sa substance. Les Allemands leur laissent entière liberté d'action, et se bornent à récupérer le pauvre gibier que ces chiens de chasse aux crocs pointus ont rabattu pour eux.

Quelques unes de ces bandes ont été arrêtées à la libération, et leurs méfaits recensés. Ainsi Henri Chamberlin, dit Lafon, titulaire de neuf condamnations pour vols, abus de confiance et chèques sans provision, insoumis militaire de surcroît, réussit à gagner « l'estime » de la Gestapo, fait libérer un certain nombre de détenus à Fresnes, s'adjoint comme spécialiste l'ancien inspecteur de police Bony, rendu célèbre par l'affaire Stavisky, puis révoqué pour indélicatesse, et monte avec tout ce beau monde « la Gestapo de la rue Lauriston », qui se spécialise dans le vol au cours de perquisitions, les escroqueries, les pillages purs et simples, le tout assorti de tortures et de brutalités diverses. Ainsi, un Saxon, ancien soldat de la légion étrangère, Friedrich Berger, agent de l'Abwehr, monte de vastes affaires de marché noir, puis arrête les personnes avec lesquelles il vient de traiter et les fait chanter ; c'est la « Gestapo de la rue de la Pompe ». Ainsi la bande dite « des Corses », en réalité des Italiens, aux ordres d'un nommé Palmieri, qui avait ses « bureaux » boulevard Flandrin. Ainsi le Belge Masuy. Ainsi... Ainsi... beaucoup d'autres[35].

Car le réseau d'hommes de main et d'indicateurs que le SD et la Gestapo, après l'Abwehr, tissent sur toute l'agglomération parisienne, n'a pas eu et n'aura jamais tous ses fils démêlés. Un rapport de juge d'instruction à la libération évalue entre 9 000 et 10 000 personnes les « hommes de confiance » qui ont travaillé avec les polices allemandes et que celles-ci appelaient V-Manner. Ce sont des gens discrets qui écoutent, épient, téléphonent et font régulièrement leurs rapports. Ce sont eux qui écoutent aux portes et qui dénoncent les auditeurs de la « radio anglaise » ; qui provoquent des confidences dans les queues pour le ravitaillement, et qui ensuite montrent du regard les imprudents bavards ; qui, dans un salon, au cours d'un dîner, mettent la conversation sur des sujets délicats, notent les réflexions et repèrent les mal-pensants ; qui se font passer parfois pour des résistants, inspirent confiance, et permettent ensuite des arrestations. Ils se recrutent dans tous les milieux, et ils opèrent partout, même dans les prisons.

Ils inspirent confiance à leurs employeurs au point de provoquer parfois leurs décisions, mieux que des rapports de police. En voici un exemple. Au début de novembre 1940, des incidents éclatent au Quartier latin, des débuts

---

35. Pour plus de détails, consulter sur ce point l'excellente étude de Jacques DELARUE. *Trafics et Crimes sous l'occupation*, A. Fayard, 1968.

de rixe se produisent, dans les cafés, entre étudiants et soldats allemands. La police française fait une enquête, et conclut en minimisant les faits. Mais un « homme de confiance » (un étudiant, un professeur, un témoin accidentel ?) rapporte qu'on a chanté « God save the King », et que de vrais meetings ont eu lieu ; « on » projette quelque chose. Abetz n'en demande pas plus ; il ne réclame pas une contre-enquête. Il signale les faits au MBF en conseillant « d'agir brutalement et d'arrêter toutes les personnes suspectes, même les innocents... Il est nécessaire de laisser tout ménagement de côté ». Et c'est ainsi que, en remontant les Champs-Elysées, le 11 novembre 1940, les étudiants trouvèrent devant eux policiers et soldats allemands. Et Abetz, cet ami des Français, n'appartenait ni à l'Abwehr ni à la Gestapo.

Un tel système est un encouragement permanent aux dénonciations ; celles-ci viennent de toutes parts, si nombreuses qu'un officier du SD a pensé les récompenser pécuniairement quand elles s'avéraient exactes, de façon à susciter du zèle et à obliger les bons informateurs à sortir de l'anonymat. Ainsi, de très nombreux Français ont été arrêtés, souvent frappés, parfois déportés, sans qu'ils aient pu savoir, le plus souvent, à qui ils devaient leurs misères. Les procès de la libération ont permis de découvrir un certain nombre, pas tous, de coupables. Par exemple, une fille fait arrêter deux ouvriers qui l'ont traitée de putain, en la voyant converser familièrement avec un soldat allemand ; un des ouvriers mourra en déportation. Une femme dénonce une voisine qui écoute la BBC parce que celle-ci lui a reproché de faire trop de bruit, la nuit, avec son concubin. Une autre femme, d'origine hollandaise, trouvée sans papiers, se tire d'affaire en dénonçant un Juif. Une autre encore accuse d'appartenir à la Résistance un agent qui l'a admonestée alors qu'elle circulait un jour d'alerte aérienne. Un habitant de Clichy, qui se dispute souvent avec son voisin, le dénonce aux Allemands comme détenant des armes. Un volontaire de la relève, montre l'ausweis qui lui a été remis, se fait passer pour gestapiste, et rançonne les auteurs d'infractions qu'il connaît. Un magasinier qui écoute Radio-Paris, écrit à la direction lorsque les speakers ne lui ont pas semblé des « collabos » assez convaincus. Un employé du gaz, renvoyé pour indélicatesse, dénonce un résistant du métro, dont il a soupçonné l'activité, et touche 3 000 F. On pourrait multiplier les exemples. Tout cela sent mauvais, très mauvais [36].

Après la Commune de Paris, George Sand a écrit qu'une moitié des Français avait dénoncé l'autre ! Cette épidémie semble avoir connu un vaste regain avec l'occupation de Paris. Une occupation qui a tout corrompu. Comment s'étonner, alors, de la fureur qui a animé les résistants après la libération [37] ?

---

36 Note dans le dossier du procès d'Abetz, au CDJC extraits de presse des comptes rendus des procès devant la Cour de Justice de la Seine
37 La collaboration économique est étudiée avec « Travailler pour le Roi de Prusse » Chapitre V

4.

Une Préfecture régionale

La mainmise allemande. L'exemple des PTT et des transports parisiens

Dès le 26 juin 1940, l'administration militaire allemande a tiré, dans le sens le plus large et de la façon la plus abusive, la conclusion pratique de la clause de la convention d'armistice qui oblige l'administration française à exécuter ses directives. Par arrêté, les préfets de police et de la Seine sont tenus de mettre à la disposition du MBF le personnel nécessaire pour l'aménagement et l'entretien des bureaux, des logements et des locaux réquisitionnés, ainsi que pour l'entretien et la conduite des voitures automobiles. Les traitements ou salaires de ce personnel sont à la charge de l'administration française ; si celle-ci ne s'exécute pas rapidement, le MBF se réserve le droit d'embaucher de la main-d'œuvre, et de fixer comme il l'entendra ses conditions de travail et ses rémunérations. Le ton est donné ; il ne changera pas. Auprès de chacune des branches de l'administration préfectorale seront placés des « officiers de liaison » — c'est un euphémisme, il vaudrait mieux dire des « officiers de décision » ; ils font connaître leurs désirs, qui ne peuvent être que des ordres. Il ne reste à l'administration française qu'à obéir ; sinon, l'occupant se servira directement. De toute façon, c'est la France qui paiera.

Ce que cela donne dans la pratique, quelques exemples et quelques situations administratives permettront de le mesurer. D'abord, aucune nomination importante ne peut avoir lieu, bien qu'il n'en ait pas le droit, sans l'agrément de l'occupant ; lorsque de Brinon, délégué général du gouvernement de Vichy à Paris veut prendre le général Bridoux comme secrétaire général, c'est en principe d'une affaire strictement française qu'il s'agit, et le général Bridoux offre toutes garanties du point de vue allemand, il est encore sous le charme de l'entretien que Hitler lui a accordé plusieurs années auparavant, et il le déclare à tout venant. De Brinon n'en doit pas moins demander son autorisation à Abetz.

Les plus hauts fonctionnaires français, les ministres même, sont cloués à leur poste, et ne peuvent pas circuler librement dans la zone occupée J. Borotra, haut-commissaire aux sports, brave l'interdit ; il se rend avec plusieurs de ses collaborateurs dans le Nord et le Pas-de-Calais, qui relèvent du commandement militaire allemand de Bruxelles, selon un découpage imposé arbitrairement par le vainqueur. Lorsque Abetz l'apprend, son irritation est à son comble ; il tance vertement l'imprudent, et exige qu'il ne recommence pas.

Les fonctionnaires français sont d'autant plus enclins à se soumettre que, après son entrevue avec Hitler à Montoire, le maréchal Pétain a proclamé qu'il « entrait dans la voie de la collaboration ». Comment interpréter cette décision autrement qu'en manifestant, à la base, encore plus de docilité et de gentillesse à l'égard de l'occupant, considéré désormais comme un partenaire ? Ce qui les gêne, c'est qu'ils ne savent pas toujours à quel saint allemand se vouer, et que ces saints ne sont pas constamment d'accord entre eux. Ainsi, lorsque la SNCF veut armer d'un revolver les surveillants de ses entrepôts, mis régulièrement au pillage, elle passe par le délégué général de Vichy, qui s'adresse à Abetz, qui accepte ; mais comme il est question d'armes, Abetz transmet le dossier à Von Stülpnagel, qui refuse [1].

La mainmise allemande se traduit par un contrôle du courrier, plus ou moins régulier, plus ou moins sévère, mais permanent. Il existe à Paris une Briefprüfstelle qui se fait remettre environ 1 000 lettres par jour, mais la Geheime Feld Polizei, puis naturellement le SD, procèdent aussi à des saisies inopinées. L'objectif est double : savoir ce que les Parisiens pensent et empêcher que des renseignements de caractère militaire ne soient transmis ; comme ils ne pourraient parvenir en Grande-Bretagne qu'à partir de la zone non occupée, c'est surtout la correspondance entre les deux zones qui est contrôlée, c'est-à-dire, sur le plan politique et administratif, celle entre Paris et Vichy.

En plus de cette censure du courrier, dont le responsable est le Dr. Muller, mais qui ira en s'atténuant — en 1943, les Allemands se bornent à prélever quelques sacs postaux — les conversations téléphoniques sont écoutées ; l'administration des PTT demande que « le personnel français n'effectue pas lui-même le contrôle au profit de l'occupant » ; sa demande est rejetée : par un abus de pouvoir, le même personnel qui, pendant la guerre, était employé contre l'ennemi allemand, pour éviter des « fuites néfastes », travaillera désormais à son service. A partir de février 1941, les demandes d'abonnement au téléphone doivent être agréées par l'occupant ; un grand nombre sont rejetées, parfois jusqu'à 50 % ; celles présentées par des Juifs bénéficient en quelque sorte d'un refus prioritaire, mais aussi d'autres selon des critères que l'administration française ne comprend pas toujours ; a contrario les « collabos » sont les premiers à obtenir satisfaction. Les autorités françaises peuvent utiliser le téléphone seulement « pour assurer le service officiel et sur des lignes mises à leur disposition à cet effet » ; d'une

1 *Vobif* n° 4 du 30 juin 1940 ; dossiers de la Délégation générale, CDJC.

zone à l'autre, l'administration ne pourra téléphoner que sur des lignes admises par la commission allemande d'armistice. Quant aux négociants qui veulent se servir du télégraphe, ils doivent figurer sur des listes agréées — les inscriptions se faisant en priorité, naturellement, pour ceux qui travaillent avec les services d'achats allemands.

Le ministère des PTT était rattaché pour contrôle au commandant des transmissions auprès du MBF, le contrôle du trafic étant assuré par le Kommandostab AO III N ; un autre kommando avait la responsabilité du contrôle postal industriel. Toute reconstitution du réseau laissé aux Français devait être approuvée par ces deux organismes ; parfois, sans fournir d'explication, ils ordonnaient une suspension du trafic — on imagine l'effet nocif de ce genre de décision sur les transactions commerciales.

En même temps, les Allemands font des enquêtes sur le personnel, et la Gestapo réclame des dossiers d'agents suspects — de « juiverie », de communisme, de résistance ; il faut bien les lui remettre sous peine de graves sanctions.

Disposant de voies ferrées et de leur Feldpost, les Allemands auraient dû pouvoir se passer du matériel français ; ils exigent cependant des voitures postales. En mars 1941, le chef des ateliers de Villeneuve-Saint-Georges reçoit l'ordre, directement du Kommandostab, sans passer par l'administration française, de « déséquiper » des wagons-poste prêtés à la SNCF et de les transformer en wagons-cuisines, avec l'exigence de la cession, sous forme de location, de 20 wagons-poste ; l'administration ayant élevé quelques objections, saisie manu militari est faite du matériel revendiqué.

L'intérêt de l'occupant ne tarda pas à se porter également sur les magasins et les stocks des PTT. Le contrôle fut d'abord comptable, et s'exerça sur les états établis par les gérants ; il se traduisit rapidement par des interdictions de sortie pour certaines catégories dont les Allemands voulaient se réserver l'utilisation éventuelle : poteaux, fils, câbles, tableaux téléphoniques, etc. Puis, les Allemands imposèrent certaines méthodes de fabrication, soit pour économiser des produits devenus rares, comme le cuivre, soit en application de leur plan général d'intégrer, en la « rationalisant », l'industrie française dans l'industrie allemande ; dans cette optique, ils contrôlent les produits à la sortie des usines et, en mai 1943, ils demandent que l'industrie française ne produise plus de matériel français, mais seulement des produits allemands. Seule la crainte, qu'on leur fit redouter, de grands retards dans la fabrication, qui leur seraient préjudiciables, les fit reculer, mais non annuler, l'application de leur décision.

Le grand intérêt porté par l'occupant aux PTT s'explique en partie par le fait que ce ministère, à ce moment, gérait la radio, appelée alors TSF. Sur ce point, la mainmise allemande fut totale, tant sur les émetteurs que sur le matériel sur l'administration des postes émetteurs que sur la programmation ; les Français furent entièrement exclus de ce genre d'activité au point que, en 1942, les Allemands interdirent tout enseignement tendant à former des techniciens ; là encore, il leur fallut revenir sur leur décision car elle risquait de les priver d'une aide dont ils n'étaient pas en mesure de se passer

L'exemple des PTT est significatif des buts, des méthodes, et du comportement de l'occupant. Il considère que tout lui appartient, et il compte bien, plus ou moins rapidement, parvenir à tout s'attribuer. Il prend l'administration française à son service, même pour des tâches peu honorables, qui équivalent presque à de la délation. La mainmise sur l'administration, le contrôle et l'orientation de l'opinion, la prise en charge de l'industrie, sont trois moyens d'une même politique. Ce faisant, les Allemands ne manquent pas de se contredire parfois ; ainsi, leur intérêt est que l'économie française tourne à plein rendement pour leur économie, et leurs décisions inopportunes en freinent souvent le développement. Ils tiennent beaucoup à la tranquillité de la population, et ils multiplient à son égard brimades et vexations qui l'exaspèrent.

C'est notamment ce qui se passe avec les transports parisiens, et le contrôle sans limite que les Allemands exercent sur la TCRP (« Transports en commun de la région parisienne », l'ancêtre de l'actuelle RATP). Des bureaux de la circulation, avec à leur tête, au début, le capitaine Fein, sont installés à la préfecture de police. Les véhicules ne peuvent plus circuler qu'avec une autorisation spéciale du préfet de police, soumise à l'assentiment du Kommandostab des transports ; pour l'obtenir, il faut faire admettre qu'on est SP (service public). Dix catégories de SP sont prévues : police, ravitaillement, médecins, etc. En octobre 1940, est mis en service un seul type d'autorisation de circulation, que tout le monde se dispute. Son octroi est, bien sûr, un moyen d'aider les amis, les « collabos » de toutes sortes, et aussi de faire pression sur les indécis, les tièdes ; son retrait est une sanction redoutée.

Pour obtenir le précieux papier, que de bassesses ne ferait-on pas ? D'autant plus que sa rareté augmente son prix, et qu'il est vite à l'origine d'un fructueux trafic. En novembre 1940, 7 000 autorisations sont ainsi recensées ; la masse des Parisiens frustrés jalouse, puis méprise, les bénéficiaires. Le dimanche, tout s'arrête ; la rue est réservée aux véhicules allemands ; les Parisiens ressentent amèrement le monopole que s'est réservé le vainqueur[2].

2. *Vobif*, n° 5, du 29 juillet 1940 ; rapport du directeur général des Télécommunications, janvier 1948, ministère des PTT ; PAUL, *Histoire des PTT pendant la Deuxième Guerre mondiale*. au ministère des PTT ; Pierre AUDIAT, *op. cit.*, p. 61-65.

Des administrations isolées

Qu'il s'agisse des PTT ou des responsables de la circulation parisienne, ils ont dû constamment discuter seuls avec l'autorité occupante. Tous les autres administrateurs de la région parisienne sont pratiquement dans le même cas, tant l'ancienne et véritable capitale de la France, devenue une grande préfecture régionale, est coupée de la capitale précaire et improvisée qu'est Vichy, et les administrateurs, en conséquence, tant du Chef de l'Etat, qui détient tous les pouvoirs, que du gouvernement qui le seconde.

Une clause de la convention d'armistice prévoyait que le gouvernement français, s'il le voulait, pourrait revenir s'installer à Paris. Dans l'opinion générale que la guerre serait bientôt finie par la défaite de la Grande-Bretagne, ce retour à la normale avait pu paraître prochain. A mesure que la résistance britannique prolongeait le conflit, et qu'une issue apparaissait de plus en plus incertaine et lointaine, les inconvénients du découpage de la France en zones distinctes, de par la convention d'armistice, mais séparées par des cloisons étanches par la façon dont l'occupant l'appliquait, apparurent dans toute leur ampleur néfaste.

A Rethondes, les Allemands s'étaient engagés à « accorder toutes les facilités nécessaires au gouvernement français et à ses services administratifs centraux, afin qu'ils soient en mesure d'administrer de Paris les territoires occupés et non occupés » — c'était le corollaire normal du postulat selon lequel le gouvernement français conservait la haute main sur l'administration de toute la France. Si le gouvernement de Vichy le désire, son retour à Paris n'est donc en principe qu'une question de mise au point : les préfets de police et de la Seine, les directeurs de ministères, la Chambre de commerce, les industriels, réclament tous ce retour, et ils le font savoir à Vichy.

De son côté, tout ce que le maréchal Pétain apprend sur ce qui se passe à Paris le confirme dans son désir d'y revenir — c'est, pense-t-il, de toute évidence, l'intérêt de l'Etat. Une raison de ce retour prime toutes les autres : le maréchal a déclaré solennellement « qu'il faisait don de sa personne à la France, pour partager ses souffrances » ; comment pourrait-il laisser penser aux Parisiens et, de façon générale, aux Français occupés, qu'il fait fi de leurs épreuves, en menant une existence quiète et douillette dans une ville d'eaux, loin d'eux, et de toute présence allemande ? De leur côté, les ministres déplorent à tout moment les inconvénients et les insuffisances des installations que leur offrent, pour leur travail, les hôtels de Vichy dans lesquels ils ont installé leurs bureaux, avec des dossiers dans les baignoires, faute de place et de classeurs ; comment administrer le pays à partir de cette petite ville d'accès difficile, mal reliée au reste de la France ? A Paris, on retrouvera les commodités anciennes ; on pourra reprendre en main l'administration de la zone occupée, la plus peuplée et la plus riche, discuter avec l'occupant, mieux protéger les populations contre son arbitraire. Enfin, avec stupeur, puis avec irritation, le maréchal et le gouvernement ont appris que Paris était devenu un centre d'intrigues contre eux et que la presse ne cessait de les y attaquer ; qui sait si les Allemands n'avaient pas, derrière la tête, quelque idée de constituer un jour à Paris un gouvernement à leur entière dévotion ; qui peut dire qu'ils n'y seront pas incités par quelques ambitieux, ou par des groupements « au service de puissances étrangères » ? Pourquoi pas même par les communistes, comme en Russie en 1917 ? L'Allemagne et l'URSS ne sont-elles pas liées par le pacte Molotov-Ribbentrop ?

Cette volonté du maréchal de rentrer à Paris, le général Huntziger, qui dirige la délégation française auprès de la commission allemande à Wiesbaden, l'exprime dès le 7 août 1940, au général von Stülpnagel, qui préside cette commission et qui s'empresse d'en référer à Berlin. Abetz est personnellement favorable à cette rentrée ; elle mettrait à portée de main ses partenaires pour ce rapprochement franco-allemand, dans l'acceptation par les Français de leur défaite, auquel il s'est consacré. Mais le problème, c'est précisément, pour les Français, de ne pas se jeter dans la gueule du loup, et de ne pas perdre à Paris, avec les Allemands en face d'eux, la demi-liberté que leur laisse encore, à Vichy, la non-occupation de la moitié sud de la France.

Les discussions porteront donc sur la façon dont le chef de l'Etat français et son gouvernement, pourront, à Paris, continuer leurs activités dans la demi-suzeraineté que leur laisse l'armistice, et ne deviendront pas, ou ne paraîtront pas, les otages de l'occupant. Le choix du maréchal, en définitive, se porte sur Versailles ; il n'y sera pas, en permanence, en contact avec les militaires allemands, à moins de demeurer, à Paris, cloîtré à l'Elysée. Il est question alors de créer une sorte de « zone franche » autour de Versailles jusqu'à Villacoublay, que les unités allemandes ne traverseraient qu' « exceptionnellement ». On demande, de Vichy, l'utilisation de l'aérodrome du Bourget, la liberté totale de circulation sur la route Paris-Vichy par Moulins, des wagons réservés sur la ligne Paris-Versailles, et l'affectation, ou la levée de réquisition, de certains immeubles dans Paris, au bénéfice des ministères. En outre, on réclame des facilités pour télégraphier et la levée du contrôle sur les conversations téléphoniques Paris-Versailles. La garde du chef de l'Etat français sera assurée par 1 500 gardes mobiles venus de la zone libre, armés d'un mousqueton et de dix cartouches — les Allemands proposaient 1 000 hommes de la garde de Paris. Les ministres militaires et celui des Affaires étrangères résideront à Versailles. Le camp de Satory, Saint-Cyr, l'aérodrome de Villacoublay resteront réservés aux Allemands — ils ne seront donc jamais bien loin.

En fait, cet accord, bien engagé pourtant, ne fut jamais conclu. Du côté allemand, le haut commandement, de toute évidence, avait vite regretté la promesse faite à Rethondes, et le général Halder avait conseillé à von Stülpnagel de traîner les choses en longueur. Il pense en effet qu'on tient le gouvernement français bien en main, à Vichy comme à Paris — quelques dizaines de kilomètres seulement séparent la ligne de démarcation de la capitale provisoire. Dans ces conditions, il serait peu indiqué de se priver des moyens de pression que constituent les collaborateurs et leurs journaux. Même à Versailles, à supposer qu'il n'en sorte guère, la seule présence du maréchal Pétain, les honneurs qu'il faudra lui rendre, l'accueil qu'on sera obligé de réserver à ses demandes, provoqueront de permanents ennuis. La présence de leur gouvernement n'incitera-t-elle pas les Parisiens à sortir de leur torpeur résignée ? Surtout, tout à la préparation de l'invasion de la Grande-Bretagne, les militaires allemands craignent le retour à Paris des ambassades étrangères ; toutes ne représentent pas, il s'en faut, des pays amis du IIIe Reich ; elles seront d'excellents centres d'observation, qui se mueront aisément, les Anglais aidant, en centres d'espionnage. Bref, H. von Stülpnagel, de Wiesbaden, élève objection sur objection : Paris est situé dans la zone d'opérations ; il sera difficile d'assurer la sécurité du maréchal ; encore plus malaisé, et dangereux, de supprimer tout contrôle des communications téléphoniques et télégraphiques, etc.

Du côté français, on s'interroge également. Pierre Laval n'est pas en faveur du transfert du gouvernement. Grâce aux relations privilégiées qu'il a établies avec Abetz, seul, de tous les ministres de Vichy, il passe la ligne de démarcation et vient à Paris quand il veut. L'entourage du maréchal craint que, à Versailles, malgré tous les engagements pris, celui-ci ne donne l'impression aux Français et à l'étranger, d'être un otage, voire un prisonnier. Alors, on ergote. On propose que Versailles soit une sorte de résidence secondaire, que le maréchal y fasse de temps en temps des séjours pour se rapprocher des Français occupés ; il pourrait se loger au Trianon-Palace, où il paraîtrait camper, comme à Vichy en somme. Mais la capitale du gouvernement français resterait à Vichy, en zone « libre ».

Jusqu'au jour où Abetz, le 5 décembre 1940, fait savoir, probablement contre son gré, que même cette solution minime n'était pas possible « pour l'instant ». Est-ce par compensation ? Le 10 décembre, Hitler rendait à la France les cendres de l'Aiglon. Invité, le maréchal, par dignité, refusa que les honneurs lui soient rendus, dans Paris, par une compagnie de soldats allemands, et il se fit représenter à la cérémonie par l'amiral Darlan. Puis, le 13 décembre, pour des raisons que nous n'avons pas à rappeler ici, Pétain brutalement, se sépara de Pierre Laval, tandis qu'à Paris le délégué de Vichy, le général de la Laurencie, faisait arrêter Marcel Déat, dont les articles avaient particulièrement exaspéré le maréchal* Désormais, c'est la quasi-

---

* Cf. sur ces événements notre *Vichy année 1940* Robert Laffont

rupture. Le ton monte tellement, Abetz venu à Vichy se montre si menaçant, que le projet de retour du gouvernement à Paris ou à Versailles, ne sera plus repris. Il est désormais impossible à Pétain de se rendre dans le fief de son rival. Si Abetz persista dans ses intentions, ce fut seulement dans l'hypothèse, vers laquelle il inclina quelque temps, d'une « démission » du maréchal Pétain. Il fallait, dans cette optique, trouver un château facile à surveiller, où le maréchal pourrait être assigné à résidence ; une prison dorée. mais une prison [3]. Tout ce qui resta des conversations fut l'autorisation donnée au gouvernement français d'envoyer à Paris des exemplaires du *Journal officiel* pour faire connaître ses décisions en zone occupée ; mais, en contre-partie, les Allemands ne donnant jamais rien pour rien, on dût accepter à Vichy que les textes soient soumis à l'occupant. Une plus large diffusion certes, mais payée d'une moindre liberté d'expression.

En définitive, Pétain se rendra, pendant toute l'occupation, une seule fois, à Paris, le 26 avril 1944. Il viendra saluer les victimes de bombardements alliés, et témoigner aux Parisiens sa sollicitude pour les épreuves qu'ils traversent. L'occupant accepte, ravi de l'aubaine ; ce sera de l'excellente propagande si le chef de l'Etat français ne vient dans la capitale de la France qu'à l'occasion des dommages que lui font subir les opérations de guerre des Alliés et, bien sûr, pour les blâmer, en passant sous silence, comme pour solde de tous comptes, tous les malheurs dont elle souffre du fait de l'occupation allemande. Lorsque le maréchal entre dans Paris, quelques passants — habitudes ? convictions ? — le saluent le bras tendu, à la fasciste. Voilà qui commence bien. Dans une voiture découverte, le maréchal arrive à Notre-Dame, où 3 000 personnes l'acclament, et où le cardinal Suhard célèbre la messe. De là, il se rend à l'Hôtel de Ville, où une foule — les mêmes ? d'autres ? — d'une ampleur identique, l'acclame également. On crie : « Vive Pétain, Le maréchal à Paris » ; on chante « La Marseillaise ». Au début de l'après-midi, le maréchal prend la parole, juché sur une estrade. Près de 10 000 personnes l'écoutent. De sa voix chevrotante, bien connue en zone sud, mais nouvelle pour eux, le maréchal s'adresse aux Parisiens ; il est venu « les soulager de tous les maux qui planent sur Paris » ; c'est « une visite de reconnaissance » ; il espère bien revenir, et cette fois en « visite officielle ». C'est tout, et c'est peu, comme réconfort ; aucune allusion n'est faite à l'occupant ; c'est trop encore, cependant, pour celui-ci qui, dans la version publiée dans la Presse, ajoute une claire allusion aux bombardements et aux « familles en deuil », et une autre à Pierre Laval. Après s'être rendu à l'hôpital Bichat, où sont hospitalisées des victimes des bombardements, ce qui accentue le sens de sa visite, et avoir passé quelques instants dans son

---

3 E JACKEL. *op. cit.*, p 127-130 ; *La Délégation.. op. cit.* t. III, p. 1-20 ; P. BOURGET. *Histoires secrètes.. op. cit* t I, p 242-244

appartement particulier, le maréchal, acclamé tout au long de son parcours, après un séjour à Rambouillet, retournera, sans autre forme de procès, à Vichy[4], d'où il ne sortira que pour être emmené outre-Rhin.

On a passionnément discuté sur le sens et la portée de cette visite, surtout venant quelques mois à peine avant l'immense ovation qui accueillera le général de Gaulle dans Paris libéré. Comment l'interpréter ? Il convient de remarquer qu'un grand battage avait été fait, et qu'au moins un millier d'enfants des écoles avaient été conduits d'autorité, que leurs maîtres et leurs parents l'aient voulu ou non. Il faut se souvenir que le Parisien est à la fois sceptique sur tout, et un perpétuel badaud, et que l'événement était assez marquant pour susciter sa curiosité. De toute façon, quelques milliers de personnes dans une ville de trois millions d'habitants, les effectifs des groupements de collaboration suffisaient pour les rassembler ; on le verra bien un peu plus tard, lors de la cérémonie mortuaire organisée, sur cette même place de l'Hôtel-de-Ville, pour la dépouille de Ph. Henriot. Mais ce qui est plus probable encore, c'est que la venue du chef de l'Etat français, si éphémère que fût son séjour, et si discutée sa politique, c'était pour les Parisiens occupés depuis près de quatre ans, comme un peu d'indépendance nationale qui entrait dans Paris — le drapeau tricolore avait flotté sur Notre-Dame, on avait pu chanter « La Marseillaise », et la présence allemande s'était habilement faite si discrète qu'il était tentant d'imaginer qu'elle avait disparu.

Quoi qu'il en soit, ce n'était pas une visite aussi courte qui pouvait empêcher, ou simplement réduire, l'isolement dans lequel se débattaient les administrateurs de la région parisienne. Bien sûr, chaque ministre avait fait de son mieux pour être représenté personnellement à Paris, soit par un membre de son cabinet, soit par un haut fonctionnaire du ministère, secrétaire général ou directeur. Le ministère des Affaires étrangères était représenté par un ministre plénipotentiaire (M. Dulong), mais pas dans les locaux du ministère, 18, rue de Villars ; l'agriculture, les PTT et la Santé par le Secrétaire général (respectivement MM. Préaud, Di Pace et Serge Huard) ; le secrétariat d'Etat aux communications, l'Education nationale, les Finances, la Production industrielle par le directeur, ou le chef du cabinet du ministre ; l'Intérieur par un préfet (Ingrand), la Justice par un magistrat chargé de la direction des Services (Rousseau) ; la Guerre et l'Air possédaient des « échelons parisiens » pour leurs « services de liquidation ». Trois hauts-commissariats ont leur siège à Paris, tellement leurs rapports avec les Allemands sont importants et doivent être directs : le commissariat général à

4 Cf. sur cette visite, le récit minuté d'après le téléscripteur de la préfecture de police, publié pai M. TOESCA, dans son article « L'occupation » in *Vie et Mort des Français*, 1939-1945, Hachette, 1971, p 152-155

la lutte contre le chômage, très grave, nous y reviendrons, dans la région parisienne : celui aux « relations économiques franco-allemandes », c'est-à-dire de la collaboration économique (M. Barnaud) et, naturellement le « commissariat aux travaux de la région parisienne » (M. Giraud).

Il est important de noter que le gouvernement français n'est pas laissé libre de modifier, comme il l'entend, cette organisation. Le 18 juin 1941, l'amiral Darlan change les sièges de quelques administrations, en installe quelques autres (l'Information à l'hôtel Matignon, le Travail rue de Grenelle). Le chef d'état-major de Stülpnagel, le colonel Speidel, lui rappelle que ce remaniement doit être approuvé par « le gouvernement du Reich » ; il veut en connaître les raisons, ainsi que les attributions réelles des nouveaux services. L'amiral Darlan est à ce moment le véritable chef du gouvernement à Vichy ; il détient plusieurs portefeuilles ministériels ; il commande les forces armées ; il vient de donner des gages de sa volonté de collaboration en signant les « protocoles de Paris », qui introduisent les Allemands dans l'Empire français, une série de mesures qui vont bien au-delà de la convention d'armistice et qui risquent de faire entrer la France en guerre contre l'Angleterre ; il n'en est pas pour autant libre d'installer, comme il lui plaît, des services français qui relèvent de lui, dans Paris ; lui aussi, il a besoin d'autorisations de l'occupant et il lui doit des comptes [5]. Vassalité oblige.

Les Allemands ne cessent de gêner les relations entre les services parisiens et leurs ministres à Vichy. Quand ils ferment la ligne de démarcation, la coupure est totale, l'isolement de Paris absolu. En temps « normal », ils n'accordent qu'au compte-gouttes les autorisations de franchir la ligne ; quand le préfet de la Seine, le préfet de police, ou le président du Conseil municipal peuvent se rendre à Vichy, c'est un grand événement qui, à leur retour, donne lieu à relation détaillée et à commentaires nombreux ; la plupart du temps, les informations arrivent à Vichy portées par des informateurs bénévoles, plus ou moins bien renseignés, ayant souvent franchi la ligne à leurs risques et périls. Par téléphone, on doit se borner à des propos anodins — les conversations sont écoutées et enregistrées. Entre septembre et décembre 1940, le ministre de l'Intérieur, Peyrouton, ne peut aller à Paris que deux fois, et chaque fois seulement pour quarante-huit heures. Le ministre des Finances, Bouthillier, et celui du ravitaillement, Achard, s'entendent répondre à leurs demandes qu'aucun « déplacement n'est autorisé » ; Bouthillier viendra à Paris pour la première fois le 25 avril 1941. F. Piétri, ministre des Travaux publics, par contre, est autorisé à se rendre à Paris, mais il ne peut rencontrer aucune autorité allemande avec qui discuter, et il lui est signifié qu'il doit partir dans les vingt-quatre heures. Après l'entrevue de Saint-Florentin (déc. 1941) entre Pétain et Goering, il

5. Dossiers de la Délégation au CDJC D. 244 ; dossiers du procès de Brinon, CDJC

est prévu que celui-ci s'entretiendra à Paris avec plusieurs ministres français ; Goering décommande l'entretien, sans un mot d'excuse ni d'explication, mais il reçoit Marcel Déat. L'amiral Darlan apprend que, à défaut de lui-même, « il pourra envoyer un de ses officiers porter un message à M. de Brinon ». Décidément, le gouvernement français n'est plus chez lui à Paris ; par contre, Bousquet, directeur de la police de Vichy, va à Paris à peu près quand il veut ; Oberg lui accorde toutes les facilités nécessaires, puisque les polices coopèrent étroitement[6] ! Collaboration oblige.

Une délégation générale : pour quoi faire ?

Faute de pouvoir politique à Paris, les conseils municipaux et généraux n'étant pas en mesure de jouer ce rôle, les administrateurs français ne peuvent guère parler qu'au nom d'un gouvernement lointain, faible et indécis, dont ils connaissent mal la ligne politique et les intentions profondes. Ils ne peuvent guère se faire les avocats des administrés, ce qui aurait été possible à des assemblées élues et souveraines, du moins dans leur ressort — qu'on pense au rôle joué à Bruxelles, et au poids de ses interventions, par le bourgmestre de la ville en 1914-1918, parce qu'il parlait au nom de ses concitoyens, de qui il tenait sa fonction, ce qui conférait à sa voix la dimension de la Cité.

A Vichy, on a parfaitement, et très vite, mesuré le danger. La meilleure solution pour y parer a paru être la création d'une Délégation générale, souhaitée d'ailleurs par l'occupant dont le titulaire représenterait en permanence le gouvernement à Paris, et qui coordonnerait l'ensemble de l'administration de la zone occupée ; mission considérable, qui était en principe à la fois celle d'un ambassadeur auprès des autorités militaires, et d'une sorte de ministre délégué. Mais mission très diminuée dès son commencement, car les questions importantes résultant de l'application de la convention d'armistice se traitaient non à Paris, mais à Wiesbaden, et le délégué n'avait pas rang de ministre, (en 1944, le général de Gaulle donnera de Londres et d'Alger rang de ministre à ses représentants, J. Moulin et A. Parodi), et ne siégeait pas au gouvernement à Vichy ; s'il l'avait fait, il serait devenu une sorte de super-ministre, puisque directement en contact avec les occupants, et c'était précisément le rôle que Pierre Laval entendait se réserver grâce aux relations privilégiées qu'il avait nouées avec Abetz.

Le premier délégué fut l'ambassadeur Léon Noël. Ce très haut fonction-

---

6. Cf. F. Pietri, *Mes années d'Espagne*, Plon, 1954, p. 21 ; Peyrouton, *Du service public à la prison commune*, Plon, 1950 ; témoignage Gabolde in *La Vie de la France sous l'occupation, op. cit.*, t. II, p. 625 ; dossiers de l'Ambassade d'Allemagne au CDJC.

naire, issu du Conseil d'Etat avait été secrétaire général du gouvernement et directeur de la Sûreté avant de devenir ministre à Prague, puis ambassadeur à Varsovie où il était en poste en septembre 1939 ; après la défaite polonaise, il avait représenté le gouvernement français auprès du gouvernement polonais en exil, et il avait fait partie, aux côtés du général Huntziger, de la délégation française qui était allée à Rethondes recevoir les conditions de l'armistice. L'homme était donc tout qualifié pour sa mission, en raison de sa double grande expérience diplomatique et administrative ; en outre, il connaissait bien les milieux politiques, et il avait collaboré de très près avec Pierre Laval, lorsque celui-ci avait été président du Conseil.

Mais il n'eut guère le temps de donner sa mesure. Il arrive à Paris le 9 juillet 1940, accompagné d'un seul secrétaire, et il lui faut organiser complètement, ab nihilo, les services de la délégation. Or, Pierre Laval, venu lui-même à Paris le 20 juillet, commence à engager des conversations directes avec Abetz, par-dessus la tête du délégué général — n'est-il pas vice-président du Conseil et dauphin du maréchal ? En quittant Paris, Laval y laisse, pour l'y représenter personnellement, le journaliste de Brinon, dont l'activité ne peut pas ne pas doubler celle de Léon Noël, à qui rien ne l'oblige à rendre des comptes.

D'autre part, les difficultés matérielles à surmonter sont trop absorbantes pour le délégué général pour qu'il puisse espérer jouer un rôle politique ; en particulier, il lui faut se préoccuper du retour à Paris de la masse des Parisiens partis au cours de l'exode ; il découvre son impuissance à empêcher les industriels de négocier des commandes avec l'autorité militaire ; il ne réussit pas à imposer une censure française, ni même l'impression de ses communiqués, à des journaux qui paraissent sans que son autorisation ait été demandée, et qui attaquent le gouvernement qu'il représente à Paris ; il n'obtient pas de pouvoir s'installer à l'hôtel Matignon, siège du président du Conseil sous la IIIᵉ République ; il trouve l'occupant au ministère de l'Intérieur, place Beauvau, et il doit se contenter des locaux du ministère du Travail rue de Grenelle, sans que le drapeau français puisse y être arboré, avec il est vrai la « garde de Paris » à la porte.

Cependant, Léon Noël a marqué une présence française auprès des autorités allemandes. Il a courageusement essayé de coordonner l'administration française en réunissant tous les matins les délégués des ministères ; mais il n'avait pas pouvoir de leur donner des directives et il ne pouvait pas empêcher que chacun les demandât à son ministre à Vichy. Certains d'entre eux s'adressent même directement à l'occupant. A son procès, de Brinon a affirmé que le préfet Langeron et le recteur Roussy, quand ils furent démis de leurs fonctions, allèrent même se plaindre auprès d'Achenbach, à l'ambassade d'Allemagne.

Son action à Varsovie en septembre 1939 ne pouvait pas ne pas faire considérer Léon Noël comme persona non grata par les Allemands. Constatant que sa mission tournait à la représentation, qu'il était souvent court-circuité, que les moyens lui faisaient défaut pour remplir sa mission comme il l'entendait et que, en outre, la fermeté qu'il recommandait à Vichy n'était pas appliquée, Léon Noël abandonna ses fonctions avant même que son successeur eût été nommé[7].

Ce successeur, le 20 août, c'est un fringant cavalier, le général Léon Benoist de Fornel de la Laurencie ; son choix montre bien le rôle que, à Vichy, on entend réserver au délégué général, un rôle de pure représentation, plus protocolaire que politique, avec un homme dont on pouvait espérer que, en raison de son passé, il avait quelque chance d'être bien vu de l'occupant. Effectivement le général a combattu à Verdun, puis enseigné à l'Ecole de guerre, a été colonel de dragons et commandant de la célèbre école de cavalerie de Saumur ; à ce titre, lors de concours hippiques à Berlin, en 1934 et en 1936, il a été présenté à Hitler et à Goering ; il s'est alors lié d'amitié avec des officiers allemands, dont le chef d'état-major de Von Stülpnagel, Speidel. Pendant la campagne de France, il s'est battu sur la Dyle, à Dunkerque et, revenu d'Angleterre, sur la Loire. Il commande la région militaire de Montpellier lorsque le maréchal Pétain le convoque à Vichy, lui annonce sa nomination à Paris et, le général protestant de son inaptitude, lui dit « qu'il fera aussi bien qu'à Berlin ».

Cette boutade marque les strictes limites de la mission de la Laurencie ; il doit se borner à l'application de la convention d'armistice, avec le commandant militaire allemand, « entre soldats ». C'est bien ainsi que le comprend d'ailleurs le général Streccius qui recommande à La Laurencie de n'avoir de relations qu'avec lui. Ainsi délimitée, les problèmes politiques étant d'ailleurs loin de la compétence du général, la mission de La Laurencie laisse la bride sur le cou à Pierre Laval, assisté de Brinon, pour la vaste manœuvre qu'il a imaginée d'un accord dépassant la convention d'armistice, à mettre au point avec les autorités politiques, donc avec Abetz, par-dessus la tête des militaires. D'ailleurs, à Vichy, La Laurencie n'avait pas rencontré Laval.

De ce fait, il ne reste à La Laurencie que des brouilles. La délégation a été un peu étoffée, par la nomination d'un secrétaire général, un inspecteur des Finances, de Boissieu, et de délégués spéciaux pour divers problèmes : les prisonniers, les œuvres sociales, les communications. Mais les discussions avec les Allemands ne conduisent pas à grand-chose ; les demandes de libération de prisonniers de guerre sont régulièrement refusées ; les conférences sur le ravitaillement n'améliorent guère celui-ci ; les relations postales ne dépendent que de l'occupant. La Laurencie en est réduit à assister à des

---

7. Déposition de Léon Noël devant la *commission d'enquête parlementaire* PUF t IV, p. 1146-1150, et conversation avec M. Léon Noël.

représentations théâtrales, à des réceptions. Il dira drôlement au procès de Brinon : « la délégation était devenue une succursale de Borniol ; je n'étais chargé que de déposer des fleurs à l'arc de triomphe de l'Etoile et d'assister à des messes à Notre-Dame ».

Mais si peu désireux que soit le général de La Laurencie de s'occuper de politique, il ne peut pas empêcher que celle-ci existe, et qu'il s'y trouve mêlé, quoiqu'il ne soit tenu au courant de rien et qu'il ait appris par la presse la rencontre de Montoire entre Hitler et Pétain. Il constate, sans bien en mesurer l'importance, les intrigues de Brinon ; il le soupçonne, non sans raison, de vouloir lui prendre sa place ; en particulier, de Brinon fait accorder des laissez-passer par les Allemands, à des gens jugés indésirables à Vichy, ce qui provoque une violente altercation entre lui-même et de Boissieu. Le 4 novembre 1940, le général La Laurencie écrit à Vichy : « Je ne puis que constater mon impuissance, je suis totalement dépassé ».

Il ne croyait pas si bien dire. Tenu à l'écart des conversations concernant le retour du gouvernement à Paris, il ne sait à plus forte raison rien de l'hostilité croissante qui oppose le maréchal Pétain à Pierre Laval — un parlementaire de l'ancien régime que le général méprise et qu'il s'abstient, dédaigneusement, de rencontrer quand il vient à Paris. Aussi bien, lorsque, le 13 décembre 1940, il reçoit l'ordre de faire arrêter Marcel Déat à Paris, il ne sait pas que, en même temps, Pierre Laval est, à Vichy, démis de ses fonctions ministérielles, et arrêté. Le général a été plongé d'un coup, dans ce « panier de crabes » dont il dénonçait l'existence dans sa correspondance. L'arrestation de Déat le met, lui qui n'était délégué qu'auprès des militaires, et qui ne se plaisait qu'avec eux, en relations avec un Abetz furieux, car toute sa politique est compromise, et à qui Von Stülpnagel laisse une latitude d'action plus large que ne le faisait Streccius.

Abetz exige la libération de Déat et menace de prendre comme otage La Laurencie lui-même, le représentant du gouvernement de Vichy !, qui objecte en vain que la convention d'armistice laisse au gouvernement français l'administration, donc la police, dans la zone occupée ; après tout, il ne s'agit que d'un problème de politique intérieure française, d'un différend entre Français ! Mais Abetz, qui se rend à Vichy dans un appareil militaire menaçant, obtient satisfaction sur tous les points, sauf sur la démission forcée de Laval, sur laquelle le maréchal Pétain refuse de céder[8].

On peut dire que, née à Vichy en juillet 1940, la Délégation générale est morte à Paris cinq mois après. En remettant Déat en liberté, le gouvernement de Vichy admet que, si la convention d'armistice lui laissait le pouvoir

---

8. L'illustration, 21 septembre 1940 ; déposition de La Laurencie au procès de Brinon, p. 145-157 ; papiers de la Délégation générale au CDJC ; P. BOURGET, Histoires secrètes... op. cit., p. 189-190 et 252-255.

théorique d'administrer la zone occupée, en fait la puissance occupante le détenait. Une des deux missions du délégué général n'a ainsi plus de raison d'être, il n'a d'ailleurs jamais réussi à la remplir : la coordination des administrations pour mieux leur faire appliquer les directives de Vichy. Quant aux rapports politiques entre l'autorité allemande et le gouvernement français ils ont, d'un coup, basculé des militaires à l'ambassade. C'est Abetz qui a mené toute l'affaire. Le MBF ne se manifeste qu'après coup, pour exiger le rappel de La Laurencie « pour manquement grave à l'autorité du commandant en chef ».

La Laurencie est la victime de l'algarade, car le gouvernement de Vichy obéit à l'injonction allemande ; mais la délégation l'est tout autant. Les Allemands ont montré comment ils entendaient qu'elle fonctionnât : comme un service de liaison commode pour faire connaître à la fois leurs volontés aux administrateurs de la zone occupée, et leurs exigences au gouvernement français. En nommant de Brinon en remplacement de La Laurencie, le gouvernement de Vichy reconnaît et accepte la situation ainsi créée.

La délégation de F de Brinon : une boîte aux lettres

Pour jouer le rôle que l'occupant lui destinait, il était difficile de trouver personne plus qualifiée que Fernand de Brinon, à qui La Laurencie passe ses pouvoirs, le 18 décembre, en le recevant debout et en refusant de lui serrer la main. Ce journaliste de 55 ans, qui a « approché » le maréchal Pétain en 1914-1918 comme affecté au service d'information du Grand quartier général, a été rédacteur au *Journal des débats* et à *l'Information,* et s'est vite spécialisé dans les problèmes allemands. Pacifiste, partisan d'un rapprochement franco-allemand, il fait en 1932 la connaissance de Ribbentrop et il se trouve à Berlin, en 1933, quand Hitler accède au pouvoir ; il se déclare alors « très impressionné par le délire populaire qui se manifeste ». Il est un des révélateurs de Hitler au public français, en publiant, en novembre 1933, dans *Le Matin,* un compte rendu sensationnel d'une interview que le Führer lui a accordée.

Il devient alors un journaliste connu, mène une existence mondaine, écrit un livre intitulé *France-Allemagne* et publie en trois ans cinq déclarations exclusives de Hitler, dont il apparaît ainsi comme le porte-parole en France. Il informe, il est vrai, la présidence du Conseil, mais il se fait surtout le propagateur des thèmes de l'Allemagne nazie, et il est un des fondateurs, avec le député aveugle Scapini, du « Comité France-Allemagne ». Il se lie alors avec Abetz ; il n'est pas un cercle huppé, où l'on milite pour un rapprochement franco-allemand, tel le « Grand Pavois », où on ne rencontre désormais régulièrement sa silhouette triste, affligée d'un long nez

Cette activité lui vaut d'être dénoncé comme un agent allemand par le journaliste nationaliste Kerillis comme par le journal socialisant et maçonnique *La Lumière*. Dispensé par son âge de la mobilisation en septembre 1939, de Brinon devient en juillet 1940, l'homme, à Paris, de Laval, à qui il a fait connaître et rencontrer Abetz. Dès juillet 1940, Laval le charge « d'étudier sous son autorité toutes les questions concernant la reprise des relations avec l'Allemagne ». Son rôle principal est alors d'organiser des rencontres au cours de déjeuners ; en novembre 1940, Laval fait de lui le « délégué permanent du vice-président du Conseil pour les relations avec l'Allemagne » et il lui donne « rang et prérogatives d'ambassadeur », sans l'accréditer auprès de La Laurencie, ce qui aboutit à un dédoublement de fait de la délégation, même si officiellement il n'en est rien. Par la suite, le 27 septembre 1942, après le retour de Laval au pouvoir, de Brinon sera nommé secrétaire d'Etat auprès du chef du gouvernement, ce qui lui donnera accès parfois aux séances du gouvernement à Vichy, où on ne saura trop s'il est la bouche de Laval, ou les yeux et les oreilles d'Abetz ; ou les deux [9].

Au cours de son procès, et après, dans une longue « lettre à ses amis », de Brinon s'est présenté comme ayant été dans sa jeunesse « un garçon plein de passions, d'appétit de la vie, un jeune homme de la Renaissance ». La guerre de 1914-1918 avait été, pour lui, « une terrible épreuve et une dure leçon » ; il y avait perdu la plupart de ses amis et c'est sur le champ de bataille de l'Artois couvert de cadavres que, en septembre 1915, il avait conçu l'idée et l'espoir d'un rapprochement durable entre la France et l'Allemagne, car il avait lu des lettres des soldats des deux camps et constaté qu'elles étaient dénuées de haine, et qu'elles disaient les mêmes choses sur la famille, la patrie, la victoire, la paix. Il a affirmé que la fondation du « Comité France-Allemagne » avait été approuvée par tous les gouvernements, y compris celui de Léon Blum ; il avait d'ailleurs été subventionné par les Affaires étrangères jusqu'en 1939.

Mais tout cela, c'était avant la guerre, alors qu'il était normal d'essayer, par tous les moyens, de l'éviter. Depuis, il y avait eu la défaite et l'occupation. De Brinon a reconnu qu'il avait admiré l'Allemagne nationale socialiste et qu'il avait souhaité pour la France « un relèvement pareil, dans son climat et dans ses traditions » ; il avait cru sincèrement que, avec Hitler, on pourrait éviter un conflit nouveau. Et puis, il avait entendu souvent le maréchal Pétain dire, comme Pierre Laval, que « la défaite allemande serait le désordre et la bolchevisation du monde ». Alors, après avoir eu une

---

9 L'essentiel de cette partie est tiré de *Procès de la collaboration, de Brinon, Luchaire, Darnand*, Albin Michel, 1948. Nous possédons dans nos archives personnelles le texte « Fernand de Brinon à ses amis », rédigé en 1946. Cf. aussi les dossiers de la Délégation générale au CDJC ; et le témoignage de SAINT-CHARLES, secrétaire général de la Délégation, in *La Vie de la France sous l'occupation, op. cit.*, t. II, p. 1042-1043

« crise de désespoir » en juin 1940, et constaté avec indignation que « des Français s'offraient en foule à l'occupant pour de répugnantes besognes », il avait accepté les offres que lui avait faites Abetz, comme à « un bon Français parlant à de bons Allemands ». Il reconnaissait ainsi que, à Paris, il était moins, dans son poste de délégué général, le représentant du gouvernement de Vichy que celui des autorités occupantes, Abetz en premier lieu. Sans que la preuve ait pu en être apportée, on l'a soupçonné à Vichy, puis au cours de son procès, d'avoir régulièrement informé son protecteur allemand de ce qui avait été dit et décidé au cours des réunions du gouvernement français.

Toutes ces activités rapportaient gros à de Brinon. Il touchait 500 000 F par an comme ministre, plus 100 000 F de fonds secrets dont, évidemment, il disposait à sa guise. Emargeait-il à l'ambassade allemande ? L'expert comptable, à son procès, a démêlé des ressources d'origine suspecte, comme un million versé en quatre ans par le journal *Le Petit Parisien*, et probablement des fonds destinés à des sinistrés et qui n'avaient pas été distribués. Il remettait à sa femme (une Juive née Frank, veuve Ullmann, baptisée « aryenne d'honneur » par l'occupant), 80 à 90 000 F par mois. A eux deux, ils ont emporté 5 millions de francs en quittant Paris, plus environ un million de bijoux. Avec de tels moyens, les Brinon pouvaient mener grand train de vie. A Paris, ils vivaient dans un hôtel réquisitionné, mais ils possédaient aussi un château, où ils avaient effectué de grandes réparations, ainsi que deux importantes propriétés dans les Basses-Pyrénées et à Chantilly ; avec trois domestiques à leur service, trois automobiles ; plus l'achat d'un cheval pur-sang.

Pourtant, les pouvoirs de Brinon, définis par une instruction de Pétain, sont plus limités que ceux de ses éphémères prédécesseurs. Il est bien précisé qu'il ne dirige pas l'administration de la zone occupée ; il est seulement « tenu au courant » des négociations que chaque ministère engage avec les autorités d'occupation et il peut, « éventuellement », réunir les délégués ministériels à Paris. Sa tâche est essentiellement de représenter le gouvernement français auprès des autorités occupantes, à savoir toujours en principe les militaires, dont il reçoit « les ordonnances, décisions et demandes de renseignements » ; il les transmet aux départements ministériels concernés, à la délégation française à Wiesbaden, et au gouvernement de Vichy. Il est donc la courroie de transmission entre l'autorité occupante, d'une part, et le gouvernement et l'administration, d'autre part. Inversement, le gouvernement français ne passe pas obligatoirement par lui pour s'adresser aux occupants ; mais il est régulièrement chargé des messages les plus ennuyeux, comme la transmission d'un refus français, ça arrive, à une exigence allemande — par exemple le rejet d'une demande de détaxation des films allemands.

En pratique, comme on prête à de Brinon plus de pouvoirs qu'il n'en a la délégation est assaillie de demandes de toutes sortes, et elle est encombrée de dizaines de milliers de dossiers : demandes de laissez-passer entre les zones (un bon tiers de la correspondance), interventions pour des personnes arrêtées (de plus en plus nombreuses), pour des personnes spoliées, pour des Juifs anciens combattants, ou notoires. Les interventions se font par l'intermédiaire des officiers allemands détachés auprès de la délégation ; avec Vichy, les échanges s'effectuent par des officiers du cabinet du maréchal Pétain qui font régulièrement la navette avec Paris.

La délégation, pour faire face à ses multiples obligations, doit accroître son personnel et spécialiser ses services. De Brinon dispose d'un cabinet civil avec des diplomates, et d'un secrétariat particulier, ainsi que d'un cabinet militaire. Les bureaux se répartissent les Affaires économiques et financières que des juristes étudient ; les traductions constantes nécessitent un personnel compétent et nombreux. Tout ce qui se passe à Paris est évoqué à la délégation : problèmes de presse, réquisitions, circulation, lois raciales, répression, otages, attentats. Mais que peut et veut faire le préfet régional au service de l'occupant qu'est devenu de Brinon ?

A son procès, il a fait valoir les milliers d'interventions qu'il avait effectuées pour des personnes arrêtées, juives ou non ; qu'il avait essayé d'obtenir la grâce de résistants, en condamnant les attentats, mais en écrivant à Goering qu' « une répression qui atteint des innocents (les otages) lui paraissait lourde de conséquences ». Il avait même menacé de ne pas conserver son poste « si des Français innocents payaient pour des crimes qu'ils n'ont pas commis ». (Mais il avait dû réfléchir ensuite aux pertes financières, non récupérables, que son départ lui occasionnerait, car il était resté à son poste, bien que les exécutions d'otages aient continué.) Abetz a témoigné en faveur de Brinon... « un Français qui ne se laissait pas faire et pour qui la collaboration ne devait pas être favorable à la seule Allemagne ». Mais, outre que les Allemands interdisaient toute publicité sur les intervention de Brinon, ce qui leur ôtait beaucoup de leur poids, les deux compères n'ont pas été en mesure de mentionner un seul résultat important obtenu par de Brinon à la suite de ses démarches, sauf quelques commutations de peines. En fait, il était devenu une sorte de machine à transmettre les doléances avec un cachet portant obligatoirement la mention « avis favorable ». Mais de modification du comportement des autorités occupantes, point ; de Brinon n'essaie même pas de l'obtenir. Comment le pourrait-il d'ailleurs puisque, publiquement, ou en privé, il approuve toutes les décisions de l'occupant, qu'il célèbre ses mérites, et que ce haut fonctionnaire de Vichy se fait le chantre de la collaboration la plus forcenée ?

C'est ainsi qu'il ne refusait aucun laissez-passer pour la zone sud à des ressortissants allemands — Darlan lui-même lui en a fait le reproche. Il a souvent développé, notamment au moment du procès de Riom, le thème de la responsabilité de la France dans le déclenchement de la guerre, une accusation que le maréchal Pétain avait refusé de prendre à son compte. Il a développé tous les thèmes de la collaboration : l'Allemagne victorieuse a le droit et le devoir de bâtir l'Europe ; seule la collaboration peut permettre à l'économie française de s'épanouir ; l'Angleterre ne cherche qu'à accabler les Français en les arrosant de bombes ; les résistants sont des terroristes à la solde de l'étranger ; et, naturellement, le bolchevisme est l'ennemi juré de la civilisation occidentale...

On le voit à toutes les manifestations de propagande, expositions, conférences, réceptions diverses, entouré d'uniformes allemands, allant de poignées de mains en courbettes. Il condamne Daladier, « jouet du bellicisme britannique », et Blum « qui marchait sous la double tutelle de Moscou et du parti belliciste ». Président central de la LVF, il évoque Jeanne d'Arc à son sujet, et il délivre des « diplômes d'honneur » aux familles des disparus. Il accuse Roosevelt d'avoir poussé à la guerre et d'être ainsi responsable... des massacres de Katyn. De retour d'un voyage sur le front de l'Est, il déclare « inoubliable » l'accueil qu'il a reçu, et il vante « le bonheur des paysans russes sous l'occupation allemande ». Il a même l'audace, au lendemain de sanctions collectives contre la population parisienne, de louer la « modération des autorités occupantes ».

En somme, ce délégué général du gouvernement de Vichy à Paris se mue en ambassadeur des Allemands auprès de son gouvernement ; auprès de la population parisienne, il se comporte en haut-parleur de la propagande allemande. De l'ambassadeur Léon Noël, en passant par le général de La Laurencie, la Délégation, chargée de la défense des intérêts français en zone occupée, était tombée aux mains d'un aventurier, un « homme de confiance » de l'ambassade d'Allemagne.

Les préfets de police et de la Seine : des exécutants dociles

Dans ces conditions, les préfets de police et de la Seine demeuraient les seuls responsables de l'administration de la région parisienne. Seuls, et bien isolés. Leur unique recours à Paris, puisqu'ils n'ont rien à attendre du délégué général, c'est le délégué du ministre de l'Intérieur, leur collègue Ingrand ; mais il n'a guère plus d'autorité qu'eux. Heureusement, leurs relations sont bonnes avec les assemblées, municipale et départementale. Leur espoir d'appui, c'est Vichy, où ils envoient de longs rapports remplis de récriminations et de doléances ; mais bien peu d'aide et de lumière leur revient en retour. Dans ces conditions, leurs personnalités respectives n'ont guère d'importance, tant ils peuvent paraître interchangeables ; ils expriment toutefois au moment de leurs nominations, la tendance qui prévaut à Vichy et, comme ils ne seraient pas en poste si l'occupant s'y était opposé, dans une certaine mesure, l'esprit qui prédomine dans les autorités occupantes. Trois préfets se succèdent à la préfecture de police, et trois à la préfecture de la Seine.

Le rôle des préfets est ingrat. Ils apposent leurs signatures au bas des affiches, et des décisions, ordonnances et arrêtés publiés au *Bulletin municipal officiel*. Mais tous ces textes ont dû préalablement être soumis à l'occupant, et approuvés par lui. Il n'est guère de jour où ils ne soient convoqués par les responsables de l'administration civile du commandant militaire pour recevoir leurs instructions. Auprès d'eux, en permanence il y a un porte-parole du MBF. Les préfets sont aussi garants de la bonne exécution des demandes allemandes : réquisitions, règlements de la circulation, couvre-feu, défense passive, etc. Ils doivent répondre à toutes les demandes, qu'il s'agisse d'informations, de communication de dossiers, de réquisitions de travailleurs, de propagande. Et, malgré leur zèle à s'exécuter, et l'affirmation de la pureté de leurs intentions ou de leur bonne volonté, ils sont l'objet d'une défiance constante, de réprimandes et de menaces ; parfois, la Gestapo leur tend des pièges ; le secrétaire général de la préfecture de la Seine, Bonnefoy, mourra en déportation.

C'est le préfet de police qui est le plus souvent sur la brèche, d'autant plus qu'il est responsable de la fixation des prix des denrées et des transports. Il sera sans cesse mis sur la sellette, surtout lorsque les actions de la Résistance s'amplifieront et que les sanctions, amendes, prises d'otages, exécutions se multiplieront. Outre le personnel administratif (2 000 personnes) et les services actifs de la police, le préfet a autorité sur le corps des sapeurs-pompiers (6 000 hommes), la garde de Paris (ex-républicaine, 3 000 hommes), la défense passive (30 000 hommes), et aussi sur le laboratoire de toxicologie, la morgue, le dépôt des objets trouvés, les abattoirs de la Villette, les prisons de Saint-Lazare et de Nanterre.

C'est Roger Langeron, nous l'avons vu, qui a reçu les Allemands. Il a alors cinquante-huit ans. C'est un préfet « républicain », franc-maçon, qui a appartenu à des cabinets ministériels, à celui du président du Conseil notamment. Après avoir été préfet de la Charente, des Côtes-du-Nord et du Nord, il est en poste à Paris depuis 1934. Les Allemands ayant arrêté quatre commissaires de police, et les protestations énergiques de Langeron les ayant indisposés, le préfet est démis de son poste le 23 juin 1940, arrêté même, et remplacé par son subordonné, le directeur de la police municipale, Marchand. C'est une grave violation de la convention d'armistice. Léon Noël, alors délégué général, obtient la libération des commissaires et la réintégration de Langeron, dont il n'a jamais admis la déposition arbitraire. C'est Langeron qui a fait arrêter les responsables du parti communiste sortis de la clandestinité pour reprendre ouvertement leurs activités illégales ; ce comportement lui a valu, sur le moment et par la suite, de très fortes inimitiés et de violentes attaques ; en fait, le parti communiste lui devait une fière chandelle, puisqu'il l'avait empêché de s'enfoncer dans un comportement de collaboration qui aurait pour longtemps terni son image de marque, et gêné grandement le revirement de juin 1941.

Le passé de Langeron le rendait suspect aux tenants de la Révolution nationale ; il fait partie de la fournée des préfets républicains mis à la retraite, et il cesse ses fonctions le 26 février 1941. C'est le moment où, après le limogeage de Pierre Laval, l'amiral Darlan, devenu, sans le titre, chef du gouvernement, essaie de placer partout des hommes à lui, et tout particulièrement des officiers de marine. Il nomme à Paris l'amiral Bard, déjà préfet de la Haute-Vienne, qui ne prendra ses fonctions que le 1er juin 1941. C'est un homme de cinquante et un ans, que *l'Illustration* dépeint comme « élancé, svelte, le visage vivant et mobile, animé par une vitalité intérieure intense ». Enseigne de vaisseau en 1914-1918, professeur de stratégie au Centre des hautes études navales, il est contre-amiral en 1939-1940, et c'est lui qui a organisé, pour devancer les Allemands, le départ des navires de la côte atlantique. La venue de l'amiral Bard coïncide avec le début des attentats « terroristes » ; il ne sera ménager ni de condamnations verbales à leur sujet ni de l'aide apportée aux polices allemandes pour retrouver et sanctionner les auteurs.

Le retour de Pierre Laval au pouvoir à Vichy se traduit par le départ de l'amiral Bard, envoyé comme ambassadeur à Berne, et son remplacement à la préfecture de police par Amédée Bussières, qui a alors cinquante-quatre ans, et qui a fait toute sa carrière dans le milieu préfectoral. Combattant en 1914-1918 comme engagé volontaire, membre de plusieurs cabinets ministériels, il est préfet de la Corse en 1929, puis du Calvados, et directeur de la Sûreté, en 1938. Il est renvoyé de ce poste par Albert Sarraut le 19 mai 1940 ; il est probable que ce limogeage lui valut la réputation de victime de la République, car le régime de Vichy le maintint préfet du Pas-de-Calais. Il restera préfet de police jusqu'à la libération de Paris. C'est à lui qu'incombera la lourde tâche d'appliquer, à Paris, les accords Oberg-Bousquet sur le partage des attributions entre la police allemande et la police française, c'est-à-dire la « longue traque » des résistants et les « mesures antisémites » de spoliations, d'arrestations, d'internements et de déportations.

La préfecture de la Seine est une énorme maison où 8 500 agents (5 000 du « cadre technique », ingénieurs, architectes, ouvriers et 3 500 du « cadre administratif », dont 1 200 commis et 436 dactylographes) sont répartis entre 15 directions, chacune ayant la charge de divers services annexes et de nombreux offices et établissements publics. Les services annexes emploient environ 15 000 personnes ; l'Assistance publique, autant ; le Crédit municipal et les pompes funèbres au moins 6 000 ; les administrations « concédées » (gaz, éclairage, métro, TCRP) environ 30 000. A cette foule, les circonstan-ces obligent d'adjoindre des services nouveaux, du ravitaillement, des réquisitions, des prisonniers.

Dépendent aussi du préfet de la Seine les grands travaux de la région parisienne, le service des promenades, l'inspection générale de l'enseigne-ment primaire, les ponts et chaussées, et l'octroi ; coupés de leurs ministres respectifs à Vichy, les responsables de ces administrations ont une tendance naturelle à attendre beaucoup du préfet[10].

C'est Achille Villey, nous l'avons vu, qui accueille les Allemands, avec la charge de représenter le gouvernement français. Il s'en tire avec élégance. Cet ancien avocat est, à soixante-deux ans, au terme de sa carrière. Il a été, successivement, préfet de l'Aube, du Rhône, et de la Seine depuis 1934. Lui aussi a appartenu à des cabinets de ministres de la IIIe République. Lui aussi fait partie de la fournée des préfets républicains « limogés » ; mais la mesure qui le frappe est atténuée par une nomination au Conseil d'Etat, ce qui lui assure une retraite dorée.

A. Villey est remplacé en décembre 40 par Charles-Paul Magny, qui a cinquante-quatre ans. C'est un ancien rédacteur de la préfecture de la Seine, lauréat de l'Académie française pour un ouvrage intitulé « Beauté de Paris ». Préfet de la Meuse, puis des Bouches-du-Rhône, il est devenu directeur de la Sûreté en 1934 ; puis, il avait été nommé ministre plénipoten-tiaire à Helsinki où il avait fait preuve d'une certaine nervosité lors de la progression de l'Armée Rouge au cours de la première guerre russo-finlandaise, ce qui lui avait valu un blâme du gouvernement. Probablement cette réprobation lui avait été bénéfique, puisque le régime de Vichy l'avait conservé dans le corps préfectoral. *L'Illustration* le décrit comme un « homme solide », un « amoureux des espaces verts ». Conformément à la volonté qui régnait à Vichy de restreindre le corps des fonctionnaires, Magny prépara une réforme de l'administration de la Seine, dont il estimait qu'on pouvait réduire les effectifs de 1/4. Il partit en guerre contre : la prolifération des directions, ou les appointements de directeurs à des chefs de services qui n'avaient pas le titre ; les indemnités « en nombre infini, souvent injustifia-bles » ; les jetons de présence, « payés même lorsque les réunions de commissions étaient annulées » ; les retraités, qui conservaient un emploi ; les heures d'arrivée et de sortie, non contrôlées ; l'insuffisance d'ordre et de méthode dans le classement des dossiers ; la lenteur « affligeante » des travaux, et leur contrôle « toujours insuffisant » ; et, accusations plus graves, le manque de titres des commis, « les 3/4 des chefs de bureaux n'ont pas leur

10. P. AUDIAT, *op. cit.*, p. 35-38 ; témoignage de A. BUSSIÈRES, in *La Vie de la France sous l'occupation* t. I, p. 574-579 ; *L'Illustration* du 23 août 1941 ; rapport du préfet Magny, décembre 1941.

baccalauréat », et le trafic d'influences qui, dans les services techniques, permettait de « réaliser des fortunes scandaleuses ». Conformément à l'éthique de Vichy, le préfet Magny aurait voulu renvoyer à leurs foyers les femmes fonctionnaires dont les maris l'étaient également. Il n'eut pas le temps de procéder à ce vaste curetage des écuries parisiennes. Victime lui aussi probablement du retour de Pierre Laval au pouvoir, Charles Magny dut, le 10 septembre 1942, céder sa place à René Bouffet.

Le dernier préfet de la Seine sous l'occupation allemande est un homme jeune, de 40 ans. Il connaît bien Paris, puisqu'il a été rédacteur à la préfecture de la Seine, avant de devenir sous-préfet, puis préfet de Constantine et de la Manche. Il a échappé à l'épuration vichyste, puisque, après l'armistice il est nommé préfet, d'abord de la Seine-Inférieure, puis préfet régional de Rouen, dans le timide essai de régionalisation de la vie administrative de la France entrepris par le régime de Vichy. Il demeurera préfet de Paris jusqu'à la libération de la capitale, ce qui impliquait qu'il avait la confiance de Pierre Laval. Mais sa tâche était si pénible que, en 1944, il fera une dépression nerveuse.

Ces hauts fonctionnaires, qui savent que la durée d'un préfet risque d'être encore plus courte sous le régime de Vichy qu'au temps de la IIIe République, saisissent toutes les occasions pour affirmer leur attachement total au maréchal et à sa politique. Le 13 janvier 1942, l'amiral Bard déclare : « la lueur qui annonce le jour est faible encore, elle vient tout entière du seul flambeau que tient dans ses mains fermes le maréchal Pétain ; mais elle suffit, si nous le voulons, pour nous faire pressentir la grande lumière ». Une semaine plus tard, 3 000 délégués de la Garde de Paris, de la police nationale et de la préfecture de police, jurent solennellement, au palais de Chaillot, « fidélité à la personne du chef de l'Etat en tout ce qu'il commandera dans l'intérêt du service et pour le bien de la Patrie ». Quelques mois après, c'est le préfet de la Seine, Charles Magny, qui inaugure une exposition « Hommage au Maréchal », constituée essentiellement de dessins des enfants des écoles. Prenant ses fonctions, René Bouffet affirme « vouloir travailler avec une loyauté sans fissure, et chaleureusement, à l'œuvre de rénovation nationale que poursuivent inlassablement notre chef vénéré, le maréchal et le président Laval ». Malgré les distances, l'éloignement et la séparation, c'est le même discours qu'on entend en permanence à Paris et à Vichy.

Les préfets, avec également l'approbation du gouvernement de Vichy, s'associent à la répression de toute opposition par l'autorité occupante ; parfois ils la devancent. Le 18 janvier 1941, un avis prévient les Parisiens que la diffusion de « nouvelles fausses » — c'est-à-dire contraires à la propagande allemande — « susceptibles de provoquer de l'inquiétude » sera punie ; et des amendes pleuvent sur les détenteurs de postes de radio surpris à écouter les « émissions anglaises ». Le 1er avril 1941, l'amiral Bard frappe d'un avertissement taxé « les propriétaires, locataires, concierges dont les murs des immeubles porteront des inscriptions ou des graffiti hostiles » : quelques semaines après, le *Bulletin municipal* publie un communiqué de victoire : 1 600 contraventions ont été dressées.

Lorsque commencent les sabotages et les attentats, le même amiral Bard lance un appel aux dénonciateurs, encouragés par un million de primes. Le préfet de la Seine Magny flétrit « les agents à la solde de l'étranger qui intensifient leur propagande, ce sont véritablement des actes de trahison ». De son côté, l'amiral Bard offre 200 000 F à qui permettra de retrouver les auteurs d'un déraillement ferroviaire, et il accroît l'activité des services répressifs de la préfecture en nommant le directeur de la police municipale Rottée à la direction des renseignements généraux, en le dotant de moyens accrus, et en lui prescrivant la plus grande fermeté. A plusieurs reprises, le *Bulletin municipal* imprime en gros caractères un appel à la délation : « Aidez la Justice, un coupable retrouvé, cent Français épargnés » — ce qui est une justification à la prise d'otages par l'occupant [11].

Il entre dans les attributions des préfets d'être toujours dans la ligne du gouvernement ; pour ceux de Paris, de la Seine et de police, sous l'occupation allemande, il importait aussi, et encore plus, de se tenir dans la ligne de l'occupant. A tout moment, ils font des déclarations qui vont dans le sens de ce qu'il désire ; ils dénoncent la barbarie anglaise lors des bombardements de la région parisienne ; ils assistent à des messes solennelles pour les anniversaires de l'agression de Mers el-Kébir ou pour les victimes « glorieuses » des combats fratricides de Syrie ; ils sont présents lors de grandes manifestations de propagande, expositions, concerts, galas cinématographiques, ventes de charité, etc.

Leur vie quotidienne se passe, en dehors de ces manifestations d'une obéissance constante, lorsqu'ils ne règlementent pas les cours de danse ou les spectacles sportifs, à parapher les arrêtés qui règlent les distributions de denrées — quantités allouées et calendrier — et qui fixent leurs prix. Le *Bulletin municipal*, comme la presse quotidienne qui le décalque, en est rempli. Les préfets, ce faisant, ne peuvent qu'organiser la pénurie ; la conjoncture, les instructions de l'occupant, et les prélèvements qu'il opère, s'unissent pour leur interdire toute possibilité d'amélioration. Leur impuissance est manifeste si on considère l'obligation où ils se trouvent de prendre des mesures draconiennes, dans leurs services pour... économiser le papier. Ainsi, ils ordonnent : de retirer de la vente les feuilles doubles de papier timbré ; d'utiliser dans les lettres les feuilles recto-verso, de supprimer les interlignes, de réduire au minimum le nombre de copies. d'utiliser le dos des enveloppes comme papier-brouillon. Il est recommandé aux secrétaires qui

---

11 Ces opérations policières seront détaillées dans le tome II de cet ouvrage.

ouvrent le courrier d'éviter d'abîmer les enveloppes, pour qu'elles puissent resservir.

Des opérations ont lieu dans les mairies pour « récupérer les déchets » et les « vieilles matières », essentiellement des imprimés non utilisés ou de vieux chiffons. Un grave problème se pose alors : il faudra dresser des états des objets récupérés ; qui fournira le papier, la préfecture ou la mairie ? Le préfet tranche, ce sera la mairie ; les maires n'ont qu'à se débrouiller. En août 1942, une grande opération de récupération du cuivre est lancée dans les établissements municipaux : boutons de portes, plaques de propreté, tringles de tapis d'escalier, pommes d'escalier, lustres et luminaires, cloches ; rien n'est oublié, l'énumération est complète ; c'est que la récupération est demandée par l'autorité militaire allemande, pour les besoins de l'économie de guerre allemande ; il ne faut pas la décevoir.

Quand ils ne servent pas l'occupant, qu'ils ne visitent pas les soupes populaires, qu'ils ne déplorent pas l'indigence des dispensaires, les préfets se prennent à rêver. Le préfet Magny fait part à la Presse de son intention d'ouvrir de « grandes artères » dans Paris. Comme Haussmann ? Une autre fois il présente un plan d'aménagement d'un parc de 700 hectares entre Saint-Denis et l'aéroport du Bourget ; quelque chose de neuf « qui ne ressemblerait ni au Bois de Boulogne, ni à celui de Vincennes, ni à Saint-Cloud ». Il y aurait un « parc zootechnique » pour des animaux domestiques, avec une ferme modèle, mais aussi une rivière accessible aux canots sur 800 m, des guinguettes et, à proximité, « les principaux jeux de nos provinces », des estrades pour orchestres, des théâtres pour guignol, un grand stade, un parc de camping ; on ne plantera que des arbres d'Ile-de-France, on « pourra rêver d'un retour à la terre ». Tout fait défaut, et fera défaut longtemps, pour mettre un si grand projet en application. Le préfet le sait bien. A-t-il voulu faire oublier un instant leurs dures réalités aux Parisiens ? Se donner à lui-même l'illusion d'être un grand préfet constructeur ? Manifester sa confiance en l'avenir ? Ou tout simplement rappeler quelques thèmes de la « révolution nationale », les provinces, le retour à la terre ? De toute façon, on est en pleine irréalité [12].

Une assemblée de figurants — Le Conseil municipal

Les Assemblées législatives n'avaient pas été supprimées par le vote de l'Assemblée nationale à Vichy, le 10 juillet 1940, ni par les actes constitutionnels qui suivirent, mais seulement mises en sommeil. Au Palais-Bourbon et

---

12 *L'Illustration* du 25 décembre 1941 ; collection du *Bulletin municipal officiel*, Y CAZAUX *Journal secret de la libération*, Albin Michel, 1975, p 16-45

au Luxembourg étaient demeurés les secrétaires généraux de la Chambre des députés et du Sénat, MM. Pécheux et Miegeville. Leur présence n'était certes pas inutile pour défendre pied à pied les locaux, les meubles, les bibliothèques, les archives, les œuvres d'art, contre les convoitises de l'occupant, à défaut d'avoir pu empêcher la plus grande partie des bâtiments d'être réquisitionnés ; si bien que, dans des réunions à grand éclat, ou des conférences dans les hémicycles, des officiers allemands siégeaient, spectacle humiliant, à la place des parlementaires. En fait, les deux palais vivaient d'une existence ralentie, purement végétative : gestion des crédits, entretien des bâtiments, paiement des traitements des fonctionnaires dont la plus grande partie, d'ailleurs, avaient été prêtés à des services de l'Etat, ministères ou préfectures. Le Palais-Bourbon et le Luxembourg n'étaient plus que des carcasses sinistres, vides de toute vie politique.

Il ne subsistait donc qu'un pâle reflet de celle-ci dans le Conseil de Paris et le Conseil général de la Seine ; c'était une vie ralentie, un faible souffle. Par suite du statut particulier institué après la Commune, le Conseil municipal de Paris jouait déjà un rôle politique minime sous la IIIe République. Le régime de Vichy commença par le supprimer ; puis le ministère de l'Intérieur le reconstitua par des nominations, le 16 décembre 1941 ; Ch. Trochu fut nommé président, Louis Castellaz et Frédéric Dupont vice-présidents. Par la suite il y eut des remaniements après des départs ou des « démissions » ; ainsi P. Taittinger succéda à Ch. Trochu, parti à Alger, et Fr. Ribadeau-Dumas à Frédéric Dupont. Deux prisonniers de guerre avaient été nommés et ils étaient portés régulièrement « absents excusés » à toutes les séances ; A. Bonnard et l'antisémite forcené Darquier de Pellepoix faisaient également partie du Conseil. La séance inaugurale se tint le 12 janvier 1942. Pour compenser la médiocrité des débats, les conseillers furent invités à venir en habit ; l'un d'eux refusa et fut obligé de passer la plus grande partie de la séance à la buvette. Les deux préfets Magny et Bard jouaient pratiquement le rôle de Président. Dans son discours, Magny souligna qu'il comptait sur le Conseil pour être informé des « besoins publics » et pour « faire connaître aux Parisiens les pensées du Gouvernement ». L'amiral Bard insista sur « les inquiétudes de l'opinion publique » et la tâche difficile de la police — les attentats avaient commencé. Le rôle du Conseil était ainsi très strictement délimité : une courroie de transmission de l'information. Ses membres, non élus, n'étaient plus que des fonctionnaires politiques.

Par la suite il ne se réunit plus en séance plénière qu'une fois par an, au début de l'année et ses séances n'étaient pas publiques. Le Conseil n'eut jamais à se prononcer par un vote ; il ne pouvait pas émettre des vœux, seulement des suggestions. Il ne pouvait donner son avis que sur les questions dont les préfets l'avaient saisi. Les préfets invitaient d'ailleurs instamment les conseillers à s'abstenir « de toute déclaration publique, afin de ne pas donner prise à des discussions sur la place publique ». Comme les comptes rendus des débats se limitaient à quelques lignes dans la presse, le rôle du Conseil de Paris devint tout à fait confidentiel ; les conseillers se plaignaient d'ailleurs de ne pas pouvoir informer correctement l'autorité préfectorale, car il avait été demandé à chacun de se considérer non comme le représentant d'un quartier déterminé, mais de l'ensemble de Paris [13].

Dans ses séances plénières, le Conseil se bornait donc à dire ce que les préfets, c'est-à-dire le gouvernement de Vichy, attendaient de lui. Dès la séance inaugurale, Ch. Trochu, alors très proche du PPF, avait « stigmatisé les abominables crimes perpétrés par des assassins professionnels entrés chez nous » — la Résistance ! — et souligné qu'il restait « l'espérance, et que « l'espérance, c'était le maréchal... qui avait sauvé notre ville de la destruction et la France du chaos ». Lors de chaque réunion de la commission administrative, le président ne manquait pas d'adresser au maréchal « sa respectueuse admiration, son inébranlable attachement et son absolue confiance ». Dès que Laval revient au pouvoir, l'union amicale des maires de la Seine élit par acclamations président d'honneur, « Pierre Laval, maire d'Aubervilliers ». Au même moment, Trochu se rend à Vichy pour présenter au maréchal « les vœux respectueux » du Conseil, à l'occasion de son 86e anniversaire : Trochu est porteur d'une boîte à gants fabriquée pour le maréchal par les élèves de l'école Boulle. En septembre 1942, le Conseil municipal tient une séance solennelle en l'honneur de Péguy, dont les orateurs célèbrent « le socialisme qui ne nie pas l'individu... qui exige beaucoup de l'homme et ne lui promet rien ».

On peut voir dans ces déclarations une incontestable communauté de pensée avec le gouvernement de Vichy, mais aussi comme un appel à l'aide. Cependant, à lire les comptes rendus des séances du Conseil, il semble que l'occupant n'existe pas ; tout se déroule selon un cérémonial figé. De son côté, l'autorité occupante ne se préoccupait guère des conciliabules de l'Hôtel de Ville ; avec le temps, cependant, la méfiance d'Oberg et de sa police n'exclut personne de l'animosité prêtée à l'ensemble des Parisiens. Le seul incident sérieux cependant éclata lors des obsèques de Philippe Henriot, lorsque la Milice voulut que l'Hôtel de Ville servît de cadre à une grande cérémonie facilitant sa propagande. Le syndic du Conseil s'y opposa, et Oberg aurait alors menacé de dissoudre le Conseil, ce dont il n'avait pas le droit ; mais qui l'aurait empêché de le prendre ? L'incident n'eut pas de suite et, jusqu'à la libération de Paris, le président du Conseil municipal entretint des relations sans histoire avec l'autorité militaire allemande. Quant aux

---

13 Témoignage de X. du Secrétariat particulier de Pierre Laval in *La Vie de la France sous l'occupation*, t II, p. 1027-1028 ; indications fournies par M. ROUSSIER ; Y. CAZAUX, *op. cit.* p 43

membres du Conseil, si quelques-uns, avec le temps, passèrent à la Résistance, d'autres persistèrent, tel G. Prade, dans une collaboration active, avec les « bonnes affaires » qu'elle impliquait [14].

Le travail du Conseil municipal, comme l'activité individuelle de ses membres, n'eurent donc qu'une faible portée politique, d'autant plus qu'il n'y avait pas d'opposition, et qu'aucun débat n'avait lieu. Cependant, les conseillers firent preuve d'une grande bonne volonté pour remplir la mission, même limitée, qui leur était confiée. Le travail positif qu'ils accomplirent, ils l'effectuèrent dans les cinq commissions entre lesquelles ils se répartirent, qui siégèrent à peu près comme elles le voulurent, et se comportèrent comme de petits conseils spécialisés. Au cours de leurs séances les préfets, bien qu'ils ne soient pas obligés de répondre aux questions qui leur étaient posées, acceptent généralement de bonne grâce de fournir les explications qui leur sont demandées. Surtout, les chefs des différents services viennent faire leur rapport devant les conseillers ; ceux-ci n'ont pas pouvoir de décision, mais leur expérience des affaires parisiennes leur permet d'émettre de pertinentes réflexions et, souvent, d'utiles suggestions. C'est ainsi un tableau de la grande misère de Paris occupé qui se dessine peu à peu, au fil des séances, par touches successives, d'autant plus que, pour compléter leur information, les commissions prennent l'initiative de confier des enquêtes à ceux de leurs membres plus particulièrement compétents sur certains sujets.

Naturellement, c'est le ravitaillement de la population qui suscite le plus d'inquiétude. Mais qu'y faire ? Du moins, les conseillers se préoccupent-ils beaucoup du fonctionnement des restaurants et des popotes dans lesquels les agents de l'administration reçoivent des repas à prix réduits. Le service social de la préfecture a passé un accord avec un propriétaire de Seine-et-Oise pour que soit cultivé un terrain de 60 hectares pour le personnel ; le Conseil municipal a voté les fonds, la ville de Paris a fourni les ouvriers ; on a créé une association dont les 15 000 membres paient chacun 90 F par an ; les produits sont cédés au prix de la taxe de détail, et en quantités proportionnelles aux charges familiales.

La voirie donne beaucoup de soucis aux conseillers. Le pavage des rues est devenu difficile, faute de ciment ; les services en utilisaient 700 à 800 tonnes par mois avant la guerre ; ils n'en ont plus que 140 en 1941, 100 en 1943. La main-d'œuvre manque aussi dans les carrières. On a enlevé, place de la Concorde, 17 000 m^2 de pavage en bois ; on a remplacé tant bien que mal le bois par des pierres et, en brûlant le bois, on a obtenu l'équivalent de 400 000 litres d'essence... pour fournir du carburant aux camions qui vont chercher

14. Collection du *Bulletin municipal officiel* ; témoignage de P. TAITTINGER et de Jacques ROMAZZOTI, in *La Vie de la France sous l'occupation, op. cit.* t. I, p. 539-549 ; Henri MICHEL, *La Libération de Paris*, éditions Complexe, Bruxelles, 1980.

les pierres dans le Massif Central ; un cercle vicieux ! On envisage d'ôter les 160 kilomètres de voies des tramways pour récupérer 16 000 tonnes de ferrailles. Le parc de camions de la ville ne cesse de diminuer, même ceux marchant au gazogène ; il faut utiliser de vieilles voitures et les pannes sont fréquentes. Il devient difficile d'entretenir les trottoirs ; il faudrait 120 tonnes de bitume par mois, et on dispose à peine de 20 ; or, le nombre de piétons a augmenté et l'usure des trottoirs est plus rapide. Décision : on réparera en priorité les trottoirs proches des stations de métro. Conséquence : on signale de nombreux cas d'entorses dues aux trous dans les trottoirs.

Le manque d'essence — à peine 700 m³ sont disponibles par mois — oblige à supprimer plusieurs lignes d'autobus. Mais l'huile aussi fait défaut ; on pense à cultiver les plantes oléagineuses, mais le rendement sera tardif ; pourquoi ne pas fabriquer de l'huile synthétique ? Oui, mais il faut de l'énergie, et on en manque. Autre cercle vicieux.

Et l'eau ? Avant la guerre, Paris en consommait 600 000 m³ potables par jour, 830 000 aux périodes de pointe, provenant pour les deux tiers de l'eau de source, et pour un tiers de l'eau filtrée. En outre, l'industrie utilisait 600 000 m³ d'eau non potable. Les 29 usines de traitement connaissent de grosses difficultés par suite du manque de mazout et de graisses, et l'arrivage d'un charbon de mauvaise qualité, parce que Paris était coupé du Nord et du Pas-de-Calais rattachés à l'administration militaire allemande de Bruxelles. Grâce aux stocks d'avant-guerre, le service peut cependant marcher ; on installe dans les usines, c'est le système D, des moteurs diesel susceptibles de fonctionner à l'huile de goudron de houille. Mais, par mesure d'économie, les caniveaux ne sont plus lavés qu'un jour sur deux, les fontaines publiques s'arrêtent de couler et on réduit le débit du lavage des égouts. L'approvisionnement en eau n'est cependant pas rationné, car le manque de charbon a réduit la consommation en supprimant pratiquement les bains chauds et en réduisant le nombre des lessives.

Par ses égouts, sur 1 500 km de canalisation, Paris évacuait chaque jour 1 200 000 m³ d'eaux usées, plus les eaux de pluie. L'écoulement des eaux s'effectuant selon la pente, et donc sans consommation d'énergie, il ne subit pas de perturbation. Mais on ne peut plus curer régulièrement les égouts, faute de bottes d'égoutier ; l'administration municipale a beau faire installer deux ateliers de réparation, les visites dans les égouts diminuent ; résultat, les rats prolifèrent et ils passent des égouts dans les maisons parce qu'ils ont faim, eux aussi. Quant aux rues, les immondices s'y entassent, leur balayage ne pouvant plus être assuré de façon mécanique, faute de machines ou faute d'essence ; il faut employer, à la main, des balais de bouleau, et on n'en trouve pas.

De temps en temps un oukase de l'autorité occupante règle une question, par une interdiction. Ainsi, en juin 1942, l'occupant impose l'arrêt de tous les travaux publics et privés ; pas pour tout le monde, puisque le rapporteur compétent dit qu'il faut procéder à des « aménagements » pour les Allemands et parfois aussi a du « gros œuvre » ; mais il ne donne pas de précisions. De toute façon, la construction d'immeubles est interrompue. En octobre 1942 une décision pénible est prise : on ne relogera dans les « habitations bon marché » (HBM) que les familles comptant au moins quatre enfants de moins de 16 ans.

Cependant, le Conseil municipal a ses bonnes œuvres, notamment pour les 120 000 Parisiens prisonniers de guerre, dont près de 3 000 agents de l'administration ; il est rare qu'une séance ait lieu sans que soit rendu hommage à leurs souffrances qui « régénèrent la France » — autre thème vichyste de la résurrection par la peine et la douleur. Un concours de constructions urbaines, pour l'après-guerre évidemment, est organisé pour les architectes des stalags et des oflags. En 1943, deux crédits de 500 000 F sont votés pour envoyer aux « prisonniers de l'Hôtel de Ville » un colis de livres et, pour ceux qui appartiennent « aux plus petites catégories du personnel », un paquet de victuailles tous les deux mois. En 1944 — la propagande allemande est bien servie — cette aide est étendue aux prisonniers transformés en travailleurs civils, et aux ouvriers parisiens volontaires de la « relève »... pour aller travailler outre-Rhin.

Et puis, comme les préfets, les conseillers municipaux rêvent. Ils préparent l'après-guerre. Ils sortent des cartons des administrations des projets qu'ils rafistolent ; la « zone », cette lèpre des pourtours de Paris, commence à être détruite, et les 40 000 personnes qui y habitent logées ailleurs ; six stades sont en construction ; chacun aura un bâtiment de douches ; on l'espère du moins car, en 1942, les travaux sont arrêtés. On reparle de rajeunir les Halles et les abattoirs de la Villette, ou d'effectuer une opération de décentralisation en les déplaçant ; il est question d'aménager les bords de la Seine à Bercy, et de joindre par une « ceinture verte » les bois de Boulogne et de Vincennes ; le prolongement de plusieurs lignes de métro n'est pas oublié (gare du Nord-mairie de Pantin ; porte de Charenton-mairie de Charenton ; porte de Saint-Ouen-carrefour Pleyel) ; encore en juillet 1944, la ville envisage l'achat d'un hôtel pour y installer un musée du costume.

Comment ne pas penser aussi au pire, aux bombardements, aux combats ? Le Conseil municipal voudrait que Paris fut déclaré ville ouverte, mais la décision ne dépend pas de lui. Il fait alors réserver, du moins en principe, 300 000 places de « refuge » en Seine-et-Marne, dans l'hypothèse où des quartiers entiers seraient incendiés. En juin 1944, on envisage sérieusement d'évacuer tous les enfants, en fermant les écoles ; l'idée est abandonnée faute de moyens de transport, et en raison des fréquents mitraillages des convois. Quant à l'après-guerre, une commission s'est inquiétée des problèmes que posera la réinsertion des prisonniers de guerre, des requis du STO, des réfugiés [15]. Démuni de pouvoirs réels, il était difficile au Conseil municipal de faire plus et mieux.

Une université surveillée, mais non dirigée

L'emprise de l'occupant s'est appesantie sur tous les services de l'Etat, comme sur toutes les activités de Paris. Il serait fastidieux de l'étudier, et de la mesurer, dans toutes les administrations. Nous retiendrons l'Université et la Justice, car elles nous paraissent, l'une et l'autre, significatives, à des titres divers et différents.

A Vichy, on pensait que la défaite avait des causes « morales, au premier rang desquelles on plaçait la mauvaise éducation dispensée par l'école « laïque et républicaine ». Mais l'occupant allemand n'avait cure que les écoles normales soient supprimées, que l'enseignement du catéchisme devienne quasi obligatoire comme l'avait voulu Chevalier, ou seulement celui des « valeurs spirituelles » comme en avait décidé Carcopino, et que l'enseignement soit gratuit ou payant dans les lycées à partir d'un certain niveau. Si ces questions divisaient les Français, si l'épuration du corps enseignant opposait celui-ci au nouveau régime, tant mieux, puisque ces querelles affaiblissaient la France. Aussi bien, l'occupant était-il seulement préoccupé par le maintien de l'ordre dans l'Université, un ensemble humain par nature assez contestataire. Mais il n'est pas intervenu dans la gestion de l'Université ; il a applaudi, mais il n'a pas suscité, la création à la Sorbonne de deux chaires du judaïsme, propres à alimenter en arguments pseudo-scientifiques sa vaste entreprise de spoliation et d'extermination des Juifs. Il n'a pas fait pression sur l'enseignement, sauf à essayer parfois de diffuser des brochures de propagande.

Certes, le commandement allemand a son responsable des problèmes universitaires, en la personne du Dr Südhof, dans le civil directeur général de l'enseignement technique allemand, que J. Carcopino décrit comme un « avenant quinquagénaire, tout en rondeur, le corps grassouillet, la parole d'une volubile affabilité » et ne « respirant qu'un nazisme fort atténué ». Avec lui, on peut espérer s'entendre. Le problème pour l'occupant est que l'Université ne devienne pas un foyer de troubles, et c'est pourquoi toute manifestation y est strictement interdite, surtout si sa motivation est patriotique, comme la célébration de l'anniversaire de l'armistice le

15 Noël PINELLI, conseiller municipal, conférence à l'Ecole des cadres administratifs de la Préfecture de la Seine, le 28 mars 1944, texte à la « Bibliothèque administrative de la ville de Paris », collection du *Bulletin municipal officiel*; Y CAZAUX, *op cit.*, p 19

11 novembre. Plus grave est le fait que, dans les facultés et dans les lycées il existe une minorité de collaborateurs, professeurs ou élèves, voire de miliciens et « d'hommes de confiance », qui écoutent et dénoncent ; ces hauts lieux de la discussion libre deviennent les places fortes du silence, de la méfiance réciproque, des propos feutrés.

Ce qui gêne l'Université, au point parfois de la paralyser, c'est l'occupation elle-même, avec ses conséquences. D'abord l'occupation des locaux. Les écoles militaires, Polytechnique et Saint-Cyr, avaient été évacuées en zone sud. Les Allemands s'étaient installés, partiellement ou totalement, à l'Ecole Normale Supérieure, l'Ecole Centrale, l'Ecole des Arts décoratifs, dans plusieurs bâtiments de la Cité Universitaire, et dans nombre de lycées, collèges ou écoles primaires. Cependant, l'Université avait fait front, et repris rapidement une existence apparemment normale. Au cours de l'été de 1940, les écoles primaires étaient restées ouvertes pour accueillir les enfants qui n'étaient pas partis ; elles ne fermèrent que du 15 au 30 septembre. Les épreuves du baccalauréat, prévues pour les 10 et 11 juin, avaient été ajournées, elles eurent lieu les 28 et 30 juillet, les résultats furent connus en septembre, mais il n'y eut pas d'oral ; la session de repêchage d'octobre, par contre, se déroula de la façon habituelle. Les examens de licence de juin furent reportés en septembre et octobre. L'Ecole Centrale rouvrit ses portes le 7 octobre, l'Ecole Normale Supérieure le 19, l'Ecole des Beaux-Arts le 24 ; le Conservatoire des arts dramatiques et lyriques ne cessa jamais de fonctionner, mais les examens de « fin d'année » avaient été reportés en octobre. Le Musée de l'homme, le Musée Carnavalet, et certaines salles du Musée du Louvre, qui contenaient des sculptures trop lourdes pour avoir été mises à l'abri, recommencèrent à accueillir des visiteurs entre août et octobre [16].

Une vie culturelle recommença donc assez vite à se manifester à Paris, allant de pair avec la réouverture des salles de spectacles, théâtres ou cinémas. Les autorités occupantes ne s'y opposèrent pas, au contraire ; les Musées furent envahis par des troupes de touristes « vert-de-gris », et il arriva que des « étudiants en uniformes allemands » viennent s'asseoir sur les bancs de la Sorbonne, auditeurs attentifs des maîtres français.

Cela n'empêcha évidemment pas l'Université de subir, comme l'ensemble des Parisiens, les effets de la grande crise engendrée par la défaite. De nombreux professeurs et instituteurs manquaient, prisonniers de guerre ou partis en zone sud, notamment, bien sûr, les Israélites. Quant au nombre des élèves et des étudiants, il ne cessa de diminuer. Alors que 5 019 classes étaient ouvertes en 1939-1940 dans l'enseignement primaire, il n'y en eut plus

16. J. CARCOPINO, *Souvenirs de sept ans*, Flammarion, 1953, p. 211-242 ; P. AUDIAT, *op. cit.*, p. 69-70.

que 4 748 en 1940-1941 et 4 625 en 1941-1942. Le nombre des élèves qui les fréquentaient tomba, de 214 000 en 1939-1940, à 98 000 en 1940-1941 à cause de l'exode ; par la suite, en raison de l'évacuation de nombreux enfants, l'effectif total ne redevint jamais égal à ce qu'il était avant-guerre, et dégringola même à 109 000 en 1943-1944. La situation ne redeviendra normale qu'après la fin des hostilités, pour l'année scolaire 1945-1946.

Il en fut de même pour les étudiants des cinq facultés. Au total, ils étaient 35 000 en 1939 ; la mobilisation de certains, l'exode des autres réduisirent leur nombre à 17 250 à la rentrée de 1940[17]. Par la suite, la captivité de guerre pour les uns, et surtout la réquisition pour le travail obligatoire pour la plupart, acceptée ou refusée firent que l'effectif total se fixa aux environs de 24 000 pendant l'occupation, pour remonter à près de 47 000 à la rentrée de l'automne de 1944. Pendant les années de guerre, les étudiants étrangers étaient passés de près de 6 000 en 1939, à guère plus de 1 100 dès 1941. Mais, pendant toute l'occupation, on compta une étudiante pour deux étudiants, et les facultés de droit et de médecine, fournisseurs des professions libérales, furent d'assez loin les plus fréquentées[18] ; sur ce point, l'occupation n'avait rien changé à une situation en rapport avec les structures sociales françaises de l'époque, le régime de Vichy étant « élitiste », comme la IIIᵉ République, avec seulement un peu plus de sévérité dans la sélection.

C'est la pénurie généralisée qui pose des problèmes ; malgré les précautions prises par l'administration, et les distributions spéciales, le papier, l'encre, les livres, firent vite défaut. Des directrices d'écoles se plaignent de n'avoir pas pu utiliser les crédits mis à leur disposition, car les livres et les cahiers promis ne leur ont pas été livrés ; en 1944, le responsable de l'administration reconnaît que les écoles ont été approvisionnées pour le tiers de leurs besoins ; il est décidé que les écoles seront fermées le samedi après-midi, pour économiser l'électricité.

Un ravitaillement convenable des enfants est l'objet de tous les soins des responsables ; les cantines sont multipliées, où les élèves pourront recevoir un repas chaud à midi. Première difficulté : se procurer des cuisinières pour faire cuire les plats, trouver aussi les casseroles, poêles et autres ustensiles nécessaires ; l'administration traite avec un fabricant qui se fait fort, en quelques mois, de satisfaire les commandes ; mais il réclame des « bons matières » de fer et d'acier, et l'administration ne peut pas lui en donner. D'autre part, les familles sont mécontentes qu'on réclame aux enfants les tickets réglementaires pour les mets servis ; beaucoup les gardent pour elles. Enfin, les rations théoriques, suffisantes en principe, ne peuvent pas toujours être distribuées. Un conseiller municipal raconte, au cours d'une réunion de

17 J. CARCOPINO dit même 15 498 régulièrement inscrits, *op. cit.*, p 229
18 *Annuaire statistique de la ville de Paris.*

commission, que, dans une école, on a donné une moitié d'œuf à un certain nombre d'enfants, pas à tous ; dans une autre, une soupe de 200 g ne contenait que 1,6 g de graisse ; ailleurs ont été consommés des fèves moisies. des choux-fleurs en mauvais état, des épinards pourris [19].

Et les instituteurs se plaignent, à juste titre, d'être surmenés, et insuffisamment payés. Toutes sortes de charges nouvelles leur incombent : ramassage du cuir, du cuivre, des vêtements, organisation de la « fête des prisonniers », surveillance des cantines, de plus en plus fréquentées, tant et si bien que le personnel de service est parfois insuffisant pour l'épluchage des légumes ; les instituteurs touchent 6,50 F pour chaque déjeuner surveillé à la cantine, mais on leur retient 4 F pour leur propre repas. L'administration voudrait bien leur accorder des primes supplémentaires ; il lui faut ruser avec l'occupant qui, sur ce point, est inflexible : il s'oppose à toute augmentation des traitements et salaires, qui ferait monter le coût de la vie et diminuerait le pouvoir d'achat du mark.

Dans ces conditions, les dispositions les mieux intentionnées restent lettre morte. Ainsi, fort judicieusement, sous l'impulsion de Jean Borotra, il a été reconnu qu'une activité sportive était nécessaire pour la santé physique des enfants, et pour leur équilibre psychique. Mais les stades sont loin des écoles, et on manque de moyens de transport ; certains exercices s'avèrent plus nuisibles qu'utiles, pour des enfants sous-alimentés, amaigris, en mauvais état physique — rhumes, bronchites, otites, rhino-pharyngites prolifèrent. En 1942, l'administration décide de construire 30 terrains de sport dans Paris même, chacun de $1\,000\;m^2$; mais où ? et avec quoi ? Les architectes urbanistes présentent de belles maquettes, mais les moyens font défaut, pour les muer en constructions.

A tous ses niveaux, l'Université connaît donc de grandes difficultés d'existence et une mutation, assurée par l'épuration des maîtres et les changements de programmes ; mais elles résultent de la défaite, de l'installation du régime de Vichy et des conditions générales créées par l'occupation, plus que de la volonté délibérée de l'occupant. Les autorités occupantes la surveillent, et leur surveillance deviendra de plus en plus tatillonne avec l'institution du Service du Travail Obligatoire qui touche les étudiants ; elles ne la dirigent pas. Par contre, leur hostilité est manifeste, et destructrice, à l'égard des mouvements de jeunesse.

En effet, l'ordonnance du MBF du 28 août 1940, concernant les « associations, réunions, marques distinctives et pavoisements », suspend l'action des « associations qui ne sont pas fondées sur le droit public ». De ce fait, les associations de jeunesse ne sont pas autorisées en zone nord, alors qu'elles prolifèrent en zone non occupée, le régime de Vichy, comme tout régime

19. Comptes rendus des réunions des commissions, in *Bulletin municipal officiel.*

nouveau, misant sur la malléabilité des jeunes esprits pour asseoir son emprise sur l'opinion publique. Se fondant sur leur propre expérience, les Allemands voient dans tout mouvement de jeunesse une possibilité de formation paramilitaire, appelée par nature à devenir le creuset d'un esprit patriotique et d'une volonté de revanche.

Une tentative pour faire accepter le scoutisme échoue en décembre 1940 ; cependant, celui-ci subsiste partiellement et semi-clandestinement, des sorties plus ou moins surveillées étant organisées dans les bois aux environs de Paris. Mal accueilli en zone occupée, le secrétariat d'Etat à la jeunesse réussit cependant à y créer des centres de jeunes chômeurs et de formation de cadres ; des « centres d'entraînement aux méthodes actives » camouflent l'activité du scoutisme. Une seule formation de zone sud, les « Jeunes du maréchal », est admise en zone nord ; à Paris, ses adhérents sont souvent mis en évidence lors de manifestations « franco-allemandes », où ils ont la charge d'assurer l'ordre et de former des « haies d'honneur », par exemple à la gare du Nord, lors du retour des quelques prisonniers de guerre libérés en application de la « relève ». Surtout, fin 1941, sont instituées des « équipes nationales », avec un objectif de « service social » continu de douze à vingt ans et de « service civique discontinu » de quinze à vingt ans ; leurs membres seront utilisés à des travaux apparemment d'intérêt charitable, mais aussi d'une incontestable volonté de propagande, comme le déblaiement des rues et les secours aux sinistrés à la suite de bombardements de Paris par l'aviation britannique[20].

Mais Paris n'est pas, par suite de l'opposition de l'occupant, la capitale d'une « nouvelle » jeunesse issue de la défaite, et de la réflexion sur ses causes. Pour les mêmes raisons qui les ont poussées à ne pas vouloir unifier les groupements de collaboration, les autorités occupantes ont refusé que soit créé en zone occupée l'équivalent des jeunesses national-socialistes. Seuls paradent dans les rues, d'autant plus bruyants qu'ils sont peu nombreux, les adhérents des groupements de jeunesse institués, en toute rivalité, par le PPF, le RNP ou le Francisme.

Une justice dépossédée

L'autorité occupante s'était réservée, et c'était son droit le plus strict, la répression de toute action délictueuse commise par les services de l'occupation, militaires ou civils ; ils n'étaient justiciables que devant des tribunaux allemands, et la justice française ne pouvait pas plus les sanctionner que la police française n'avait le pouvoir de les déférer devant elle.

20. A. BASDEVANT, « Les services de jeunesse pendant l'occupation », in *Revue d'histoire de la Deuxième Guerre mondiale*, octobre 1964.

En application tant de la convention de La Haye que de la convention d'armistice, l'autorité occupante voulut aussi contraindre la justice française à punir tous actes hostiles commis par des Français, et à prononcer des peines conformes à ses désirs. Deux ordonnances obligèrent ainsi les « autorités françaises de persécution pénale » (*sic*) à soumettre « au tribunal allemand le plus proche » tout ce qui concernait des crimes ou délits commis contre des Allemands ou même, par une extension discutable d'un droit réel, commis dans des locaux affectés aux Allemands (sabotages, incendies, détériorations diverses, etc.). De plus, à la demande des tribunaux allemands, les « autorités françaises de persécution pénale » devaient appliquer les peines décidées par les tribunaux allemands, ce qui revenait à ôter aux juges français toute possibilité de décider selon leurs propres opinions, ou en application des lois françaises, pour en faire des exécutants dociles de décisions allemandes. Par un abus évident, ces dispositions eurent effet rétroactif et durent jouer pour des faits commis avant que l'armistice fût signé.

Mais, allant plus loin encore, et outrepassant manifestement leurs droits, les autorités allemandes intervinrent de plus en plus fréquemment dans l'exercice de la justice française ; elles s'octroyèrent le « droit de grâce » pour des Allemands ou des étrangers condamnés et emprisonnés en temps de guerre, notamment pour espionnage. Elles invitèrent notamment le procureur général près de la cour de Paris à ne pas exécuter « les condamnations pécuniaires pénales en matière de propos défaitistes », c'est-à-dire de propos tenus pendant la guerre même, et de nature à démoraliser l'opinion. Pis encore, l'autorité militaire allemande obligea le parquet à interrompre les poursuites engagées contre des citoyens français qu'elle entendait protéger, et à remettre les prévenus en liberté. Nous l'avons vu, ces interventions profitèrent dès juin 1940 à des militants communistes, mais aussi. par la suite, à des militants de groupes de collaboration, pour ne rien dire des intouchables agents de la Gestapo, à qui tous les crimes étaient permis, comme si les lois françaises les réprimant, et les tribunaux français chargés de les sanctionner, n'avaient pas existé.

Le régime de Vichy n'était pas loin de partager, à l'égard de la justice, l'opinion en vigueur dans les systèmes totalitaires ; il ne se préoccupait guère de son indépendance et il ne la concevait qu'aux ordres du pouvoir politique. Ainsi le 2 septembre 1941, jour de rentrée des cours et tribunaux, le maréchal Pétain fit prêter à tous les magistrats serment de « fidélité à sa personne », alors que ses actes constitutionnels et son comportement avaient montré à l'évidence qu'il ne concevait l'exercice de ses fonctions que par la concentration de tous les pouvoirs entre ses mains — le terme de « servilité » aurait mieux convenu que celui de « fidélité ». Tous les magistrats parisiens prêtèrent le serment sans élever la moindre objection, sans présenter la plus petite observation, ce qui en dit long sur leur tendance d'esprit à l'époque, une tendance dans laquelle ne prédominaient certes pas le courage et le sens civique. Tous, sauf un, M. Didier, juge au tribunal de la Seine, qui refusa le serment quand son nom fut appelé à l'audience ; il fut révoqué sur-le-champ pour son acte d'indépendance, baptisé indiscipline, puis emprisonné.

Comme les dirigeants de Vichy multiplièrent les tribunaux spéciaux — tribunal d'Etat, cour de Justice, cours martiales, cours criminelles extraordinaires, tribunaux du maintien de l'ordre, etc. — et qu'ils confondirent justice et politique, justice et police, les décisions arbitraires de l'occupant ne les gênaient pas parce qu'ils en réprouvaient la tonalité totalitaire, mais parce qu'ils voulaient que fût respectée leur autorité en zone occupée ; ils protestèrent donc contre certaines mesures allemandes ; ils firent valoir que, en France, les décisions de justice étaient exécutoires d'elles-mêmes et que, puisqu'elles étaient rendues au nom du Chef de l'Etat, leur remise en cause était un outrage à la sacro-sainte personne de celui-ci. Après plusieurs mois d'attente où ils se comportèrent comme si cette protestation n'avait pas existé, les Allemands répondirent que « la puissance occupante disposait de tous les droits découlant de la souveraineté nationale », et qu'ils n'avaient pas violé la convention de La Haye. Les dirigeants de Vichy livrèrent un dernier baroud de principe en arguant que « la puissance occupante ne pouvait se substituer à l'Etat occupé que si celui-ci était défaillant » ; autrement, et le nouvel Etat français ne pouvait pas être taxé de défaillance, « l'occupant était tenu de respecter les lois en vigueur dans le pays » Cette ultime protestation n'eut même pas l'honneur d'une réponse. L'occupant continua de procéder comme il l'entendait, et le gouvernement de Vichy se soumit, quand il ne jugea pas « politique », dans la poursuite d'une illusoire collaboration, d'aller au-devant des désirs allemands ; la justice en fit autant. Sa soumission apparut dans toute sa plénitude lorsque commencèrent les attentats contre des militaires de l'armée d'occupation [21].

Le 23 août 1941, au lendemain de l'exécution par le communiste « Fabien » de l'aspirant Moser, le représentant du ministre de l'Intérieur, Ingrand, convoqua à son bureau le préfet de police, le représentant du ministère de la Justice et le procureur général à Paris. Il leur révéla la décision allemande de fusiller 50 otages parmi les Juifs détenus sauf si, avant le 28 août, date prévue pour l'enterrement de Moser, six condamnations à mort pour « activité communiste » étaient prononcées par un tribunal français.

On devine le grand embarras et le drame de conscience des dirigeants de

---

21. *Vobif* des 29 juillet 1940 et 10 février 1941 ; comptes rendus de la *Délégation française auprès de la Commission allemande d'armistice, op. cit.*, t. IV, p. 77-78, 410 et 616 ; Pierre ARPAILLANGE, *La simple justice*, Julliard, 1980 ; Henri MICHEL, *Le procès de Riom*, Albin Michel, 1980 ; témoignage de Maurice GABOLDE, in *La Vie de la France sous l'occupation, op. cit.*, p 619-644 ; *Procès de Brinon, op. cit.*, p. 115

Vichy. Refuser était porter un coup mortel à la politique de collaboration bien malade certes, mais dont l'échec définitif aurait pu se traduire par un accroissement de la rigueur de l'occupant ; c'était aussi, comme plaidera Gabolde après la guerre, laisser l'autorité occupante exercer seule la répression ; jusqu'à quels excès risquait de la porter sa colère ? Mais les dirigeants de Vichy n'hésitèrent pas longtemps, et ils allèrent, dans la satisfaction des désirs du vainqueur, aussi loin qu'il était possible ; très loin aussi dans la négation des principes de la plus élémentaire justice ; leur anticommunisme de toujours, encore accru par le ressentiment provoqué par l'agrément donné par le parti au pacte germano-soviétique, ne contribua pas pour peu à leur aveuglement volontaire.

Une loi élaborée très rapidement à Vichy, publiée au *Journal officiel* le 24 août — on n'avait pas perdu de temps ! —, mais antidatée du 14 août, créa des « sections spéciales » auprès des cours d'appel, chargées de réprimer « les activités communistes et anarchistes ». Celle de Paris fut installée le 26 août et commença à siéger le 27, après qu'un premier magistrat, pressenti pour la présider, se fut récusé. Gabolde, procureur général à Paris, fit ajouter au texte de la loi une clause lui donnant effet rétroactif.

Les trois premiers condamnés à mort furent deux communistes déjà condamnés en première instance, et un troisième, pas encore jugé ; ils n'avaient rien à voir avec l'attentat, puisqu'ils étaient en prison lorsqu'il avait été perpétré ; ils furent punis de la peine de mort alors que, d'après la législation en vigueur, ils ne méritaient que quelques années de prison. L'occupant avait exigé six condamnations ; il ne se contenta que de mauvaise grâce des trois accordées ; aussi bien, trois autres suivirent en septembre.

Ainsi, pour plaire à l'autorité occupante, des juges français envoyèrent à la mort des Français totalement innocents des actes qu'on voulait punir, uniquement parce qu'on les soupçonnait idéologiquement proches des présumés, mais inconnus, coupables. On ne peut imaginer justice plus injuste.

5.

Travailler pour le roi de Prusse

Dès la fin de 1940, tout espoir de victoire rapide sur la Grande-Bretagne s'étant évanoui, l'Allemagne, contrairement à la stratégie, adoptée et réussie jusque-là, de campagnes courtes et décisives, dut s'adapter à une guerre longue. Elle entreprit pour cela un grand effort de concentration et de rationalisation de son économie, qui devint encore plus nécessaire lorsque la Wehrmacht commença à s'enliser dans une guerre d'usure en URSS. Toutes les fabrications non utiles à la guerre furent diminuées, voire prohibées. Cet effort de rendement maximum fut étendu naturellement aux territoires conquis ; comme la France était le plus peuplé et le plus riche, les autorités occupantes s'employèrent à faire de l'ancien ennemi vaincu un auxiliaire de son vainqueur, en réduisant son économie à un appendice de celle du Reich, et en libérant de la main-d'œuvre pour la transférer Outre-Rhin. Ainsi, la France entière, et Paris en particulier, travailla pour la victoire de son ennemi, une victoire qui aurait asservi les Français pour bien longtemps si elle s'était réalisée.

La mainmise allemande sur l'économie

Le commandement allemand avait imposé un ensemble de mesures soigneusement préparées, et édictées avant même que l'attaque eût été lancée, le 10 mai 1940. Ainsi, l'ordonnance du 3 mai avait prévu que « l'administration centrale du Reich, qui a son siège à Berlin, pouvait émettre des billets et des monnaies dans les territoires occupés, procéder aux opérations de paiement et de crédit, effectuer toutes opérations bancaires, consentir des prêts avec intérêt, accepter des dépôts de fonds ». C'était superposer tout un système bancaire allemand au système français, supposé défaillant ou non coopérant. Le 15 mai, les billets et monnaies émis deviennent monnaie légale dans les territoires occupés. Le siège de la caisse de crédits pour la France, établi d'abord à Saint-Quentin, est transféré à Paris le 21 juin 1940.

Il fallait aussi éviter que les machines ne s'arrêtent de tourner, et que la défaite française n'engendrât une crise économique préjudiciable aux intérêts allemands. A cet effet, l'ordonnance du 14 mai, prise avant que la victoire de Sedan soit certaine, stipule que « tous les chefs responsables d'entreprises sont obligés d'administrer leurs affaires ». Obligés! « Tout manquement est puni de prison »! Si les chefs sont absents ou n'obéissent pas, l'administration militaire pourra nommer des administrateurs provisoires, dont elle fixe les traitements et le comportement, qui auront « toutes les attributions des propriétaires et pourront traiter toutes les affaires et actions d'ordre juridique et non juridique ». Pour que les richesses françaises ne lui échappent pas, le 23 mai 1940, le « demi-vainqueur » — on ne se bat pas encore dans la poche de Dunkerque, et Paris est encore loin — décrète que « l'exportation et le transit de marchandises des territoires occupés sont interdits avec les pays ennemis et avec la France non occupée ».

En même temps, le 20 mai 1940, l'autorité militaire allemande s'était octroyée un droit de réquisition illimité, « dans l'intérêt des territoires occupés », affirmait l'ordonnance, non sans hypocrisie. N'étaient exemptes de réquisition que « les marchandises ne dépassant pas, dans les ménages, un approvisionnement convenable ». Bref, le vainqueur en herbe était décidé à laisser aux Français tout juste de quoi subsister, et s'arrogeait le droit de disposer de tout le reste. Pour que rien ne puisse lui échapper, les chefs d'unités « pourront demander à quiconque des renseignements concernant la situation économique, les stocks, la consommation » ; et le texte, où tout était prévu, ajoutait que ces renseignements seraient donnés gratuitement — « aucune indemnisation ne sera accordée, en aucun cas » [1].

C'est le *vae victis* dans toute son ampleur. Présomption, assurance, ou préparation qui ne laisse rien au hasard? Avant même l'armistice, le vainqueur s'était attribué la pleine autorité, et la totale possibilité d'exploitation, de l'économie française. Certes, on était alors en guerre, il fallait brandir la menace, et probablement l'administration militaire aurait été bien embarrassée s'il lui avait fallu véritablement exécuter ses ordonnances toute seule. Aussi bien, une fois la victoire acquise, l'autorité militaire fit quelque peu marche arrière. Son grand chef, Von Brauchitsch, interpréta la convention d'armistice dans un sens relativement restrictif ; selon lui, l'article 3 ne permettait pas d'utiliser les usines des territoires occupés pour la fabrication d'armements, mais seulement pour la production d'articles dont le Reich avait un pressant besoin. Quant à l'article 6, il n'autorisait pas à prendre en zone occupée des matières premières et du ravitaillement autrement que par les moyens commerciaux normaux.

Mais le maréchal Goering, responsable du plan de quatre ans et, à ce titre, dictateur de l'économie de guerre allemande, était d'un tout autre avis, et

---

1 Ordonnances des 3, 14 et 23 mai, *Vobif*, n° 3, 21 juin 1941, témoignage de LEHIDEUX in *La Vie de la France sous l'occupation, op. cit.*, t I, p 14-16

c'est lui qui l'emporta. Selon lui, nécessité faisait loi, et la convention d'armistice devait être interprétée dans le sens le plus favorable au vainqueur ; la France avait déclaré la guerre, elle l'avait perdue, elle paierait les pots cassés ; elle était riche, elle paierait pour elle et pour d'autres territoires occupés plus pauvres. Goering décida d'ôter les questions économiques aux militaires, et il fit créer auprès de la Commission allemande d'armistice, à Wiesbaden, une commission « économique » spéciale, dirigée par le ministre Hemmen, dont l'objectif fut ainsi déterminé : « placer l'économie de la zone occupée *au service* de l'économie de guerre allemande » et, pour parvenir plus facilement à ce but, « opérer de façon qu'une administration française en bon ordre ne puisse pas fonctionner en territoire occupé » ; ainsi, les administrateurs français, privés de directives et non encadrés, pris individuellement, seraient plus malléables aux exigences allemandes ; cette directive revenait à refuser au gouvernement français tout pouvoir sur l'économie de la zone occupée, alors que la convention d'armistice le lui reconnaissait [2].

Par la suite, Abetz essaya en vain de faire adopter un comportement moins rigoureux, et plus politique ; il déclara à Georges Bonnet, qui s'empressa de le rapporter à Baudouin, alors ministre des Affaires étrangères à Vichy, que « Hitler se montrerait favorable à un desserrement de l'étreinte allemande sur la France » — une déclaration qui ne contribua pas peu à faire persister à Vichy l'illusion de la possibilité d'une entente avec l'Allemagne, un moment espérée lors de l'entretien de Montoire entre Hitler et Pétain-Laval. En fait, l'étreinte ne fit que se resserrer toujours un peu plus. Lorsque Bouthillier, ministre des Finances, peut enfin se rendre à Paris et avoir des entretiens directs avec l'autorité occupante, il en revient épouvanté par, écrit-il, « le manque d'intelligence politique, la façon minutieuse et âpre de poser les problèmes, la manière harcelante de les reprendre inlassablement ». A Wiesbaden, la commission allemande d'armistice, tout en affirmant « qu'elle n'a pas l'intention de heurter trop directement le sentiment français », ne manque pas une occasion de rappeler que, « du point de vue du droit international, l'Allemagne peut exiger de la zone occupée toutes les prestations qui peuvent lui convenir ». Et lorsque, inquiet et exaspéré, un délégué français demande : « Mais enfin, que voulez-vous ? », il s'entend répondre par Hemmen, de la façon la plus catégorique : « Nous voulons tout » [3].

Pendant toute l'occupation, les fonctions de chef de l'administration militaire et de chef de la section économique furent exercées par le même

---

2. *Documents of German Foreign policy*, Londres, t. X, p. 118 et 128.
3. P. BAUDOUIN, *op. cit.*, p. 37 ; comptes rendus de *La Délégation française auprès de la Commission allemande d'armistice*, *op. cit.*, t. I, p. 212 ; Y. BOUTHILLIER, *Finances sous la contrainte*, Plon, 1951, t. II, p. 165.

homme, le Dr Elmer Michel. Ses services furent étoffés de façon à pouvoir encadrer toute l'économie française dans les mailles serrées d'un réseau de surveillance, plus serrées encore à Paris qu'en province. Les méthodes adoptées, et adaptées, furent : blocage rigoureux des salaires et des prix français, de façon à laisser tout son pouvoir d'achat au mark et toute sa valeur à l'indemnité d'occupation ; démarches pour trouver et s'attribuer les stocks ; passation directe de commandes, alléchantes pour des chefs d'entre-prise alarmés par le marasme des affaires et la lourdeur du chômage ; prise de participations dans les affaires les plus diverses, de façon à faciliter l'exploitation immédiate et à préparer l'insertion définitive dans une Allemagne victorieuse. Dès le 22 juillet 1940, « pour donner du travail aux ouvriers français » et « nourrir la population française », Hemmen, le bon apôtre, exige que les industriels allemands, à l'affût de bonnes affaires, puissent circuler non seulement en zone occupée, où ils sont chez eux, mais aussi en zone non occupée. Plusieurs organismes allemands s'installent à Paris pour lancer la collaboration économique : « Centre des organisations économiques allemandes », groupement franco-allemand dit de « la table ronde », « Revue économique franco-allemande » ; des banques françaises fournissent des crédits pour l'installation des offices chargés de financer les produits industriels franco-allemands. Naturellement, les groupements de collaboration prêchent dans le même sens, et la presse asservie célèbre, à longueur de colonnes, la qualité, et la nécessité des productions franco-allemandes [4].

Toutes les fois qu'il le peut, l'occupant préfère une coopération volontaire à une collaboration sous la contrainte. Mais il ne se prive certes pas des possibilités que peut offrir celle-ci, et il se dote de tout un arsenal réglementaire, dont voici quelques exemples. Pour « assurer une utilisation rationnelle » — c'est toujours dans l'intérêt des Français, que les mesures les plus contraignantes sont prétendument prises — l'administration militaire, en juillet 1940, s'arroge le droit de réglementer la fabrication de certains produits, et d'obliger les entreprises « à vendre ou à acheter à des personnes déterminées », c'est-à-dire des courtiers travaillant pour les Allemands, évidemment ; elle pourra aussi interdire certaines ventes ou certains achats. Si les services compétents autochtones continuent à lever les impôts, des possibilités de « contre-mesures » allemandes, non précisées, sont décrétées — ce qui laisse planer la menace, en cas de besoin, de main basse directe sur les caisses publiques. Naturellement, pour l'interprétation des ordonnances et pour les litiges auxquels pourrait donner lieu leur application, seul le droit allemand fait loi ; c'est clairement stipulé le 2 octobre 1940.

4. P. AUBE, « Une méthode, un bilan », *Cahiers d'histoire de la guerre*, n° 4 mai 1950 P ORY *op cit.*, p. 46-48

Le 20 novembre 1940, un pas de plus est fait vers l'appropriation éventuelle des entreprises : l'autorité militaire peut nommer « des délégués spéciaux » dans les usines, pour garantir leur collaboration. Le propriétaire de l'usine reste en place, mais « il doit informer le délégué sur toutes les installations et les faits importants » ; le délégué participe à toutes les conférences, examine la comptabilité ou « tout autre document », et décide « des visites des personnes étrangères à l'usine » ; aucun Allemand ne sera donc écarté.

Dès l'automne 1941 apparaît chez l'occupant l'intention de fermer d'autorité toute entreprise ne présentant pas d'intérêt pour l'effort de guerre ; la décision est prise le 25 février 1942 ; c'est le Feldkommandant qui a pouvoir de décréter la fermeture. L'ordonnance du 22 avril 1942 stipule qu'un minimum de travail peut être imposé aux entreprises ; le chef de l'entreprise visée doit signaler le nombre et les catégories des ouvriers libérés par ce travail minimum ; ce sera autant de main-d'œuvre disponible pour aller travailler Outre-Rhin, et le chef de l'entreprise est incité à « collaborer loyalement » — on lui a fait sentir la menace de la réquisition.

A partir de mai 1942, tout projet de construction dont le devis dépasse 100 000 F doit être autorisé par l'occupant ; le 14 novembre 1943, ce sont « tous travaux de bâtiment et de génie civil, d'entretien et de réparation » qui sont interdits, à l'exception « des travaux de constructions militaires ordonnés par le commandant à l'Ouest » — il s'agit de réserver béton et maçons au mur de l'Atlantique, que l'Organisation Todt a reçu mission d'édifier[5].

Ainsi, peu à peu, toute l'économie française passera sous contrôle allemand, surtout à partir du moment où un ministre « technocrate » de Vichy, Bichelonne, se donnera pour objectif de préparer la place de la France dans une Europe dominée par l'Allemagne. A l'été et à l'automne de 1940, l'opération « collaboration économique » commencera d'autant plus facilement que de nombreux chefs d'entreprise verront dans des commandes de l'occupant le seul moyen de sortir de la grave crise engendrée par la défaite.

Le grand marasme de l'été et de l'automne quarante

Petit à petit, courant juillet 1940, Paris retrouve sa physionomie coutumière ; les grands magasins ont rouvert leurs comptoirs, mais en employant le quart de leur personnel d'août 1939. La plupart des détaillants ont levé leurs

5. *Vobif* des 10 juillet 1940, 2 octobre 1940, 30 novembre 1940, 25 février 1942, 30 avril 1942, 22 mai 1942, 25 novembre 1943.

rideaux et dressé leurs étals. Les ouvriers aussi ont repris le chemin de leurs tours ou de leurs établis. Parfois l'effectif est à peu près complet — 500 ou 600 aux ateliers de la SNCF à Levallois ; mais, la plupart du temps, les ateliers sont encore vides en août ; 1 550 ouvriers seulement, sur 21 000, chez Citroën, 2 000 chez Renault, pour 25 000 ; parfois moins encore, 100 seulement sur 2 000 aux « chantiers de la Loire » à Saint-Denis, et pas plus aux « usines Goodrich » à Colombes ; le reste à l'avenant. C'est partout insuffisant pour que les machines puissent recommencer à tourner, et pour faire autre chose que remettre l'usine en ordre.

Quand les Allemands ne se sont pas chargés de le faire en l'absence des propriétaires. Au début de juillet, le Commandant militaire a prescrit au major Hotlzheuer de remettre en marche les usines de la région parisienne ; deux de ses subordonnés reçoivent la responsabilité des usines Renault et Citroën, désormais placées sous la garde de l'armée allemande. D'autres établissements importants sont occupés de la même façon : Gnome et Rhône (9 000 ouvriers et employés avant juin 1940), Hispano-Suiza (5 000), l'arsenal de Puteaux (3 500), la cartoucherie de Vincennes (3 000), Farman (3 000), Bronzavia (3 000). Mais il ne suffit pas d'occuper les usines pour les faire redémarrer ; au début de septembre, aucune des entreprises citées n'est véritablement au travail. Aussi bien, l'occupant commence-t-il à faire de la propagande auprès des chômeurs pour qu'ils aillent travailler en Allemagne, notamment auprès de ceux de Hispano-Suiza.

D'autres ateliers, dont les « machines Masson » à Gennevilliers, ont été purement et simplement fermés par l'occupant. Celui-ci a démonté les machines et il les a emportées, sans oublier les stocks. C'est le cas, en particulier, de la « Société nationale de constructions de moteurs » d'Argenteuil, où 300 machines ont été enlevées, et où des centaines d'ouvriers viennent en vain, chaque jour, quémander du travail. Ailleurs, les Allemands ont déjà réussi à passer des commandes ; par exemple, à la « Compagnie industrielle de construction d'appareils mécaniques » à Clichy, ou aux « établissements Babock et Wilcox » à la Courneuve, qui fabriquent chaque jour six caissons métalliques destinés à embarquer des tanks sur des bateaux, préparation au débarquement en Angleterre [6]. Cette prospérité vite retrouvée fait envie à plus d'un industriel. Car, en règle générale, c'est le marasme le plus total qui sévit. Quand la main-d'œuvre est sur place, à peu près complète, avec ses ingénieurs et sa maitrise, il manque toujours quelque chose pour la remettre au travail ; ici, les stocks sont épuisés, ou ont été pillés, et la coupure est totale avec un lointain fournisseur, souvent situé en zone interdite ou en zone sud ; là, c'est la trésorerie qui fait défaut ; ailleurs,

6. Même genre d'activité pour le compte de l'occupant chez Latil à Suresnes, Durin a Nanterre, Unic à Puteaux.

ce sont les moyens de transport. ou l'essence ; la règle est pour tous qu'aucune commande n'est plus passée par les anciens clients.

Alors, on vivote. Les « usines Unic » à Puteaux emploient 800 ouvriers (sur 2 200) à des travaux de déblaiement et paient à chacun, cadres compris, un salaire de manœuvre. A Gennevilliers, aux « établissements Pieron et Poyet », un cinquième du personnel procède au nettoyage des ateliers Partout, le chômage est total et les licenciements ne sont évités que grâce à des semaines de travail réduites ; un jour sur deux chez Renault pour les 12 000 ouvriers revenus, 24 heures par semaine pour les 8 700 membres du personnel de Citröen, à la fin août. A « Carbone-Lorraine », c'est pis 50 personnes sur 1 550 ont du travail 24 heures par semaine.

Il est fréquent que des fabrications soient totalement arrêtées ; la pénurie de caoutchouc et de jantes paralyse complètement l'industrie du cycle ; tous les grands travaux sont interrompus ; les fabriques de meubles, la métallurgie en général, n'ont pas repris leur activité ; en septembre encore, la fabrication des conserves de charcuterie ne marche qu'à 30 % de sa capacité. L'industrie chimique fonctionne difficilement, et à raison de 30 heures par semaine. Les matières premières manquent pour les articles en cuir ou les vêtements ; l'huile de lin pour la peinture ; le plâtre, le ciment, le sable pour la construction, etc.

La situation est également dramatique pour les grands magasins, une fois les stocks épuisés, et ils le sont vite avec la nouvelle clientèle allemande, insatiable, et qui, certains jours, effectue à elle seule 40 % des achats. Fin 1941, une vingtaine de grossistes et demi-grossistes ont fermé boutique rue Saint-Martin et rue de Turbigo, une cinquantaine de magasins de tissus dans le quartier du Sentier, 109 dans le quartier du Temple, 186 dans les rues du Caire et d'Aboukir ; plusieurs centaines de détaillants envisagent d'en faire autant, selon les rapports de la police des renseignements généraux.

La plupart des commerçants mettent leurs employés en congé non payé, pour éviter les licenciements : 10 jours par mois à la Samaritaine. Fin août, au Printemps, 3 473 personnes travaillent 5 jours par semaine ; au Bazar de l'Hôtel de Ville, 938, trois semaines sur quatre ; aux Galeries Lafayette et au Bon Marché, un tiers du personnel a été mis à pied. Fin novembre, la situation ne s'est guère améliorée ; pour procurer des emplois, si précaires soient-ils, aux démobilisés, on a renvoyé à leurs foyers, un peu partout, les femmes dont le mari était employé dans le même établissement.

Et bientôt, les magasins n'ont plus rien à vendre car la clientèle, précautionneuse, a tout raflé en prévision de jours plus difficiles. Dès octobre, les rayons sont démunis de bas de fil et de coton, de coupons de soie. de tissus moletonnés, de flanelles, de lainages à prix courant. de laines pures à tricoter ; la bonnetterie, les gilets, les pull-overs sont introuvables : il est difficile de se procurer pardessus et imperméables. On peut encore acheter les articles les plus chers dans les magasins de luxe, des draps brodés ou en pur lin, des sous-vêtements de soie, mais ils se font eux aussi de plus en plus rares.

Les premières restrictions du gaz ont eu pour effet de faire dévaliser les boutiques des réchauds à alcool et des marmites norvégiennes. Faute de tissus, de nombreux tailleurs ferment leurs portes. Faute de cuivre, le fil électrique a disparu. Début décembre, dans la ganterie et la chemiserie, les pointures courantes sont introuvables ; on ne fabrique d'ailleurs plus de gants en peau, mais seulement en fil. La fabrication de la chaussure est tombée à 5 % de la normale ; celle des fourrures a eu la vie un peu plus dure, pour connaître en définitive le même sort. La Samaritaine vend des gilets plastrons isothermiques en papier.

A l'orée de leur premier hiver de guerre, les Parisiens mesurent combien leur situation a empiré. Personne, sauf les fonctionnaires, n'est assuré de conserver, ou de retrouver, du travail ; aucun fabriquant ne peut dire s'il sera en mesure de garder longtemps son entreprise ouverte. Le nombre de chômeurs secourus est évalué à 500 000, et ce n'est qu'une partie des chômeurs véritables. Tout le monde perçoit que c'est une conséquence de la défaite ; mais peu encore pensent que c'est la faute de l'occupant ; d'autant moins que, lorsqu'il s'en mêle, les affaires reprennent ; c'est le cas de la haute couture avec des clientes d'outre-Rhin à la place des américaines ; c'est le cas de la lunetterie, parce que l'autorité militaire a commandé 100 000 paires de montures en écaille, 80 000 en métal, et 200 000 verres de diverses catégories. Alors, si la permanence de l'emploi, et un minimum de prospérité, sont à ce prix, pourquoi ne pas se mettre au service des Allemands, de bon cœur, avec et pour eux[7] ?

Le contrôle des banques

Dans le système capitaliste, celui qui possède le pouvoir financier domine l'économie et peut l'orienter ; le Dr Schacht en avait fait la magistrale démonstration en finançant en temps de paix, à partir de son donjon de la Banque d'Allemagne, l'économie de guerre du régime nazi. En théorie, dans l'idéologie nationale-socialiste, le système capitaliste était honni, comme étant d'origine judéo-maçonnique, et l'or devait perdre son omnipotence. En réalité, les grands cartels avaient bénéficié de l'arrivée de Hitler au pouvoir ; dans l'Europe occupée, l'idéologie se réduisit à une action de propagande ; la réalité fut un grand effort, et une incontestable réussite, des autorités

---

7 Rapports des renseignements généraux ; rapports de la délégation générale, rapports du Préfet de la Seine

occupantes pour contrôler toute l'activité financière, afin de mieux asservir l'économie. Comme Paris était la capitale financière de la France, c'est à Paris que furent prises et appliquées les mesures concernant les sociétés anonymes, la Bourse et les banques.

Pour les sociétés anonymes, l'ordonnance du MBF du 28 septembre 1941 décréta que « les résolutions de leurs Assemblées générales et de celles des sociétés à responsabilité limitée ne seraient valables qu'après approbation par l'autorité militaire » ; il en serait de même pour le transfert du siège. Toutefois, comme un réel contrôle était pratiquement impossible, les résolutions seraient considérées comme approuvées lorsque l'autorité militaire n'aurait pas fait opposition dans un délai de trois semaines, « qui commencera à la date de la remise du texte au MBF ». Ainsi, faute de pouvoir tout contrôler, l'autorité militaire se réservait la possibilité d'annuler toute décision qui lui paraîtrait dangereuse, ou seulement suspecte. Cette ordonnance sera abrogée le 16 avril 1943, et elle n'avait jamais été appliquée jusque-là ; avec le temps, de plus, ne se sentant pas contestée dans ce domaine, l'autorité militaire pouvait à bon compte se teinter d'un semblant de libéralisme. Mais l'intention initiale était significative [8].

La Bourse de Paris reçut l'autorisation d'ouvrir ses portes le 14 octobre 1940, mais son activité fut systématiquement réduite ; les cotations à terme furent supprimées et l'activité du marché se limitera pendant cinq mois aux négociations de rentes françaises, valeurs du Trésor et obligations de sociétés françaises. Le public n'était plus admis et des gardiens contrôlaient les entrées ; les tractations se déroulaient donc en privé, entre spécialistes. Par la suite, les actions des sociétés françaises, à l'exception de celles d'Alsace-Lorraine devenues allemandes par une décision arbitraire du vainqueur, furent à nouveau admises à la cote officielle des agents de change ; puis un certain nombre de valeurs étrangères furent réintroduites progressivement. Mais, étroitement surveillée, sachant qu'elle serait fermée à nouveau au moindre prétexte, la Bourse vécut d'une existence ralentie [9].

L'occupant, en se comportant ainsi, avait voulu éviter, dans les sociétés anonymes, des transferts de propriété qui auraient pu, en particulier, freiner l'aryanisation des entreprises et, à la Bourse, limiter une spéculation qui lui aurait été dommageable. Mais c'est sur la circulation du crédit et donc sur les banques qu'il fit porter tous ses efforts de contrôle. Dès le 8 juillet 1940, le Dr Carl Schaeffer avait été nommé « Commissaire près la Banque de France et Chef de l'Office de surveillance des banques de France ». Son premier titre lui permettait de prendre connaissance de toute l'activité de la Banque de France, qui devait lui remettre chaque mois un état de la situation, et

8. Henri MICHEL, *Les Fascismes*, PUF, 1978 ; *Vobif* du 6 octobre 1941
9. *L'Illustration*, 26 avril 1941 ; P. AUDIAT, *op. cit., passim*.

d'opposer son veto à certaines mesures. Par le second, il avait le pouvoir, théorique, de contrôler « toutes les opérations de banque », caisses d'épargne comprises ; « d'examiner les livres et les écrits ; d'exiger les bilans ; d'interdire la disposition des valeurs et le remboursement des engagements », et de « changer les personnes ». Tous les frais engagés par cette procédure étaient à la charge des banquiers, qui devaient mettre en outre, gratuitement, à la disposition de l'Office, les locaux et le personnel nécessaire. C'était une véritable domination ; mais, pour s'exercer pleinement, elle exigeait un nombreux personnel spécialisé. Aussi bien, lorsque le régime de Vichy eut instauré une organisation corporative des banques, les pouvoirs du Commissaire et de l'Office furent abrogés à partir du 6 juillet 1941, parce que l'autorité occupante avait désormais en face d'elle, selon le système qui avait sa préférence pour l'ensemble des activités de la France, une autorité compétente, à qui il lui suffisait d'imposer ses décisions pour que celles-ci soient, par la suite, appliquées par l'ensemble des banques.

Aussi bien, si l'autonomie des banques françaises était en principe préservée, la pression exercée sur elles ne se relâcha pas. Le régime de Vichy dut accepter le droit, pour l'Etat allemand, d'établir des banques en France, jouissant des mêmes droits que les banques françaises, et de prendre des participations dans celles-ci ; ces banques allemandes pourraient recruter du personnel allemand jusqu'à 50 % ; et le commissaire auprès de la Banque de France serait représenté à la commission de surveillance des banques. En outre, toute mesure financière décidée à Vichy n'était appliquée en zone occupée qu'après approbation par les Allemands. Ainsi, une loi taxant les profits illicites ne fut approuvée qu'après 8 mois de discussion ; et, lorsqu'elle eut été promulguée, en juillet 1943, toutes les mesures de contrôle permettant de déceler l'enrichissement illicite se heurtèrent à un veto allemand, si bien que la loi resta lettre morte à Paris ; c'est que la plupart des profits illicites provenaient du marché noir et que, nous le verrons plus loin, dans son propre intérêt, l'autorité occupante avait donné à celui-ci son extension maximale. Elle n'allait pas se taxer elle-même [10].

S'il est vrai qu'une seule banque allemande fut ouverte à Paris, l'Aéro-Bank, filiale du ministère de l'Air et que, faute d'expérience, son rôle fut faible, par contre, nombreux et actifs étaient à Paris les services de surveillance de l'activité financière. Le « Devisendeutschkommando » est installé dans les locaux de la banque Lazard, 3-7, rue Pillet-Will ; il contrôle les devises. La « Reichskreditkasse », 43, boulevard des Capucines, s'occupe des opérations de change et de la mise en circulation des marks ; elle procède

---

10 *Vobif* du 26 juillet 1940 et du 17 juillet 1941 : Y. BOUTHILLIER, *op. cit.*, p 190-192 témoignage du ministre des Finances Cathala, in *La Vie de la France sous l'occupation. op cit* t 1 p 79-85

aussi à des achats de devises et d'or. En outre, un « bureau d'études financières » est installé à la Chambre des députés, sous les ordres du général Frosch. Les banques juives sont « aryanisées » et les avoirs de la banque Rothschild proprement confisqués. ce qui ne soulève aucune protestation de la part des confrères « aryens ». Les banques doivent bloquer et déclarer les valeurs étrangères, l'or et les devises leur appartenant ou appartenant à leurs clients ; elles doivent également remettre une liste de leurs clients possédant chez elles un coffre-fort, avec la date de la dernière visite du locataire du coffre *.

C'est sur ce point que l'asservissement des banques parisiennes apparaît dans toute sa noirceur. En effet, l'occupant décida de faire ouvrir les coffre-forts et d'en dresser l'inventaire. C'était violer les propriétés privées et manquer à un des engagements les plus formels des banques envers leurs clients. De l'enquête à laquelle nous nous sommes livrés, il résulte, sauf oubli ou erreur, qu'aucun banquier n'a refusé d'effectuer l'opération ; mais certaines personnes furent prévenues pour qu'elles puissent vider leurs coffres au préalable. Les coffres sont ouverts sous le contrôle d'agents du « Devisendeutschkommando », en présence des titulaires ; si ceux-ci n'ont pas répondu à la convocation, les serrures sont forcées. Liste est dressée alors des valeurs qui s'y trouvent. Si le propriétaire est Juif, tout est saisi automatiquement et le montant, évalué par la « Reichskreditkasse », est versé au compte séquestre des biens juifs. Si le propriétaire est « aryen », son or et ses devises lui sont achetés, parfois à des prix supérieurs à ceux en vigueur, pour allécher les vendeurs et traiter à l'amiable ; ce prix n'a pas grande importance puisque, de toute façon, les francs nécessaires sont d'origine française, ils proviennent de l'indemnité d'occupation. Le propriétaire pense qu'il est de son intérêt de vendre car, sinon, ses valeurs sont placées, en son nom, à un compte bloqué ; de toute façon, il ne pourra pas en disposer et il court le risque d'une réquisition à moindre prix [11].

L'occupant ayant grand intérêt à ce que l'activité industrielle reprenne pour qu'il puisse passer ses commandes, un bon fonctionnement des banques va dans le sens souhaité. Il se réjouit que, dès fin juillet 1940, les banques recommencent à payer les coupons, à ouvrir de nouveaux comptes courants, à consentir des avances aux entrepreneurs qui connaissent des difficultés de trésorerie. C'est la raison d'être des banques que d'agir de la sorte ; elles n'ont aucune raison de s'y dérober. Leur activité est d'ailleurs réduite et, lorsque l'entrepreneur est connu, elles n'ont pas, pensent les directeurs, à lui demander pour qui il travaille. L'organisation corporative fait d'ailleurs que.

11. Rapports des renseignements généraux ; Henri MICHEL, *Vichy, année quarante, op. cit.* p. 202-203 ; J. DELARUE, *Trafics et Crimes sous l'occupation. op. cit.*, p. 41-42.

* Elles doivent aussi signaler la création ou la suppression de tout guichet, les cessions de l'actif, les programmes de licenciement du personnel, etc.

sauf exception, les directeurs de banques n'ont pas affaire, directement, à l'occupant ; de toute façon, il leur faut placer des liquidités qui, avec le retour des « exodiens », sont devenues très élevées.

Alors, dans ces conditions, pourquoi ne pas jouer le jeu normal, celui pour lequel les banques existent : faire profiter leur argent et celui de leurs clients ? C'est ainsi que, pour prendre deux exemples, le Crédit Lyonnais coopère à la réquisition de la main-d'œuvre en se chargeant du transfert des économies des requis pour leurs familles, et en leur remboursant leurs frais de voyage. Il facilite l'acquisition des œuvres d'art par des Allemands, c'est-à-dire qu'il aide la saignée du patrimoine français par le système des « accréditifs » ; l'acheteur allemand « accrédite », par l'intermédiaire de sa banque allemande, le vendeur français à encaisser le montant de la vente dans une banque française ; il n'a qu'à se présenter au guichet, décliner son identité et partir avec l'argent ; la commission d'épuration a estimé à quatre milliards de francs les sommes ainsi payées par le Crédit Lyonnais sans s'être fait remettre les pièces exigées par l'Office des changes. Le Crédit Lyonnais a aussi consenti des avances sur facture en faveur d'organismes français fournisseurs d'organismes militaires allemands, comme la Kriegsmarine ou l'Organisation Todt. Quelques exemples de collaboration financière, entre bien d'autres.

La Banque de Paris et des Pays-Bas, de son côté, a accordé des facilités de crédit à découvert à une société allemande qui fabriquait des avions Junker ; elle a mis à sa disposition un crédit de 33 millions. En juillet 1941, la même facilité est accordée à la Farben Industrie, qui fabrique des matières colorantes pour la Wehrmacht. La Banque a contribué à créer une association pour le développement de l'industrie, c'est-à-dire qu'elle a coopéré à la mainmise allemande sur l'industrie chimique française ; en tout, sans compter les facilités de caisse et d'escompte, la Banque de Paris et des Pays-Bas a accordé des cautions s'élevant à un milliard et demi de francs à des industriels travaillant pour l'Allemagne. A ce faire, elle a gagné beaucoup d'argent sous l'occupation, puisqu'elle a procédé à deux augmentations de capital en 1941 et, en 1943, à l'émission de 450 000 actions réservées par priorité à ses premiers actionnaires [12].

Etait-il possible de procéder autrement ? Qu'auraient fait les Allemands en cas de « refus d'obéissance » ? Nommer des administrateurs séquestres ? Etait-ce réalisable pour toutes les banques ? L'occupant ne pouvait pas procéder partout à des prises de possession violentes, comme il l'a fait à la Banque de France le 10 août 1944. en réclamant le paiement anticipé d'une augmentation de l'indemnité d'occupation ; le ministre Cathala obligea le

---

12 R. ARON, *Histoire de l'épuration*, t. III, vol 1, p 179-193 , témoignage d'un dirigeant du Crédit Lyonnais

gouverneur de la Banque de France à prélever l'énorme somme sur des crédits réservés aux besoins ordinaires de la Trésorerie ; mais c'est un détachement allemand, en armes, prêt à employer la force, qui vint chercher les milliards et les emporter [13].

Il est certain que rien n'était facile sous l'occupation. Il ne fait pas de doute que les fonctionnaires des Finances et le président de la corporation de la Banque ont essayé de discutailler et de retarder les exigences allemandes, puis d'en freiner l'application. Mais il n'est pas douteux non plus que les Allemands ont parfaitement réussi leur plan de faire gérer les banques françaises, dont le siège était pour la plupart à Paris, par des Français, mais à leur profit. Le contrôle des banques favorisait ainsi, rendait même inéluctable, l'asservissement, par divers moyens, de l'industrie. Et, dans l'ensemble, les banquiers se sont prêtés, en ne regardant que leur intérêt immédiat, au jeu que leur proposaient les Allemands. Les industriels aussi

Entreprises prospères, entreprises allemandes

Les autorités occupantes s'efforcent de faire travailler pour elles les entreprises utiles à leur effort de guerre ; elles doivent tourner à plein rendement, et toutes facilités leur sont données à cet effet, au prorata de leur rendement et de leur docilité ; les autres ne les intéressent pas ; pis, il leur paraît souhaitable même qu'elles périclitent, car de la main-d'œuvre serait ainsi dégagée pour être envoyée en Allemagne remplacer, dans les ateliers, les ouvriers allemands expédiés sur le front russe pour boucher les trous que la guerre d'usure creuse dans les effectifs de la Wehrmacht. Une usine ne peut donc tourner à plein rendement que si les Allemands le veulent ; mieux, elle peut alors réaliser de substantiels bénéfices ; sinon, elle est condamnée à végéter, voire à disparaître. Le tissu industriel de Paris se recompose ainsi en fonction des intérêts de l'occupant [14].

A Wiesbaden, la Commission allemande d'armistice avait dressé une liste des matériels dont elle demandait la fabrication : véhicules divers, produits chimiques, matériel de transmission, machines-outils, mais surtout matériel d'armement et d'équipement, et munitions. Le gouvernement français objectait le risque de provoquer des bombardements alliés, surtout à Paris, et demandait, en vain, que ces risques soient pris en charge par l'Allemagne. Il voulait aussi que les commandes passées aux industriels lui soient d'abord soumises. Mais la Commission d'armistice et l'administration militaire s'y

---

13. P. ARNOULT, article in *La France sous l'occupation, op. cit.*
14. *Comptes rendus de la Délégation..., op. cit.*, t. I, p. 398-399, 446 ; t. III, p. 34, 167 ; t. IV, p. 201, 393-394.

refusèrent, d'une façon sans réplique : dans la zone occupée, les Allemands possédaient tous les droits ; au mieux, acceptaient-ils d'informer l'autorité française compétente — par exemple, pour une commande à des fabriques de produits chimiques, le directeur de l'industrie chimique serait tenu au courant, mais l'obtention de son visa ne serait qu'une simple formalité [15].

Pour imposer leurs vues, les Allemands jouaient d'un clavier étendu, mais ils étaient toujours gagnants. Tantôt, ils nommaient un administrateur provisoire, ils démontaient les machines et les emportaient ; tantôt, étant donné que la majorité des usines parisiennes avaient été converties pour l'industrie de guerre, ils déclaraient les stocks prises de guerre, et ils s'en emparaient. Ou bien encore, ils facilitaient la création d'usines nouvelles, œuvrant pour eux seuls ; ainsi, un dirigeant de Hispano-Suiza monte pour son compte un important atelier de réparation de matériel de guerre ; il travaille sous le contrôle direct d'officiers allemands, et il travaille si bien qu'il reçoit les félicitations d'envoyés de Berlin, puis du maréchal Von Rundstedt et du grand maître des armements allemands. A. Speer, eux-mêmes, qui lui rendent visite et le congratulent. Un exemple qui ne pouvait que donner à réfléchir aux autres industriels, d'autant plus qu'ils sont très sollicités.

Ils reçoivent en effet des questionnaires très précis émanant de l'administration militaire sur : le matériel fabriqué, les stocks existants, les commandes en cours d'exécution au moment de l'armistice, les moyens d'exploitation, la qualité des machines, le nombre d'ouvriers, l'état des approvisionnements en matières premières — de façon à établir un profil exact de l'entreprise, et prendre la mesure du concours qu'elle peut apporter. Puis viennent les commandes ; tantôt des contrats assortis de menaces à peine déguisées, tantôt des contrats normaux ; les uns proviennent d'industriels allemands spécialisés dans la même fabrication, ou de maisons allemandes installées en zone occupée et déguisées en maisons françaises. Des techniciens, en civil ou en uniforme, se manifestent alors pour proposer, sous couleur de collaboration économique, une prise de participation dans le capital, en faisant miroiter les promesses d'avenir contenues dans une association avec un puissant groupe allemand ; des cessions de parts sont ainsi consenties, souvent à l'insu du gouvernement français, notamment par la « Compagnie générale de construction de locomotives Batignolles », la « Société électrique de Paris », etc. Hemmen s'adresse même à des entreprises nationalisées.

L'industrie parisienne risque ainsi d'être achetée par le vainqueur avec de l'argent français. Le gouvernement de Vichy essaie de parer au danger. Il publie au *Journal officiel* un texte selon lequel l'autorisation de l'Office des changes est nécessaire à toute cession de valeurs mobilières ou immobilières ,

15 Dossier de Brinon, au CDJC, BOUTHILLIER, *op. cit.* t. II, p. 178-190

il crée au ministère des Finances un service spécial des « participations étrangères en France », avec mission de contrôler très attentivement les demandes des Allemands, et de n'accepter que celles qui comportent une contrepartie avantageuse. Il essaie de faire grouper et examiner les comman des allemandes par le « Comité d'organisation » de chaque profession. Mais, d'une part, les Allemands, en matière industrielle, étant donné la variété et les variations de leurs commandes, contrairement à ce qu'ils avaient fait pour les banques, aiment mieux traiter avec des chefs d'entreprise isolés, et de ce fait plus malléables. D'autre part, lorsque le maréchal Pétain, après son entrevue avec Hitler à Montoire, déclare solennellement qu'il entre « dans la voie de la collaboration », comment ces chefs d'entreprises n'en conclu-raient-ils pas que cette voie leur est tracée aussi pour leurs propres affaires ? D'autant plus que les Allemands sont les dispensateurs des matières premières et les distributeurs de commandes ; alors, dans le marasme général, quand le chômage sévit, et que les lendemains s'annoncent dramatiques, pourquoi faire la fine bouche et refuser une collaboration économique, suite naturelle, après tout, de la collaboration politique, si elle évite la fermeture des ateliers, et promet en plus de procurer des bénéfices ?

Aussi bien. les patrons, des grandes comme des moyennes et petites entreprises, sont nombreux à aller au-devant des désirs de l'occupant, et à lui offrir leurs services. Les usines qui collaborent et qui reçoivent le label de la collaboration (« Rustung », matériel de guerre, ou « Betrieb », produits de première nécessité pour l'Allemagne) bénéficient de la protection alle-mande, dont le premier effet est de leur éviter des réquisitions d'ouvriers Certaines sont des « sous-traitances » : d'autres sont directement prises en charge par une grande firme allemande, dont elles complètent la production. Ce comportement se traduit par une augmentation : du chiffre d'affaires, du capital et du nombre d'ouvriers — car on les allèche par des primes, à défaut de pouvoir relever les salaires [16]. Et quand les commandes cessent, l'usine ferme, comme « l'Incombustible » à Issy-les-Moulineaux en septembre 1941. qui employait 600 ouvriers à fabriquer des filets de camouflage.

Sont surtout sollicités : les travaux publics, la chimie, l'aéronautique et l'automobile. Mais la toile d'araignée de la mainmise allemande étend partout ses fils. Ainsi la « société Amphitrite » (siège avenue Daumesnil) reçoit la commande de 120 000 imperméables, à raison de 10 000 par mois ; à cet effet, lui sont expédiés, d'autres régions de France. de grosses quantités de tissus, de caoutchouc et de benzine ; les 400 ouvriers de cette usine, en juin 1941, travaillent 14 heures par jour, et font de nombreuses heures supplémentaires. L'autorité occupante, désireuse de passer d'importantes

16. P. ARNOULT, *op. cit.*, p. 373-375 ; A. SAUVY, *op. cit.*, p. 119-120 ; P. ORY *op. cit.*, p. 46-48.

commandes de chaussures de dames, demande aux fabricants de lui envoyer des échantillons ; ceux qui n'obtempéreront pas sont menacés d'être totalement privés de cuir et de peaux ; résultat, les échantillons affluent. L'autorité occupante étudie un plan de répartition de tissus entre les grossistes ; seuls seront servis ceux qui en restitueront une grande partie sous forme de vêtements ; la conclusion est facile à déduire. En avril 1941, 31 % des ateliers de transformation de métaux ferreux travaillent pour l'Allemagne ; 62 % en 1943. Il en est de même pour le matériel téléphonique et de radio — 5 000 postes émetteurs-récepteurs commandés en 1942. L'allié italien n'est pas ménagé par cette boulimie ; les usines de Simca sont occupées, celles de Bugatti réquisitionnées et les machines enlevées ; les industriels français qui travaillent avec l'Italie sont coupés de leur marché et se retournent vers l'Allemagne [17]*. Toutes ces entreprises sont prospères, et ignorent le chômage ; on y travaille parfois jusqu'à 60 heures par semaine.

On pourrait multiplier ces exemples de collaboration industrielle, volontaire ou semi-contrainte des Français, on n'épuiserait pas le sujet ; en dépit des recherches des commissions d'épuration à la libération, une grande partie de ces tractations n'a pas été retrouvée. Mais les exemples de l'aéronautique et de l'automobile sont significatifs de la façon de procéder de l'occupant, et des avantages qu'elle lui procurait. Dès octobre 1940, Hemmen, à Wiesbaden, avait demandé que les usines Junker puissent faire fabriquer des avions de transport en France, avec du matériel français, des ingénieurs de Junker contrôlant la fabrication ; pour pouvoir disposer d'un moyen de pression sur les industriels, Hemmen demande que soient remises à l'Allemagne les actions que possédait l'Etat français dans les usines sollicitées. Puis, sans attendre la réponse de Vichy, la direction de Junker entre directement en pourparlers avec les dirigeants des usines concernées. Et l'autorité occupante refuse d'approuver la composition du Comité d'organisation de l'aéronautique, pour garder les mains libres avec les industriels.

En février 1941, le général Udet vient à Paris, et invite, c'est-à-dire convoque, à un grand banquet, dirigeants, ingénieurs et représentants des ouvriers. Il demande que la France construise un avion pour elle, contre cinq pour l'Allemagne, les fabrications étant surveillées par des techniciens allemands ; il exige le droit d'exploiter tous les brevets français, et le pouvoir de proposer des nominations de directeurs, « ce qui entraîne pour le gouvernement français, précise-t-il, l'obligation de donner suite à ses

17 Rapports des renseignements généraux, rapport du secrétaire général de la production industrielle

* C'est là une manifestation du comportement du gouvernement français et des Français en général : refus de collaborer avec l'Italie, qui a lâchement attaqué la France, et qui ne l'a pas vaincue

propositions » Ayant ainsi bien déterminé la portion congrue d'autorité qu'il laisse aux Français, Udet eut l'audace, ou le cynisme, d'ajouter que c'était pour des « raisons humanitaires » que l'Allemagne victorieuse consentait à donner du travail aux ouvriers français [1]

En définitive, le gouvernement français finit par accepter une prise de participation allemande dans les sociétés aéronautiques françaises, à condition qu'elle ne dépassât pas 30 % du capital — nous ne saurions dire si ce vœu a été exaucé. Dans la région parisienne, il est prévu que Salmson n'aura aucune difficulté pour produire « ce qui lui est demandé », et que Renault fabriquera un petit moteur de 100 CV ; Hispano-Suiza aura un peu plus de mal, car on lui a passé commande d'un moteur plus puissant que celui fabriqué avant-guerre, mais « on s'arrangera », et une production de 100 moteurs par mois peut être envisagée avec optimisme. Par contre, Gnome ne pourra satisfaire qu'aux 2/3 la demande de 350 moteurs par mois qui lui est « proposée ». En ce qui concerne les hélices, Bloch à Saint-Cloud, une entreprise juive, ne travaille pas encore, mais on peut compter sur Ratier à Montrouge. Thomson a souffert des bombardements, mais les réparations ne traîneront pas [18]. Ainsi la région parisienne va fournir des pièces d'avions, c'est-à-dire du matériel de guerre, à l'occupant victorieux ; en outre, en avril 1941, les Allemands ont passé commande de 600 000 obus du canon de 25 aux établissements Brandt, et 500 000 obus de 75 chez Alsthom. Il est clair que de pareilles fabrications sortent la France de sa neutralité, et justifient par avance tous les bombardements alliés [19].

C'était aussi le cas de l'industrie automobile, où Somua fabriquait des chars, et Citroën des camions, pour les Allemands ; et Renault un peu de tout pour le même exigeant client. En mission aux Etats-Unis au moment de la débâcle, L. Renault, à son retour, avait trouvé ses usines occupées militairement, et en totale inactivité. Furieux de voir son œuvre péricliter, ne pensant qu'à faire tourner le magnifique outil qu'il avait créé, il était allé offrir ses services aux Allemands, ce qui lui avait valu d'ailleurs, de la part de Léon Noël, un rappel à un peu plus de décence. Désormais trois commissaires allemands, venus de chez Mercedes, assurent la gestion de l'usine ; leur chef est le courtois prince Von Urach, ancien représentant à Paris de Daimler-Bentz. Rien ne peut être entrepris sans son approbation, rien ne peut sortir sans son visa.

C'est ainsi qu'une partie des usines, entièrement réservée aux Allemands, répare des chars français et les leur livre. Dans le reste, la fabrication de

18. Il faut ajouter que les usines Caudron avaient été placées sous la tutelle de Messerschmidt ; les Allemands s'étaient emparés de 75 appareils Goeland inachevés, prise de guerre ; puis ils passèrent librement leurs commandes

19. *Comptes rendus de la Délégation...., op. cit.,* t. III, p. 34, 167-174, 304-309 ; t. IV, p. 70, 253, 352-358

voitures particulières est interdite, si bien que même les plus hauts cadres de l'entreprise n'en possèdent plus. Il en est de même pour les automotrices, les autocars, les tracteurs agricoles, les gazogènes à charbon de bois et, de façon générale, pour toute commande pour des civils. L'essentiel de la production est consacré à des camions, de 3 et 5 tonnes, pour la Wehrmacht, dont celle-ci détermine les formes selon qu'ils seront utilisés par elle en Libye ou en URSS. En quatre années, Renault cèdera aux Allemands plus de 32 000 camions, contre moins de 2 000 à des clients français.

En outre, les Allemands imposent d'autres commandes d'intérêt militaire comme, en octobre 1940, 2 000 arbres vilebrequins destinés à des vedettes rapides et, en septembre 1942, des « pièces de rechange » pour l'armée de terre, avec prescription de les « livrer en temps voulu ». Les Allemands profitent de leur position dominante pour imposer l'emploi et la vente d'accessoires de fabrication allemande : matériel électrique Bosch, filtres à air Mahle, etc. Ils accablent les services de fabrication de projets d'études. De façon générale, ils n'interviennent pas dans la fabrication ; les Français restent entre eux dans les ateliers ; mais, de temps en temps, un technicien d'Opel ou de Mercedes vient donner des conseils pour réduire le nombre de types de voitures, ou pour diminuer la consommation de métaux non ferreux. Grâce aux commandes qu'elles reçoivent, les usines Renault travaillent 40 heures par semaine en juillet 1941, et plus encore dès 1942 ; elles embauchent même du personnel, en provenance notamment des grands magasins en difficulté.

La production et les livraisons à l'occupant auraient pu être encore plus importantes. Mais, d'une part, les Allemands contribuèrent à blesser la poule aux œufs d'or par leurs prélèvements excessifs ; ainsi, en août 1943, ils enlèvent tous les stocks de pneus et de chambres à air — 7 000 pneus et 15 000 chambres, même à demi usagés. D'autre part, la pénurie de matières, avec le temps, gagne même une entreprise aussi privilégiée que Renault ; en octobre 1942, les casiers de boulonnerie et de roulements à billes sont vides ; en 1943, font défaut le bronze, l'acier, le cuir ; le 17 mars 1944, l'usine est fermée faute de courant électrique ; elle le restera toute une semaine en mai. Sous-alimentée, obligée à des déplacements fatigants, la main-d'œuvre n'a pas son rendement habituel, et les machines non plus, qu'on ne peut pas remplacer ; s'il n'y a pas de sabotage, la volonté de travailler pour les Allemands est loin d'être unanime dans le personnel. Enfin, et peut-être surtout, les bombardements alliés causent des dommages difficilement réparables ; celui de mars 1942 a détruit 1 521 machines sur un parc de 18 000, et en a endommagé 3 108 ; plus de cinq millions d'heures de travail seront nécessaires pour déblayer les ruines. Après celui de septembre 1943, la plus grande partie du personnel doit déménager les machines-outils vers des lieux moins exposés Il en résulte une baisse notable du rendement, qui passe de

1 018 véhicules par mois en 1941 à 849 en 1942, et seulement 540 en 1943 [20] *

Ainsi, dans la France occupée, la manne qui dispense aux entreprises la prospérité, ou simplement la subsistance, a une seule source : elle est allemande. C'est à Paris qu'elle est distribuée. Elle n'est pas inépuisable ; elle ne profite qu'à des fabrications d'armements, donc de destruction, et en définitive elle n'empêchera pas l'appauvrissement général du pays. Mais, dans l'immédiat, quiconque n'en bénéficie pas est condamné à dépérir, voire à disparaître.

Stagnation, régression, fermetures

C'est notamment le cas des *grands magasins* et de nombreux *détaillants*, faute de marchandises. Pour survivre, les grands magasins restreignent leurs frais ; le Printemps, la Samaritaine, les Galeries Lafayette ferment des rayons, des étages, des succursales ; le Printemps transfère meubles, tapis, tableaux, dans un seul magasin. La Toile d'avion ferme ses portes en février 1941 pour ne les rouvrir que fin mars, et procéder de la sorte à plusieurs reprises jusqu'à la Libération. Le Bon Marché, qui réalisait 60 000 F de recettes par jour au rayon du blanc en 1939, n'en fait plus que 3 000 en 1942.

Cette mévente générale provoque la mise à pied de 20 % des vendeurs chaque jour au Printemps, 15 % à la Samaritaine ; une semaine sur quatre au Bon Marché, 1 sur 3 à Réaumur ; chez Esders le personnel, de lui-même, a proposé une diminution des salaires pour éviter des licenciements. Fin 1941, Sigrand ne vend pratiquement plus rien, et verse une indemnité compensatrice à ses employés, avant de fermer. Comme il faut faire argent de tout, les Galeries Lafayette installent au milieu du grand escalier de leur magasin principal un comptoir spécial pour la vente du portrait du maréchal Pétain.

Dans la quincaillerie, où existaient de gros stocks, la vente est normale jusqu'au printemps de 1941 ; puis, elle se maintient à peu près au tiers des chiffres d'avant-guerre. La presque totalité des marchands de linoléum ont fermé boutique en 1942. Au marché Saint-Pierre, « chez Dreyfus », où les recettes étaient en moyenne de 2 500 000 F par mois, elles ont baissé de 60 % dès 1941. Le Bon Marché licencie les célibataires vivant chez leurs parents et

---

20. F. PICARD, *L'Epopée de Renault*, Albin Michel. 1976 ; témoignage de M. Gouriet ; R. ARON, *Histoire de l'épuration, op. cit.*, t. III, vol. I, p. 92, 224-232 ; rapport du MBF du 15 mai 1942.

* Les attaques aériennes du 29 au 30 avril 1942 avaient aussi atteint, plus ou moins sérieusement, les usines de fabrication de caoutchouc Goodrich à Colombes, l'usine de téléphone Ericsson, également à Colombes, la société des moteurs Gnome et Rhône à Aubervilliers, la société générale de mécanique et d'aviation à Argenteuil, toutes travaillant pour les Allemands.

les femmes dont le mari gagne au moins 1 600 F par mois, soit 500 personnes. Les négociants en tapis ont vite épuisé leurs stocks, car la vente était libre, et il ne reste plus dans les magasins que des tapis de luxe, très chers, car les prix ne sont pas taxés, et cependant recherchés par une clientèle qui veut placer son argent.

La foire au jambon a disparu ; celle à la ferraille continue à attirer des fouineurs, mais, dans l'ensemble, le monde des forains ne travaille plus. Dans l'hôtellerie, les hôtels de luxe et les hôtels moyens font de bonnes affaires parce que réquisitionnés, mais les 6 500 petits hôteliers de la Seine ont la moitié de leurs chambres non louées à cause de la disparition des touristes, sauf ceux proches des gares, toujours remplis par des voyageurs désireux d'éviter des déplacements harassants dans Paris, et les risques du black-out.

Ce sont toutefois les magasins de luxe qui sont le plus touchés, car leur fait défaut la clientèle étrangère, comme celle des nombreux Parisiens aisés partis en zone sud : bottiers, tailleurs, chemisiers, chapeliers, passementiers d'ameublement, bijoutiers, salons de thé, instituts de beauté, marchands d'antiquités, frivolités, etc. Les fermetures se sont multipliées dans les quartiers de la place Vendôme, Saint-Philippe-du-Roule, la Madeleine, le faubourg Saint-Honoré. Quant au petit commerce, si les détaillants de l'alimentation voient leurs pouvoirs accrus et leurs gains assurés, par l'espèce de monopole discrétionnaire qui leur est accordé, par contre les fermetures et les faillites sont fréquentes chez tous les autres, qui n'ont plus rien à vendre [21].

Le *port de Paris* est la principale victime de la stagnation des échanges, puisqu'il est complètement coupé de la mer ; il ne reçoit plus les combustibles minéraux, les hydrocarbures, le vin d'Algérie, les produits coloniaux. Le mouvement des bateaux vers Rouen a presque cessé, et la légère augmentation de celui vers le Nord et l'Est n'empêche pas la baisse brutale de l'activité des 25 km de voies navigables constituées par la Seine et divers canaux, qu'il s'agisse du nombre de bateaux ou du tonnage des marchandises ; d'autant plus que le transit a disparu.

Le trafic ne garde plus qu'un caractère local [22]. De plus, si, fin 1940, une partie des dommages provoqués par les combats était réparée, par la suite, les travaux entrepris durent être arrêtés, faute de matières : reconstruction de ponts, déblaiement des canaux, agrandissement des ports de Gennevilliers et de Créteil. Il est devenu impossible de se procurer des pièces de rechange des écluses et des ponts mobiles ; de là un état de vétusté croissante des

21 Dossiers des renseignements généraux ; *Annuaire statistique de la ville de Paris.*
22. Il porte essentiellement sur les pierres, la houille, les céréales, le bois. En juillet 1942 la plus grande partie du port de Gennevilliers a été réquisitionnée par l'occupant

Année	Nombre de bateaux (unités)	Poids total (tonnes)	Expéditions (tonnes)	Arrivages (tonnes)
1931	51 708	13 717 000	2 172 000	8 250 000 (+ 3 000 000 de transit)
1939	29 854	7 633 000	1 339 000	3 611 753
1940	15 524	4 085 407	840 393	1 848 000
1941	16 960	4 319 000	1 157 000	2 042 000
1942	15 163	1 302 000	378 500	924 060
1943	14 788	1 120 000	314 500	805 700
1944	13 578	863 000	267 900	595 200
1945	14 608	1 140 000	252 700	888 200

canaux, surtout ceux de l'Ourcq et Saint-Martin, des éboulements de berges, des fuites. On a toutes les peines du monde à entretenir les 26 écluses, les aqueducs, les déversoirs, les murs des quais, les chemins de halage ; même le faucardage n'est pas pratiqué comme il conviendrait. Cela n'empêche pas la commission compétente du Conseil municipal de mettre à l'étude un plan d'évacuation par voie d'eau des ordures de Paris, en cas d'arrêt des chemins de fer !

La baisse considérable des mouvements de marchandises se traduit aussi par la diminution des droits d'octroi et de la quantité des marchandises taxées. De plus de 582 millions en 1936, les droits perçus étaient passés à 326 en 1941, et 142 en 1943, date de la suppression de l'octroi ; dans les marchandises déclarées, comestibles et combustibles s'étaient réduits des 3/4 et des 2/3 entre 1939 et 1943 ; seules avaient augmenté les quantités de ce produit de remplacement omnivalent qu'était devenu le bois. Les chiffres du port et de l'octroi de Paris sont la traduction statistique de la grande misère des Parisiens[23].

Toutes les *industries* qui ne travaillent pas pour les Allemands sont en crise. La literie est paralysée par le manque de jute, de laine et de toile. Faute d'étain, la vente des couleurs en tube est arrêtée. Les 25 fabricants de porte-plumes réservoirs manquent de galalithe et d'ébonite. L'industrie du briquet souffre de ne plus se procurer le cuivre ou l'or nécessaires ; or, l'estampille des briquets rapportait 12 à 15 millions par an à l'Etat. A partir de juin 1941, l'Office central de répartition des produits industriels

___
23. *Bulletin municipal, passim* ; réunions de la 3e commission du Conseil municipal, 23 février 1943, 19 décembre 1943.

interdit de fabriquer des articles en carton et en papier, tels qu'agendas, annuaires, calendriers, cartes de visite, programmes de spectacles, cartons d'invitation, menus, ce qui touche gravement : imprimeurs, graveurs, papetiers, relieurs, cartonniers. Dans l'industrie du parapluie, tout fait défaut : bois, fil, laine, acier, cuivre, galalithe, corne, celluloïd, écaille, tissus ; dès 1941, la production est tombée à 20 % de la normale.

Lorsque les fabriques de meubles travaillent encore convenablement, c'est grâce aux commandes passées par l'occupant pour ses baraquements, bureaux, locaux réquisitionnés ; un millier de fabricants emploient 15 000 ouvriers ; mais à partir de 1942, les approvisionnements en peuplier, hêtre, chêne, contre-plaqué, deviennent difficiles, et plus encore ceux en essence de térébenthine, cire d'abeille, gomme laque et colle forte, indispensables pour le finissage.

La situation des 150 bottiers est difficile, faute de cuir. Quant à l'industrie des « surfaces sensibles » de la photographie (plaques, papier, pellicules) elle a fermé tous ses ateliers en 1941 ; un millier d'ouvriers sont au chômage depuis cette date. Le petit appareillage électrique a maintenu jusqu'en 1941 60 % de sa production, grâce aux stocks existants ; mais ils ne peuvent plus être reconstitués, notamment en cuivre, laiton, fonte, mica, bakélite, porcelaine ; on ne trouve plus de fusibles, disjoncteurs, interrupteurs, douilles, prises de courant, fils, coupe-circuits ; les ouvriers ne travaillent plus que 30 heures par semaine, et à des réparations.

Sur 300 lavoirs, 80 ont fermé leurs portes en 1942 ; les autres ne reçoivent plus que 50 % du charbon, et 1/20 du savon spécial nécessaires. En 1943, la fermeture est presque totale, ce qui entraîne le chômage de plus de 6 000 employés. L'industrie du papier peint, qui groupait 15 usines dans la région parisienne, avec environ 12 000 ouvriers, travaille à 30 % de ses possibilités faute de vernis, d'huile, d'essence de térébenthine. Privés d'un bois spécial venu d'Amérique, les 6 fabricants de crayons voient leur production diminuer d'un bon tiers. Les 9 usines de toile cirée et simili-cuir, qui occupent 700 ouvriers environ, ne peuvent plus travailler, en raison de l'interdiction d'utiliser les huiles de lin et de ricin, base de la production ; cette carence affecte les équipements de carrosserie, la maroquinerie, l'optique, le matériel médical. Quant à l'industrie du linoléum, elle est complètement arrêtée faute de jute, de résine, de liège, et après l'interdiction d'utiliser du carton de remplacement [24].

Et la situation n'est pas meilleure pour les 700 fabricants de bijouterie fantaisie, dont les 14 000 ouvriers, estampeurs, doreurs, émailleurs, argenteurs, n'ont du travail que pour 30 heures par semaine. Ni pour les producteurs de bronzes d'art et d'église, de lustres, dont les 200 ouvriers et

24 Dossiers des renseignements généraux

les 10 000 dessinateurs et décorateurs des 260 maisons du Marais sont touchés par diverses interdictions ; le même interdit, d'acheter de l'or fin cette fois, frappe les 400 bijoutiers et orfèvres de la région parisienne Les 45 tabletiers d'art, faute d'ivoire, d'écaille, de bois des îles, sont réduits à une demi-inactivité, tandis que tous les ateliers produisant des boutons sont obligés de fermer, par manque de nacre, de perles, d'ivoire, réduisant au chômage 2 000 ouvriers façonnant à domicile. Et les fourreurs ne peuvent plus importer de peaux ; les 3 000 tailleurs, qui emploient 50 000 ouvriers sont dans une situation critique, car ils ne peuvent plus se procurer de tissus, ni les modistes du feutre, des rubans, de la garniture. Sans oublier les agences de voyages et toutes les maisons s'occupant de publicité, dont dix ont fermé leurs portes. Manque de matières, interdictions, absence d'acheteurs, chômage, fermeture, voilà les termes qui reviennent le plus souvent pour la quasi-totalité des produits qui faisaient la réputation de Paris dans le monde, sous le vocable « articles de Paris »[25].

Mais ce qui est encore plus grave, car l'avenir en est gravement compromis, c'est la disparition à peu près totale des investissements, le non-renouvellement de l'outillage, utilisé jusqu'à son extrême usure, et l'interruption des *grands travaux*. Pourtant, les grands projets ne manquaient pas, surtout en cette curieuse fin de 1940 où, par conviction ou par propagande, s'était répandue la vision de « l'an I d'une France nouvelle », en dépit de la guerre qui continuait. La préfecture de la Seine, pour combattre le chômage, avait passé des marchés, lancé des appels d'offres, avancé de multiples projets : constructions scolaires, terrains des fortifications, réfection des ponts, prolongement des lignes du métro, stations d'épuration, extension du chauffage urbain, « divers hôpitaux » (*sic*), etc. On avait même rêvé d'un grand aéroport mondial sur le plateau de Corbeil avec des pistes pour hydravions, du déplacement de la Halle aux vins à Bercy et d'une nouvelle faculté de médecine, d'un port charbonnier à Issy-les-Moulineaux

Il avait vite fallu déchanter, l'occupant refusant son agrément et monopolisant à son profit ciment et matériaux de construction. Bientôt, on dut se contenter d'effectuer, non sans mal, les travaux indispensables ; le nombre des ouvriers sur les chantiers passa de 13 000 en 1939 à 2 800 en 1943, 800 en 1944 ; à la même date, le métro n'employait plus que 80 ouvriers, et seulement à des travaux de sécurité ; seule, l'évacuation de la zone continua de façon satisfaisante, pour l'édification de quelques terrains de sport et, surtout, la mise en culture de 175 hectares. Tout le bâtiment s'arrêta d'ailleurs, et chacun sait que, lorsqu'il ne va pas, rien ne va. Les autorisations de bâtir passèrent de 221 en 1939 à 45 en 1941 et 65 en 1943 ; chaque bombardement en augmentait le nombre, du moins sur le papier, mais les

---

25. *Ibid* : LE BOTERF. *op. cit.*, t. II, p. 17-26.

usines avaient priorité — l'occupant l'exigeait. Il ne restait plus aux édiles parisiens qu'à demander à l'administration « de préparer de grands travaux qui seront mis à exécution lorsque la situation sera devenue plus favorable » — c'est-à-dire lorsque l'occupation prendra fin par la défaite du vainqueur provisoire[26].

Chômage et réquisition de main-d'œuvre

Le marasme des affaires avait, comme conséquence inéluctable, l'extension du chômage des travailleurs. Effectivement, le nombre de chômeurs ne cessa d'augmenter pendant les deux premières années de l'occupation. Au 27 juillet 1940, étaient recensés 150 859 sans travail « secourus », c'est-à-dire touchant une allocation de chômage. A mesure que les exodiens reviennent, ce chiffre s'accroît. Les chômeurs sont 241 527 au 26 août, 283 981 au 21 septembre ; le record sera atteint le 23 novembre 1940, avec 399 969 chômeurs recensés ; le nombre réel est encore plus élevé, car il faudrait ajouter les demi-chômeurs de l'industrie et les mises à pied du commerce ; sans oublier les femmes mariées que la politique familiale du régime de Vichy a renvoyées à leurs cuisines[27].

Chaque semaine se font inscrire de nouveau sans emplois, entre 30 000 et 80 000 chaque fois. La situation est donc dramatique. Toutes les branches de l'activité économique sont touchées ; mais certains emplois disparaissent peu à peu, sans espoir de résurrection avant la libération : chauffeurs de taxis, aviation civile, transports routiers, tourisme, commerce des denrées coloniales, etc. Les femmes sont plus nombreuses que les hommes à ne plus travailler, car sont surtout affectés les industries des vêtements, les emplois du commerce et des bureaux, et aussi les domestiques, tous travaux essentiellement féminins. Charles Braibant constate et déplore la disparition progressive des bonnes, car il devient difficile de les nourrir et, écrit-il, « elles prennent l'habitude de chaparder » ; bien que ce soit interdit, pour les garder, il faut doubler leurs gages.

La situation des chômeurs est difficile. En juillet 1940, l'indemnité de chômage, qui était de 8 F, est augmentée à 10 F par jour pour le chef de famille. Elle est portée à 12 F en novembre 1940 ; s'ajoutent 6 F pour le conjoint et 5 F par enfant à charge. En outre, les chômeurs conservent les allocations familiales et la prime de la mère au foyer. Avec si peu d'argent,

---

26 *Bulletin municipal, passim ; Annuaire statistique de la ville de Paris ;* réunions de la 3ᵉ commission du Conseil municipal du 16 février 1943 et du 2 mars 1944

27. Dossiers des renseignements généraux ; *L'Illustration* 15 février 1941 ; la *Pariser Zeitung,* 4 janvier 1941

les chômeurs sont condamnés à végéter, car ils sont obligés de se contenter des rations que leur alloue le ravitaillement, sans pouvoir avoir recours au marché noir ; les moins malheureux sont ceux qui, en banlieue, peuvent cultiver un petit jardin et ceux, qui, ayant conservé de la famille à la campagne, ont la possibilité d'aller la rejoindre [28].

A partir de la deuxième moitié de 1941, le chômage commence à se résorber. Les chômeurs sont un peu moins de 100 000 en novembre ; ils ne sont plus que 42 000 en août 1942, et 27 000 en juin 1943 ; parmi eux, une bonne moitié est constituée par des personnes âgées inaptes à tout emploi. Renversement total de la situation, dans certaines professions, la métallurgie par exemple, la main-d'œuvre qualifiée fait défaut [29].

La crise redeviendra sensible en 1944 à cause des bombardements alliés, de la gêne qu'ils occasionnent aux transports et de la raréfaction du charbon et de l'électricité ; comme en 1940, un grand nombre d'entreprises sont condamnées à fermer leurs portes, temporairement ou définitivement ; l'occupant emploie une partie de ces travailleurs désœuvrés à des travaux de déblaiement ; mais, en juillet 1944, le préfet de la Seine évalue le nombre des chômeurs à 200 000, et il prévoit une aggravation prochaine [30]. Il est clair que si la libération de Paris avait été retardée, les conditions de vie des Parisiens seraient devenues impossibles.

Dans l'ensemble, on se trouve devant la situation paradoxale suivante : alors que l'activité économique de Paris continue à dépérir, le chômage a été vaincu, la plupart des Parisiens ont retrouvé un emploi ; cependant, bien qu'ils aient recommencé à travailler, leurs conditions matérielles d'existence n'en ont pas été améliorées pour autant ; elles demeurent toujours aussi difficiles. La recherche de l'explication de ce phénomène, apparemment contradictoire, n'est pas sans intérêt.

D'une part, s'est produite une adaptation spontanée à la situation ; le malheur des uns a fait le bonheur des autres ; quelques emplois nouveaux se sont substitués aux emplois disparus — les conducteurs de vélos-taxis par exemple aux chauffeurs de taxis [31]. Dans son ensemble, l'artisanat a bénéficié de la situation ; dans une économie dirigée, où tout doit être réglementé, il conservait une souplesse d'adaptation qui lui permettait d'échapper à bien des contrôles, A. Sauvy a bien raison de souligner « la merveilleuse faculté d'adaptation de l'homme » et la loi politique qui veut que « l'ordre voulu par

28. Ch. BRAIBANT, *op. cit.*, p. 358 : témoignage de R. BELIN, in *La Vie de la France sous l'occupation, op. cit.*, t. I, p. 155 ; *Bulletin municipal, passim.*

29. Dans l'automobile, l'occupant veut instituer la semaine de 48 heures ; les ouvriers refusent. Le samedi après-midi, ils aiment mieux courir la campagne pour se ravitailler que faire des heures supplémentaires.

30. Rapports du Préfet de la Seine. 31 mars 1942, décembre 1943, juin 1944, juillet 1944.

31. A la limite, on peut même dire qu'il n'y avait plus d'oisifs. Pour vivre, tout le monde doit se démener.

le haut, qui légifère, se dissolve en descendant les marches sociales ». Le Paris de l'occupation. c'est celui du système D ; on ne fabrique plus, alors on répare — les cordonniers sont submergés de travail, les clients leur donnent à réparer toutes leurs vieilles chaussures. Les rois de Paris sont les fabricants de remorques pour bicyclettes ou de petits poêles ou fourneaux. La multiplication des jardins potagers a fait doubler la vente des graines. La vannerie connaît une reprise, du fait que ses concurrents en bois, tissus, toile cirée, manquent de matières premières ; la reprise est réelle, tant pour la « grande vannerie » (articles de voyages, paniers pour blanchisseuses, emballeurs, boulangers) que pour la « vannerie fine » (confiseurs, corbeilles à pain, fleuristes). Des matières de remplacement amènent la création de nouveaux ateliers, comme les vêtements de fibres artificielles. La profession de teinturier est prospère car, faute de pouvoir les renouveler, chacun fait teindre et dégraisser ses vieux habits. La Samaritaine a créé un comptoir de vente de poussins, à l'intention des éleveurs de volailles sur les balcons, et le Bazar de l'Hôtel de Ville n'a jamais tant vendu de cannes à pêche. Les entreprises de déménagement subsistent car toutes leurs voitures sont équipées au gazogène, etc.[32].

A vrai dire il s'agit le plus souvent de débrouillardise, d'ingéniosité, de recettes de remplacement, non de reprise de l'économie et de création d'emplois — la vannerie emploie au plus 300 personnes. Pour remédier à la situation des mesures ont été décidées par le gouvernement de Vichy, qui avait créé un « commissariat à la lutte contre le chômage », en octobre 1940. Une première décision conféra aux préfets le droit de limiter la durée légale du travail ; la pratique des heures supplémentaires fut sévèrement réglementée ; la retraite des vieux, une des meilleures lois du régime, soulagea, elle aussi, bien des détresses[33]. Certaines autres mesures étaient plus charitables qu'efficaces, mais elles faisaient preuve d'un esprit de solidarité, que concrétisait le Secours national ; ainsi, la ville de Paris prend à sa charge la moitié des frais de réparation des immeubles détruits par faits de guerre ; pour venir en aide aux musiciens, le préfet de la Seine organise des « concerts du dimanche », à prix modique ; les chômeurs intellectuels sont groupés en équipes et mis à la disposition de certaines administrations pour effectuer des travaux d'enquêtes, de classement (dans les bibliothèques) de décoration (dans les écoles). Surtout, on essaie d'ouvrir des chantiers ; des centres pour jeunes chômeurs, que la Presse célèbre, sont ouverts, où divers métiers leur sont enseignés, le but étant de les envoyer ensuite à la campagne dans des fermes ou chez des artisans de villages. Surtout de nombreux

---

32 A. SAUVY, op. cit., p. 157-158 ; dossiers des renseignements généraux.

33. Elle touchait les Français salariés de plus de soixante-cinq ans et son montant était égal à l'indemnité de chômage

contractuels ont été engagés pour faire face aux besoins de l'économie dirigée, dont le ravitaillement. On comptait beaucoup sur les grands travaux, mais nous avons vu qu'ils furent vite interrompus. En définitive, courant 1941, la Presse avançait le chiffre de 67 000 chômeurs réemployés. Même si, par souci de propagande, le chiffre était un peu gonflé, le résultat n'était pas négligeable. Mais ce n'était évidemment pas, chiffres en main, ces mesures qui avaient permis de résorber le chômage de 300 000 personnes en moins d'un an [34]. L'explication se situe ailleurs.

L'auteur de cette opération d'apparent assainissement, c'est l'occupant, et ce ne pouvait être que lui. Dès le début, il avait procédé à une double opération de racolage. D'une part, il avait engagé pour ses cantonnements des employés et domestiques, ou des artisans pour y effectuer les travaux nécessaires ; ceux qui se présentaient, recevaient des salaires plus élevés et une nourriture plus abondante. D'autre part, sa propagande présentait l'Allemagne nazie comme le paradis des ouvriers, et elle engageait les chômeurs de moins de quarante-cinq ans à aller y travailler. Dès le 17 octobre 1940, un train spécial en emmène 400 à Cologne.

Par la suite, la double entreprise de réembauchage s'étendit et se systématisa. Ce fut un des chevaux de bataille de l'accusation française au grand procès des criminels de guerre à Nuremberg. Nous n'avons pas été en mesure de vérifier les chiffres alors avancés ; mais des enquêtes précises, effectuées dans certains départements par le « Comité d'histoire de la Deuxième Guerre mondiale », compte tenu de la population et de l'activité économique de la région parisienne, montrent qu'ils constituent un ordre de grandeur acceptable. Que disent ces chiffres ?

D'une part, les ateliers, entrepôts et autres entreprises ou cantonnements, appartenant à la Wehrmacht ou à d'autres organismes allemands, employaient, en 1944, 71 000 personnes, se décomposant ainsi : Organisation Todt : 13 000 ; Luftwaffe : 21 000 ; Armée de terre : 18 000 ; Kriegsmarine : 6 000 ; divers : 5 000.

Nous avons vu, d'autre part, que beaucoup d'usines françaises n'avaient pu survivre, et parfois prospérer, que grâce aux commandes allemandes ; ces usines bénéficiaient d'allocations de matières premières, d'avantages pour les transports, et d'une régularité des commandes garantissant la stabilité de l'emploi. Aussi drainèrent-elles vers elles non seulement les chômeurs, mais aussi les ouvriers et employés d'autres entreprises en difficulté. Le préfet de la Seine en faisait l'amère constatation ; les ouvriers qualifiés faisaient défaut chez des employeurs français, parce qu'ils étaient alléchés par les avantages accordés par les Allemands ou par les patrons français passés à leur service.

---

34. *Bulletin municipal, passim* ; témoignage LEHIDEUX, *déjà cité* ; *L'Illustration*, 15 février 1941.

Au procès de Nuremberg, le nombre de ces transferts d'emplois fut évalué à 350 000.

Enfin, à partir de 1942, un énorme effort de propagande et de recrutement fut entrepris par l'occupant, dans le cadre de la loi sur le « Service du travail obligatoire » (STO) et sous la direction du gauleiter Sauckel. Des journées d'information sont organisées, ainsi que des conférences en Sorbonne ; des réceptions ont lieu à l'hôtel Matignon ; d'immenses affiches couvrent les murs de Paris, et les convocations devant les Commissions médicales arrivent aux jeunes comme aux ouvriers qualifiés. Les primes offertes sont alléchantes. On distingue ainsi quatre principales « actions Sauckel » ; au total, le département de la Seine aurait fourni plus de 171 000 partants, la région parisienne, plus de 196 000 ; dans ces chiffres figuraient en moyenne trois ouvriers spécialisés pour un manœuvre.

Le total des Parisiens travaillant ainsi pour l'Allemagne, soit directement en France (71 000), soit indirectement (350 000), soit encore partis en Allemagne (171 000), est donc largement supérieur au nombre maximum de chômeurs recensés fin 1941 (399 000) [35]. La conclusion est claire ; à Paris, sous l'occupation, si on voulait gagner sa vie à peu près convenablement, il fallait se mettre au service des Allemands ; c'est grâce à eux que les machines tournent et que les usines produisent. Mais il ne s'agit guère de produits de consommation, presque uniquement de matériel de guerre ; et cette production ne reste pas en France, elle part en Allemagne. C'est pourquoi les Parisiens ont beau retrouver du travail, ils ne vivent pas mieux pour autant ; ou guère mieux ; leur avenir n'en est pas éclairci, au contraire ; cet immense chantier œuvrant pour l'ennemi attire comme un aimant les bombes des avions alliés ; et les Parisiens ne mettent pas longtemps à constater que tout ce qu'ils font ne profite qu'au roi de Prusse [36]. Mais 590 000 Parisiens adultes travaillant pour l'occupant, rien, mieux que ce chiffre, ne peut donner la mesure de son emprise sur l'économie parisienne.

Epargnants et spéculateurs

Les signes de l'appauvrissement de Paris sont nombreux. Ce sont d'abord les ventes de fonds de commerce, en augmentation sensible sur l'avant-guerre, qui l'expriment ; s'il n'a guère varié pour la boucherie et charcuterie, et tout juste un peu plus pour les épiceries, car il s'agit là de détaillants à qui la

---

35. Nous tenons à remercier M. P. Mermet pour l'aide qu'il nous a apportée pour établir ces chiffres

36. Dossiers des renseignements généraux ; collection du *Bulletin* du « Comité d'histoire de la Deuxième Guerre mondiale » ; P. AUDIAT, *op. cit.*, p. 199.

pénurie rapporte, par contre, leur nombre a plus que triplé pour les hôtels (526 en 1943 contre 151 en 1939) et plus que doublé pour les cafés-restaurants (1 866 en 1944 contre 770 en 1939), et pour les tailleurs (67 en 1944 contre 25 en 1939) — pour ne rien dire des fermetures pour cessation d'activité (les agences de tourisme par exemple). De même, alors que les actes de constitution de sociétés étaient en régression, par contre les faillites étaient en progression (1 419 liquidations judiciaires en 1942 contre 1 076 en 1939).

Le budget de la ville de Paris fournit d'autres signes de la même dégradation. Pour accroître le rendement des impôts, le prélèvement sur les revenus globaux dépassant 400 000 F avait été porté à 70 % ; les droits d'enregistrement furent aussi augmentés ; les spectacles, les vins de cru, les consommations dans les bars, taxés. Des suppressions d'emplois et de subventions furent décidées [37], et on obligea les contribuables à payer leurs impôts à l'avance, par quarts provisionnels. Mais le rendement désiré ne fut pas obtenu, parce que les contribuables se font tirer l'oreille pour s'acquitter de leurs redevances. Ainsi, au 31 décembre 1941, les impôts pour l'année ne sont acquittés qu'à 65 %. Aussi bien, les recettes de la ville de Paris, si elles sont globalement en augmentation, demeurent, pendant les quatre années de l'occupation, inférieures en moyenne de deux milliards de francs aux prévisions budgétaires [38].

C'est que les profits illicites échappent à la taxation, et l'appauvrissement des Parisiens la tarit à la source. En réalité, tous ceux qui travaillent pour les Allemands gagnent beaucoup plus que les autres, mais ce genre de gain n'est pas déclaré. On lit cet appauvrissement, outre les salaires, dans la diminution des objets trouvés déposés aux commissariats de police ; les objets les plus usuels étant devenus rares, irremplaçables même souvent, les gens font davantage attention ; ou plutôt encore, ceux qui les « trouvent », ravis de l'aubaine, gardent les objets pour eux.

Cependant, une grande partie des Parisiens n'a pas manqué d'argent. On le voit dans les comptes de gestion de la caisse d'épargne. Alors que, pendant tout l'été et l'automne de 1940, les retraits avaient été supérieurs aux entrées, les « exodiens » ayant retiré leurs fonds avant leur départ, par contre un renversement de tendance s'effectue à partir de 1941, si bien que, en 1943, les sommes versées sont le triple de celles retirées ; chaque année, des dizaines de milliers de comptes nouveaux ont été ouverts, au point que, devant cet engouement, le plafond pour chaque carnet a dû être relevé de 20 000 à 40 000 F. De même, le nombre de mandats émis par la poste n'a

37. Aucune création d'emploi ne pouvait être décidée, s'il n'y avait pas en même temps une suppression.
38. *Annuaire statistique de la ville de Paris* ; compte général de l'administration du ministère de la Justice ; témoignage de Cathala, *déjà cité*.

cessé de s'accroître, pour atteindre son record en 1943, avec 51 millions de mandats émis, soit 58 % de plus qu'en 1938. De même encore, le nombre de coffres loués dans les banques est en augmentation, en dépit de leur ouverture par décision de l'occupant, et les achats de fonds d'Etat ne diminuent pas, au contraire, si bien que leur cotation en bourse est en hausse, une hausse faible, mais constante, notamment pour le 3 % perpétuel [39].

C'est que, malgré la fixation des salaires et des prix, la masse monétaire mise en circulation est devenue énorme, en raison des émissions incontrôlables de marks et des sommes considérables payées pour l'indemnité d'occupation. A partir du moment où ils ont du travail, surtout s'ils sont à la solde de l'occupant, de nombreux Parisiens disposent de liquidités dont ils ne savent que faire, une fois effectués quelques achats au marché noir. Les paysans, qui connaissent une prospérité sans précédent, au point qu'ils attendent l'acheteur à domicile et consomment leurs meilleurs produits au lieu de les vendre, ne sont plus vendeurs de leurs terres ; les immeubles sont grevés de la terrible hypothèque d'une destruction par un bombardement. Alors, chacun fait des placements à sa portée, pour tirer quelque bénéfice de son surplus d'argent, en le plaçant dans des conditions qui permettent de le retirer rapidement en cas de besoin — un nouvel exode par exemple. La propagande de Vichy célèbre dans ce regain de l'épargne une marque de confiance dans le régime ; mais les rapports des renseignements généraux montrent au contraire une désaffectation croissante à son égard — nous le verrons dans le deuxième tome de cette étude. Il est probable que ce souci d'épargne, caractéristique du Parisien moyen, en toutes circonstances, le conduit, en période difficile, vers des placements sans risque, réconfortants parce que traditionnels, les moins mauvais possibles en somme.

La minorité privilégiée, à qui l'occupation procure des gains inespérés et illimités, pour la plus grande partie illicites, se lance au contraire dans toutes sortes de spéculations pour acquérir des valeurs sûres. C'est ainsi que, malgré les blocages et les interdictions, un trafic clandestin de l'or s'établit ; le louis d'or de 20 F, négocié à 2 035 F en janvier 1942, dépasse 5 000 F en novembre de la même année. La Bourse de Paris ayant une activité restreinte, des ordres de ventes sont donnés sur des Bourses de province ; des « arbitrages » clandestins sont ainsi effectués avec Lyon et Marseille. De même, les détenteurs de titres étrangers essaient de les vendre, à des cours dont les variations sont commandées par l'évolution des combats.

Surtout, l'hôtel Drouot ne désemplit pas, d'autant plus qu'on y a chaud. On y vend des meubles, des bronzes d'ameublement, des livres rares ou avec

39. Dossiers des renseignements généraux ; *L'Illustration*, 28 mars 1942 ; LE BOTERF, *op. cit.*, p. 100-104.

1. *Paris, juillet 1941. Garage de bicyclettes au pesage de Longchamp.*

2. *Juillet 1940.*
Affiche de propagande.

3. *La « circulation »*
au Rond-Point des Champs-Élysées.

4. *La Chambre des Députés. La propagande
allemande s'est emparée du V (victoire) de Churchill.*

5. *Construction du blockhaus
du Palais du Luxembourg par les Allemands.*

6. *25 juin 1940. Soldats allemands visitant Montmartre.*

7. *Paris, juillet 1941. Avenue des Acacias (bois de Boulogne).*

8. *Queue devant une boulangerie.*

9. Champs-Élysées, le « Marignan ».
Le couple de Parisiens qui passe
détourne la tête.

10. Goûter de Noël pour les enfants français
de la Waffen S.S. le 30 décembre 1942,
au Cercle aryen, 5, boulevard Montmartre.

11. Les « Doryphores » dans un magasin parisien.

12. *Concert devant Notre-Dame-de-Paris.*

13. *Défilé de volontaires de la L.V.F.*
en uniforme allemand.

14. *Doriot à l'Arc de Triomphe.*

Crédits photographiques

Snark international (2, 4, 12)
Musée Carnavalet (5, 6)
Photo A. Zucca © J. Tallandier (1,
   3, 7, 9, 10, 13, 14)
« Le Parisien libéré » (8)
Photo Roger Schall (11)

autographes, des antiquités, de l'orfèvrerie et des bijoux, de l'argenterie, des tapis d'Orient, de grands vins, des fourrures, des objets chinois ou persans, des bracelets et des bagues, des couverts d'argent et, surtout, des œuvres d'art. Celles-ci triplent, quadruplent, décuplent même de valeur en quelques mois ; entre 1942 et 1943, un Utrillo passe de 24 500 F à 300 000 F, un Corot de 28 000 à 1 200 000 [40]. Aucun objet ne demeure invendu, et des rabatteurs courent les châteaux, à la recherche d'œuvres « d'époque ». En vain, l'Etat français essaie de limiter la spéculation, en faisant jouer son droit de préemption, en fixant des prix à ne pas dépasser ; rien n'y fait ; les véritables transactions se font, et les prix sont fixés, en coulisse.

Ainsi, la période de l'occupation se traduit par l'appauvrissement du plus grand nombre des Parisiens, des possibilités d'épargne pour une minorité et des gains scandaleux pour quelques-uns. La pénurie généralisée du grand nombre s'accompagne, en contrepartie, de la spéculation la plus éhontée ; cette spéculation atteint son maximum dans « l'aryanisation » des biens juifs et les trafics du « marché noir ».

40. Pour avoir le montant approximatif de ces sommes en francs 1980, voir le tableau de la page 251.

6.

La grande misère des Parisiens
ou quatre années de vaches squelettiques

Ce qui frappait un prisonnier de guerre libéré, revenu à Paris en décembre 1941, c'était d'abord le silence de la ville, privée de voitures automobiles et d'autobus, un silence angoissant ; c'était aussi son aspect terne, triste, son obscurcissement tôt commencé et sa nuit sans joie, qui s'éternisait ; c'était enfin la découverte, progressive mais rapide, de la grande misère des Parisiens. Une fois consommées les maigres provisions pour fêter, sans pouvoir tuer de veau gras, le retour de l'enfant prodigue, la vérité éclatait, « nue et froide ; il fallait se contenter de menus spartiates... dehors se formaient d'interminables queues devant des boutiques mal achalandées ; le thème permanent revenait sur le tapis : la nourriture, les tickets, la distribution du jour... les pommes de terre ou les abats enlevés de haute lutte... les difficultés pour se vêtir, pour se chauffer, pour se chausser, pour se déplacer, faisaient leur apparition tour à tour dans la vie du libéré... Ce peuple, naguère si attaché à son confort, se soumettait à de longues attentes devant des guichets hostiles, à des courses fatigantes à pied ou à bicyclette, à des voyages pénibles dans des trains bondés... Il apprenait à faire l'économie des plaintes et des révoltes stériles »[1].

Cette situation tragique tenait à des causes qu'il n'appartenait pas aux Parisiens de modifier. D'abord, la guerre, qui continuait, aggravée par le blocus britannique, privait la France de toute importation d'outre-mer, même en provenance de son empire colonial. Cette coupure n'était pas compensée par les liens de plus en plus étroits qui rattachaient l'économie française à celle de l'Europe dominée par l'Allemagne car celle-ci, pour satisfaire les besoins d'une production de guerre de plus en plus exigeante, exploitait les territoires occupés, la France en premier, à son unique profit ; partout, elle se réservait la part du lion ; les produits qu'elle se procurait, par réquisitions ou par achats, et qui prenaient le chemin du Reich, n'étaient en règle générale pas remplacés par d'autres provenant d'outre-Rhin, même quand des promesses formelles avaient été prodiguées.

---

1. Article de Raymond JOUVE in « Triptyque de prisonniers », publié en 1942 par la revue *Construire*

A Paris, faute de matières premières, nous l'avons vu, la production stagne, le commerce périclite ; l'absence des prisonniers de guerre, le départ des requis du STO, ont fait passer du chômage des premiers mois à un manque de main-d'œuvre spécialisée. Certes la campagne demeure riche, dans la Beauce et la Brie voisines, ou dans la proche Normandie ; mais l'approvisionnement de Paris ne peut plus s'effectuer par transports routiers, et les trains, surchargés, se font plus espacés avec le temps. Par suite, tout manque, progressivement ; la marchandise, en même temps qu'elle est plus rare, est de moindre qualité ; la pénurie gagne de proche en proche, avec effet cumulatif.

Pour éviter une inflation qui dévaloriserait le mark, l'occupant a imposé une stricte fixation des prix et des salaires. Il ne peut pas empêcher que, la demande étant largement supérieure à l'offre, les prix réels montent ; aussi bien, les producteurs refusent de vendre toute leur production aux tarifs officiels ; toute une faune d'intermédiaires les aide à les écouler dans un « marché parallèle » ; tantôt il ne s'agit que de « système D », d'ingéniosité et de relations humaines ; mais, les Allemands aidant, le « marché noir » devient vite une vaste entreprise de vols, de recels, d'exploitation de la misère du grand nombre au profit scandaleux d'une minorité de trafiquants.

Les conséquences morales de la situation ainsi créée sont graves ; la fraude et la corruption prennent le large ; les conséquences sociales ne le sont pas moins, par la nouvelle hiérarchie qui s'établit ; mais c'est sur le plan politique que la pénurie dont souffrent les Parisiens a le plus d'effet car elle provoque leur détachement du régime de Vichy et leur animosité croissante à l'égard de l'occupant et de ses valets.

La faim toujours recommencée

Apaiser quotidiennement sa faim est le souci majeur, rarement apaisé, des Parisiens. Chaque rapport hebdomadaire des Renseignements généraux consacre au moins la moitié de ses pages aux arrivages de denrées sur les marchés, et aux propos entendus à leur sujet. Le préfet de la Seine change de nom, mais le fond, et le ton de ses comptes rendus, restent les mêmes : « les problèmes d'intérêt immédiat sont au premier plan des préoccupations des Parisiens... leur adhésion au gouvernement du maréchal est fonction plus des facilités de ravitaillement que de mesures politiques ». Suit l'énumération des plaintes constamment répétées : « On espérait 7 kg de pommes de terre et on en a reçu seulement 2 ; la ration de pâtes a été distribuée avec quinze jours de retard ; combinée avec celle des légumes secs, elle a cependant apaisé dans une certaine mesure le vif mécontentement de la population ; on demande plus de pain pour les vieillards ; on se plaint que les gens fortunés mangent et boivent mieux au restaurant » ; dès que des légumes frais arrivent, le mécontentement baisse d'un ton, comme par miracle.

Mais le sujet qui obsède chacun ne change pas. Pour tout le monde, écrit *l'Illustration*, la question du ravitaillement « occupe toute la pensée, fournit les sujets de conversation et prime toutes les autres considérations : Que manger et où trouver à manger ? ». L'importance du problème est bien perçue à Vichy. A plusieurs reprises, le ministre du ravitaillement essaie de calmer l'appréhension générale par des engagements solennels et des déclarations rassurantes : « L'approvisionnement de Paris est assuré... Ce ne sera ni l'âge d'or ni la famine, mais Paris mangera [2]. »

La préoccupation de l'occupant n'était pas exactement la même ; certes, il n'avait nullement l'intention d'affamer les Parisiens, avec le risque de les pousser au désespoir, et, peut-être, à la révolte ; mais leur nourriture passait après celle des Allemands ! Dès le 22 juillet 1940, un haut fonctionnaire est chargé du ravitaillement dans les territoires français occupés ; mais, très vite, il apparaît plus commode, et plus habile, de laisser effectuer la répartition des denrées par le ministère français du Ravitaillement ; si les Français sont mécontents, ils s'en prendront à leur gouvernement, et non au vainqueur ! Mais, en contrepartie de cette « concession », les prix de base des denrées ne seront fixés par les services français que « après communication aux autorités occupantes » ; autrement dit, ce sont celles-ci qui fixeront les prix, et elles s'opposeront systématiquement à leur relèvement.

D'autre part, proclame l'autorité occupante, « l'Allemagne a le droit d'exiger des Français les mêmes restrictions que celles supportées par le peuple allemand » ; c'est donc l'occupant qui impose aux services français, chargés de les mettre en application, les taux de rationnement. En vain la délégation française à Wiesbaden proteste-t-elle que les rations allouées aux Allemands sont bien supérieures à celles que touchent les Français (500 g de viande et 250 g de matières grasses par semaine, contre 350 et 80) ; en vain, le gouvernement de Vichy demande-t-il que les rations alimentaires françaises soient augmentées — « c'est la condition d'un bon travail pour les Allemands » — et que soit stoppée l'exportation non contrôlée de denrées françaises vers l'Allemagne : l'occupant ne cède rien et maintient sa dure loi.

En outre, il affirme qu'il conserve « son droit de disposition des entrepôts de denrées alimentaires », c'est-à-dire son droit à les vider, si l'envie lui en prend. Il veut que « les besoins de l'armée allemande soient satisfaits en priorité ». Il exige que lui soient communiquées les statistiques, et « donne l'ordre que soient dressées des listes de consommateurs, comme cela se fait en Allemagne ». Les civils de ses services possèdent des cartes et des tickets

2. Rapports du préfet Magny en février 1942 ; article de Jacques de LESDAIN dans *L'Illustration*, février 1941.

de couleurs spéciales, que les commerçants doivent « honorer » — cela leur est continuellement rappelé. Si, par extraordinaire, un peu de la production allemande parvient en France, les Français le paient au prix fort : 840 F le quintal de sucre, alors que son prix de gros en France est 332 F, et que, en outre, il a été transporté sur des camions français. Et comme on n'est jamais si bien servi que par soi-même, l'occupant s'est réservé la priorité absolue sur les marchés de la Villette et des Halles : à lui la meilleure viande et les légumes les plus frais ; il a laissé les bestiaux de l'Orne aux Français, mais il garde pour lui ceux de la Manche et du Calvados.

L'autorité française devra donc administrer et répartir, le plus équitablement possible, une pénurie vite généralisée ; pour cela, ne doit plus jouer l'économie de marché qui ne profiterait qu'aux personnes fortunées — et qui retrouvera une vie clandestine dans le « marché parallèle ». La distribution ne se fait pas immédiatement en nature, mais sous la forme de bons d'achats, ou tickets. Chaque Français possède une carte de ravitaillement nominative, qui lui donne droit, chaque mois, à des feuilles de tickets de couleurs différentes, affectés d'un chiffre ou d'une lettre. Pendant tout le mois d'août 1940, en raison des stocks considérables constitués en prévision d'une guerre longue, et des provisions mises en réserve par les gens prévoyants, aucune raréfaction de denrée n'est sensible, malgré les prélèvements d'office effectués par l'occupant ; on peut acheter de tout, librement, et à des prix normaux ; seul le sucre est rationné à 500 grammes par mois.

Les cartes de rationnement entrent en vigueur à Paris le 23 septembre 1940. Le bulletin municipal multiplie les explications, largement reproduites par la Presse. Ainsi, pour la viande, il est précisé que « chaque ticket porte deux chiffres, dont le premier est celui de la semaine dans laquelle le ticket doit être utilisé, faute de quoi le ticket sera périmé ». Le 26 septembre, le riz ne peut être vendu que contre coupons ; en même temps sont interdits « tous achats, ventes et transports de légumes secs » ; la carte de lait est instituée le 7 octobre 1940 ; suivront les rationnements de beurre, fromages, café, etc. ; très peu de produits demeureront en « vente libre » ; ils ne feront d'ailleurs que des apparitions fugitives sur les étalages[3].

Une partie des denrées est directement attribuée aux collectivités locales — collèges, hôpitaux, communautés, prisons, etc. A partir du 20 octobre 1940, les consommateurs individuels sont répartis en catégories, selon leur âge et, autant que possible, leurs besoins : E, enfants de moins de trois ans ; JI, enfants de trois à six ans ; J2, enfants de six à treize ans ; J3, adolescents de treize à vingt et un ans ; A, adultes de vingt et un à soixante-dix ans ; V,

3. *La Délégation française*, t. I, p. 306-311 ; t. IV, p. 135 ; t. V, p. 189 ; message de Brinon au général Laure, février 1941 ; *Bulletin municipal officiel, passim*, notamment n⁰ 80, 22 mars 1941 . Pierre AUDIAT, *op. cit.*, p. 108.

vieillards de plus de soixante-dix ans. Le système sera constamment perfectionné ; dans la catégorie A on verra apparaître une, puis deux catégories de « travailleurs de force », T, bénéficiant d'avantages spéciaux, et une catégorie C, cultivateurs, qui évidemment ne jouera pas dans Paris, sauf pour les jardiniers de la ville, mais comprendra les maraîchers du « Gross-Paris » ; des distributions spéciales seront prévues pour les femmes enceintes, pour les femmes allaitant un enfant, pour les enfants des écoles, pour certains malades.

Tout ce système, de plus en plus compliqué, exige une lourde machinerie administrative. Partout, dans les mairies, dans les écoles, s'installent des « services du ravitaillement », dont le rôle principal est de distribuer et renouveler cartes et tickets. On recrute du personnel dans les mairies, mais on engage aussi des employés inexpérimentés — neuf mille fonctionnaires à Paris ; leur incompétence est régulièrement dénoncée par la presse parisienne [4], dans le procès permanent qu'elle intente au gouvernement de Vichy et que la censure allemande laisse faire. On crée, en même temps, avec les coupons, une nouvelle monnaie qui appelle la fraude et la contrefaçon.

Les consommateurs entrent alors dans une ronde compliquée qui, rapidement, les irrite et les harasse. *Les Nouveaux Temps* du 3 mai 1941 décrivent ainsi les tribulations d'un ouvrier qui veut toucher un supplément de ration auquel il a droit. Il doit, successivement : obtenir à la mairie, après attente, un imprimé spécial ; aller à la Chambre des métiers et se faire remettre une feuille d'immatriculation, puis les reçus du percepteur justifiant le paiement de la taxe pour cette Chambre. Muni de ces trois papiers, il retourne à la mairie pour qu'un employé appose le cachet dispensateur ; il ne lui reste plus qu'à trouver le commerçant qui délivre le produit, en espérant qu'il aura été fourni le jour même. Au bout de deux mois, tout est à recommencer, car notre homme aurait pu changer de métier.

Pour tout consommateur, la lecture d'un journal devient une nécessité impérieuse car il annonce les rations du mois et parfois, aubaine rare, des distributions exceptionnelles. Il doit ensuite attendre que le produit arrive chez le commerçant auprès duquel il est inscrit ; après quoi, il faut que la denrée soit proclamée débloquée, c'est-à-dire mise en vente. C'est alors le jeu du découpage des coupons, contre remise desquels est distribué tout ou partie de la ration annoncée. Pour que le système fonctionne, il importe d'abord que, à la source, le producteur cède au ravitaillement les contingents auxquels il s'est engagé, et qu'il a une tendance naturelle à minorer ; il faut ensuite que Paris soit suffisamment approvisionné, et que les arrivages s'effectuent en bon état, et en temps voulu [5].

---

4. On a pourtant multiplié les « corps d'experts » ; en légumes secs, en viande, en lait, etc.
5. A. SAUVY, *op. cit.*, p. 114-118 ; *Bulletin municipal*, septembre, octobre, novembre 1940 ; G. WALTER, *op. cit.*, p. 113-126.

Le cycle : arrivages, rations, queues, déception

La ville de Paris ne produisant par elle-même aucune denrée consommable, le ravitaillement ne peut distribuer que les quantités de produits qui arrivent de la province nourricière ; or, au fil des années, elles ne font que diminuer, au point de cesser presque totalement à la veille de la Libération. Qu'on en juge par quatre denrées :

Arrivages (tonnes)	Viande	Fruits et légumes	Beurre	Volailles et gibier
1938	67 692	131 807	8 645	22 224
1941	16 644	83 660	4 905	2 413
1942	25 956	81 865	3 919	2 345
1943	22 260	61 202	3 534	2 402
1944	19 158	40 744	3 535	3 215
1945	23 850	60 832	2 755	3 554

La chute des arrivages de viande est particulièrement brutale en 1941, où ils atteignent à peine le quart de ceux de 1938 ; la situation ne se rétablira pas avant 1947 ; si le nombre de bœufs et de vaches se maintient à peu près, par contre celui des veaux baisse considérablement (177 954 têtes en 1938 et 13 920 seulement en 1944), ce qui signifie une dangereuse et durable diminution du cheptel. Quant aux porcs, c'est à se demander ce qu'ils sont devenus, tellement ils ont déserté le marché des halles ; on n'en dénombre plus que 6 640 en 1944 contre 118 272 en 1938. La conclusion est claire ; s'ils ne se débrouillent pas par leurs propres moyens, les Parisiens devront réduire de 3/4 leur consommation de viande d'avant-guerre.

Aux fruits et légumes comptabilisés aux Halles il faudrait ajouter des distributions de pommes de terre faites à domicile en 1942 et 1943 ; en ce qui les concerne, les arrivages ne baissent donc que de 40 à 50 % ; mais cette baisse est significative de l'activité du marché parallèle, car ce sont les maraîchers de la grande banlieue qui approvisionnent la ville en légumes, et leur production n'a pas baissé ; seulement la plupart des Parisiens aiment mieux aller chercher sur place, par de longues randonnées à bicyclette, leurs salades, carottes et choux, en les payant, bien sûr, un peu plus cher.

On remarquera que, pour le beurre, la situation ne cesse de se dégrader, 1944 étant la plus mauvaise année, à cause probablement des combats de

Normandie et de Bretagne, deux provinces mamelles de Paris, dont la capitale est pratiquement coupée depuis plusieurs mois. Le problème des matières grasses était probablement le plus difficile de ceux qu'avait à résoudre le ravitaillement général, leur insuffisance ayant des conséquences graves notamment sur la croissance des enfants : ce fut, aussi bien, le plus mal résolu.

Le gibier a disparu à peu près totalement sur les tables des Parisiens ; quant aux volailles, chacun s'est ingénié à en élever, sur le balcon, dans la cour de l'immeuble, sous les combles. Les lapins sont particulièrement précieux car ils mangent les épluchures, tiennent peu de place, et font bon ménage avec les poules [6], qui viennent picorer dans la cuisine ; on cultive des légumes dans les pots et les bacs de fleurs. Il faut ajouter que les arrivages de blé ou de farine sont ceux qui se sont maintenus au plus haut niveau ; si bien que le pain est l'aliment qui a le moins manqué aux Parisiens, sauf aux derniers jours de l'occupation ; mais sa qualité était de plus en plus médiocre, et sa couleur de moins en moins appétissante.

A ces chiffres, décourageants, il faut, bien sûr, ajouter ceux de l'approvisionnement familial, qui échappent à toute statistique. Il convient de noter aussi que les transports par route ont presque totalement cessé et que c'est par le rail qu'arrivent plus de 80 % des denrées ; or, dans les derniers mois qui précèdent le débarquement de Normandie, la guerre se traduit essentiellement pour les Français par des sabotages de voies ferrées, par des bombardements de gares de triage et de ponts, et par des mitraillages de trains ; ce qui ne cesse de réduire les transports de denrées vers Paris, d'autant plus que « les pertes » se multiplient en cours de route — en 1944, la SNCF devra payer plus de 800 millions de francs pour dédommager les plaignants [7].

La raréfaction progressive des arrivages des denrées sur les marchés où ils ont l'habitude de faire leurs provisions se traduit, pour les Parisiens, par une série de prescriptions, d'interdictions et de réglementations ; par la fourniture de rations théoriques apparemment équilibrées, mais souvent hypothétiques ; enfin par des attentes et des queues interminables pour ne pas toujours réussir à se procurer l'indispensable.

Côté instructions et arrêtés, à partir du 1er novembre 1940, la vente de café pur est interdite ; à la place, est vendu un mélange de 100 grammes de café pur et de 200 grammes de succédanés... qui le mois suivant passent à 60 et 190 g ; dans peu de temps, il ne sera plus guère question de café, autrement

6. Les choses sont plus faciles dans les maisons de la banlieue, munies d'un jardin, qui abritent et nourrissent de véritables basses-cours. Les Parisiens, entre 1940 et 1944, ne mangèrent ni rats ni chiens, à la différence de leurs aînés du siège de 1871.

7. P. Durand, *La SNCF pendant la guerre, op. cit.*, p. 259, 263, 267 ; *Annuaire statistique de la ville de Paris*.

que sous la forme d'un horrible mélange qui n'est pas rendu meilleur par le fait qu'il est baptisé « national ». Dès fin octobre, l'exposition et la vente de volailles, et leur consommation dans les restaurants, sont interdites trois jours par semaine. Désormais, il y aura les jours « sans » et les jours « avec » ; c'est-à-dire une partie de la semaine, changeante selon les denrées, où on aura le droit de consommer certains produits et une partie où ce sera interdit — tout un calendrier compliqué à tenir à jour. Fin novembre 1940, les fournées de pain ne devront être mises en vente que 12 heures après leur cuisson — chacun sait qu'on mange davantage de pain quand il est chaud. Le sel, le vin, le tabac, les citrons, les noix, et jusqu'aux topinambours, sont contingentés.

Les « avis » aux consommateurs se multiplient — malheur à celui qui oublierait d'en prendre connaissance ! Ainsi, du 23 au 31 mars 1941, seront distribuées : les feuilles de tickets de pain pour avril, ce qui est normal ; celles de tickets de viande pour le 2ᵉ trimestre de 1941, et celles de savon pour le mois de juin, ce qui revient à s'y prendre très à l'avance, ou à n'avoir rien à distribuer. Autre « avis », les consommateurs sont tenus de remettre, avant le 10 avril 1941, « à un détaillant de leur choix » : le ticket-lettre DP de matières grasses, le ticket-lettre DW de « denrées diverses » transformées en l'occurrence en fromage, les tickets DA et DB toujours de « denrées diverses » pour obtenir 1 kg de pommes de terre. Mais attention ! « seuls seront valables les tickets imprimés en rouge sur papier violet »[8]. C'est, pour les ménagères, un casse-tête quotidien.

	Catégories						
	E	J1	J2	A	J3	V	T
Pain (g par jour).................	100	200	275	275	350	200	350
Viande (g par semaine)...........	180	180	180	180	180	180	180
Fromage (g par semaine)	50*	50	50	50	50	50	50
Matières grasses (g par mois).......	310	310	610	610	610	310	910
Sucre (g par mois)	1250	500	500	500	500	500	500
Riz (g par mois)	300	200	néant	néant	néant	néant	néant
Chocolat (g par mois)	néant	125	250	250	néant	125	néant
Café pur (g par mois)	néant	néant	30	30	30	30	30
Pâtes (g par mois)	250	250	250	250	250	250	250

* 25 % de matières grasses seulement

8 *Bulletin municipal* et *Annuaire statistique de la ville de Paris*

Pour le mois de décembre 1942, un mauvais hiver, telles sont les « rations » promises aux Parisiens, — c'est aussi un mois, celui de Noël, où quelques menus cadeaux leur sont dispensés.

Tout cela paraît équilibré, les enfants en mal de croissance et les « travailleurs de force », de qui la production dépend, étant logiquement favorisés, et les vieillards gâtés par une distribution de chocolat ; les femmes enceintes et celles qui allaitent ont droit en plus à un demi-litre de lait entier par jour et à un supplément de viande et de pâtes, ce qui leur fournit le plus de calories entre tous les consommateurs. Au fond, les circonstances obligent les Français à pratiquer, sans le savoir, un début de diététique. En outre, en cette période de fêtes, les Parisiens reçoivent des suppléments : 4 kg de pommes de terre, 2 kg de navets, 2 kg de carottes, « sans fane » est-il précisé, 100 g d'ail, 250 g de confiture pour les J et les inévitables 3 kg de rutabaga — un légume inconnu en 1939, qui a envahi les marchés de 1941 à 1944, et qui en disparaîtra aussi mystérieusement qu'il était venu, peu après le dernier occupant, en 1945. Fade, mais précieux rutabaga ! Le préfet avait interdit son exportation en dehors de la Seine [9] !

Seulement, en ce mois particulièrement bénit, il se trouve par contre que la ration de viande a diminué de 200 à 180 g pour les J3 et les « travailleurs », et qu'elle ne sera portée à 250 g que si « les arrivages le permettent » ; celle de matières grasses a également diminué d'un tiers pour les jeunes, et celle de café en a fait autant pour tout le monde ; tout cela par rapport au mois de juillet ; par contre, des pâtes ont été distribuées, dont tout le monde avait été privé pendant ce même mois de juillet. Autrement dit, non seulement le taux des rations est changeant, mais il arrive que « les tickets » ne soient pas « honorés », c'est-à-dire qu'ils ne donnent droit qu'à une distribution retardée, ou pas du tout. La situation deviendra particulièrement grave au printemps de 1944 ; en mai, si la ration de 180 g de beurre peut être intégralement servie, par contre il est impossible de distribuer 90 g de viande par semaine ; des légumes secs n'ont pas totalement compensé cette carence. En juin, il n'est plus possible d'assurer 45 g de viande par semaine et il ne reste de la farine que pour 10 jours de pain dans les boulangeries ; les arrivages de légumes quotidiens deviennent exceptionnels ; en juillet, des tickets sont nécessaires pour toucher 250 g de tomates et 250 g de radis ! Les Parisiens s'acheminaient vers la famine quand leur libération est survenue [10].

Plus les denrées sont rares, plus il faut du temps, de la patience et de l'ingéniosité pour obtenir sa quote-part. Pour les survivants de cette période

---

9 Pierre AUDIAT écrit qu' « il ne nourrit pas les corps, mais il alimente les conversations »
10. H MICHEL, *La Libération de Paris*, Editions Complexe, Bruxelles, 1980 ; rapports du Préfet de la Seine ; comptes rendus des séances des premières commissions du Conseil municipal et du Conseil général réunies ; P. AUDIAT, *op. cit.*, p. 254-266 ; témoignage de CHASSEIGNE, in *La Vie de la France sous l'occupation*, t 1, p. 293-300

de misère, le souvenir le plus fréquent, le mieux incrusté dans la mémoire, est celui des files d'attente et des heures qu'ils y ont perdues. Les queues! Les Parisiens, et en premier lieu les ménagères, ont vite été instruits par leur expérience et leurs déceptions : le temps était passé où on achetait ce qu'on voulait pour manger ; bien content maintenant si on a trouvé quelque chose à se mettre sous la dent. Or, quand la marchandise était parvenue chez les détaillants, il était bien rare que les derniers clients soient servis, plus fréquent que seuls les premiers l'aient été ; mais il arrivait aussi, très peu souvent, que, à force de parcourir rues et boulevards, on tombât sur une occasion, un arrivage, un miracle.

Tout est donc prétexte à « faire la queue ». Les caricaturistes y trouvent un thème qu'ils exploitent à fond : celui du Parisien moyen qui n'entre pas dans une boutique, pourtant apparemment garnie, et qui déclare qu'il n'y reviendra que si une « queue » s'y est formée, tant il est devenu habituel, de règle en somme, qu'il n'y ait pas de denrée sans queue ; le même Parisien moyen, à tout hasard, suit le charreton de l'épicier.

La presse dénonce « les femmes qui délèguent leurs enfants pour attendrir la foule, ou se font prêter des poupons pour passer les premières... les chômeurs qui font le métier d'attendre ». Le *Bulletin municipal* rappelle que les cartes de priorité sont individuelles, et que les gens riches n'ont pas le droit de se faire remplacer par leurs domestiques. « De fausses femmes enceintes se servent de fausses priorités ; les acheteurs jeunes font du charme à la commise ; les promenades sont l'occasion de tenter l'assaut de boutiques inconnues. »

La queue, c'est l'aventure, et parfois le succès ; c'est aussi le dernier salon où l'on cause, où les nouvelles sont colportées, où la hargne de chacun se conforte à se confondre dans celle de tous. Aussi bien, le préfet de police a-t-il tenté de réduire les files d'attente « dans l'intérêt de la santé et de l'ordre public ». Les détaillants sont invités à remettre à leur clientèle des numéros indiquant l'heure de la distribution et l'ordre dans lequel les clients seront servis. Ils devront afficher tous les jours les produits en vente et les heures d'ouverture ; il est prescrit de former deux files d'acheteurs, pour les prioritaires et les non-prioritaires. Quant aux clients, il leur est interdit de se former en queue plus d'une demi-heure avant l'ouverture. Mais comment empêcher que, bien auparavant, de faux promeneurs déambulent sur l'autre trottoir, en regardant leurs montres, pour se trouver bien placés au moment du rush final ? La police surveille les queues ; les groupements de collaboration y délèguent leurs indicateurs. La « queue », c'est un condensé de l'occupation, de la misère et de l'espoir, un terrain de rencontre où les Parisiens communient dans les mêmes soucis, une image d'une société où la pénurie égalise les conditions de vie [11].

11. *L'Illustration*, 9 août 1941 ; *Bulletin municipal* du 27 décembre 1940, 8 mai 1941 1er janvier 1943

Trucs et recettes, œuvres, cousins de Bretagne

Comment tromper la faim ? Les journaux sont pleins de conseils à l'intention des Parisiens, trop portés à regretter les plantureux repas d'antan. Par exemple, pour récupérer les 1 400 calories quotidiennes nécessaires que « le ravitaillement » ne fournit pas, il vaut mieux qu'ils n'utilisent pas les tickets de viande tous les jours, mais les bloquent sur 2 à 3 jours, et se procurent pour les autres jours, triperie, volailles et poisson — des lecteurs demandent aussitôt au journal où ils peuvent en trouver. Pour les compléments d'éléments minéraux, on peut penser à des médicaments à base d'iode, de fer, de phosphore ; pour compenser les vitamines, aux noix, aux amandes, à la levure de bière fraîche — mais ces produits manquent aussi sur les marchés. Alors, pourquoi ne pas manger du corbeau ? Un « marchand de comestibles, cuisinier au surplus », donne la recette pour tirer un bouillon acceptable des vieux corbeaux, et un civet passable des jeunes ; pour améliorer surtout l'écuelle des chats ; mais comment chasser le corbeau ?

Le plus simple, en somme, c'est de tromper la faim en changeant les habitudes visuelles et gustatives. Par exemple, on coupe son pain en nombreuses et minces lichettes, aussi larges que possible, « sur lesquelles les papilles de la langue et du palais trouveront leur summum de nourritures gourmandes » ; quand il ne reste plus qu'un quart de tartine, « manifestement insuffisante pour notre appétit », on la coupe en deux, « dans le sens de l'épaisseur, de façon à *présenter aux yeux* (souligné dans le texte) une surface double ». L'imagination jouant, « cette multiplication des pains freinera la tentation de couper une nouvelle tranche ». Pareillement pour « le bifteck, les légumes, le fromage, les fruits : en divisant la sensation gustative, on ne fait pas que la prolonger, on l'aiguise ». Un autre truc, pour restreindre la boulimie, consiste à utiliser des assiettes et verres plus petits, de façon « à donner à moindre consommation l'illusion de franches lippées et de larges rasades ; 60 g de viande font plus d'effet sur une assiette à dessert que sur une assiette ordinaire ».

Mais il y a des limites aux pouvoirs de l'illusion. Plus bénéfique est une meilleure utilisation des produits dont on peut disposer. Un « bureau de recherche » est ouvert au ministère du Ravitaillement ; chacun peut y exposer ses idées. Des livres paraissent, nombreux, qui s'enlèvent dès leur arrivée en librairie, et qui donnent des recettes de cuisine « aptes à concilier, écrit un auteur, les exigences opposées de l'organisme et du ravitaillement, en même temps qu'elles s'appliquent à ne pas décevoir notre palais », car « les privations ont rendu aux estomacs une virginité qui leur permettra de savourer des plats plus simples que naguère ».

Les Parisiennes apprennent ainsi comment faire des omelettes sans casser des œufs, tirer des entremets des algues marines, fabriquer de la charcuterie à partir du poisson. On s'exerce à faire de l'huile de salade avec du lichen blanc, de l'huile de lin et de l'eau ; du chocolat avec des châtaignes ; de bonnes galettes avec de la farine de millet ; des gâteaux à partir de carottes et de haricots secs ; des pâtés de rutabaga ; les glands sont recherchés, les uns moulus donnent un succédané de café, d'autres un ersatz d'huile ; certaines ménagères essaient de manger les pommes de terre, puis de faire frire les épluchures. On apprend surtout à utiliser les restes ; après une partie de thé-bridge, Charles Braibant se réjouit « d'avoir pu fumer deux pipettes en récoltant les mégots des invités [12] ! »

Mais ce sont là de médiocres palliatifs. Il est préférable d'utiliser au mieux les ressources dont on dispose. De nombreux « écrivains » enseignent les meilleures façons d'élever poules, poulets et lapins ; de faire fructifier les ruches ; d'obtenir de bonnes récoltes de pommes de terre et, même, d'élever des brebis et des vaches. Les vétérinaires prodiguent les conseils pour que les clapiers sur les balcons aient un rendement maximum — la presse relève qu'ils sont plus nombreux à Auteuil parce que les immeubles à balcon y prédominent. L'Institut Pasteur explique que la parasitose fatale aux lapins est due à « une déficience phosphocalcique de l'herbe » ; il faut la mélanger avec un peu de chaux éteinte. Conseil d'hygiène fréquemment répété : tenir propres les cages, brûler crottes et litières.

Quant au rendement maximum des sols parisiens cultivables, le départe-ment de la Seine et la ville de Paris en prennent l'initiative. Les jardins de la ville se vident de cultures florales au profit de légumes. Des chômeurs sont engagés pour retourner la terre aux bois de Boulogne et de Vincennes, à Bagatelle, au Luxembourg ; l'hippodrome de Saint-Cloud est transformé en 600 jardins ouvriers ; le préfet de la Seine donne l'exemple en plantant des pommes de terre dans son jardin privé ; les élèves des lycées s'entraînent à semer des radis et des carottes. Un vaste programme est dressé : produire 2 millions de poireaux, 660 000 choux, 120 000 plants de tomates, 360 000 salades ; le rendement est assuré quand les jardiniers de la ville de Paris s'en mêlent. La plupart des entreprises suivent l'exemple ; après avoir expédié leur déjeuner, ouvriers et employés passent une heure au jardinage ; la SNCF découvre que les talus des voies ferrées peuvent être cultivés. Encore faut-il que des affamés ne déterrent pas les pommes de terre à peine ensemencées !

Pour limité qu'il soit inévitablement dans ses effets, ce gros effort fait

12. L'Illustration, 5 octobre 1940, 8 février 1941, 14 juin 1941 ; h. AMOUROUX, op. cit., t. II, p. 193-194 ; Ch. BRAIBANT, op. cit., p. 430 ; LE BOTERF, La Vie parisienne sous l'occupation France-Empire, t. II p. 219

preuve d'un élan de solidarité. Les fruits de ces cultures improvisées sont réservés aux plus nécessiteux, soit aux ouvriers des entreprises, soit indirectement à d'autres, aux familles nombreuses notamment, par l'intermédiaire du Secours national. Créé en 1914-1918, celui-ci a été ressuscité en 1939, avec comme programme la belle devise de Pasteur : « Je ne te demande pas quel est ton nom, mais quelle est ta souffrance » ; organisme privé, dont les employés sont pour la plupart des bénévoles, le Secours national vit, pour une bonne part, de la générosité publique, mais il reçoit aussi une aide importante de l'Etat, en argent et en matériel, en moyens de transport et en « bons matières » principalement.

A Paris, le Secours national organise des soupes populaires, et le « goûter des mères » ; il alimente les cantines scolaires, et distribue des biscuits à la caséine dans les écoles ; rue de Valois, il sert pour six francs un repas aux petits rentiers, retraités, femmes de prisonniers, qui peuvent attester qu'ils ne disposent pas de plus de mille francs par mois. L'exemple est contagieux ; les grandes entreprises louent des fermes et ouvrent des cantines pour leur personnel. Le syndicat des directeurs de théâtre décide de prélever 1 F sur le prix des places pour organiser des repas pour les comédiens sans emploi. Une fondation offre chaque jeudi, à 800 enfants de familles pauvres, un repas à la brasserie « Le Globe », Bd de Strasbourg. Pour la Noël de 1941, grâce à des envois de paysans de la Mayenne, 80 000 enfants parisiens peuvent faire un bon déjeuner. Les cantines se multiplient ; les sœurs de l'Immaculée conception, avenue du Maine, servent 600 repas par jour ; le centre d'apprentissage, rue de Vaugirard, 400 ; les étudiants catholiques, 600 ; à Levallois, le « centre inter-usines » bat les records avec 8 000 repas ; chaque mairie de Paris se dote d'une cantine. Les restaurants communautaires, « les rescos », créés à l'intention de personnes gagnant moins de 3 000 F par mois, finiront par nourrir plus de 200 000 Parisiens, pour des prix modiques ; des plats cuisinés peuvent être emportés à domicile. Les maires de Paris élaborent des plans de repas collectifs destinés à nourrir toute la population. en vérité à ne pas la laisser mourir de faim, en cas d'arrêt des transports ; des stocks de sécurité ont été préservés à cet effet[13].

Le mouvement de solidarité nationale est donc incontestable, et il n'est pas seulement charitable, mais partiellement institutionnalisé[14]. La pénurie générale amène une certaine égalisation des conditions de vie. Mais bien d'inégalités demeurent et des nouvelles se forment. Nous l'avons vu, les

---

13. *L'Illustration* du 28 juin 1941 ; Pierre AUDIAT, *op. cit.*, p. 91-92 ; témoignage de G. PILON, in *La Vie de la France sous l'occupation, op. cit.*, t. II, p. 908-915 ; BENOIT-GUYOT, *op. cit.*, p. 120 ; P. DURAND, *op. cit., passim ; Bulletin municipal,* 28 mai 1941 et *passim ;* rapport du préfet Bouffet, 5 juin 1944.
14. A la Libération, la Résistance triomphante gardera le Secours national en changeant seulement son nom et en l'appelant « Entraide ».

grandes entreprises se défendent mieux que les petites contre les difficultés de l'existence : il est plus difficile à un artisan d'aider à nourrir ses ouvriers qu'à la SNCF son nombreux personnel. L'argent est loin d'avoir perdu tout son pouvoir, et seuls les riches peuvent s'approvisionner au marché noir ; c'est aussi un des privilèges des collaborateurs de bien se nourrir grâce à la parcelle de puissance que leur laisse l'occupant. Mais, dans le mouvement général qui pousse chacun à se débrouiller par ses propres moyens, plus ou moins licites, deux catégories de Parisiens se révèlent comme détenant des avantages particuliers : ceux qui ont quelque chose à échanger, et ceux qui ont conservé de la famille dans une riche province.

Le dimanche, les Parisiens visitent les campagnes. Qu'un patron de café, dans un village, installe une table et fasse bien manger deux Parisiens et, le tam-tam du téléphone répandant l'heureuse information, le dimanche d'après, c'est la ruée des cyclotouristes. Parfois la famille a réussi à louer un jardin grand comme un mouchoir de poche d'où l'été, après une bonne heure de train, une bonne heure de marche, et quelques méchantes heures passées à jardiner, elle ramène paniers, sacs, valises, filets, par un train bondé qu'il a fallu prendre d'assaut. Pour la plupart, le secret de la réussite, c'est de surprendre les paysans à table, de les allécher en exhibant un portefeuille bien garni, de les apitoyer en poussant devant soi quelque enfant malingriot ou, mieux encore, de leur proposer un échange. Les uns se disent médecins et donnent une consultation gratuite. Mais les vainqueurs sont ceux qui peuvent brandir des cotonnades, des chaussures, du tabac et, surtout, des objets dont le fermier a besoin. Charles Braibant voit ainsi, avec colère, un industriel lui rafler sous le nez du beurre et du jambon contre un « bon-matière » d'objet en tôle. Et le romancier de gémir : « le savant, l'artiste, l'écrivain, qu'il crève » !

Sans avoir à se déplacer, heureux sont ceux qui renouent avec les cousins de province. On n'a jamais aussi bien vérifié que la majorité des Parisiens n'avaient pas coupé leurs racines familiales. Qui ne se découvre un cousin éloigné en Normandie, Bretagne, ou Vendée ? Le « ravitaillement général » et la SNCF autorisent l'envoi de colis enregistrés d'un poids maximum de 50 kg, dits « colis agricoles ». Chaque colis doit porter une étiquette donnant la liste des aliments qu'il contient, avec l'attestation de l'expéditeur qu'il est bien un producteur. On a le droit de recevoir ainsi : 50 kg de légumes verts, 10 de fruits ou de poisson frais, 5 de conserves de fruits, 3 de volailles.

La poste admet des « paquets-lettres » de 3 kg, affranchis comme des lettres du même poids, et dont le contenu n'a pas besoin d'être révélé. En 1943, le nombre quotidien de colis distribués à Paris approche les 100 000, soit 300 tonnes de ravitaillement supplémentaire. Une nouvelle inégalité s'institue ainsi ; les bénéficiaires de ces envois en retirent, a calculé A. Sauvy, entre 60 et 300 calories par jour ; ils sont beaucoup plus nombreux dans les quartiers riches que dans les quartiers pauvres. Mais, pour profiter des « colis familiaux », les bien nommés, ce qui importe, c'est moins de posséder de l'argent que d'avoir conservé de la parenté ou des amitiés agissantes dans des régions moins démunies, et la population paysanne était beaucoup plus nombreuse à ce moment qu'aujourd'hui. Ces envois, s'ils ne sont pas dérobés en route, accroissent certes un peu l'inégalité sociale que le rationnement uniforme des denrées tendait à niveler. Mais ce n'est pas une des moindres conséquences de l'occupation allemande que d'avoir fortifié les liens de famille, distillé chez le Parisien la nostalgie de ses origines paysannes, et redonné vie au cousinage à la mode de Bretagne [15].

Une autre obsession : le froid des longs hivers

L'hiver 1940-1941 fut un des plus longs et des plus froids de l'histoire météorologique de Paris : soixante-six jours de gel (la moyenne est de cinquante-deux) ; on a relevé des températures de −14° à Montsouris, −17° à Vincennes ; en outre, janvier et février furent très pluvieux. Si la fin de 1941 fut relativement douce, avec quarante-trois journées de gel seulement, le début de 1942 connut une courte, mais vive, offensive du froid, avec une température minimale de − 16°5 à Vincennes, et trente et une chutes de neige. Fort heureusement, l'année 1943 se révéla relativement chaude, les températures de janvier à avril étant largement supérieures à la moyenne, et s'abaissant seulement à −6° en janvier 1944. Mais quelles qu'aient été les variations saisonnières ou annuelles des températures, l'impression qui domina chez tous les Parisiens et qui, avec la hantise de la faim, peut-être partiellement à cause d'elle, demeure le souvenir le plus pénible et le plus évocateur de la période de l'occupation allemande est que, constamment, d'octobre à mai, ils ont souffert du froid, et qu'une grande partie de leur activité a été consacrée, sans succès, à essayer de s'en préserver [16].

Les Allemands étaient responsables en grande partie de cet état de choses. Le Nord et le Pas-de-Calais étant rattachés arbitrairement par eux au Commandement militaire de Bruxelles, et la coupure étant, par leur volonté, totale avec le reste de la France, le charbon des mines habituellement pourvoyeuses de Paris n'y parvenait plus, et n'y parvint par la suite qu'en quantités toujours insuffisantes ; les usines ayant dans ce domaine la priorité des priorités, seule une portion congrue des arrivages était réservée au chauffage. Aussi bien, il n'y eut pas de distribution au cours de l'hiver 1940-

15. Ch. BRAIBANT, op. cit., p. 258 ; *Bulletin municipal*, 18 octobre 1941 ; témoignage de DI PACE, in *La Vie de la France sous l'occupation, op. cit.*, t. I, p. 309-313 : *L'Illustration*, 24 octobre 1941.

16. *Annuaire statistique de la ville de Paris*.

1941, le plus dur pour les Parisiens. La carte de charbon fut instituée en juillet 1941, et quelques coupons furent « honorés » pendant l'hiver 1941-1942, une priorité étant accordée aux familles non abonnées au gaz ; mais les rations, de 25 kg au maximum, étaient largement insuffisantes. En 1943, 300 kg par famille permirent de se chauffer deux mois.

Par un retour du sort, les grands appartements modernes, possédant le chauffage central, et démunis de cheminée, devinrent les plus inhospitaliers, parce que les plus froids. Charles Braibant, qui habitait rue du Ranelagh, écrit en avril 1943 : « dire qu'il y a encore à Londres et à New York des gens qui prennent leur bain tous les jours, alors que voici près de trois ans que nous n'avons pas pu nous payer ce luxe ». Le 23 octobre 1943 : « nous n'avons plus de charbon (pour un poêle) que pour trois semaines ». Le 5 novembre 1943 : « Nous attendons les grands froids pour employer nos quelques kilos de charbon ; la maison est glaciale. » Le 28 février 1944 : « Nous n'avons plus de boulets que pour aujourd'hui ; ce soir on va éteindre la salamandre. » Le 7 mai 1944, au seuil de l'été : « notre principal sujet de conversation c'est le 6e hiver de guerre qu'on voit venir avec épouvante ; à la maison, nous n'avons plus aucun grain de charbon, et aucun autre moyen de chauffage ». Pour avoir été libéré, Paris ne fut guère plus chauffé d'octobre 1944 à avril 1945 ; la situation ne redeviendra normale qu'en 1946[17].

La solution au problème ne pouvait être que collective ; or, les travaux pour l'extention du chauffage urbain, produisant de la vapeur à 200°, avaient été arrêtés, comme tous les grands travaux d'aménagement[18]. Les Eaux et Forêts avaient bien mis à la disposition de la ville de Paris des coupes de bois en forêt ; mais certaines s'avèrent inexploitables ; celles qui sont rentables, mais éloignées, posent d'insurmontables problèmes de transport ; bref, le bois ainsi parvenu à Paris doit pratiquement être réservé aux boulangeries, et les particuliers n'en profitent guère ; les quantités livrées vont d'ailleurs en se réduisant — en juin 1944, 800 stères arriveront chaque jour, alors que 1 800 sont nécessaires.

Le dénuement rendant astucieux les gens et les administrations, on cherche un combustible de remplacement et on croit l'avoir trouvé : c'est le « carbofeuille », dont la matière première est inépuisable dans les environs de Paris, feuilles, aiguilles de pin, brindilles, broussailles et dont voici la recette ; la matière, une fois séchée, est carbonisée dans des fours en maçonnerie ; le charbon pulvérulent est broyé, puis additionné d'eau, et

---

17 *Bulletin municipal,* juin et juillet 1941 ; P AUDIAT, *op. cit.,* p. 89-90 ; Ch. BRAIBANT, *op cit., passim* ; Ch. Braibant, romancier, était conservateur des archives de la marine.

18. Son avantage était d'économiser combustibles et transports ; 23 km de canalisations s'ajoutèrent aux 11 existant en 1939 ; la source d'énergie était l'usine de traitement des ordures ménagères à Ivry ; mais, conséquence de la pénurie, le tonnage d'ordures ménagères baissa de 48 000 tonnes par mois en 1938 à 31 000 en 1941 ; même cet ersatz de combustible se raréfiait

pressé sous forme de briquettes · en outre, la combustion dégage un gaz qui facilite l'assèchement. La mairie de Neuilly fit une expérience dans une « installation de fortune », et en tira 50 tonnes d'un pseudo-charbon, dégageant une épaisse fumée. La presse calcula alors, dans un grand élan lyrique, combien de carbofeuille pourraient donner les 89 000 arbres de Paris, les 400 000 de Boulogne ; on arriva à la conclusion qu'un hectare de bois pouvait produire 7 tonnes de charbon. Mais il fallait construire des fours, et c'était impossible. L'espoir, fumeux, s'est vite évanoui.

Il ne reste plus à chaque Parisien qu'à se débrouiller par ses propres moyens ; la solution c'est de vivre dans une pièce, celle où on fait la cuisine, ou une autre qu'on équipe d'un poêle à bois ou, mieux, à sciure, qui brûle lentement ; pour faire des économies, on se groupe entre voisins, tantôt chez l'un, tantôt chez l'autre ; le malheur collectif resserre ainsi les liens de la famille, et ceux du voisinage. Surtout, on installe un ou deux radiateurs électriques ; les habiles de leurs mains bricolent des accumulateurs dont les briques conservent la chaleur [19].

Car, fort heureusement, l'électricité n'a jamais totalement manqué. L'alimentation de Paris était assurée par un réseau à haute tension amenant du Massif Central et du Nord une énergie électrique d'origine hydraulique et une énergie d'origine thermique produite par les 7 usines thermiques de la région parisienne, qui ne s'arrêtèrent jamais de fonctionner, mais avec un rendement diminué du fait de l'usure et du mauvais entretien des machines. La consommation totale, qui s'élevait à 476 millions de kilowatts-heure en 1938, était encore de 442 millions en 1943, et ne s'abaissa qu'à 385 en 1944, pour repartir en flèche en 1945 (659 millions). Il y eut bien quelques alertes ; ainsi, le début de l'hiver 1942 ayant été sec et le niveau des eaux ayant baissé dans les barrages, dans la nuit du 23 au 24 janvier 1942, Paris se trouva privé d'électricité ; mais l'accident ne se renouvela pas.

Certes, il fallut se priver un peu ; l'administration donna l'exemple en réduisant sa consommation de moitié [20] ; surtout, l'éclairage public, en raison du black-out, cessa presque totalement (1 million de kilowatts-heure en 1944 contre 31 en 1938 !). Partout la consigne fut : économiser ; on ferma des stations de métro, on réduisit la puissance des lampes, on supprima les enseignes des théâtres et des boutiques ; on arrêta les ascenseurs. *Le Bulletin municipal* fourmillait de conseils pratiques : couper le chauffage avant la fin de la cuisson ; utiliser la même plaque pour des plats successifs ; utiliser le four pour plusieurs cuissons à la fois ; ne pas se servir d'ustensile d'un

19. Comptes rendus des réunions de la 2e commission du Conseil municipal, 29 février 1944. et de la 1re commission, 13 juin 1944 ; *L'Illustration*, 3-10 janvier 1942.
20. En octobre 1942 ; les magasins et restaurants doivent diminuer la leur de 30 %, les hôtels de 60 %. Tout dépassement de la consommation autorisée est puni par des coupures supplémentaires.

diamètre plus grand que celui de la plaque et employer les marmites auto-claves ou norvégiennes. Les précautions n'empêchent pas que, la consomma-tion domestique ne cessant de s'accroître, les coupures de courant se multiplient. En février 1944 le courant est coupé de 9 heures à 11 heures et de 14 à 17 ; en juillet 1944, la distribution d'électricité sera interrompue dc 6 h 30 à 21 heures, avec un bref rétablissement de 11 h 45 à 13 h 30. Les prochains mois ne s'annonçaient pas gais.

Le gaz non plus ne fit jamais totalement défaut ; il y eut même une légère augmentation de la consommation totale (478 millions de m^3 en 1943 contre 433 millions en 1938) ; mais il était devenu de mauvaise qualité, et on en dépensait plus parce qu'il chauffait moins bien. Avec un tube d'aspirine, on fabriqua un « tire-gaz », qui donnait une flamme plus brillante ; mais, dans Paris et sa banlieue, 270 000 familles, les plus pauvres, ne pouvaient pas profiter du gaz, parce qu'elles n'y étaient pas abonnées [21].

Le dénuement des Parisiens en matière d'énergie ne fut donc jamais total ; mais s'ils purent toujours faire cuire leurs plats, ils ne réussirent jamais à ne pas avoir froid en hiver. Alors, si les mois d'été devinrent ceux de la chasse à la victuaille dans les campagnes, ceux d'hiver se passèrent en quête d'un peu de chaleur. Les lieux publics sont ainsi fréquentés plus qu'il n'était habituel ou nécessaire ; on se réfugie dans les cafés, à la recherche d'un grog, d'une tisane ; on y prolonge son séjour en rédigeant son courrier ; les promenades s'achèvent parfois sur un banc du métro, « dans le sein tiède de la terre », écrit un journaliste. Les bureaux de poste, dont on regrette qu'ils soient fermés le dimanche, les halls des banques, les établissements hospitaliers, les serres du Muséum, et même les fauveries et singeries du jardin zoologique et les bureaux des contributions, sont ainsi plus fréquentés que de coutume [22]. On déplore que les églises ne soient pas chauffées, mais les bibliothèques le sont ; la longueur des soirées et le désir d'évasion aidant, l'occupation a ainsi le résultat d'augmenter le nombre des usagers des bibliothèques et, dans une mesure moindre, celui des Parisiens qui lisent chez eux.

Quand on reste chez soi, on essaie, difficilement, de tromper le froid comme on a tenté de calmer, illusoirement, sa faim. Bien sûr, on a calfeutré de son mieux portes et fenêtres et on s'applique à éviter les courants d'air. On s'est habitué à se contenter, de façon intermittente, d'un tub au lieu d'un bain, et on a découvert qu'il fallait faire couler l'eau froide d'abord, pour la réchauffer, tandis que, inversement, on aurait refroidi l'eau chaude. Mais la chaleur constamment à bonne portée, c'est celle du lit. Jamais les Parisiens

21. Compte rendu de la 2e commission du Conseil municipal, 22 février 1944 ; *Annuaire statistique de la ville de Paris ; Bulletin municipal, passim.*

22. Les salles des cinémas et des théâtres sont rarement bien chauffées ; on plaisante beaucoup en 1941 d'une pièce de théâtre intitulée « 29° à l'ombre », alors que les spectateurs, qui ont gardé leurs manteaux, soufflent sur leurs doigts pour se réchauffer.

ne se sont couchés aussi tôt, emmitouflés dans des chandails, des gants, des bonnets ; jamais ils n'ont autant prolongé la grasse matinée du dimanche. Mais un fait est là, patent ; si tout le monde en a souffert, on n'est pas mort de froid à Paris sous l'occupation allemande[23].

Un costume en quatre ans

La carte « d'articles textiles » entre en vigueur à Paris le 1er juillet 1941. Faisant suite à cette décision, à l'origine de laquelle elle n'est pas étrangère. l'autorité militaire allemande, dans une ordonnance du 4 novembre 1941, énumère la liste des articles qui demeurent en vente libre ; elle est impressionnante par sa longueur et sa diversité, mais trompeuse, car un bon nombre de produits, théoriquement non contingentés, ne se trouvent déjà plus sur le marché — ceux en cuir et en caoutchouc notamment ; comme si l'occupant avait voulu, à bon compte, se donner un air libéral, et laisser à l'administration française le monopole des mesures désagréables.

En fait, Paris ne reçoit plus de tissus du Nord et du Pas-de-Calais, des Vosges, de Lyon ou de Roanne ; dans les usines de Normandie ou dans celles de la région parisienne, l'occupant s'est taillé la part du lion, soit par des prises de participations, soit par d'importantes commandes dont la satisfaction a priorité. Rien d'étonnant, dans ces conditions, que la laine, le coton, la soie, sous toutes leurs formes, aient disparu des vitrines ; on en retrouve des coupons au marché noir, dans des arrière-boutiques de coiffeurs ou de crémiers, plus rarement de merciers — c'est le paradoxe du « marché parallèle ». Une réglementation sévère contingente les matières premières distribuées aux fabriquants, ainsi que les lots de produits fabriqués remis aux commerçants. Quant aux clients, la liste « revisable » des articles qu'ils peuvent se procurer contre des « points textiles » ne cesse de se parcheminer, et la pénurie de progresser[24].

En novembre 1942, le maire du 10e arrondissement se plaint : « Avec le contingent de " points textiles " actuels, il faudra quinze ans pour accorder à la population adulte soit une robe, soit un manteau, soit un complet, soit un pardessus, étant bien entendu que ces calculs excluent l'attribution de toute autre pièce d'habillement, ce qui est évidemment impossible... Les 20 points textiles " libérés " ne permettent même pas d'acheter une chemise et un caleçon ; d'ailleurs, on n'en trouve pas. » Lorsque des enfants des écoles sont évacués en groupes en province, il est impossible de leur procurer des vêtements. « Mes pyjamas, mes chemises sont en loques, constate

---

23. G. WALTER, *op. cit.*, p. 109-112 ; *L'Illustration*, février 1941 ; *Bulletin municipal, passim*.
24. *Bulletin municipal*, 25 juin 1941 ; *Vobif* n° 46, du 4 novembre 1941.

Ch. Braibant, le bout de mes chaussettes est raide comme une queue de bique, à force de reprises. » Apprenant qu'un de ses voisins, pauvre, était mort, Braibant est tout heureux de récupérer le vieux pardessus qu'il lui avait donné, par charité, quatre ans auparavant.

Que faire ? L'ingéniosité ne perd pas ses droits ; apparaissent sur le marché des tissus de remplacement, issus de la fibrane, des fougères, des poils de lapin, des crins d'acétate ; des lainages à base de caséine ; d'étranges étoffes étrangères dont le nom mystérieux fleure l'Orient, mais cache mal la mauvaise qualité ; du latex tiré de la houille ; des sacs à main sortis du bois. On pense à tisser les cheveux, une matière première qui se renouvelle d'elle-même ; un décret du 27 mars 1942 ordonne leur récupération ; on en ramasse chaque jour environ un kilo dans un salon de coiffure moyen ; nettoyés, dégraissés, séchés, incorporés à la fibranne, ils sont cardés et filés. Les SS feront la même opération à Auschwitz. Pour quel résultat ? Au cours de l'été de 1942, on a réussi à fabriquer 5 000 mètres d'un tissu qui s'avère tout juste bon à confectionner des pantoufles. Quant aux tissus « nouveaux », ils rétrécissent au mouillage et ne protègent pas du froid ; ils permettent seulement aux chansonniers d'enrichir leur répertoire de couplets à la gloire du « complet en pur peuplier » [25].

Il faut donc se contenter d'utiliser au mieux ce qu'on possède, en rajeunissant et en transformant sa garde-robe ; une robe à corsage usé est transformée en jupe, un manteau en veste ; les vêtements sont retournés, les coutures renforcées ; on utilise les châles, les rideaux, les tentures ; des spécialistes démaillent et remaillent les bas de soie. La grande idée est de faire du neuf avec du vieux ; sans point textile, mais non sans payer, on peut ainsi acquérir du linge en remettant, gratuitement, à son fournisseur, le double des articles qu'on désire lui acheter ; comme les vendeuses répugnent à manipuler ce linge souvent douteux, le Secours National est mis en force dans le jeu ; des autobus ramassent pour lui les vieilles fripes, les emmagasinent rue Saint-Jacques ou à Courbevoie ; classées, triées, nettoyées, elles sont ensuite acheminées vers des ouvroirs, où les faux cols deviennent des couches de bébés et les pantalons d'hommes des culottes de garçonnets. Car le déchet est considérable ; aussi bien le règlement, très strict, prévoit que, dans chaque costume neuf, il n'y aura pas de gilet, le veston ne sera pas croisé, le pantalon sera étroit du bas, et la ceinture ne dépassera pas 4 centimètres !

Comme, malgré tout, ces palliatifs sont insuffisants, que les richesses des greniers et des placards ne sont pas inépuisables, il faut bien que chacun, un jour, fasse appel au « marché parallèle », sous la forme d'échanges, dont

---

25. Rapports du préfet Bouffet, 30 novembre 1942 et août 1943 ; Ch. BRAIBANT, *op. cit.*, p. 334, 365 ; *L'Illustration*, 6 juin 1942 : LE BOTERF, *op. cit.*, p. 9 à 27.

Braibant donne un exemple : il a réussi à mettre de côté, bien qu'il soit fumeur, 15 paquets de cigarettes à l'été de 1943 ; en échange, un paysan breton lui a remis 15 livres de beurre, au terme de ses vacances ; contre le beurre, un tailleur a confectionné un costume. Payé en argent celui-ci aurait valu 4 000 F ; le paquet de Gauloises lui ayant coûté 9 F, le costume neuf est revenu à Braibant 135 F ! Quant à savoir comment le tailleur s'est procuré le tissu... [26].

La situation est pire encore pour les chaussures usagées ! C'est que le manque de cuir est vite total. En janvier et février 1942, le contingent de paires de chaussures alloué pour Paris est de 88 280 — pour 2 300 000 habitants ! et il baissera encore par la suite, car la campagne de Russie est grosse dévoreuse de souliers et de bottes pour la Wehrmacht. Allant sur une plage, en août 1942, voir une colonie de vacances d'enfants parisiens, le préfet Magny constate qu'ils vont pratiquement pieds nus, car on n'a pu leur remettre à leur départ que des espadrilles, et celles-ci sont usées jusqu'à la corde. Au même moment, Ch. Braibant contemple tristement ses godillots « percés de trous et devenus amphibies comme les opérations de Churchill ». Pour la rentrée scolaire d'octobre 1943, alors qu'il faut s'attendre à 250 000 demandes au minimum, le préfet n'a reçu que 190 000 bons, dont 43 000 « galoches » et 122 000 « fantaisies », un terme qui n'éveille l'idée ni de confort ni de solidité. L'année précédente, on avait assuré la rentrée en supprimant toute distribution aux adultes entre juillet et septembre ; « cette année, conclut le préfet, il faut craindre que les enfants ne puissent pas aller en classe faute de chaussures ».

Quant aux adultes ils avaient été prévenus dès la fin de 1941 que seules pourraient être satisfaites « les demandes les plus urgentes ». Pour juger de l'urgence, une commission spéciale est constituée à l'Hôtel de Ville, « chargée d'attribuer les bons de chaussures ». Elle se dote d'enquêteurs, au nombre de 34, dont les noms sont donnés au *Bulletin municipal*, avec pouvoir d'aller vérifier sur place l'état des souliers des quémandeurs — ils se doublent très vite de faux enquêteurs qui fouillent de fond en comble les appartements et se livrent à de nombreux larcins. En septembre 1942, dans le 8e arrondissement, sur 160 demandes de paires de chaussures, 8 seulement peuvent être satisfaites. Les ressemelages eux-mêmes deviennent difficiles, et il a fallu au préalable s'inscrire, non sans difficulté, chez un cordonnier, en présentant sa carte d'alimentation et sa carte de textiles.

La situation est d'autant plus grave que les Parisiens marchent beaucoup plus qu'avant la guerre, faute d'autres moyens de locomotion, ou pour se réchauffer quand ils ont froid chez eux ; ils piétinent aussi pendant des heures

---

26. *Bulletin municipal*, 7 avril 1941 ; *L'Illustration*, 28 juin 1941 ; Ch. BRAIBANT. *op. cit.*, p. 235

dans les files d'attente. Plus encore que pour les vêtements, des chaussures de remplacement s'imposent. Toutes sortes d'essais sont tentés : en liège et en feutre, en galalithe ou en rhodoïd, en mélange de fibres de bois agglomérées avec du xanthégénate (dont personne ne sait ce que c'est), en rotin, en paille tressée, et même « en papier kraft entouré de cellophane ». Mais les fabricants préviennent les chalands : les matières de remplacement ne peuvent servir que l'été[27].

En définitive, la chaussure « nationale » sera à semelle de bois, parfois « sciée et tournée, dérivée de la galoche et non flexible », parfois « améliorée », c'est-à-dire à charnière, articulée. Un groupe français, annonce la Presse, « s'est assuré l'utilisation d'un brevet allemand, la semelle xierold » ; c'est un patin, « scié en chicane, ce qui lui donne une grande souplesse ». Mais, pour éviter une trop grande consommation de hêtre ou de noyer, on fabrique aussi des semelles « en contre plaqué » ou en « pulpe de bois compressé ».

Le tac-tac des chaussures en bois va donc marteler le pavé parisien — un bruit caractéristique de l'occupation. Incontestablement, dans une large mesure, à force d'ingéniosité et de débrouillardise, les apparences ont été préservées ; les Parisiens sont toujours élégants, les Parisiennes surtout, qui ont réussi souvent à paraître porter des vêtements frais, issus pourtant de nippes. L'effort est remarquable, et on peut y voir une volonté de ne pas se laisser aller, de lutter contre l'adversité, peut-être même de narguer l'occupant, peut-être aussi de le séduire.

Mais, en définitive, seules les personnes fortunées peuvent se procurer les vrais, bons et beaux vêtements, les vestes imperméables, les canadiennes fourrées, les manteaux de cuir, les fourrures de vison ou de zibeline ; ou, plus simplement, un costume en laine et un pantalon de coutil. La mode, qui subsiste, bien que végètent les maisons qui en vivent, a ainsi un caractère ambigu — comme, nous le verrons, l'éclosion intellectuelle et artistique. Certes, par sa vigueur affirmée, son ardeur à vivre, elle fait pour l'instant échec à la volonté de Goebbels que Berlin supplante Paris comme capitale de la mode européenne ; les journaux allemands de Paris ont beau étaler des modèles allemands, ils demeurent sur le papier. Par ses extravagances même — grands chapeaux, manches gigot, échafaudage de turbans — la mode semble se moquer des temps difficiles, rappeler ou annoncer une époque meilleure ; un journaliste du *Figaro*, venu à Paris au printemps 1941[28], s'extasie sur les chapeaux et les robes qu'il aperçoit au pesage d'Auteuil — « un charmant petit feutre rose pastel, signé Rose Valois, un vrai Marie Laurencin... Paris est toujours Paris, décidément ». Voire !

27. Rapport du préfet Magny 31 août 1942 ; *Bulletin municipal*, février 1942 ; rapport du préfet Bouffet, 30 septembre 1942.
28. *Le Figaro* s'était replié à Lyon.

Ne peut-on penser, au contraire, que tant de légèreté, de désinvolture, est bien déplacé dans le drame que vit la France, et que plus de discrétion, moins d'insouciance, siérait mieux à une capitale où le vainqueur est roi ? Car, en définitive, qui profite de la mode parisienne, à part la minorité des collaborateurs, des trafiquants de marché noir, des spoliateurs des Juifs, des truands de toutes sortes qui s'engraissent des malheurs des autres ? Qui voit-on aux « présentations » et qui passe des commandes ; sinon les mêmes, et leurs maîtres allemands ? La mode parisienne sous l'occupation est peut-être restée une belle fleur ; mais c'est une fleur qui doit ses couleurs à la pourriture sur laquelle elle a poussé[29].

Ersatz et récupération

Quatre mots ont connu une singulière vogue sous l'occupation : ticket, ration, contingent, récupération. Les trois premiers sont synonymes de restriction ; mais le quatrième exprime on ne peut mieux la hiérarchie économique : à l'occupant les bons produits, aux Parisiens les résidus. Un arrêté préfectoral du 23 janvier 1941 interdit de « jeter, brûler, détruire, sauf cas de salubrité publique, les déchets et vieilles matières tels que vieux chiffons, ferrailles, vieux métaux, vieux papiers, plumes, caoutchouc, os, peaux, crins ». Un autre du 27 mars 1941, organise la « récupération » des « cornes, onglons et sabots ». Les écoliers sont employés à ramasser les vieux papiers, les déchets de cuir ; ils vont en troupes le dimanche collecter des faînes dans les environs de Paris.

Pour l'obtention d'un article neuf, quel qu'il soit, il faut montrer patte blanche en remettant au fournisseur l'ancien, ou le récipient qui le contenait : boîtes métalliques de produits d'entretien, ampoules électriques cassées, manches de brosses à dents, tubes de dentifrice vides et bien écrasés, tubes de crème à raser, flacons de médicaments, piles de lampes de poche, boîtes à sucre. Il ne faut rien jeter, ni les gobelets en carton, ni les verres cassés ; la direction du métro recommande de ne pas se débarrasser n'importe où des tickets poinçonnés, mais de les déposer soigneusement dans les boîtes disposées à cet effet — récupération ! Pour fumer les salades sur leur balcon, de dignes messieurs ramassent le crottin de cheval dans les rues ; quant aux ramasseurs de mégots, ils ne se bornent pas à zigzaguer entre les tables des cafés ; ils se risquent, entre les rames, sur les rails du métro, dans l'espoir de « récupérer » quelques bouffées de tabac.

Une grande partie de la production française étant accaparée par

---

29. *L'Illustration*, 7 juin 1941 et 28 février 1942 ; article reproduit dans *Le Figaro-Magazine* du 21 février 1981. Quand les troupes de Napoléon sont entrées dans Madrid, les Madrilènes avaient accroché à leurs contrevents fermés des haillons en place du linge propre qui d'ordinaire y sèche.

l'occupant, qu'il la consomme sur place ou qu'il l'expédie en Allemagne, il reste aux Parisiens le plaisir saumâtre de déguster, ou d'utiliser, des erzatz. Ils apprennnent à faire du faux vin en mélangeant dans de l'eau des cosses de pois, de la sauge et de la levure ; du faux café en torréfiant des graines d'églantine ou des glands ; ils découvrent qu'une gousse d'ail colle en séchant ; ils s'exercent à prolonger une lame de rasoir en la frottant sur un verre concave. Paris devient un concours Lépine permanent ; on se passe trucs, filons, recettes... et ragots, dans les voyages, ou les soirées, qui n'en finissent pas.

Le faux tabac, en particulier, donne lieu à une véritable industrie, à de multiples escroqueries aussi ; on utilise l'armoise, le tilleul, les feuilles de betteraves, de tomates. Aux Champs-Elysées, on vend cher, à la sauvette, des boîtes de cigares dits de la Havane ; mais, seule, la feuille extérieure est du pur havane ; l'intérieur n'est qu'un mélange de sciure de bois et d'herbe. On offre aussi des « cigarettes belges » qui auraient passé la frontière en contrebande, mais qui sont en fait des feuilles de topinambour séchées et passées dans de l'eau qui a servi à laver des mégots, et qui a gardé un peu de leur nicotine. Dans les stations de métro, les « marchands » ont devant eux des valises pleines de paquets de tabac ou de cigarettes ; ils proposent aux clients alléchés d'en griller une, qui leur paraît de qualité et les incite à acheter l'ensemble, où ils ne retrouvent plus que de la bourre de trèfle. Les inventeurs se multiplient, de substituts à « l'herbe de Nicot », comme on lit dans les journaux ; ils font passer des annonces dans la Presse, proposent des fournisseurs ; il est rare qu'ils ne tentent pas quelques dupes — ce n'est pas le moindre étonnement des non-fumeurs de constater que les fumeurs se passent plus aisément de nourriture que de tabac... Et chacun roule sa cigarette, pour prolonger le plaisir.

Quant aux savons, de nombreuses contrefaçons sont attribuées par leurs auteurs « aux récentes acquisitions de la science » ; toutes se vantent de ne contenir aucune matière grasse et, par suite, « de ne pas irriter la peau ni faire picoter les yeux ». En fait, ce sont des mélanges de lichen et de chaux, de graisse de bœuf et de soude. Charles Braibant constate que « les Allemands sont mieux rasés que nous ; parbleu, leur savon à barbe est excellent et ils ne nous laissent que des saloperies où il n'y a pas plus de matières grasses que dans un tas de cailloux ». Mais attention : une distribution supplémentaire de savon est attribuée à quiconque loge des soldats allemands ; et si on est gentil avec eux, il arrive qu'ils laissent en partant une savonnette à leur logeur. Comme quoi la docilité et la serviabilité à l'égard du vainqueur sont payantes, même dans les petites choses [30]

_____

30 L Illustration 20 juin 1942 ; Henri AMOUROUX, op cit t 1 p 244-250 , Bulletin municipal, 17 juin 1941

Métro et vélos

C'est l'autorité militaire allemande qui a réglementé minutieusement la circulation dans Paris. Trois préoccupations ont dicté son comportement : réserver le maximum d'essence disponible pour la satisfaction de ses besoins propres ; prendre toutes dispositions pour que le black-out soit rigoureusement observé ; mieux surveiller la population en l'immobilisant. La Feldgendarmerie a la responsabilité de l'application des décisions.

La longue ordonnance du 13 mars 1941, très précise, ne néglige aucun détail. Pour pouvoir circuler, motocyclistes et vélomoteurs durent, comme les autos, être munis d'une autorisation délivrée par la préfecture ; la vitesse maximale fut fixée à 40 km/h, à 20 pour les camions. Un article précisait que les véhicules allemands auraient la priorité des priorités aux croisements et aux débouchés de routes, et qu'il était interdit aux Français de couper des détachements de troupes en marche. L'éclairage des voitures était très strictement déterminé, et les cyclistes devraient rouler l'un derrière l'autre. Par la suite, une autorisation spéciale fut nécessaire pour circuler le dimanche et les jours fériés. Puis, l'usage de la voiture fut formellement interdit pour aller à son travail ou pour se déplacer en dehors de Paris. Toute infraction était passible du retrait de l'autorisation de circuler, ou de la confiscation du véhicule [31]. Bref, la rue était réservée aux véhicules à moteur allemands.

Avant guerre, les automobilistes de Paris consommaient 60 000 m³ d'essence par mois ; il ne leur en fut plus accordé que 1 000 m³, sur lesquels l'occupant en prélevait 350 pour ses « besoins indirects », en plus de ce qu'il s'était déjà réservé. D'autre part, les possesseurs de pneumatiques « non montés » durent en faire la déclaration, pour permettre une éventuelle réquisition, et il devint très difficile de s'en procurer, même pour les bicyclettes : il fallait remettre un « bon d'achat timbré et visé par le service des pneumatiques », ainsi que l'enveloppe ou la chambre à air inutilisable — c'est ce qu'avait décidé le « chef de la section du caoutchouc, de l'amiante et du noir de fumée *(sic)* de l'Office central de répartition des produits industriels », un titre qui en dit long tant sur la paperasserie du « ravitaillement général » que sur les pouvoirs pratiquement discrétionnaires attribués aux répartiteurs. Enfin, les autorisations de circuler durent être périodiquement renouvelées.

Aussi bien, sur les 350 000 automobiles circulant dans Paris avant guerre, 4 500 seulement, appartenant à des Français, continuèrent à rouler, et de

---

31. *Vobif*, n° 26 du 28 mars 1941 ; *Bulletin municipal,* 1ᵉʳ juin 1941 et 6 mai 1942.

façon intermittente[32]. C'est dire que les rues se vidèrent de véhicules à moteur. Le 26 octobre 1943, Ch. Braibant, assis à la terrasse d'un café de la place de la Bourse, s'amuse à compter les autos qui passent entre midi et midi trente ; il en compte trois, plus une moto, « à une heure et en un lieu où, en temps normal, Paris s'agite, trépide, crépite ». Quinze mille camions marchent au gazogène mais, à partir de 1942, on ne trouve plus de charbon de bois qu'au marché noir ; 2 500 sont alimentés au gaz de ville — on retire du méthane des eaux des égouts, mais la production est limitée[33].

Sur les 3 500 autobus transportant les voyageurs en 1939, il n'en reste plus que 500 à partir de l'automne de 1940. Le Conseil municipal décide de « substituer la traction électrique à la traction thermique » et d'inscrire la transformation « dans un plan général », qui recevra toute son application après la guerre. Le 16 janvier 1943, est ainsi inaugurée la première ligne de trolleybus, qui va de la Porte Champerret à Petit-Colombes ; le geste est méritoire, et l'attention louable, mais il n'y aura pas de suite. Aussi bien, les autobus parisiens, qui transportaient près de 853 millions de voyageurs en 1938, n'en véhiculent plus que 218 en 1942 et 166 en 1944 ; il faudra attendre 1945 pour qu'une reprise s'amorce.

C'est pourquoi on voit réapparaître quelques équipages hippomobiles et naître un moyen de transport en commun nouveau, les vélos-taxis. Devant les gares, stationnent des charrettes à chevaux avec l'inscription « Taxis libres pour tous transports », qui offrent leurs services aux voyageurs et aux bagages ; des fiacres et des coupés de louage, avec un cocher à chapeau melon, s'installent aux stations autrefois réservées aux taxis. Mais les chevaux aussi sont rationnés, et leur pitance est maigre. Le transport hippomobile est une résurrection, non une solution, et il est cher.

Les vélos-taxis, qui évoquent les « pousse-pousse » asiatiques, se composent d'une bicyclette ou d'un tandem, auquel est accrochée une caisse munie de roues — chacun peut en fabriquer. Les Parisiens estiment qu'ils sont onéreux, mais ils ne les laissent guère chômer. La multiplication des vélos-taxis devint telle que la profession dût être réglementée ; les pédaleurs, à partir de juillet 1942, devront être pourvus d'une autorisation, après avoir souscrit une assurance ; leurs engins seront estampillés par les services techniques et munis d'un compteur kilométrique ; il leur est interdit de peindre leurs caisses avec une couleur grise, qui pourrait provoquer de la confusion avec les voitures allemandes ; à partir de décembre 1943, sont obligatoires l'obtention d'un certificat d'aptitude et la remise à chaque voyageur d'un bulletin-reçu. La corporation reçoit son identification totale

32 Le chiffre a été fixé par l'occupant d'abord à 7 000, puis régulièrement réduit
33. Réunion de la 3e réunion du Conseil municipal, 22 janvier 1941 ; *Bulletin municipal,* 1er juin 1941, 6 septembre 1942 ; Ch BRAIBANT ; *op cit.,* p. 338

lorsqu'une commission de discipline spéciale est instituée pour sanctionner les auteurs d'infractions [34] ! La Libération mettra un terme à une profession dont l'existence fut courte, mais prospère.

Pour la masse des Parisiens, la façon la plus commune de se déplacer, c'est la bicyclette aux beaux jours, et le métro en toutes saisons, avec une prédominance l'hiver. Les bicyclettes font prime sur le marché ; dès l'hiver de 1940, une machine d'occasion vaut 2 500 F, plus qu'un salaire moyen mensuel ; les neuves n'ont pas de prix. Le nombre de cyclistes devient tel qu'il faut les obliger à se munir d'une plaque d'immatriculation, les astreindre à une limitation de vitesse, et leur rappeler régulièrement les règles de la circulation et de l'éclairage. Ce sont les cyclistes qui provoquent le plus d'accidents et qui écopent du plus grand nombre de procès-verbaux : c'est à cause d'eux que les agents de police se montrent très stricts sur les passages cloutés et reçoivent le droit de faire payer sur-le-champ la contravention ; ce sont les bicyclettes qui tentent le plus les voleurs ; pour s'en préserver, chacun monte son vélo dans son appartement. Les bureaux, les usines doivent organiser des garages — plus de 300 dans Paris en 1942. Les bricoleurs ont construit des bicyclettes pliantes qu'on peut ranger dans un placard ; les inventeurs vantent les « bandages élastiques increvables » pour remplacer le caoutchouc. Surtout, les Parisiens, qui avaient pris l'habitude de se laisser transporter, retrouvent le goût de l'effort physique [35].

Cependant, dans la journée, c'est le métro qui bénéficie du plus grand nombre d'usagers. De nombreuses stations ont été fermées, la plupart des ascenseurs stoppés ; les rames sont plus espacées, la durée quotidienne de la circulation a été diminuée et, cependant, le nombre de voyageurs ne cesse d'augmenter ; par exemple, 25 stations sont fermées d'un coup en mars 1944, et les trains ne roulent plus qu'entre 8 heures et 22 heures. Or, le nombre de voyageurs est passé de 50 millions en juillet 1939 à : 74 en juillet 1941, 96 en juillet 1942, 99 en juillet 1943 ; les mois de pointe vont d'octobre à mai, avec une baisse en août — il fait bon dehors ou on est parti à la campagne ; le record s'établit à près de 121 millions en novembre 1942. Naturellement les trains sont archi-bondés, en voyageurs mais aussi en bagages et paquets de toutes sortes. Les soldats allemands voyagent gratuitement en première classe, où la cohue est à peine moindre.

Aussi bien, les accidents sont nombreux ; lors des alertes aériennes, les trains s'immobilisent sous les tunnels, parfois pendant des heures, et l'atmosphère y devient vite irrespirable, la tension nerveuse extrême. La

34. *Bulletin municipal*, 17 juin 1943 ; *Annuaire statistique de la ville de Paris* ; P. AUDIAT. *op. cit.*, p. 65 ; *Bulletin municipal*, 20 août 1942, 11 juillet 1943, 2 décembre 1943.

35. *Bulletin municipal* du 10 novembre 1940 et du 21 octobre 1941 ; *L'Illustration*, 4 octobre 1941.

presse consacre quotidiennement de véritables reportages à la marée humaine du métro qu'un rédacteur d'*Aujourd'hui* décrit ainsi : « A midi, au milieu d'une humanité affolée [36], je me heurtais à chaque pas à des parapluies dans les jambes, des paquets dans l'estomac, des coudes dans les côtes, des visages tendus et furieux, dans une atmosphère d'air vicié, d'haleine tiède, de choux écrasés, de relents douteux. » Bien que le prix du billet ait été peu augmenté et seulement en avril 1944 — celui de 2ᵉ classe est passé de 1,30 F à 1,50 F — la compagnie du métropolitain vit une période faste et entasse des réserves ; alors qu'elle dépense moins d'électricité, qu'elle a arrêté tous ses travaux, qu'elle ne peut procéder à aucun investissement, les recettes ont plus que doublé (55 millions de francs en juillet 1939, 141 millions, chiffre record, en mars 1943 [37]).

La circulation dans Paris est ainsi revenue à l'âge pré-automobile. Elle n'en est pas moins intense le jour avec les piétons, les cyclistes, mais elle s'arrête la nuit. Certes, une vie nocturne continue, mais elle s'enferme ; elle est réservée aux privilégiés, les occupants, leurs amis et les mercantis de tous poils, les mêmes qui possèdent des autorisations de circuler, qui disposent toujours d'automobiles d'ailleurs. Aux autres, la nuit hors de chez eux est interdite ; manquer le dernier métro, c'est s'exposer à attendre le jour au poste de police. Aussi bien, les rues de Paris, la nuit, sont-elles désertes et silencieuses ; le calme n'est troublé que par le piétinement d'une patrouille allemande, ou les coups de sifflets des agents de police signalant des fenêtres mal obturées. Le résultat, pour les Parisiens, c'est qu'ils ne sortent plus guère le soir, quoique aller au spectacle leur apporte un grand réconfort moral ; on ne dîne plus en ville — les invités apportent d'ailleurs leurs tickets ; si on reçoit, c'est de préférence en fin d'après-midi. Le groupe familial se disperse moins ; il se resserre même autour d'un poêle et, surtout, autour du poste de TSF, grâce auquel est brisé le mortel isolement du reste du monde. Et, de plus en plus, les émissions les plus écoutées sont celles de la BBC — la « radio anglaise ».

La course des prix et des salaires

Le gouvernement de Vichy s'était donné comme objectif de maintenir la stabilité du franc, en dépit des énormes versements effectués au vainqueur pour le paiement de l'indemnité d'occupation ; la condition première en était la fixation des prix. Son idéologie l'incitait à contenter d'abord les agricul-

36. Ligne Porte d'Orléans-Porte de Clignancourt.
37 *Annuaire statistique de la ville de Paris* ; G. WALTER, *op. cit.*, p. 97-109, Mᵐᵉ LONGWORTH-CHAMBRUN, *Sans jeter l'ancre*, Plon, 1953, p. 251, réunion de la 2ᵉ commission du Conseil municipal, 18 avril 1944.

teurs, donc à ajuster les prix agricoles en leur faveur. et à empêcher ou retarder une montée des prix industriels, ce qui avait pour corollaire. ou comme condition, de ne pas laisser s'élever salaires et traitements.

Pour dissuader les promoteurs de hausses, la loi du 21 mars 1941 créa une Cour criminelle spéciale qui pouvait les condamner aux travaux forcés, et même à la peine de mort, mais dont les sanctions les plus courantes étaient la fermeture temporaire de l'établissement, l'interdiction d'exercer la profession et l'internement administratif. C'est cette loi qui permit d'intenter des poursuites contre les trafiquants du marché noir.

Mais la politique économique poursuivie consistait surtout à taxer le plus grand nombre possible de produits, en fixant des prix de vente à ne pas dépasser, mais aussi en organisant un strict rationnement, en multipliant les interdictions, en allégeant certains droits de douane et en subventionnant certaines denrées — à cet effet, un crédit de 3 milliards de francs figurait au budget de 1942. Le contrôle des prix portait surtout sur les produits essentiels ; le pain, la viande, les corps gras, les chaussures, les vêtements. En fait, la tarification ne cessa de se diversifier et de se multiplier ; ainsi, pour les œufs, les prix changeaient suivant qu'ils étaient gros, moyens ou petits, frais ou moins frais, en conserve ou réfrigérés ; on distinguait six espèces de choux-fleurs, dont le prix variait en outre en proportion de la grosseur et selon qu'ils étaient vendus à la pièce ou au cageot [38]. Dans chaque *Bulletin municipal* officiel de Paris, chaque semaine, plusieurs pages sont ainsi consacrées aux prix autorisés ; une lourde administration s'évertue à tout réglementer, n'y réussit pas, et multiplie les tentations et les occasions de frauder.

Les autorités françaises à Paris ne disposaient d'aucune marge de manœuvre, car l'occupant ne tolérait pas d'augmentation qu'il n'ait étudiée et exceptionnellement autorisée. En définitive, tout le système de tarifications et de sanctions n'empêcha pas les prix officiels de monter en raison d'une demande largement supérieure à l'offre ; comme il était plus facile de tenir salaires et traitements, un déséquilibre croissant s'établit entre prix et rémunérations, au désavantage de celles-ci. En même temps, une quantité de plus en plus grande de produits échappa au contrôle pour alimenter le « marché parallèle » ; seuls les riches pouvaient avoir accès à ses prix élevés.

Cependant, sur le papier, officiellement, les prix n'avaient pas beaucoup évolué entre 1940 et 1944.

On le voit, les prix du pain, de l'eau, du gaz, ont très peu changé en quatre ans ; il en a été de même pour les transports, l'électricité, les loyers, les soins médicaux ; autant de dépenses d'importance vitale pour lesquelles il n'exis-

---

38. Y. BOUTHILLIER, *Finances sous la contrainte*, Plon. 1951. t. II, p. 432-448 ; *Bulletin municipal* du 13 février 1941 et du 5 mars 1941.

Année	1938	1939	1940	1941	1942	1943	1944	1945
Pain (le kg)	2,70 le 17 janv.	3,10 le 4 août	3,15	3,40 le 21 nov.	3,70 le 12 mai	3,70	4,90 le 11 oct.	7,40
Lait (le litre)	1,65	1,80	2,20	2,70	2,90	3,80	4,10	6
Viande (le kg de bœuf à la Villette)..........	9,42	10,47	14,92		17,98	18,37	24,40	44,05
Gaz (le m³)	1,35	1,41	1,61	1,60	1,73	1,83	1,99	2,09
Vin rouge (le litre)..........	3,15	3,45	3,75	4,50	4,95	7,28	9,82	11
Eau (m³)........	2,10	2,40	2,70		2,90	3,10	3,10	3,10
Journal (quotidien)			0,75	1 en mai			2	

tait pas d'inégalité entre les Parisiens, ni de marché parallèle ; les coupures de courant, la diminution du gaz en calories étaient les mêmes pour tous ; les hausses ont été également modérées, théoriquement, pour le sucre, le beurre, le fromage et la plupart des légumes, le vrai problème pour ces denrées étant leur raréfaction. Par contre, les tarifs postaux, le ressemelage des chaussures, la viande, les œufs, le vin, la bière, les fruits, la coupe de cheveux, coûtaient au moins deux fois plus cher, en 1944 qu'en 1940.

Si on considère les indices des prix, en prenant pour base ceux de 1914, on constate que, pour 34 articles industriels, l'indice était passé de 100 en 1914 à 909 en 1940 ; il avait été multiplié par neuf ; par contre, entre 1940 et 1944, il a seulement un peu plus que doublé, en s'élevant à 2013. Pour 29 denrées alimentaires, la hausse a été un peu moins forte ; de 911 en 1940, l'indice est monté à 1954 seulement, un peu plus que le double également. C'était là, sur le papier, un incontestable succès[39].

Mais le premier grave problème qu'il posait était que le freinage des prix officiels n'avait été obtenu que grâce à un blocage des salaires et des traitements. Pour un petit nombre de Parisiens, cette notion n'existait pas, l'amitié de l'occupant et les bonnes affaires qu'elle procurait permettant des fortunes aussi scandaleuses que rapides, comme nous le verrons plus loin. La question ne se posait guère non plus pour quelques hauts fonctionnaires ; ainsi, un ingénieur en chef des travaux de la ville de Paris, qui n'était pas parmi les mieux lotis, gagnait gaillardement, en 1942, entre 68 000 et 86 000 F

---

39. *Annuaire statistique de la ville de Paris* ; A. SAUVY, *op. cit.*, p. 242.

par an, auxquels s'ajoutaient une indemnité de résidence de 5 à 20 000 F et, le cas échéant, les indemnités : de salaire unique (2 000 à 6 000 F) et familiales (2 040 F pour deux enfants) ; avec ce viatique, notre homme était paré pour faire face à beaucoup d'éventualités.

Tous les Parisiens qui acceptaient de travailler pour les Allemands, y trouvaient aussi des avantages, en argent et en nature. Il n'est pas sûr que Braibant n'exagère pas un peu lorsqu'il écrit qu'il gagne à peine 4 000 F par mois après vingt-quatre ans de services et qu'une dactylo de la Feldkommandantur touche entre 6 000 et 7 000 F[40]. Mais les préfets se plaignent souvent dans leurs rapports que, en surpayant leur personnel français, les autorités allemandes faussent le marché du travail et créent une tendance à la hausse ; la cantine allemande était en outre mieux alimentée que celles des usines et des bureaux français[41].

Cependant, il ne s'agissait là que d'une minorité de privilégiés ; la situation était tout autre pour la grande majorité des Parisiens. Certes, le gouvernement de Vichy avait procédé à quelques ajustements ; en avril 1941, il avait créé l'allocation de salaire unique pour inciter les femmes à rester au foyer, et augmenté les allocations familiales, ce qui se traduisit par un supplément de 5 000 F par an pour un ouvrier parisien père de quatre enfants. En mai 1940, les salaires de tous les travailleurs assujettis aux assurances sociales, c'est-à-dire gagnant moins de 30 000 F par an, sont accrus de 200 F par mois à Paris. En février 1942, nouvelle décision à Vichy d'une augmentation générale de 20 % ; mais l'autorité militaire allemande s'y oppose, tandis que la presse de la collaboration accuse Vichy de ne pas vouloir l'accorder ! En définitive, l'augmentation est de 15 %, à partir d'avril 1942.

Un certain nombre de mesures sont prises également en faveur des fonctionnaires ; elles consistent en un relèvement masqué des traitements par l'attribution d'indemnités, « à titre provisoire », en théorie : « indemnité spéciale temporaire de mai 1941, suppléments provisoires de traitements d'octobre 1941 ; supplément familial de traitement ; indemnités de résidence, de fonction, de direction, de travaux supplémentaires ; relèvement du traitement de base pour les instituteurs ». Ces suppléments sont à taux dégressif, c'est-à-dire que les petits fonctionnaires sont proportionnellement avantagés ; ils privilégient aussi les familles nombreuses. En conséquence, en 1943, si un père de famille de quatre enfants a vu ses ressources doublées, celles d'un père de deux enfants n'ont augmenté que de 60 % ; celles du célibataire se réduisent de 30 %.

Quant aux salaires horaires des ouvriers, entre 1940 et 1943, ils n'ont

---

40. Une dactylo de la ville de Paris débute à 2 240 F par mois.
41. *Bulletin municipal*, 24 août 1942 ; Ch. BRAIBANT, *op. cit.*, p. 492 ; rapports du Préfet de la Seine, *passim*.

pratiquement pas bougé ; de 10,87 F à 11,41 F pour les plombiers ; 10,55 F à 11,71 F pour les maçons ; 9,93 F à 11,08 F pour les terrassiers ; une misère ! Un décollage ne se produira qu'après la libération ; au plus, l'augmentation a un peu dépassé 20 %. Certes, pour apprécier le niveau de vie réel, il convient il est vrai d'ajouter les avantages sociaux que constituent : la prime à la première naissance, les diverses allocations, les cantines, les repas à prix réduit, certaines facilités de ravitaillement dans les grosses entreprises. Il reste que les salaires et les traitements du plus grand nombre augmentent moins, et moins vite, que les prix officiels. Par exemple, dans la presse, alors que le prix du journal quotidien a plus que doublé, le salaire des rédacteurs ne s'est accru que de 80 %, celui des ouvriers de 70 %. En procédant ainsi, autorités occupantes et gouvernement de Vichy sont d'accord ; les premières incitent les ouvriers parisiens à travailler pour elles, en France ou en Allemagne, en leur procurant de meilleures conditions de vie ; les deux évitent une dévalorisation du franc et du mark ; mais c'est au prix de souffrances accrues pour un grand nombre de Français, les ouvriers en premier[42].

Il est vrai que l'occupation bouleverse parfois la hiérarchie sociale ; un ouvrier de Renault qui possède une bicoque avec un jardinet, qui peut cultiver pommes de terre et carottes, élever poules et lapins, et procéder à quelques trocs, vit mieux en définitive qu'un professeur de la Sorbonne, privé de tout moyen d'échange, dans son appartement glacial. D'autre part, l'argent moins que jamais suffit à faire le bonheur ; il arrive qu'on en possède et que, faute de relations, de débrouillardise, ou par excès de scrupule, il ne procure pas la viande ou la paire de chaussures nécessaires ; on thésaurise alors de la monnaie à valeur décroissante. Cependant, chacun doit se procurer, d'une façon ou d'une autre, les denrées et articles indispensables pour ne pas dépérir, que le rationnement ne fournit pas, ou fournit en quantités insuffisantes ; tout Parisien, à un moment donné, doit donc recourir au marché parallèle ; et tous n'en ont pas les moyens ; d'autant moins que, contrairement à une opinion répandue, la masse de produits dérobés au ravitaillement général, et orientés vers le marché parallèle, pour avoir été considérable, et pour échapper à toute évaluation précise, n'a jamais représenté qu'une proportion assez faible de la production totale, et une bonne partie prenait le chemin d'outre-Rhin.

Il y avait donc des plaisirs, ou un certain luxe, que la plupart des Parisiens ne pouvaient pas s'offrir ; un petit employé ne pouvait pas évidemment se gaver chez Drouant ou Prunier, en y abandonnant le salaire d'une semaine ; il était impossible à une dactylo, ou à une ménagère, de s'offrir un manteau

---

42. Y. BOUTHILLIER, *op. cit.*, t. II, p. 432-437 ; communication de M. Rivet à la Société de statistique de Paris en juin 1943

de vison, mais il n'y avait là rien de nouveau, et il n'en était pas autrement avant la guerre.

La nouveauté, et le scandale, c'est que certains produits de première nécessité deviennent inaccessibles à des bourses modestes, et à des travailleurs de qui l'économie dépend. Il est impossible d'évaluer les prix du « marché noir » ; ils sont fluctuants, selon les saisons, l'offre et la demande, les quartiers de Paris même. On peut toutefois dire avec quelque vraisemblance que : la viande, le lait et les œufs coûtaient entre trois et cinq fois plus cher qu'au cours officiel ; les pommes de terre quatre à cinq fois ; le beurre six à huit ; le charbon dix à vingt. En 1941, une cravate de soie vaut 600 F, soit le tiers de la paye d'un ouvrier métallurgiste, une chemise 1 000 F, soit les deux tiers du salaire mensuel d'un manœuvre. Si on considère le véritable panier de la ménagère, les prix n'ont pas doublé entre 1940 et 1944, comme le disent les statistiques officielles, mais en moyenne quintuplé. Et certains articles ont complètement disparu des devantures, et même des arrière-boutiques.

Les petites gens doivent donc aller à l'essentiel, et l'essentiel, c'est la nourriture, à laquelle il leur faut affecter 70 à 80 % de leurs ressources[43] ; dans la nourriture, l'aliment primordial c'est le pain, et le moyen à la portée de tous pour s'en procurer un peu plus, c'est l'achat de la fausse carte, qui vaut 50 F en 1941, et 150 F en 1943. Aussi bien, l'industrie des fausses cartes prospère, les vols de vraies cartes dans les mairies se multiplient, ainsi que les cambriolages des boulangeries — Paris est revenu au temps de Jean Valjean — sans oublier les vols de colis dans les gares, ou ceux, dans les garages, des bicyclettes indispensables pour courir la campagne en quête des calories quotidiennes nécessaires[44]. Ainsi se généralise un type de délinquance, adapté aux circonstances, et provoqué par la lutte pour la vie[45].

La hantise des bombardements

Paris avait été épargné, par chance, lors de la campagne de France ; il ne redeviendrait pas sitôt l'enjeu des combats ; mais, dans l'immédiat, le fait que ses usines travaillent pour l'occupant l'exposait, de toute évidence, à des bombardements aériens alliés, à la manière de ces villes allemandes dont, chaque jour, la BBC annonçait, avec des accents de triomphe, qu'elles avaient été partiellement détruites la nuit précédente. Ces bombardements,

43. En 1980, l'INSEE a calculé que cette part était seulement de 28 %.
44. Peu de temps après la fin du conflit, le film de Vittorio de Sica *Voleur de bicyclette*, a bien montré l'importance prise par la bicyclette dans la vie des besogneux.
45. Témoignage du professeur BÉNASSY ; A. PIATIER, article dans *La France sous l'occupation*, PUF, 1959 ; A. Sauvy a calculé que l'acquisition de 100 calories coûtait 8 à 9 fois plus cher au marché parallèle qu'au rationnement officiel ; *op. cit.*, p. 210

les Parisiens les souhaitent dans le secret de leurs pensées, car ils témoignent de la puissance de leurs futurs libérateurs ; mais, évidemment, ils en redoutent encore plus les effets ; ils en ont même la hantise.

Leur obsession angoissée se traduit dans la minutie avec laquelle le black-out est réglementé et observé ; ainsi, « les phares avant des voitures doivent être obscurcis par un manchon spécial, une couche de peinture ou de laque noire opaque et bien adhérente, qui ne laisse passer la lumière que par une fente horizontale dans le milieu de la glace, de 5 à 8 cm de haut et 1 cm de large » ; on ne saurait être plus précis. Elle s'explique par la rigueur avec laquelle les infractions sont pourchassées — les agents verbalisent à qui mieux mieux. Enfin, elle s'affiche dans les précautions qui sont constamment rappelées aux Parisiens ; dans chaque immeuble a été désigné un chef d'immeuble ou d'abri ; il choisit les locataires qui le secondent ; dans les vestibules et couloirs, une pancarte rappelle le nom du chef d'immeuble, l'adresse et le téléphone du commissariat de police, du poste d'incendie et de l'hôpital les plus proches. Chaque jour, le *Bulletin municipal* indique les heures entre lesquelles le black-out doit être total. Des consignes sont ressassées, de débarrasser les caves pouvant servir d'abris, et de les vider des produits inflammables ; des alertes simulées permettent un entraînement continu, provoquant des automatismes, comme descendre à la cave, ou entrer dans le premier abri venu dès que la sirène retentit[46].

Après 18 mois d'attente anxieuse, le premier bombardement se produit dans la nuit du 3 au 4 mars 1942. Ce sont les usines Renault qui sont visées ; l'alerte a été tardive, les réactions de la DCA faibles — le bruit a couru dans Paris que toute la Luftwaffe était saoule, car elle fêtait un anniversaire. La ville est survolée de 22 heures à minuit. Le lendemain, on repère 56 points de chute, 89 immeubles détruits, 215 endommagés. Les usines Renault ont été atteintes, mais aussi les usines Salmson, Caudron, Millot, Duval. Le nombre des morts dépasse 350, celui des blessés 500. Des quais de la Seine ont été endommagés, la navigation interrompue ; des dizaines de personnes ont été victimes des effets du souffle dans les tunnels du métro, d'autres noyées dans les caves par la rupture de réservoirs et de canalisations.

Autre bombardement le 4 avril 1943 ; les usines Renault sont encore l'objectif, mais les bombes, lâchées de haut, tombent sur l'hippodrome de Longchamp, la Porte de Saint-Cloud, le métro du Pont de Sèvres ; la Presse donne les chiffres de 380 tués et 446 blessés. Septembre 1943, la cible demeure Boulogne, mais les bombes s'égarent et atteignent les quartiers Montparnasse et Auteuil. Après une accalmie relative au cours de l'hiver 1943-1944, les alertes deviennent quotidiennes au printemps de 1944 ; ce sont les lignes de communication qui sont visées ; et les gares de triage, Juvisy,

46 *Vobif* du 28 mars 1941 ; *Bulletin municipal,* 20 février et 8 octobre 1941.

Villeneuve-Saint-Georges, Noisy-le-Sec. L'opération la plus spectaculaire a lieu dans la nuit du 21 au 22 avril, sur la gare de la Chapelle ; des bombes *1944* éclairantes illuminent la ville, au point que nombre de Parisiens sont fascinés par le spectacle qu'ils observent sur leurs balcons. Les quartiers de Montmartre, Rochechouart, Batignolles sont touchés, et des entonnoirs creusés autour du Sacré-Cœur de Montmartre. Le bilan est lourd : 304 immeubles détruits, un millier endommagés, 483 morts, plus de 2 000 blessés. Après le 6 juin 1944 sont pilonnés les ponts ferroviaires, les bifurcations, les dépôts de locomotives ; résultat, Paris se coupe de sa banlieue ; un voyage à Epernon devient une aventure périlleuse, et les arrivages quotidiens de denrées diminuent.

Chaque bombardement donne lieu à de nombreux exemples de dévouement ; le raid est à peine achevé que docteurs, infirmiers et infirmières, la Croix-Rouge et son matériel, scouts, équipes de sauvetage, armés de pioches et de pelles, sont sur les lieux. Mais il est aussi l'occasion d'attaques de la Presse « aux ordres » contre la « barbarie anglaise » ; les Parisiens remarquent que l'harmonie ne règne pas dans l'argumentation ; tantôt l'accent est mis sur les erreurs de pointage, donc sur la sottise et la faiblesse des assaillants ; tantôt, au contraire, c'est l'apocalypse qui est décrite, par le fait d'une puissance ennemie diabolique. Les autorités françaises se prêtent au jeu allemand ; des journées de deuil sont décrétées, des cénotaphes élevés, des souscriptions ouvertes en faveur des sinistrés — les « collabos » s'inscrivent les premiers. Des ministres de Vichy se déplacent pour assister à de grandioses cérémonies à Notre-Dame ; d'autres ont lieu dans les temples et à la mosquée — mais pas dans les synagogues, naturellement. Joseph Barthelemy vient ainsi à Paris en mars 1942 ; le maréchal Pétain et Pierre Laval y viendront, plus solennellement encore, nous l'avons vu, en avril 1944.

Les Parisiens sont divisés dans leurs réactions ; les uns, proches des victimes, ou redoutant de le devenir, blâment la perfidie de l'allié, devenu l'ennemi. Mais d'autres, sinon les mêmes, soulignent que les aviateurs anglais volent bas, en prenant des risques pour réduire les dommages, et que rien de pareil ne se produirait si Paris n'était pas devenu un chantier travaillant pour le Reich. Les bombardements provoquent aussi un mini-exode, des enfants surtout ; et les pancartes « appartements à louer » apparaissent dans les quartiers proches des lieux sinistrés ou, pense-t-on, probablement menacés[47].

---

47. Réunion de la 3e commission du Conseil municipal, 23 février 1943 ; *Bulletin municipal,* 23 février 1943 ; *Bulletin municipal,* 9 mars 1942 ; P. AUDIAT, *op. cit.,* p. 249-254 ; Mme LONGWORTH-CHAMBRUN, *op. cit.,* p. 251.

Les affres de la ménagère

Pour une minorité de Parisiens, la « vie parisienne continue », aussi snob que par le passé ; pour certains, particulièrement privilégiés, plus fastueuse encore. Directeurs de journaux, acteurs et actrices, grands couturiers, « collabos », hauts fonctionnaires, industriels, écrivains de renom, hommes d'affaires — le « Tout-Paris » — continuent à se retrouver — pas tous, mais la plupart — à un déjeuner chez Maxim's, un cocktail organisé pour le lancement d'un film, une réception offerte par quelque hôte richissime, une présentation de mode, une inauguration d'exposition, une première de théâtre ; il faut bien vivre avec son temps ? La nouveauté, c'est que leurs smokings et leurs robes du soir se mêlent à des uniformes allemands, et que « l'inviteur » numéro un, qu'il opère lui-même ou par personne interposée, s'appelle Otto Abetz ; c'est ainsi que les mercantis du marché noir, et les hommes de main de la Gestapo, se mêlent à ce beau monde, qui n'est incommodé en rien par l'odeur de lucre et de sang qu'ils dégagent. Pour ces privilégiés, rien ne manque jamais, de plus rare et de plus précieux sur les tables ; ils exhibent toujours leurs toilettes, ils participent même à des concours d'élégance ; leur carrière, leurs profits, leurs aventures amoureuses, les préoccupent plus que le sort de leur pays.

Ils sont en fait devenus des étrangers dans leur ville. Pour la très grande majorité des Parisiens, pour les ménagères surtout, chaque journée qui commence pose des problèmes ardus, et s'achève sans qu'ils aient été résolus. Regardons-les se démener. M. et Mme Hervé sont venus du Havre, où leur maison avait été réquisitionnée par l'occupant ; ils réussissent sans mal à se loger, avec leurs deux enfants et une grand-mère. L'appartement est en mauvais état, et il ne peut être question de le réparer ni de l'aménager. Premier problème : la cuisinière à charbon s'avère si délabrée qu'il faut la démolir et la descendre, pièce par pièce, à la cave ; à grand-peine, une autre arrive de Bretagne, qui appartenait aux parents. La famille, quand la cuisinière ne ronfle pas, se chauffe avec un poêle Gaudin, au milieu du hall, où on déplace la table à manger ; le hall devient la pièce commune ; à 9 heures, tout le monde est couché.

Pierre Brossolette, de journaliste, s'est fait, pour vivre, libraire, rue de la Pompe. Sa femme Gilberte a pu se procurer un petit radiateur électrique ; est placé dans la pièce la plus étroite, la chambre d'un des deux enfants, où la famille mange, discute, et les enfants font leurs devoirs. Les soirs de gel, tout le monde se met au lit tout habillé, ôte, un après l'autre, ses vêtements et son linge, et les jette dans la pièce, pour ne pas avoir à se tirer de la tiédeur du lit. Mme B..., institutrice, en se rendant à son école à Montreuil, a le cœur serré en constatant qu'aucune cheminée de pavillon ne fume plus

Surprise des Hervé lorsqu'ils veulent se faire inscrire, comme de règle, chez un crémier : le plus proche se montre si désagréable que son accueil équivaut à un refus d'inscription : révélation du règne de l'épicier et du renversement des relations entre clients et détaillants, ces derniers n'ayant plus tellement intérêt à appâter les premiers. Gilberte Brossolette est revenue de Bordeaux, avec seulement quelques boîtes de conserves, mais une grande réserve de thé ; les brouets « clairs et sans saveur » des deux repas quotidiens sont complétés chaque jour, à 5 heures, par « le cérémonial du thé ; préparé sur un minuscule réchaud électrique ».

Heureusement, le ravitaillement arrive de province. De Normandie, la mère de Mme Hervé lui envoie chaque semaine un paquet de viande et de beurre, ce qui lui évite d'avoir recours au marché noir ; pendant ses vacances, Mme Hervé traite deux à trois cents œufs avec du silicate de soude, qui permet de les conserver pendant plusieurs mois ; on les transporte ensuite, bien enveloppés, dans une malle, en tremblant qu'elle ne soit volée en route, ou ouverte à l'arrivée. Les Brossolette reçoivent quelques paquets de la Sarthe, expédiés par une ancienne nourrice ; invariablement c'est du lapin, les denrées plus variées étant réservées à un prisonnier de guerre de la famille. Mme Béjot a la chance de posséder une propriété en Bourgogne, et que son fermier ne l'oublie pas.

Problème quasi insoluble ; les vêtements et les chaussures. Chez les Hervé, une couturière vient à journée, défait les coutures, retourne les tissus ; les pantalons de monsieur, qui est très grand, usés aux genoux, sont transformés en jupes par madame, qui extrait un tailleur de l'habit de son père, commandant de paquebot. Lui a pu acheter un seul costume en quatre ans, et encore grâce à l'appui de son administration. Mais personne de la famille ne réussit à acquérir une seule paire de chaussures ; la dernière enfant, qui a marché à 10 mois, et qui n'avait droit à des chaussures qu'à 12, a percé jusqu'au bout ses chaussons de bébé jusqu'à ce qu'une voisine compatissante lui donne des bottines... trop grandes. Alors, on s'entend entre voisins et amis ; on se passe les vêtements, encore utilisables, des enfants qui ont grandi, pour les plus petits. Quand le soir vient, on se regroupe autour du poste de TSF, à écouter, malgré le grésillement du brouillage, et les coupures de courant qui surviennent à point comme par hasard, les nouvelles du monde libre qu'égrène la BBC, et les espoirs qu'elle fait naître — une BBC au micro de laquelle Pierre Brossolette, bientôt, parlera[48].

48. Témoignages de Mme HERVÉ et de Mme BÉJOT ; Gilberte BROSSOLETTE. *Il s'appelait Pierre Brossolette*. Albin Michel, 1976, p. 109-110.

Les soucis quotidiens des administrateurs

Chaque mois les vingt maires de Paris envoyaient au préfet un compte rendu de leur activité pour lui permettre de rédiger son rapport au gouvernement de Vichy — rapport impatiemment attendu puisqu'il permettait au maréchal et aux ministres de prendre régulièrement le pouls d'une capitale dont ils souffraient d'autant plus d'être éloignés qu'ils devaient constater, de plus en plus, leur impuissance à la diriger, à l'aider à vivre même. En janvier 1942, le préfet de la Seine créa un « Comité consultatif des maires de Paris », qui les fit se réunir régulièrement chaque mois, sous la présidence du secrétaire général de la préfecture ; l'intérêt de ces réunions est que les maires y confrontent leurs expériences, s'informent mutuellement, expriment leurs problèmes et leurs vœux, et se montrent en général plus détendus, plus loquaces, que dans les textes, secs et froids, de leurs rapports mensuels. Mais quelle que soit la façon dont ils s'expriment, ce qui ressort de tous ces papiers, ce sont les étroites relations qui se sont établies entre les maires et leurs administrés ; les problèmes, les souffrances, les difficultés des seconds nourrissent les soucis des premiers.

Naturellement, c'est le ravitaillement de la population qui demeure leur principale préoccupation, il n'est pas de réunion où il ne tienne la vedette. Ainsi, pêle-mêle, on apprend que des enfants manquent l'école et des ouvriers l'atelier, faute de chaussures ou de galoches, ou que les ménagères sont mécontentes parce que les restaurateurs affichent du chou-fleur sur leurs menus, alors qu'on n'en trouve pas sur le marché, ce qui donne l'idée à quelques-uns d'interdire l'affichage des menus, pour éviter les plaintes à défaut de pouvoir les annuler en distribuant du chou-fleur à tout le monde. La rareté des vins, les conditions d'une bonne santé aussi, obligent à en limiter la consommation ; mais comment en réduire la vente, et la surveiller, dans les bars et cafés ? La solution ne serait-elle pas de l'interdire totalement ? Si certains clients ne peuvent pas être servis en pain, c'est que les boulangers ont pris la mauvaise habitude « d'honorer » les tickets avant la date de leur validité.

Les consommateurs sont mécontents parce que certains tickets sont « débloqués », mais ils ne trouvent rien à acheter chez leurs fournisseurs ; n'est-ce pas parce que ceux-ci dissimulent une partie de leurs marchandises et la revendent ensuite à un prix plus élevé ? Mais voilà, lorsqu'une boutique est fermée pour « infraction à la réglementation du ravitaillement·», ce qui arrive assez souvent, les clients qui y étaient inscrits ne savent plus où s'adresser pour se faire servir. De toute façon, il faut interdire aux commerçants de mettre une pancarte « rien à vendre » sur leurs devantures, quand il leur reste encore un peu de marchandise. Les cartes de priorité donnent lieu à beaucoup de suspicion ; le souhait est émis qu'elles soient régulièrement révisées, et qu'il soit rappelé qu'elles sont personnelles et qu'il est interdit que des mercenaires fassent la queue pour de l'argent. Autre problème incessamment posé : qui a droit à la bienfaisante carte ? Une femme qui a adopté un enfant de trois ans ne la possède pas, car elle n'est pas la mère ; est-ce juste ? La presse a d'ailleurs grand tort d'annoncer des distributions de denrées, ou de jouets pour les enfants ; c'est susciter des déceptions et faire naître de la rancœur.

La grande misère du temps se lit dans ces textes de façon parfois amusante, le plus souvent poignante ; ainsi, pour avoir des bons de chaussures, donnant droit peut-être un jour à une paire de souliers, il faut faire une demande par écrit, mais le papier manque ; alors, la même feuille devra servir plusieurs fois, du moins on essaiera.

Les miséreux viennent se faire servir la soupe aux bureaux de bienfaisance, après quoi, ils vendent leurs tickets de ravitaillement ; les citadins qui se nourrissent grâce à des colis reçus de la campagne en font d'ailleurs autant. Mais il y a malheureusement plus grave ; les enfants viennent de plus en plus nombreux déjeuner aux cantines scolaires, et les cantines ont du mal à les servir tous, faute de matériel, cuisinières, casseroles, tables, couverts. Les bureaux de bienfaisance n'ont parfois plus rien à distribuer ; il faut donc mesurer strictement les dons, écarter « les professionnels de l'aumône » ; un maire a l'idée d'instituer une « carte de bienfaisance », une de plus, nominative ; à chaque distribution, on inscrira la date et le montant de l'aide, et chacun sera tenu de la montrer la fois d'après.

Grave dilemme : comment distribuer le bois de chauffage ? D'après le nombre d'habitants, ou d'après la superficie du logement ? Les pavillons de banlieue, isolés, ne sont-ils pas plus difficiles à chauffer ? Les vieillards, les malades, les femmes enceintes ne sont-ils pas plus frileux ? Autre problème où deux actions prioritaires se contredisent : il est bon de faire du sport, mais pas en rendant à la friche un terrain cultivable ; inversement, aucun terrain de sport ne saurait être transformé en potager.

La hantise des bombardements tient une large place dans les décisions. On prescrit ainsi un inventaire des abris existants et on souhaite que les propriétaires les tiennent, ou les remettent en bon état ; mais avec quoi ? Les maires préconisent de trouver des locaux pour aménager d'éventuelles, et probables, morgues. Question importante : le maire a-t-il le droit d'obliger les assistantes scolaires à venir secourir les enfants des écoles en danger lors d'un bombardement, même la nuit ? La réponse est oui. Autre question, sur les compétences celle-là, comme il s'en pose souvent dans l'administration de Paris ; quels sont exactement les domaines respectifs de la préfecture de police et de la préfecture de la Seine en cas de bombardement ? Le partage est ainsi effectué : la première aura la tâche de secourir les personnes, la seconde celle de déblayer et d'évacuer les décombres.

La politique est totalement absente de ces délibérations, comme des rapports ; on adresse des vœux chaleureux au maréchal pour son anniversaire, bien sûr ; mais l'occupant n'apparaît guère, sauf pour se plaindre qu'il occupe trop d'écoles ; cependant, lorsque le directeur du journal allemand la *Pariser Zeitung* demande aux maires de leur fournir des listes d'acheteurs éventuels, les maires sont unanimes à répondre que la satisfaction de la demande excède leur compétence ; ils se montrent également réticents lorsque des groupes de collaborateurs sollicitent le prêt de locaux pour leurs manifestations. Le sort tragique des Juifs n'apparaît guère au cours de ces pages, sauf qu'un maire se plaint que « la dispersion de la population israélite se traduit par une diminution des œuvres de bienfaisance, étant donné la large participation de cette population à ces œuvres ».

Pauvres maires de Paris, on les devine harcelés de plaintes, submergés de soucis ! Du poisson est arrivé, mais il n'a été distribué qu'aux collectivités, pas aux foyers ; des parents s'étonnent qu'on impose à leurs enfants une double vaccination anti-tétanique et anti-diphtérique, alors que le corps médical n'est pas unanime pour l'approuver, et ils parlent de violation des droits de la famille ; des pommes de terre, miracle, arrivent en grande quantité, il faudra les stocker pendant plusieurs mois, mais comment découvrir des locaux où elles ne gèleront pas ; les crèches municipales demandent des points textiles aux parents des enfants qui leur sont confiés, et les parents rechignent à les donner ; il en est de même pour les tickets de viande de la cantine de midi ; alors le nombre des enfants à la cantine diminue, mais le nombre augmente de ceux qui vagabondent ; il faudrait organiser des garderies d'enfants à proximité des marchés ; les directeurs d'écoles, à qui on impose de plus en plus de tâches supplémentaires, ont bien droit à une indemnité spéciale ; lorsque le Secours national fait des distributions, les commerçants du quartier se plaignent qu'on porte atteinte à leur commerce ; on signale des « anomalies » dans les arrivages de porcs, ne conviendrait-il pas d'en réserver le monopole aux charcutiers, au détriment des épiciers, et des crémiers ? Trop de consommateurs viennent toucher leurs tickets de rationnement « le lendemain du dernier jour du mois », ce qui entraîne d'inutiles complications ; et les vitres des écoles et des mairies sont de plus en plus sales ; et les concierges se plaignent que les locaux dont ils ont la surveillance sont constamment occupés, même le dimanche...

Il faudrait... Il convient... Il importe... Le préfet de la Seine passe la mesure lorsqu'il prescrit aux maires de revêtir leur habit pour célébrer les mariages ! Les maires jurent de leur respect pour les institutions du mariage et de la famille, mais ils font deux objections : d'abord la lecture des articles du code civil se fait dans l'ennui le plus profond, les assistants ne pensent qu'au repas qui va suivre ; ensuite, ils n'ont pas de moyen de transport autre que le métro, et ils se voient mal en habit dans une rame surpeuplée. Réponse unanime : ils feront de leur mieux.

L'évolution des esprits

« Le ravitaillement est l'objet de toutes les pensées, de toutes les conversations. » Sous des formes diverses cette constatation revient constamment dans la presse de l'occupation, remplie d'avis, de textes de règlements, de conseils à ses lecteurs, comme dans les comptes rendus des autorités, analyses de la police des renseignements généraux, rapports des maires ou des préfets. Le premier résultat de ces difficultés souvent insurmontables de la vie quotidienne, est la détérioration des relations humaines. Ce qui domine c'est l'aigreur, la tristesse, l'anxiété, l'agressivité, la jalousie. On se dispute pour tout et pour rien ; Gérard Walter a noté l'apparition de nouvelles insultes, où la hargne perce sous la moquerie : « Va donc, eh ! vitamine » ou, pour un « marché noir », ou supposé tel : « Espèce de sans carte ». Chaque Français ne voit plus dans son voisin qu'un rival possible dans la quête à la pitance de chaque jour ; les menaces de dénonciation pleuvent, pour un propos entendu, un règlement enfreint, une place disputée dans une queue ; et, malheureusement, nombreuses sont les lettres anonymes qui parviennent à la Kommandantur, et qui entraînent perquisitions, amendes et arrestations.

Leur colère, les Parisiens la retournent contre ceux qu'ils rendent responsables de leurs frustrations : l'administration du ravitaillement, et les détaillants qui le dispensent. Il suffit qu'un produit annoncé soit distribué avec du retard pour que soit âprement dénoncée l'incapacité des fonctionnaires. Les Parisiens mesurent mal l'immense problème qu'est une répartition, aussi équitable que possible, de la pénurie. Ils se refusent à reconnaître que, sans cet effort gigantesque, sans la prise automatique des denrées à la source, ce serait le triomphe du marché noir, pour le seul profit des nantis, en argent ou en pouvoir. Par contre, ils sont pleins d'indulgence pour les petits trafiquants — les concierges souvent — qui leur procurent un peu de ce qui leur manque, sans voir qu'un appauvrissement général des marchés résulterait d'un excès de ce commerce illicite.

Cette colère s'exprime aussi à l'égard des producteurs, moins des industriels que des paysans, parce que toute ferme paraît contenir une inépuisable réserve de victuailles, à portée de la main. Mais ce sont les détaillants qui en sont le plus fréquemment l'objet. Les préfets constatent cette canalisation de l'ire populaire. Le 31 mai 1942, le préfet de la Seine note dans son rapport : « dans bien des cas, le commerçant, devenu une sorte de tyran local, règle à sa fantaisie la répartition des denrées, les heures de distribution, l'organisation des files d'attente ». Effectivement, le détaillant semble posséder de vraies richesses, et les répartir à sa guise ; l'administration, en lui donnant le monopole de la distribution, a fait de chaque crémier une divinité qu'on redoute et qu'on implore. Et, leur teint fleuri le montre, tout le monde le sait, le boulanger ne manque jamais de viande, ni le boucher de beurre. Se restreindre, attendre son tour, espérer sans trop y croire, accepter ce qu'on lui vend sans récriminer, échouer un jour devant une devanture fermée et revenir le lendemain en espérant qu'elle se sera ouverte pour lui, patienter, souffrir et maugréer, tel est le lot commun des Parisiens. Ils ne s'en prennent pas aux producteurs, aux transporteurs, aux grossistes, aux intermédiaires, divinités plus puissantes mais plus lointaines et inconnues, mais seulement aux petits dieux de leurs rues, qui entendent leurs supplications et que peuvent impressionner leurs imprécations. Mais, en définitive, c'est la résignation qui l'emporte.

La première révolte, le refus global, l'affirmation d'un autre choix de vie, c'est une partie de la jeunesse qui en est porteur, non par un mouvement d'idées, mais par un comportement volontairement provoquant. C'est le phénomène strictement parisien, et dans Paris même réservé à quelques quartiers, qu'on appelle, nul ne sait pourquoi, les « zazous ». Les zazous s'affublent de tenues hétéroclites qui jurent avec la grisaille environnante ; ils organisent des « sauteries » clandestines dans des caves, où ils s'étourdissent de musique de jazz américain. Ils ont leur mot de passe — Swing — et leur signe distinctif est la longueur de leurs cheveux. Ils se sont rendus maîtres des cafés de Flore et des Deux Magots, d'une vingtaine de petits bars, et de deux terrasses, le Pam-Pam à l'Opéra et le Colisée aux Champs-Elysées. Il est clair, leur tenue vestimentaire le montre, qu'ils vivent de gains clandestins. Personne ne les aime, tout le monde au contraire blâme leur manque de discrétion, leur forfanterie, leur non-participation à la détresse générale, leur égocentrisme. Ils n'expriment certes pas toute la jeunesse parisienne, en aucune façon la jeunesse ouvrière, et seulement une fraction de la jeunesse dorée. A vrai dire, ils sont parfaitement inutiles, ce sont des parasites. Mais ils représentent, avec leurs outrances [49], une situation et une aspiration de la jeunesse. La situation c'est celle d'adolescents souvent privés d'un père prisonnier, et presque toujours d'un père nourricier, qui doivent donc se débrouiller par eux-mêmes, mûris, ou pervertis, précocement. L'aspiration,

---

49. *L'Illustration* décrit ainsi « l'uniforme » des zazous : Pour les garçons, cheveux ondulés, pochette de soie, un ample veston qui bat les cuisses, pantalons étroits froncés sur de gros souliers non cirés, cravate de toile ou de laine, col souple avec une épingle transversale, canadienne. Pour les filles, sous des peaux de bêtes, un chandail à col roulé et une jupe plissée, fort courte ; épaules exagérément carrées, alors que les hommes les portent tombantes ; longs cheveux, bas rayés, chaussures plates et lourdes.

c'est celle de l'affirmation de la jeunesse à refuser le monde que lui ont façonné ses aînés, et à se manifester comme une force indépendante maîtresse de son destin. L'après-Libération accentuera le mouvement ; elle a commencé avec les zazous, l'étonnante époque, où les parents éberlués ne reconnaissent plus leurs rejetons, et s'avouent sans prise sur eux [50].

La politique est absente du mouvement Zazou, elle n'existe pas pour eux ; mais elle ne peut pas ne pas intéresser l'ensemble des Parisiens. Longtemps, les policiers des renseignements généraux, décrivant l'évolution des esprits, notent que la personne du maréchal Pétain demeure sacro-sainte ; mais ils relèvent que Pierre Laval est attaqué. Malgré leurs préoccupations alimentaires prioritaires, les Parisiens ne négligent pas le déroulement du conflit ; à mesure que la victoire alliée devient possible, puis vraisemblable, ils voient en elle la seule issue à leurs malheurs. Longtemps, l'occupant leur paraît trop bien implanté, trop sûr de lui, pour qu'on ose l'affronter autrement que chez soi, à l'abri de toute délation, dans le ronron protecteur des émissions de radio, dites « anglaises ». Mais, peu à peu, tout le monde pressent, ou comprend, que le responsable de la détresse générale, c'est lui, l'Allemand, avec ses exigences, ses réquisitions, les besoins toujours inassouvis de sa

Pouvoir d'achat du franc
d'après la moyenne des indices des prix [51]

Année	Coefficient de transformation en francs de 1980
1939	1,07
1940	0,86
1941	0,71
1942	0,60
1943	0,50
1944	0,43
1945	0,295

50. G. WALTER, *op. cit.*, p. 151-175 ; rapports du préfet du 31 mai et du 31 août 1942 : *L'Illustration*, 28 mars 1942.

51. D'après les calculs de l'INSEE. Pour estimer la valeur, en francs de 1980, d'une somme, au cours d'une des années de guerre, il faut la multiplier par le coefficient de transformation. Ainsi 100 F de 1944 égalent 43 F de 1980. Ce tableau est donné à titre indicatif ; il s'agit en effet des prix officiels alors que, nous l'avons vu, prédominaient les prix de marché noir. Il montre cependant la dégradation limitée mais constante du pouvoir d'achat du franc.

guerre. Bien développé par la Résistance, magistralement par les communistes, le thème que l'Allemand est l'affameur de Paris et que le retour de la
prospérité est lié à son départ, sera le thème mobilisateur de la population
parisienne dans une opposition qui passera progressivement de la fronde à
l'hostilité, puis au combat[52].

---

52. La relation de cette évolution fera l'objet du second tome de cette étude ; on y verra quel
rôle important la jeunesse de Paris a joué dans la Résistance.

7.

La santé des Parisiens

La pénurie quasi totale, les insuffisances de leur alimentation, l'angoisse permanente dans laquelle ils vivaient, les fatigues que leur imposaient les insurmontables difficultés de leur existence quotidienne, ne pouvaient pas ne pas avoir de déplorables conséquences sur la santé des Parisiens. Les autorités, administratives et hospitalières, redoutaient le pire, à commencer par des épidémies qu'on craignait de ne pas pouvoir enrayer. Ce qui est surprenant, c'est que le pire ne se produisit pas.

Le retour des « exodiens »

Dès le 15 juin, on voit revenir à Paris des « exodiens » qui, rejoints par les troupes allemandes, avaient jugé inutile d'aller plus loin. Les maraîchers, les paysans des alentours de Paris, sont les premiers à rentrer ; ils vont par deux ou trois familles d'amis et de voisins, sur des chariots et des charrettes surchargés, traînés par des chevaux ou des bêtes à cornes. Les hommes et les bêtes sont harassés ; la moindre rampe épuise les attelages ; parfois, les chevaux, à bout de force, s'abattent au pied d'un raidillon. Certains revenants, plus heureux ou plus désinvoltes, sont juchés sur des camions allemands, ce qui donne lieu à une facile propagande pour l'occupant. La police fait des barrages sur les ponts de la Seine pour opérer un tri, et orienter vers les boulevards extérieurs ceux qui ne font que traverser Paris.

Ceux qui sont allés loin ne peuvent pas rentrer seuls et doivent attendre le rétablissement des transports ferroviaires. Le 19 juin, arrivent en gare d'Austerlitz les premiers trains de réfugiés dans la région d'Etampes ; le 22, trois péniches en ramènent quelques centaines de Corbeil. Puis, chaque jour, des trains reviennent d'un peu plus loin : de Montargis le 25 juin, de Rambouillet le 29, d'Orléans et d'Etampes le 30 ; du Mans aussi, le même jour. Se mêlent aux rapatriés des soldats désarmés par l'ennemi, qui ont réussi à échapper à la captivité et qui essaient de regagner leurs foyers ; certains, civils ou militaires, reviennent avec des attelages de l'armée.

Après l'armistice, une autre foule, plus disciplinée, commence à affluer dans Paris, ou à traverser la ville ; c'est l'armée allemande qui chemine par des itinéraires surveillés par la garde mobile et la garde républicaine ; ce n'est plus le défilé triomphal de l'entrée, mais une cohue de voitures de tourisme, motocyclettes, side-cars, camions de toutes sortes — beaucoup de ces voitures sont françaises et constituent autant de « prises de guerre ».

Quand le service ferroviaire est rétabli, début juillet, rares sont les retours des « exodiens » par la route, tandis que les trains déversent des cargaisons de voyageurs de plus en plus nombreux. Les premiers arrivants en corps constitués sont les fonctionnaires, les employés de banque, les cheminots, les postiers et les ouvriers qualifiés — tout ce qui est nécessaire à la reprise de la vie dans la grande cité, et qui a reçu une priorité.

Puis c'est la foule des anonymes, dans un ordre relatif, les maires des communes d'accueil ayant établi des listes pour étaler les départs. Des trains de marchandises transportent chacun 1 500 à 2 000 personnes. Dans toute la zone occupée, l'autorité militaire allemande, désireuse qu'une vie normale reprenne partout le plus rapidement possible, a facilité les choses en délivrant des bons d'essence et des autorisations de circuler. A partir du 25 juillet, 4 000 personnes débarquent en moyenne chaque jour à la gare de Lyon ; 10 700 le 3 août. La gare d'Austerlitz en voit arriver 26 000 le 24 juillet, dont 30 % sont des employés des services publics ; ils seront 28 000 le 27 ; environ 17 000 quotidiennement, pendant la même période, à la gare Montparnasse. Du 4 au 11 août, 350 000 personnes sont rentrées par le train, au grand contentement des services allemands, submergés de demandes et de plaintes de personnes séparées. En renvoyant les solliciteurs aux autorités françaises, les Allemands en profitaient pour faire un peu de propagande ; ils soulignaient, auprès des demandeurs, qu'ils n'étaient pas « responsables de l'exode » et que la faute, comme celle de la défaite française, en incombait uniquement au gouvernement français « qui avait déclaré la guerre à l'Allemagne » ; les Français qui se plaignaient devaient reconnaître aussi leur part de responsabilité puisque, par leurs votes, ils avaient porté au pouvoir des « fauteurs de guerre ». Et les Parisiens, la tête basse, écoutaient la leçon.

Au 16 août, c'était près d'un million de personnes qui avaient regagné leurs domiciles dans Paris, ou qui avaient traversé la ville ; ce jour-là étaient arrivés 57 trains de réfugiés, plus 6 trains de soldats démobilisés. Pour ceux qui habitaient Paris, l'aventure était achevée. Pour ceux du Nord et de l'Est, elle continuait. Dès la fin juin, des services d'autobus avaient rapatrié des habitants de Creil et de Chantilly, mais ceux du Nord ne pouvaient pas passer la Somme, ni les Lorrains, moins nombreux, regagner leur pays, l'occupant ayant institué deux zones « interdites » non prévues par la convention d'armistice. Au 15 août les centres d'accueil des réfugiés comprenaient encore vingt mille personnes, réparties rationnellement entre vieillards, infirmes, jeunes mères et enfants. La situation sanitaire était bonne malgré les épreuves : pas de dysenterie bacillaire, pas de typhoïde, pas d'augmentation des maladies vénériennes, pas de cas de rage malgré les nombreux chiens abandonnés.

Ainsi s'achevait la plus grande migration humaine jamais connue en France. En définitive, elle ne se terminait pas trop mal, sauf pour les bagages très souvent abandonnés, perdus, ou volés au long du chemin. Ce qui est surprenant, c'est la confiance en l'avenir dont font preuve les rapatriés en revenant ; il est vrai que le plus grand nombre n'avait pas les moyens de subsister loin de leur résidence, ou de leur travail ; cependant, peu de personnes aisées, en définitive, avaient jugé prudent de demeurer loin de la présence allemande ; bon nombre de Juifs, en particulier, étaient rentrés[1]. Après tout, la guerre n'était-elle pas finie ?

Combien de Parisiens ?

D'après le recensement effectué en 1936, Paris, dans ses 20 arrondissements, comptait 2 278 533 habitants, et le département de la Seine 4 138 614 (1 043 403 pour l'arrondissement de Sceaux). Dans Paris même, la densité à l'hectare était très forte dans les quartiers Rochechouart (822), Belleville (627), « la Sorbonne » (531) ; se maintenant aux environs de 400 dans le centre, elle s'abaissait à 117 dans le XVIe arrondissement, où dominaient petits immeubles, maisons particulières, hôtels avec cours et jardins.

La déclaration de guerre avait vidé Paris d'une partie de ses habitants en septembre 1939 — la peur était très répandue d'une guerre apocalyptique dans laquelle l'aviation raserait des cités entières, une peur qui n'était qu'un peu en avance sur la réalité historique. Environ un million d'habitants du département de la Seine sont alors soit mobilisés, soit partis chercher refuge dans douze départements de l'Ouest prévus à cet effet. Pendant l'hiver 1939-1940, l'apocalypse ayant pris du retard, et devenant de ce fait hypothétique, Paris se repeuple par le triple effet des retours, des soldats qui y tiennent garnison, et des « affectés spéciaux » renvoyés dans les usines — la banlieue de Paris, malgré une politique de décentralisation, conserve encore la majeure partie des fabriques d'armes, d'avions et d'automobiles.

Puis, c'est l'exode brutal d'au moins un million et demi de personnes ; au moment de son occupation, la ville de Paris comprend entre 700 000 et un million d'habitants. Le 7 juillet, à partir des fiches établies dans les mairies par les rapatriés, l'administration évaluait le nombre de Parisiens à 1 050 000,

---

1. BENOIT-GUYOT, *L'Invasion de Paris*, op. cit., p. 40-45 ; J. VIDALENC, *L'Exode*, op. cit., *passim* ; *Bulletin municipal* des mois de juillet et août 1940 ; *Rapports des renseignements généraux*

et celui des ressortissants de la Seine à 1 940 000 ; ces chiffres passent respectivement à 1 910 000 et à 3 610 000 le 22 octobre ; ils sont certainement inférieurs à la réalité, de nombreux rentrés ne jugeant pas utile de se présenter dans les mairies.

Il n'y aura pas de recensement pendant la guerre. La population sera uniquement comptabilisée par le nombre de cartes d'alimentation délivrées — une manière de compter certainement imparfaite, mais la seule permettant de serrer la réalité d'assez près ; après tout, si le nombre de cartes avait tendance à augmenter par suite des vols, des faux, et du trafic auxquels elles donnaient lieu, toute une partie de la population, en situation irrégulière ou dangereuse, n'en recevait pas — Juifs, immigrés, communistes, résistants ; on peut penser que les deux catégories étaient à peu près équivalentes, et s'annulaient l'une l'autre.

Voici les chiffres tels qu'ils apparaissent dans les statistiques du *Bulletin municipal* — les études faites par la Société statistique de Paris parviennent à des résultats supérieurs, mais les raisons de ces différences ne sont pas clairement perceptibles.

	Paris	*Banlieue*	*Total Seine*
1er janv. 1941	2 523 568	1 924 389	4 447 957
1er janv. 1942	2 778 533	1 860 081	4 638 614 *
1er janv. 1943	2 268 157	1 811 529	4 079 686
1er janv. 1944	2 283 056	1 776 676	4 059 732

* Le préfet de la Seine, désireux d'accroître le ravitaillement de la région, grossissait la population dans ses rapports à Vichy, en l'évaluant tantôt à 5 millions d'âmes, tantôt même à 6 millions.

On remarquera que la population de la banlieue n'a cessé de baisser ; en dehors de la possibilité d'y cultiver parfois un jardin, la vie y était plus difficile, en raison de la raréfaction des transports ; en raison aussi d'un moindre approvisionnement des commerçants.

C'est en 1942 que Paris est le plus peuplé ; on peut penser que, la guerre se prolongeant, après une première année de privations, et les mesures nécessaires prises pour y parer tant bien que mal, les « exodiens » qui avaient hésité jusque-là à regagner leurs pénates se sont décidés à le faire. Puis les raisons se sont multipliées pour que la population diminue ; le premier bombardement allié provoque un nouvel exode ; les rafles vident les quartiers juifs ; surtout, nombreux sont les ouvriers qui vont travailler en Allemagne, soit volontaires au titre de la « relève », soit contraints par les lois qui instituent le « Service du travail obligatoire » (STO). Enfin, un effort considérable avait été effectué pour mettre les enfants à l'abri, bien que les familles, peu favorables à une séparation, ne s'y soient guère prêtées. Ainsi, en mai 1943, sur 9 000 écoliers de Saint-Denis, 50 seulement se sont fait inscrire ! Cependant deux à trois convois, de 7 à 800 enfants chacun, partent régulièrement chaque mois, pour le Loir-et-Cher, la Corrèze, la Haute-Savoie, l'Yonne, l'Indre ou, tout simplement, la Seine-et-Marne. Nous l'avons vu, en 1944, il y avait dans les écoles primaires parisiennes, environ 100 000 élèves de moins qu'en 1941. Il faudrait leur ajouter les lycéens que leurs parents ont envoyés à la campagne, chez des proches ou des amis, pour qu'ils y soient mieux nourris, et à l'abri des bombes. De même, si le nombre d'enfants en bas âge placés en nourrice ne cesse de décroître — il passe de 2 584 en 1938 à 1 057 en 1942 et 959 en 1944 — c'est que beaucoup de jeunes mères vont faire leurs couches loin de la ville, dans une ambiance plus tranquille, plus propice à un heureux dénouement.

Dans l'ensemble, si un renversement de tendance s'est produit, et si l'accroissement de la population de la ville, constant depuis 1950, a été remplacé par une légère diminution, ces modifications sont de faible ampleur ; on peut parler de stabilité. Les mesures prises pour favoriser le ravitaillement de la capitale, mieux approvisionnée que de nombreuses grandes villes de province, n'y sont certainement pas étrangères. Courant 1944, le préfet de la Seine a même constaté que des réfugiés, venus de province, cherchaient à s'installer à Paris. Après le débarquement de Normandie, à mesure que la bataille se rapproche, un nouvel exode s'esquisse bien, mais il demeure de faible ampleur, parce qu'aucune région de France ne paraît alors absolument sûre, et que l'espérance d'une libération prochaine se précise[2].

Par contre, les étrangers recensés en résidence dans la Seine, dont le nombre s'élevait à 438 688 en 1938, et encore à 416 905 en 1939, ne sont plus que 180 879 en 1944, soit une chute de 236 026. Les Anglais et les Américains ont totalement disparu, les Anglais après avoir été internés dans des camps spéciaux. Les Allemands, qui se comptaient 15 000 en 1938, n'étaient plus que 2 263 en septembre 1939, et c'étaient pour la plupart des Juifs ou des émigrés politiques antinazis dont le sort sera tragique. Une bonne moitié des Russes avaient essayé de rentrer chez eux dans des fourgons de la Wehrmacht après juin 1941. Pour des raisons diverses, le nombre des Italiens et des Polonais avait décru de 60 %. Quelques-uns de ces étrangers, les apatrides surtout, continuaient à vivre à Paris en se cachant, sous une identité d'emprunt, mais ce ne pouvait être qu'une minorité. La plupart des non-recensés étaient partis.

---

2. Collection du *Bulletin municipal* ; communication de M. DEPOID à la « Société statistique de Paris », en février 1941 ; rapports du préfet BOUFFET, aux Archives nationales ; *Annuaire statistique de la ville de Paris*.

Le Paris de l'occupation était donc une ville privée d'une partie de ses enfants et de la majorité des étrangers ; plus exactement les seuls étrangers qui y paradaient étaient les vainqueurs allemands, dont le nombre est impossible à connaître. Jusqu'à la fin de 1941, on ne voyait qu'eux, soldats ou civils en uniforme, d'autant plus que de nombreux permissionnaires y fêtaient leur temps de repos et que des cargaisons de touristes débarquaient d'outre-Rhin. Lorsque commencèrent les hécatombes de Russie et l'ensevelissement des villes allemandes sous leurs ruines du fait des bombardements alliés, l'occupant, toujours omniprésent, se fit cependant moins visible ; au moment de l'insurrection parisienne, il ne restait plus que 20 000 hommes, approximativement.

Parmi les Français, dans Paris même, un déplacement de population s'est effectué de la périphérie vers le centre ; à partir de 1943, on trouvait de nombreux appartements à louer dans des quartiers comprenant des usines ou des gares de triage qui risquaient d'être bombardées. Par contre, les meublés, quand ils n'étaient pas réquisitionnés par l'occupant, étaient peuplés, à défaut de touristes par de jeunes ménages qui, faute de pouvoir acheter du mobilier, étaient obligés de se loger en garnis ; le nombre de chambres ainsi louées au mois, qui était de quelques milliers seulement en 1940, a grimpé dès 1941 à 223 000, et il se maintiendra à cette hauteur jusqu'en 1947[3]. Le préfet de la Seine soulignait, à juste titre, que cet état de choses ne permettait pas de « fonder de vraies familles », et « allait à l'encontre de la politique familiale poursuivie par le Maréchal ».

Mariages, naissances, décès

La mobilisation, l'absence des prisonniers de guerre, le départ des requis du « Service du travail obligatoire », joints aux difficultés quotidiennes de l'existence et à l'appréhension de lendemains tragiques, ne pouvaient que diminuer, de façon sensible, le nombre de mariages, comme le montre le tableau ci-dessous, établi pour la seule ville de Paris.

	1939	1940	1941	1942	1943	1944	1945
Entre Français	27 186	14 221	14 268	16 803	13 806	13 144	26 953
Entre Français et étrangers	1 752	1 026	918	998	779	640	830
Total	28 938	15 247	15 186	17 801	14 585	13 784	27 783

3. Henri MICHEL, *La Libération de Paris*. Editions Complexe. Bruxelles, 1980, p. 19-20 ; *Annuaire statistique de la ville de Paris*.

On le voit, la chute est brutale en 1940 et en 1941 ; la diminution du nombre de mariages est d'environ 50 %. Une petite remontée s'esquisse en 1942, peut-être parce que les épreuves de la première année de pénurie ont été, somme toute, surmontées ? Mais la baisse reprend en 1943 et s'accentue en 1944, années de gros départs : des requis pour l'Allemagne et des « réfractaires » pour « le maquis ». La diminution est encore plus forte pour les mariages entre Français et étrangers, puisque le chiffre de 1944 est juste un peu plus du tiers de celui de 1939. Contrairement à ce qu'on aurait pu penser, étant donné l'intérêt immédiat qu'elles auraient pu y trouver, très peu de Françaises épousent des Allemands ; de 104 en 1939, elles ne sont plus que 25 en 1941, 12 en 1943, et seulement 9 en 1944. Avec les Américains, si les mariages mixtes deviennent à peu près nuls lorsque les USA entrent en guerre (2 en 1943 et 2 en 1944), ce n'est pas non plus la ruée vers Monsieur le Maire dans l'après-libération, puisque 7 Françaises seulement convolent avec des GI en 1944. Evidemment ces chiffres devraient être corrigés par les rapports sexuels, dont tous les témoins ont pu constater l'extrême fréquence, soit avec les « occupants », soit avec les « libérateurs ». Mais il ne s'agissait pas de liaison à vie !

On se marie en toutes saisons, de préférence au printemps et l'été, un peu moins l'hiver (1488 en juin 1943, contre 962 en janvier de la même année). Mais on divorce aussi, numériquement moins qu'avant la guerre, proportionnellement au nombre de mariages, plus ; la propagande pour la vie familiale, l'absence des prisonniers, ont pu freiner les séparations juridiques ; par contre, l'éloignement des conjoints dans des « zones » différentes ou le mal à vivre, pouvaient contribuer à affaiblir les liens jusqu'à les rompre. Pour le département de la Seine, les chiffres des demandes de divorces sont les suivants — on sait que toutes les demandes n'aboutissent pas, ou exigent beaucoup de temps, parfois des années, pour aboutir.

Année	1937	1938	1939	1940	1941	1942	1943	1944	1945	1946
Nombre	9 445	9 278	6 906	4 397	7 077	5 551	6 153	6 337	6 653	17 906

Le chiffre le plus bas se situe en 1940 ; c'est la guerre, une certaine décence commande les comportements. Il augmente régulièrement jusqu'en 1945, et il éclate, en triplant presque, en 1946, lorsque de nombreux prisonniers de guerre, de requis du STO, de déportés, ont découvert à leur retour que leurs ménages n'avaient pas résisté à leur absence. Un certain affaiblissement des liens conjugaux apparaît ainsi comme une des conséquences de la défaite et de ses séquelles, plus que de la guerre elle-même [4].

4 *Compte général de l'administration du ministère de la Justice.*

Moins de mariages, et presque une demande de divorce pour deux mariages en 1943 et en 1944. Voilà qui n'était pas fait pour augmenter le taux de fécondité ; pourtant, dans cette période fertile en contrastes, on constate que, malgré les privations, le nombre de décès ne s'accroît guère, et même fléchit parfois, et que le nombre de naissances a une légère tendance, lui, à augmenter. Laissons parler les chiffres.

Année	Paris		Total pour la Seine	
	Naissances	Décès	Naissances	Décès
1938	32 645	33 571	56 026	63 984
1939	25 811	30 155	51 761	58 035
1940	23 511	31 637	46 101	71 767
1941	26 513	35 653	50 564	69 637
1942	29 457	36 125	52 916	66 842
1943	32 541	33 058	57 179	59 594
1944	31 519	37 095	54 361	65 117

Evidemment, le nombre de décès reste constamment supérieur à celui des naissances, d'autant plus que, dans celles-ci, sont comptés les mort-nés, dont le nombre, cependant, pour Paris, s'abaissera de 1669 en 1938 à 988 en 1943, deux années comparables quant aux naissances ; constatation étonnante si on pense à toutes les causes (malnutrition, angoisse, fatigue, etc.) susceptibles de provoquer des couches difficiles. Le grand écart de 1939 et 1940 entre la vie et la mort s'explique par les deux exodes de septembre 1939 et de juin 1940 ; de nombreuses mères ont accouché en province et, dans la fraction de la population demeurée à Paris, prédominaient les vieilles personnes seules — 12 400 décès de personnes de plus de soixante-dix ans en 1940, contre 10 055 en 1938, alors que tous les vieillards n'étaient pas restés sur place.

Ce qui est remarquable également, c'est la réduction du nombre des décès en 1943 ; les chiffres sont inférieurs à ceux de 1938 ! et cela, quels que soient les âges considérés :

	0 à 1 an	30 à 34 ans	Au-dessus de 70 ans
1938	2 052	1 208	10 055
1943 .... soit	1 753 − 299	863 − 345	7 810 − 2 245

Cependant, étant donné que la population globale, de Paris, comme de la Seine, n'a guère changé, l'augmentation du nombre des naissances en 1943 est l'événement le plus remarquable[5] ; il se réduira à peine en 1944, en raison d'un nouveau mini-exode avec l'approche des combats de la libération. Il y a là un renversement de tendance qui s'accentuera avec, en 1945, le retour des « exilés » — prisonniers de guerre, déportés, ouvriers partis en Allemagne. Comment l'expliquer alors que la population mâle a considérablement diminué ? Faut-il prendre en compte les rapports sexuels que les Françaises ont entretenus avec des occupants ? Que ces rapports aient été fréquents, qu'ils aient provoqué la colère et l'indignation de tous ceux qui les constataient, et les condamnaient, on l'a bien vu à la libération, par le pitoyable cortège de femmes tondues pour « collaboration horizontale » ; de même, l'attente du conjoint ou du fiancé a été souvent trop longue pour des femmes de prisonniers. Le résultat a été, non un surplus de naissances, mais des avortements en grand nombre dont aucune comptabilité ne pouvait être tenue, mais dont les médecins des hôpitaux sont d'accord pour constater la multiplication. Quant aux naissances illégitimes, qui étaient, pour la ville de Paris, de 5 151 en 1938, elles ont décru jusqu'en 1943, puis se sont élevées cette année-là à 5 048, pour culminer en 1944 avec 6 096, soit seulement 845 de plus qu'en 1938. Le renouveau de la fécondité doit donc être plutôt recherché dans la disparition des sorties nocturnes, et dans le froid hivernal, qui faisait se glisser tôt les couples dans la tiédeur des lits, pour les en faire sortir le plus tard possible.

Si on considère les âges, on constate évidemment que le taux de mortalité est moins élevé pour les adultes que pour les nourrissons ou les vieillards ; mais, pour ces deux dernières catégories, il est en régression constante de 1938 à 1944, cette dernière année étant cependant la plus meurtrière ; toutes les mesures prises en leur faveur, en matière de ravitaillement ou de chauffage, se sont donc révélées payantes, et c'est un succès à mettre à l'actif des programmateurs et répartiteurs de la pénurie.

De même, une certaine égalisation des chances de vie s'était produite entre riches et pauvres, comme a pu le vérifier Alfred Sauvy en comparant les taux de mortalité dans les « quartiers riches » (7e, 8e, 9e, 16e arrondissements) et dans les « quartiers pauvres » (12e, 13e, 19e et 20e). Si le taux demeurait inférieur dans la première catégorie, parce qu'on pouvait plus aisément s'y procurer des denrées d'un prix élevé, par contre il avait beaucoup plus augmenté par rapport à l'avant-guerre (de 40 à 60 %) pour les « riches », que pour les « pauvres » (24 à 37 %) ; probablement, conclut justement A. Sauvy, parce qu'il est plus facile à un pauvre de persévérer dans la

---

5. Certains mois, au printemps généralement, le nombre de naissances a dépassé celui des décès, de près de 500 en juillet 1943.

pauvreté, même accrue, qu'à un riche de changer brutalement son mode d'existence en étant privé, d'un coup, des commodités auxquelles il était habitué[6].

La grande misère des hôpitaux

L'occupant avait réquisitionné pour son usage exclusif trois des plus modernes hôpitaux de Paris : Beaujon, Lariboisière, La Pitié (à l'exception d'un service dans ce dernier). La réquisition portait non seulement sur les locaux, mais aussi sur tout le personnel, hospitalier et administratif ; les infirmiers, encadrés par des médecins allemands, devaient y soigner blessés et malades allemands, civils ou militaires.

Dans les autres hôpitaux, l'occupant n'intervient pas directement dans leur fonctionnement ; il transmet ses désirs — ses ordres — par l'intermédiaire de l'Assistance publique ou de la préfecture de police, à qui est envoyée chaque jour une liste des entrants — les Allemands y cherchent les personnes qu'ils pourchassent. La police allemande procède d'ailleurs à des visites impromptues, se fait remettre fiches et dossiers, exige les renseignements les plus confidentiels, procède à des arrestations. A partir de 1942, les cartes de Juifs et des étrangers décédés doivent être envoyées aux commissariats ; les hospitalisés juifs sont évacués vers l'hôpital Rothschild, qui leur est réservé ; les dames patronesses juives des hôpitaux et des bureaux de bienfaisance doivent être démises de leurs fonctions. A tout instant, tout établissement hospitalier, public ou privé, peut faire l'objet d'une réquisition. A toutes les questions et injonctions, les médecins ne peuvent opposer que le faible barrage du secret professionnel[7].

L'Assistance publique est déjà, en 1939, à Paris, une entreprise énorme, qui comprend : 15 hôpitaux généraux, 5 hôpitaux d'enfants, un hôpital pour contagieux, 4 grands hospices, 17 petits hospices, 10 maisons de retraite, en tout 45 000 personnes « assistées ». Certains établissements sont gigantesques, comme la Salpêtrière, où vivent 4 000 personnes et où on sert 10 000 repas par jour. En outre, l'Assistance a la responsabilité de 22 000 enfants abandonnés, devenus ses pupilles, dont le nombre a augmenté pendant la guerre ; les bureaux de bienfaisance secourent 40 000 vieillards et incurables.

Cela fait beaucoup de monde, et exige un personnel en proportion. Aux 330 médecins, chefs de services, et aux 22 pharmaciens, s'ajoutent 590 assistants, 490 internes, 1 200 externes, 13 000 administrateurs. Le personnel

---

6. *Annuaire statistique de la ville de Paris* ; A. SAUVY, *La Vie économique des Français de 1939 à 1945*, Flammarion, 1970, p. 192-193.

7. P. AUDIAT, *op. cit.*, p. 62, 211 ; témoignage d'un fonctionnaire du ministère de la Santé.

hospitalier compte 21 500 agents dont 4 360 infirmières et 15 000 garçons et filles de salle. La grande maison satisfait elle-même une bonne partie de ses besoins, dans ses « établissements généraux » de meunerie, boulangerie, boucherie, pharmacie ; ces établissements vendent même leurs produits au public.

Mais, à ce moment, son nom l'indique, l'Assistance publique est plus un organisme de charité que de santé. Les hôpitaux, même les plus récents, construits entre 1930 et 1940, hébergent leurs malades dans des salles communes ; tous les aménagements en cours ont été stoppés, les grands travaux ayant été interrompus dans tous les domaines ; les installations sanitaires sont inexistantes ; le malade reste coincé dans son lit, ou entre les lits de ses voisins, sans pouvoir vraiment remuer. Ce sont les pauvres, les vieux sans ressources, qui vont à l'hôpital ; les gens aisés se font soigner chez eux ou dans des cliniques privées, mieux équipées et plus accueillantes. Les médecins de l'hôpital ne s'y montrent d'ailleurs que le matin, au cours de visites rapides, qui sont autant des leçons pratiques pour étudiants que des examens de malades ; l'après-midi ils reçoivent chez eux les malades riches, à qui ils réservent la majeure partie de leur science, contre des honoraires élevés.

La chirurgie, en particulier, en était encore au stade préhistorique. Elle utilisait les sulfamides, mais elle ne possédait pas les antibiotiques ; on écrasait des comprimés de sulfamides et on les mettait dans les plaies. La transfusion sanguine était exceptionnelle ; comme le « facteur rhésus » n'avait pas été découvert, il y avait une chance sur sept pour que le patient meure ; les électrocardiogrammes, et plus encore les encéphalogrammes, étaient rares ; l'anesthésie à l'éther et au chloroforme était brutale, sans piqûre.

Le Conseil municipal a délégué ses membres pour des inspections dans tous les dispensaires de l'Assistance publique, et sa deuxième commission a consacré en 1943 plusieurs réunions à l'examen de la peu brillante situation. Elle a déploré la vétusté et la saleté de locaux mal placés, mal outillés, pas chauffés et peu éclairés ; les consultants, des personnes nécessiteuses, étaient expédiés en quelques minutes ; le dispensaire se bornait le plus souvent à distribuer des fiches de médications gratuites [8]. Une aussi criante insuffisance, conséquence de l'inégalité sociale devant la maladie, était cependant acceptée par tout le monde, et considérée comme naturelle. C'est seulement lorsque la sécurité sociale sera en vigueur que les pauvres gens comprendront qu'ils avaient eux aussi droit à la santé ; c'est alors qu'ils ont commencé à protester toutes les fois qu'ils estimaient ne pas avoir reçu leur dû.

8. *Extrait d'un rapport du directeur général de l Assistance publique* à l'Académie de médecine ; témoignage du professeur BÉNASSY ; *comptes rendus des réunions de la 2ᵉ commission du Conseil municipal*

La pénurie généralisée, qui caractérise la vie des Parisiens sous l'occupation, ne pouvait pas, dans ces conditions, ne pas être particulièrement sensible dans les hôpitaux. Malgré la perte de 3 000 lits des hôpitaux réquisitionnés, ce ne sont toutefois pas les places qui manquent ; on s'est installé à la Cité Universitaire, vidée d'une grande partie des étudiants étrangers, et dans des baraquements. Ce ne sont pas non plus les moyens de transport ; en 1941, les ambulances sont cédées par la ville de Paris à l'Assistance publique ; toutes marchent au gazogène ; mais, en 1944, elles sont à la limite extrême de l'usure, et les pneumatiques manquent.

Si le matériel de chirurgie était suffisant, le renouveler posait de sérieux problèmes. Le linge (draps, blouses, serviettes), devenu rare [9], était changé moins souvent, et les infirmières portaient des blouses rapiécées ; il était quasi impossible de trouver des gants en caoutchouc ; les compresses étaient moins bien lavées ; la pellicule manquait pour les clichés de radio ; pour toute commande d'écrans neufs de radiologie, il fallait remettre les vieux ; s'ils étaient cassés, les débris devaient être conservés et remis, etc. Bref, si on ajoute que les malades avaient plus de mal encore que les Français valides à se procurer brosses à dents, dentifrice, savon, tout posait problème ; mais, cependant, de l'avis général, il n'y eut jamais véritablement de drame causé par l'absence ou l'usure du matériel, et la carence de soins.

La situation était plus préoccupante encore pour ce qui concernait le personnel. De nombreux hommes, médecins, infirmiers ou garçons de salle étaient prisonniers de guerre et n'avaient pas été remplacés. La loi sur les retraites anticipées pour enrayer le chômage avait provoqué le départ de 260 infirmières et de 400 filles de salle. Puis l'insuffisance des traitements (en 1943, une infirmière gagnait 1 845 F par mois, une surveillante 2 087) avait amené la démission de 200 autres, la plupart pour aller travailler dans des usines au service des Allemands, où elles étaient beaucoup mieux payées. Il fallait donc soigner le même nombre de malades avec un personnel hospitalier réduit et ne disposant plus des mêmes facilités de travail ; par suite, vite surmené, et sujet souvent à l'asthénie et à l'anémie.

Mais c'est pour le ravitaillement que l'état des choses était devenu véritablement tragique. Un rapport de la direction de l'Assistance publique dresse le bilan, désastreux, pour les livraisons de denrées (voir tableau page suivante).

Seule la quantité de pain est supérieure, mais sa mauvaise qualité compense largement cette augmentation. Pour le reste, la diminution est au moins du tiers, souvent de la moitié, parfois plus encore ; et les chiffres ne

---

9. Les commandes de draps, de 400 000 mètres de tissu en 1939, étaient tombées à 45 000 en 1943 ; les pansements, de 10 millions de mètres de gaze à un million et demi ; on ne disposait que de 121 000 balais sur les 400 000 utilisés habituellement.

sont pas indiqués pour la viande, tant sa consommation était devenue exceptionnelle. La ration des malades mis au régime lacto-végétarien a été réduite en 1942 de 1 litre et demi par jour à 75 cl et les laits fournis étaient de plus de qualité médiocre, « souvent sales et pollués », dit un rapport de la 2ᵉ commission du conseil municipal. Les renseignemets manquent pour les années 1943 et 1944, mais le même rapport précise que l'année 1944 fut la plus dure car les stocks considérables de 1939, étaient totalement épuisés, et les transports en grande partie arrêtés. L'administration faisait ce qu'elle pouvait pour remédier à cette pénurie ; 16 hectares d'espaces verts avaient été cultivés et, en 1943, 60 tonnes de pommes de terre avaient été distribuées aux agents chargés de famille ; avec les eaux grasses, on élevait des porcs.

Consommation annuelle	1938	1942
Lait (l)..........................	7 000 000	3 600 000
Huile (kg)......................	300 000	45 000
Œufs	10 000 000	3 200 000
Pommes de terre (t)	7 000	3 500
Fromage (t)	450	200
Légumes secs (t)	450	150
Vin (hl).........................	3 500	2 000 (2 jours sans vin par semaine)
Pain (kg).......................	4 328 000	4 682 000

Surtout, les frais d'hospitalisation avaient été comprimés autant que faire se pouvait ; la journée d'hôpital, qui coûtait 72 F en 1939, n'était passée qu'à 82 en 1942, 100 en 1943, et ne fera un grand bond en hausse qu'après la libération, quand il fallut bien revenir à la vérité des prix (135 en 1944, 183 en 1945) ; la journée en chirurgie était un peu plus chère puisque, de 74 F en 1939, elle avait grimpé à 97 en 1942, 116 en 1943 (puis 148 en 1944 et 202 en 1945). Mais ces augmentations demeuraient inférieures à celles du coût officiel de la vie, pour ne rien dire du marché noir ; les bénéficiaires de l'assistance médicale gratuite profitaient d'ailleurs d'un abattement, et le conseil municipal, pour éviter toute hausse nouvelle, était disposé à prendre à sa charge le déficit qui pourrait résulter d'une stagnation des tarifs.

La pénurie n'en était pas atténuée pour autant, d'autant plus que l'administration était désarmée devant la multiplication des vols qu'elle constatait. Le professeur Richet a estimé à 1725 calories la ration totale moyenne du Parisien en 1942 ; mais, sur ce total, 200 étaient fournies par le marché libre et 200 autres par les colis familiaux Trop pauvres pour pouvoir profiter de ces deux suppléments, les malades hospitalisés étaient donc réduits à 1325 calories quotidiennes, au plus. En fait, ils ne mangeaient plus, sauf exception, ni viande ni entremets, seulement de la soupe et des plats de légumes, avec une prépondérance du rutabaga. Comment, dans ces conditions, revitaliser un organisme affaibli par l'âge et par la maladie ? Si on n'est pas mort de faim pendant la guerre dans les hôpitaux parisiens, il ne fait guère de doute que la faim chronique a souvent contribué à hâter la mort, surtout dans les quartiers les plus pauvres de Paris, où les malades n'avaient guère d'aide à attendre de leurs familles, aussi démunies qu'eux [10].

Le problème des médicaments

La fabrication des médicaments a connu sous l'occupation des difficultés quasi insurmontables par suite de la raréfaction d'éléments indispensables comme : le sucre pour les sirops, la vaseline (extraite du pétrole), les matières provenant de produits coloniaux, etc. Certaines carences s'avéraient dramatiques, comme celles de la morphine, de l'héroïne par exemple, la rareté de la farine de moutarde, utilisée pour soigner les broncho-pneumonies, interdisait de faire des révulsions, et des nourrissons, des vieillards, en sont morts ; manquaient aussi les suppositoires à base de cacao. De multiples produits se sont raréfiés à partir de l'automne 1940, tels l'insuline, les sels d'argent, les sels de bismuth, l'huile de foie de morue, la teinture d'iode, la glycérine. Très tôt ont complètement disparu les bas à varices, les ceintures et sangles en tissu élastique. Par contre, les vaccins et les sérums ont toujours été fabriqués en quantités suffisantes pour pouvoir empêcher la propagation de maladies contagieuses. N'ont pas manqué non plus les anesthésiques, éther, chloroforme, cocaïne...

Les médicaments étaient en vente libre, sauf les farines et le lait concentré, délivrés contre des tickets [11] ; il n'existait pas d'inscription obligatoire chez un fournisseur ; chaque pharmacien recevait son contingent en fonction de son chiffre d'affaires ; les premiers clients qui se présentent sont servis ; les autres en sont réduits à faire la tournée des officines. Mais il n'y eut jamais de queue devant les pharmacies, et ce fut un résultat remarquable. La région

---

10. *Procès-verbal des réunions du Conseil de surveillance de l'Assistance publique ; annuaire statistique de la ville de Paris* ; témoignage du professeur BÉNASSY et d'un haut fonctionnaire de la Santé ; *procès-verbaux des réunions de la 2ᵉ commission du Conseil municipal* ; Michel CÉPÈDE, article in *La France sous l'occupation*, PUF, 1959.

11. Cependant, certains produits sont rationnés ; ainsi, en février 1944, les diabétiques reçurent un bon mensuel d'insuline pour constituer un petit stock, au cas où l'approvisionnement de leur pharmacie aurait du retard. De plus, de nombreux produits se sont délivrés que sur ordonnance. Pour la production des sels d'argent, on ne disposait plus que des couverts en argent vendus au mont-de-piété !

parisienne semble avoir été favorisée, dans l'ensemble de la France, par la proximité des grands laboratoires.

Pour s'approvisionner, les pharmaciens allaient eux-mêmes chercher leur quote-part chez les grossistes ; ils repartaient, nantis ou non, selon leur chance — tel produit qu'ils désiraient venait justement d'arriver, ou inversement de s'épuiser — ou selon les relations qu'ils entretenaient avec les employés, qui faisaient que tel ou tel paquet leur avait été ou non réservé. Il était tentant, pour les détaillants, de garder quelques réserves pour se concilier les bonnes grâces des rois de Paris qu'étaient devenus les bouchers, crémiers ou autres épiciers — en période de pénurie une parcelle de pouvoir revient à quiconque détient des produits consommables. Certains petits laboratoires procédèrent à une fabrication parallèle, demi-clandestine ; elle se traduisit parfois par des conséquences néfastes, par exemple lorsque des médicaments confectionnés dans des ampoules qui devaient être neutres, ni acides, ni basiques, furent contaminés par des verres de fabrication défectueuse ; la réaction produite au contact des verres eut comme effet la mort de plusieurs malades aussitôt après la première injection. Mais, dans l'ensemble, la fabrication des médicaments put s'effectuer dans des conditions convenables, et il n'y eut pas de véritable marché noir de remèdes, ni de fortunes scandaleuses effectuées grâce à une vente illicite — le marché noir se produira, à la fin de la guerre, pour la pénicilline.

Tout ce qui peut aider à tromper la faim disparaît des étalages aussitôt après y avoir été placé ; c'est le cas des bonbons vitaminés, ou de la biodynamide, utilisée pour des ersatz d'apéritif — elle est vendue aussitôt arrivée, au rythme de 20 bouteilles en une heure. Avec la farine et les vitamines, des pharmaciens fabriquent des sortes de bonbons que la clientèle s'arrache. L'huile de paraffine, laxative, est vendue comme huile de table. Dans un autre ordre d'idée, avec de l'alcool à brûler, acquis chez le droguiste, auquel on ajoute du sublimé, on produit un ersatz de désinfectant antipunaises, très demandé. Mais aucune vente n'est consentie si n'est pas fournie l'enveloppe du précédent achat du même type, tube, pot ou flacon.

La présence allemande ne se traduisait par aucune contrainte pour les 1 800 pharmaciens — sauf pour les malheureux Juifs obligés d'abandonner leurs boutiques avec interdiction d'y retourner ! Les soldats allemands avaient leurs fournisseurs et leurs médicaments ; seuls se présentaient aux pharmaciens français ceux atteints de maladies vénériennes, qu'ils n'osaient pas avouer à leurs supérieurs, par crainte des sévères sanctions que leur aurait valu la faute commise en enfreignant les interdictions formelles de rapports sexuels ailleurs que dans des maisons de prostitution à eux réservées, et soumises à un rigoureux contrôle sanitaire.

Mais l'autorité allemande se manifesta par l'obligation de maintenir la stabilité des prix des médicaments ; le tube d'aspirine valait 4, 50 F en 1944 comme en 1940 ; or, les prix de revient ne cessaient d'augmenter si bien que quelques laboratoires durent fermer leurs portes ; c'est peut-être de ce moment que date le fléchissement de l'industrie pharmaceutique en France. Quant aux pharmaciens, leurs officines gagnèrent théoriquement en valeur, en raison d'un décret de Vichy qui en limitait strictement le nombre ; mais beaucoup se plaignaient d'une diminution de leurs chiffres d'affaires ; d'autre part, les incertitudes du temps de guerre, notamment la crainte des bombardements dans certains quartiers, empêchèrent une valorisation immédiate des fonds, qui ne se produisit qu'avec l'instauration de la sécurité sociale [12].

Les maladies de l'occupation

Les statistiques concernant la santé des Parisiens, si précises qu'elles soient à une unité près, ne peuvent en réalité donner que des ordres de grandeur lorsqu'elles concernent l'ensemble de la population de la ville, et à plus forte raison celle du département de la Seine ; trop de facteurs contribuent à les fausser, à commencer par le secret professionnel des médecins pour la clientèle privée, et des notions comme les « maladies honteuses », donc ina-vouables et mal recensées. Par contre, on peut considérer qu'elles sont fiables lorsqu'il s'agit d'établissements publics comme les hôpitaux, les hospices ou les dispensaires. On pourrait penser que, en raison de la malnutrition constante, des conditions exténuantes d'existence, et de la rareté de nombre de médicaments, les établissements hospitaliers auraient vu les demandes d'admission s'accroître au point, l'économie de pénurie les paralysant, de ne pas pouvoir les satisfaire toutes. Or, une première constatation surprenante est que le nombre global de malades hospitalisés, non seulement n'a pas augmenté, mais qu'il a même légèrement diminué par rapport à une population totale qui, nous l'avons vu, n'a guère varié. En effet, de 349 607 en 1938, il est passé à 254 406 en 1940 — à cause de l'exode — puis il a un peu augmenté pour se situer aux environs de 280 000 pendant les années suivantes, et il n'a retrouvé son chiffre d'avant-guerre qu'en 1945. Certes on peut imaginer que la grande misère des hôpitaux, largement connue, n'encourageait guère les malades à y entrer ; ils y auraient bien été forcés cependant, si l'état de santé d'un grand nombre de Parisiens s'était considérablement aggravé. Une première conclusion, étonnante, se dégage donc : dans l'ensemble, les Parisiens n'ont pas été plus gravement malades pendant qu'avant l'occupation.

12. *Bulletin municipal*, notamment celui du 22 février 1944 ; témoignages de M. et Mme LEBREC, pharmaciens.

Autre constatation, qui s'explique probablement par le fait que les vaccins et les sérums n'ont jamais manqué : il n'y a pas eu de véritable épidémie de maladie contagieuse. A trois reprises, on a recensé de nombreux cas de rougeole : plusieurs centaines, jusqu'à 458 pour Paris au cours de l'hiver 1940-1941, et 450 en mai 1942, le maximum se situant en mars 1943 avec 686 ; mais tout est rentré assez rapidement dans l'ordre, et le nombre de décès à déplorer est resté faible. Il en a été de même pour la scarlatine, qui est demeurée stationnaire aux environs de 60 cas, et n'a connu qu'une poussée vers 200-250 entre décembre 1943 et mai 1944. La diphtérie a sévi aussi à deux moments, au début et à la fin de 1943. Mais il n'y a pas eu d'épidémie de typhoïde, ni même de grippe, et la variole et la coqueluche se sont peu manifestées — aucun cas de variole entre avril 1942 et août 1944. Ce sont là de remarquables résultats [13].

On a donc évité le pire, à force de précautions. Mais cela n'a pas empêché que la grande majorité des Parisiens ait mal supporté les souffrances de l'occupation, et que leur santé ait été plus ou moins détériorée. D'abord, ils ont maigri — « J'ai perdu 23 kilos », écrit Charles Braibant —, en mai 1943. En 1940, le poids moyen des ouvriers d'une usine de Gennevilliers s'établissait à 74 kg ; il était passé à 64,5 en 1942 et il ne changera guère jusqu'en 1945. Lorsque fut établi le Service du travail obligatoire, les examens sanitaires passés par les requis montrèrent que 23,2 % seulement n'avaient pas maigri ; 13,6 % avaient maigri de moins de 4 kg ; 38,4 % de 4 à 8 kg et 24,8 % de plus de 8 kg. La première conséquence de cet amaigrissement général était la multiplication des hernies étranglées [14].

Il fut un cas cependant où la raréfaction des produits se révéla bénéfique . le rationnement de l'alcool sous toutes ses formes eut comme conséquence une diminution de l'alcoolisme et de ses méfaits. C'est sans doute la cause d'une nette diminution des entrées d'aliénés dans les asiles publics de la Seine, comme le montre la statistique ci-dessous :

Année	1937	1938	1939	1940	1941	1942	1943	1944	1945	1946
Nombre d'entrées	32 106	34 977	34 860	33 793	31 178	26 382	22 799	21 848	20 058	19 712

La baisse est constante et continue pendant encore les deux premières années d'après-guerre. Or les malades mentaux partis en exode, étaient revenus à Paris, et les conditions matérielles d'existence dans les asiles, pour s'être dégradées, n'avaient entraîné aucun refus d'hospitalisation ; les

13. *Bureau de la statistique départementale et communale, rapports des renseignements généraux.*
14. Charles BRAIBANT, *La Guerre à Paris*, Corréa, 1945, p. 198 ; Michel CÉPÈDE, art cit

difficultés éprouvées par les familles auraient dû, par contre, plutôt les inciter à se séparer de malades qu'elles ne pouvaient plus garder à domicile L'économie de pénurie est donc responsable, paradoxalement, de cette heureuse évolution. Il est vrai que, en contrepartie, les cas de dérangements cérébraux légers se sont plutôt multipliés, si on en croit une déclaration du Pr Debré à Charles Braibant, selon laquelle il y avait beaucoup de « petits marteaux », c'est-à-dire « de la menue monnaie de fous, obsédés, maniaques » [15] on peut leur ajouter les cas, nombreux, de névroses et de psychoses.

Cependant, l'occupation s'était traduite, à mesure qu'elle se prolongeait, par une dégradation sanitaire incontestable. On ne peut pas parler de « maladie de l'occupation », aux signes cliniques bien distincts, comme le Pr Richet et le Dr Mans ont pu diagnostiquer une « maladie concentrationnaire ». Mais certains malaises étaient plus accentués et plus fréquents. C'est le cas de l'asthénie générale que décrit Pierre Audiat, « accompagnée d'une dépression nerveuse se traduisant par un pessimisme verbal ». Charles Braibant voit autour de lui « de plus en plus de gens fatigués, distraits. amnésiques, tendant à l'aboulie » ; à son avis d'ailleurs, « les vieux tiennent mieux que les jeunes » [16].

De façon générale, ce sont les habitants des quartiers pauvres qui sont le plus atteints ; dans le Paris du temps de guerre, 300 000 personnes vivent encore dans des taudis insalubres ; 200 000 ne possèdent ni gaz, ni électricité. C'est là que sévit la tuberculose, dont les cas s'accroissent d'un tiers par rapport à l'avant-guerre. Les déficiences de chacun se traduisent par un absentéisme croissant dans les entreprises ; pour la SNCF, le taux passe de 24 ‰ en 1940 à 46,3 ‰ en 1943 et 53 ‰ en 1944 ! En 1942, on a décompté 210 000 journées d'hospitalisation pour les 32 000 agents du département de la Seine, dont 1/3 pour tuberculose, et les 2/3 pour des maladies diverses [17].

Les enfants, surtout, souffrent de diverses carences ; bien sûr, ils font l'objet de soins attentifs, ils bénéficient quotidiennement dans les écoles de distributions de lait et de bonbons vitaminés. Cependant, dans une école de Paris, en octobre 1942, sur 33 enfants soumis à la visite médicale, 9 ont été jugés bons, 16 assez bons, mais 8 étaient menacés d'anémie générale ; dans une autre école, sur 47 élèves, 20 étaient atteints de scoliose. Le régime végétarien est à l'origine d'une multiplication de pipi au lit ; les mauvaises

---

15. Après les bombardements, les enfants surtout, mais aussi les grandes personnes, restaient agités de tremblements nerveux. « Beaucoup de gens perdent la tête », écrit Jouhandeau, qui constate qu'il ne s'est « jamais senti autant un automate » et que, dans la rue, les passants « conséquence de l'anémie, semblent marcher par habitude. »

16. *Annuaire statistique de la ville de Paris* ; Ch. BRAIBANT ; *op. cit.*, p. 213 et 275 ; lettre d'un directeur d'asile psychiatrique ; Pierre AUDIAT, *op. cit.*, p. 241.

17. *2ᵉ commission du Conseil municipal*, réunions du 22 janvier 1941 et du 24 novembre 1942 ; P DURAND, *La SNCF pendant la guerre*, PUF, 1968, p. 264.

conditions d'hygiène font qu'il faut épouiller de nombreux enfants envoyés à la campagne, dont ils reviendront revigorés. Ceux qui restent à Paris sont affligés de rhino-pharyngites et d'otites. Paul Morand les décrit « livides, dans leurs paletots élimés, de petits morts ; ils ont le nez rouge et on les entend renifler ; ils tiennent la bouche ouverte, à cause des nez obturés par les rhumes ». La croissance de beaucoup de ces enfants est ralentie, voire arrêtée, qu'il s'agisse de la taille ou du poids ; ce mauvais départ dans la vie se traduira par de fâcheuses séquelles plusieurs années encore après que les combats auront cessé [18].

Les maladies vénériennes étant des « maladies honteuses », sur lesquelles les médecins se sentent obligés au silence, les cas reconnus sont certainement bien inférieurs à la réalité ; or, leur nombre avoué est sensiblement supérieur à celui d'avant-guerre. Ainsi, un diagnostic établi par le laboratoire d'hygiène de la ville de Paris fait état de 3 172 cas de syphilis en 1939, qui ont triplé en 1941, 9 696. Les chiffres manquent pour les autres années, mais on ne voit pas pourquoi la situation se serait améliorée. On constate aussi une recrudescence de la gale, qui se transmet par les contacts entre peaux ; à son origine se situent la diminution des soins d'hygiène corporelle et la mauvaise qualité du savon.

Les maux les plus caractéristiques, et les plus répandus, des conditions de vie sous l'occupation — c'est-à-dire qu'ils disparaîtront avec elle — sont cependant l'avitaminose avec l'enflure des engelures, et les conséquences douloureuses d'une angoisse permanente, plus fréquente chez les femmes que chez les hommes, parce qu'elles avaient la responsabilité de l'approvisionnement de la famille, et le monopole des longues attentes dans les queues ; de là, de fréquentes interruptions des règles, et des ulcères d'estomac, énormes, hémorragiques et perforés.

Tout, dans la santé des Parisiens, n'a donc pas été aussi mauvais qu'on aurait pu le craindre. Cependant, il est probable que la détérioration se serait considérablement et rapidement aggravée si l'occupation s'était prolongée ; au moment de la libération, les Parisiens sont à bout de forces et de ressources. Un nouvel hiver aurait été catastrophique ; des combats prolongés dans la ville, avec les destructions qu'ils auraient entraînées, ne l'auraient pas été moins.

De quoi mourait-on sous l'occupation ?

Si on laisse de côté — nous y reviendrons — les morts du fait des bombardements alliés, ou des combats de la libération, les fusillés et les

18. Témoignage de Mme BÉJOT, directrice d'école ; *4ᵉ commission du Conseil municipal,* réunion du 22 octobre 1942 ; GALTIER-BOISSIÈRE, *Mon journal sous l'occupation,* La Jeune Parque, 1944, p. 88

internés, ainsi que les règlements de comptes à la libération, on constate qu'on ne meurt pas plus à Paris pendant qu'avant l'occupation en raison des maladies. Ainsi les décès dans les hôpitaux demeurent également proportionnels, sans grand changement avec le temps, par rapport à la population hospitalisée ; le taux annuel est, en moyenne de 1 mort pour 14 malades, le plus bas, 1 pour 12, se situant en 1944.

Si on considère maintenant une corporation déterminée, par exemple les cheminots, ce taux ne varie guère :

Année	1939 (‰)	1940 (‰)	1941 (‰)	1942 (‰)	1943 (‰)	1944 (‰)
Taux de mortalité (pour tout le personnel	5,67	6,38	7,77	6,75	5,8	10,9

La remontée notable de 1944 est due aux mitraillages des gares et des trains et aux déraillements causés par les sabotages.

Une catégorie de malades fait exception à cette règle, celle des aliénés. Nous avons vu que leur nombre avait diminué dans les asiles psychiatriques ; or, contradictoirement, le nombre de morts a beaucoup augmenté, passant de 1989 en 1939, à 2 788 en 1940, puis à 4 585 en 1941 et 3 782 en 1942 ; une légère baisse s'esquisse en 1943, avec 2 190, et 1944, avec 1 728 ; mais elle ne se confirmera qu'en 1945. Moins de malades et plus de décès, voilà la constatation paradoxale. C'est que les malades mentaux étaient les plus démunis — que pouvaient-ils quémander au-dehors ? — et aussi les moins bien armés dans la terrible lutte pour la vie, qui faisait souvent taire tous les scrupules et commettre les actions les plus viles, quand il fallait apaiser une faim impérieuse [19].

Parmi les maladies chroniques, il en est qui ont définitivement cessé de tuer ; c'est le cas de la variole, qui a causé seulement 7 décès en 4 ans ; de la coqueluche, qui a tué un enfant par mois en moyenne, avec quelques retours offensifs au printemps de 1941 et à l'été de 1944 (entre 7 et 15 décès par mois). La diphtérie est également devenue peu meurtrière, bien qu'elle prélève encore un tribut de 8 à 12 vies mensuellement ; la diarrhée infantile a été moins aisément vaincue, et elle fait encore des victimes (52 en mars 1942, 50 en 1943) ; la grippe continue également ses ravages, chaque hiver, surtout parmi les vieillards (86 décès en 1941-1942, 108 en 1942-1943). Mais la rougeole, la scarlatine, et à un degré moindre la typhoïde, ont cessé de répandre la terreur, comme le montre le tableau ci-dessous, dans lequel les

19 P DURAND, *op. cit.* ; *Annuaire statistique de la ville de Paris.*

décès sont décomptés selon les maladies qui les ont causés, pour la ville de Paris :

Année	1891	1914	1938	1939	1940	1941*	1942	1943	1944
Typhoïde	476	375	37	60	24	49	88	58	84
Rougeole	983	413	118	11	10	63	19	35	16
Scarlatine ...	1 361	59	16	13	5	11	6	14	8
Phtisie pulmo- naire	10 287	9 476	3 787	3 518	3 446	4 226	3 717	3 992	2 861
Cancer	2 413	3 215	4 103	3 627	3 504	3 791	3 827	4 148	4 189
Méningite ...	2 417	1 643	596	532	428	653	619	561	451
Cœur (et congestion cérébrale)....	5 334	5 519	7 210	6 524	7 165	8 813	8 803	7 490	8 614

* Nous avons vu que 1941 avait été l'année la plus difficile à vivre.

La phtisie ne cause, semble-t-il, proportionnellement pas plus de décès, alors qu'augmente le nombre de malades ; c'est peut-être parce que beaucoup de malades sont allés mourir dans des sanatoria loin de Paris, où on a pu les envoyer dès que les relations ferroviaires ont été rétablies, et la ligne de démarcation plus aisément franchie. Mais ce qui apparaît dans ce tableau c'est, à l'évidence, la nocivité croissante des deux fléaux du siècle que sont devenus le cancer et les affections cardiaques. Il est possible que les chiffres de ces dernières soient un peu surévalués, beaucoup de médecins ou d'internes de service se bornant à écrire « arrêt du cœur » sans préciser la cause exacte du décès, quoique la vie exténuante et l'angoisse permanente aient été certainement des facteurs de détérioration du cœur. Mais, a contrario, les chiffres concernant le cancer sont très probablement en dessous de la réalité, car le dépistage de la maladie n'était pas encore bien organisé.

Manquent à ce bilan les maladies du système nerveux, qui occasionnent deux fois plus de décès en 1941 qu'en 1940 (590 en janvier 1941, contre 204 en mai 1940) ; par contre les restrictions alimentaires ont eu l'heureux effet de diminuer le nombre de morts provoquées par les maladies du foie.

Contrairement à ce qu'on pourrait penser, étant donné le grand malheur du temps et l'extrême misère des Parisiens, le nombre de ceux d'entre eux qui, désespérant du présent et de l'avenir, ont mis fin volontairement à leurs jours, non seulement n'a pas augmenté comparativement à l'avant-guerre, mais il a même étonnamment régressé, comme si les difficultés à vaincre pour survivre avaient joué le rôle d'un aiguillon. Les chiffres fournis par les

statistiques de la ville de Paris et par l'administration de la Justice diffèrent,
peut-être parce que la Justice n'a comptabilisé que les cas pour lesquels il y a
eu enquête ? Mais la tendance à la diminution est visible dans les deux
statistiques ; nous donnons ci-dessous celles de la ville de Paris, dont les
totaux sont un peu plus élevés, mais qui a l'avantage de préciser les
motivations des suicidés, avec la large part d'hypothèse que ce genre de
calcul implique [20].

Année	Total	Troubles mentaux	Ivresse	Maladies incurables	Chagrins intimes	Misère	Divers
1938	2 354	561	46	468	692	559	28
1939	1 866	560	35	331	390	321	230
1940	1 522	913	5	39	76	41	448
1941	1 237	735	7	31	133	37	294
1942	987	351	40	262	301	28	5
1943	792	297	38	217	200	36	4
1944	720	255	33	195	193	38	6
1945	883	258	50	252	260	57	6

Ce qui saute aux yeux, c'est la diminution progressive du nombre des
désespérés tant que dure la nuit de l'occupation, et sa reprise lorsque le
cauchemar est fini — comme si le mal à vivre avait donné à beaucoup le sens
de la lutte et le goût de la vie. Le nombre élevé de cas indéterminés en 1940
est dû probablement à l'imperfection de l'enquête, dans le désordre de
l'exode. C'est au moment de l'entrée des Allemands à Paris que l'on compte
le plus de suicides — 40 en quelques jours. Par la suite, quelle que soit la
cause de l'acte désespéré, celui-ci est en régression ; une régression très
marquée pour « les chagrins intimes » — on avait autre chose à faire que se
lamenter sur ses peines de cœur — et plus encore, de façon étonnante, pour
les « misérables » ; pourtant, en 1940 et 1941, la crise économique est plus
grave, et le chômage plus élevé qu'en 1938 et 1939 ; est-ce parce que la guerre
semble finie et qu'on attend des lendemains meilleurs ? Ou bien parce que les
conditions difficiles d'existence étant devenues la règle, les inégalités sont
moins amèrement ressenties ? Ou tout simplement parce que, les armes à feu
ayant été retirées de la circulation, les désespérés n'ont plus ce moyen de
céder à une impulsion irréparable ? Que, dans leurs pires années les Parisiens

20. *Annuaire statistique de la ville de Paris ; rapports des renseignements généraux ; compte
général de l'administration du ministère de la Justice.*

se soient plus cramponnés à la vie que dans des temps plus faciles, est une des constatations surprenantes, et malaisément explicables, de cette étude.

Il convient d'ajouter que, en dépit de la mobilisation, de la captivité de guerre, et des départs en Allemagne, les hommes sont plus nombreux que les femmes à vouloir se tuer ; le nombre de jeunes qui désespèrent de leur avenir va en augmentant (7 en 1940, 117 en 1942, 126 en 1944) ; parmi eux apparaissent des candidats à la mort de moins de 16 ans (7 en 1942, 5 en 1944). Ce qui manque, c'est le nombre de Juifs qui se sont laissés mourir lorsque ils ont été arrêtés et internés, avant d'être déportés ; le nombre de résistants qui se sont tués dans leurs prisons, comme Pierre Brossolette, pour échapper à la torture ou à la tentation de parler. Peut-être n'ont-ils pas été une centaine en tout ? Mais, s'ils ne figuraient pas dans ce bilan, le visage de Paris sous l'occupation, vu sous l'angle du désespoir, serait défiguré.

Pendant les quatre années de l'occupation, le nombre d'accidents du travail a diminué tant que les travaux de la construction ont stagné ; faute d'alcool, les cas « d'abus de boisson » sont tombés de 87 en 1938 à 2 en 1944 ; ceux des victimes d'armes à feu ont également régressé de 18 en 1938 à 7 en 1942. Mais la diminution est surtout marquée pour les accidents de la circulation ; la disparition des automobiles a amené une chute radicale du nombre des accidents ; mais le black out et le médiocre éclairage des voitures ont fait que le nombre d'accidents mortels n'a pas diminué en proportion du total ; la prolifération des bicyclettes, quoique elles soient évidemment moins dangereuses, a provoqué des décès, surtout la nuit.

Année	Accidents par autos	Accidents par bicyclettes	Accidents mortels	Total
1938	127 767	11 747	207	151 671
1939	111 371	12 563	232	134 232
1940	46 903	9 042	193	60 313
1941	16 794	10 152	136	29 147
1942	8 983	3 486	132	13 613
1943	7 974	2 958	76	11 934
1944	10 700	3 789	227	15 554
1945	20 040	3 435	261	25 429

On voit que le nombre d'accidents mortels passe de 1 sur 740 en 1938 à 1 sur 157 en 1943 ! D'autre part, dès que les automobiles réapparaissent sur la chaussée, après la libération, les accidents recommencent.

Beaucoup de causes jouaient donc pour que diminuât, sous l'occupation, à

Paris, le nombre de « morts accidentelles ». Si, cependant. le total a augmenté, c'est dû essentiellement aux combats de la libération (896 personnes tuées « par arme à feu » en 1944) ; plus encore, aux bombardements alliés, qui ont été plus coûteux, pour des résultats discutables, puisqu'ils ont fait : 486 morts en 1942 et 747 en 1944 et, surtout, aux bombardements allemands des lendemains de la libération, qui ont fait 2 488 victimes en 1944 et 413 en 1945, sans aucun effet militaire notable [21] *.

Mesures sociales et sanitaires

Le Conseil municipal, faute de pouvoir jouer un rôle politique, se préoccupait beaucoup de la vie et surtout de la santé des Parisiens ; il demandait à des médecins responsables et à des chefs de services de lui présenter des rapports, des bilans et des projets sur des points précis ; il les faisait étudier en commission, et il décidait ensuite quelques mesures appropriées, dans les limites de ses moyens ; elles ne pouvaient pas être de grande envergure, mais leur portée n'a certainement pas été négligeable, et de vastes plans d'avenir, notamment de démolition de quartiers insalubres, d'édification d'espaces verts et de stades, de destruction de « la zone », ont été conçus à ce moment ; souvent ce sont les mêmes, à peu de choses près, qui ont été mis à exécution quelques années après la libération.

Ainsi, furent prises des mesures sociales en faveur des déshérités : placement à la campagne ou dans des sanatoria d'enfants, appartenant à des familles nombreuses, atteints ou menacés de tuberculose ; augmentation de la subvention pour les crèches pour les tout-petits, et volonté d'en augmenter le nombre — il en existait à ce moment 80 seulement soit, en moyenne, une pour 26 000 habitants, ce qui était tout à fait insuffisant ; allocations compensatrices à un relèvement des tarifs, de l'eau, du gaz, et de l'électricité, pour toutes les familles de trois enfants et plus, inscrites ou non à l'impôt sur le revenu — il y en avait à ce moment 30 456 dans Paris ; subventions pour les familles de Nord-Africains sans ressources ; « secours mensuel de pain et de charbon » à plus de 40 000 assistés, c'est-à-dire octroi d'une somme qui compense l'augmentation du prix de ces produits, etc. Quelques exemples entre cent [22].

Ces mesures ne s'inscrivent pas dans le plan d'ensemble ; elles sont

---

21. *Annuaire statistique de la ville de Paris.*

22. Dans la Seine en 1941, 80 000 vieillards sont assistés, 41 000 à domicile. S'ajoutent les mesures prises sur le plan national : augmentation des pensions de veuves de guerre et des invalides, allocations aux familles de prisonniers, œuvres du Secours national, etc.

* Les fusillades et la répression à la libération seront étudiées dans le deuxième tome de l'ouvrage.

appliquées au coup par coup, mais elles soulagent quelque peu de grandes misères. Sur le plan sanitaire, le Conseil municipal s'est interrogé à plusieurs reprises sur la possibilité d'un examen systématique de tous les individus, de façon « à dépister la maladie à son stade initial, au moment où elle ne s'extériorise pas de manière évidente », une idée pleine d'avenir. Constatant que les traitements des médecins des dispensaires sont trop faibles pour susciter des vocations, et désireux que tous les Parisiens, et pas seulement les personnes nécessiteuses, puissent venir s'y faire examiner, le Conseil suggère — il n'a pas le pouvoir de faire plus — que le nombre des médecins soit augmenté, et leurs traitements élevés. Dès le début de 1940, l'Assistance publique commence à faire examiner tous ses agents — on est étonné qu'on n'y ait pas pensé plus tôt, ne serait-ce que pour éviter de contaminer des malades ; la recherche porte sur les signes de tuberculose ou de troubles psychiques provenant en particulier de l'alcoolisme. L'examen est étendu courant 1943 aux agents de l'administration de la ville, par radio-photographie ; si celle-ci révèle des cas douteux, une prise de sang est effectuée.

La ville de Paris décide aussi la création à l'école de puériculture d'un centre de santé où les enfants d'âge scolaire seront examinés par divers médecins spécialistes, « de façon à créer un véritable bilan anatomo-morphologique de l'enfant » ; les examens porteront à la fois sur le squelette, les muscles, les poumons, les dents, les yeux, le nez, la gorge ; c'est l'origine des bilans de santé. Le lancement de l'idée coïncide avec la création, dans toute la France, d'un corps de médecins inspecteurs des écoles ; il faudra du temps pour mettre le système en place, mais la graine a été semée. Le 28 mai 1942, le *Bulletin municipal* annonce qu'un concours est ouvert pour 150 postes. Le 17 juin 1944, est constitué un « Comité départemental de lutte antivénérienne » et, le 2 juillet suivant, un « Conseil scientifique de la recherche antituberculeuse ».

Le *Bulletin municipal* donne aussi des conseils d'hygiène alimentaire aux Parisiens à la veille des chaleurs de l'été, propices à l'éclosion de maladies contagieuses, dont la dysenterie : « mettre les aliments dans des garde-manger munis de toile métallique, brûler les ordures ménagères, les détritus, les linges à pansement, ou les recouvrir d'une solution de sulfate ferrique ou de crésyl ». Il est recommandé de se faire vacciner contre la typhoïde avant les départs en vacances, et de vacciner préventivement les enfants contre la variole ; mais ce n'est pas obligatoire, et les centres nécessaires manquent ; les bonnes intentions ne suffisent pas.

Disposant de plus de moyens, une grande administration comme les PTT peut prendre une série de dispositions pour préserver la santé de ses agents par l'amélioration de ses services médicaux et sociaux ; des infirmeries sont installées dans les services employant un personnel nombreux ; un service est créé de consultations prénatales et postnatales ; les vaccinations antivarioliques et antityphoïdiques sont pratiquées gratuitement ; des consultations de puériculture sont organisées pour les jeunes mamans, dont les heures de service sont aménagées de façon à leur éviter le surmenage [23].

Tous les Parisiens ne bénéficient pas de ces dispositions, même pas tous les Parisiens pauvres ; la banlieue, en particulier, est moins bien servie que le centre de la ville ; les idées n'ont pas toujours été suivies d'application, car les moyens faisaient défaut ; à la veille de la libération, la situation commençait à devenir dramatique. Néanmoins, le péril avait été clairement perçu, et des mesures prises pour essayer d'y parer. Mais, en ces temps de privations, de repliement de Paris sur lui-même, il était difficile que les techniques et les connaissances médicales fassent de grands progrès. Certes, les concours d'internat se déroulaient normalement, les publications scientifiques continuaient à paraître, mais leurs dimensions étaient de plus en plus réduites ; l'Académie de médecine et l'Académie de chirurgie siégeaient régulièrement, et leurs travaux étaient imprimés. Cependant, la médecine parisienne vit en vase clos ; elle ne reçoit plus de publications anglo-américaines ; les échanges intellectuels sont très réduits entre Paris et la Province ; aucun contact n'est établi avec les médecins allemands, dont certaines découvertes — pour soigner les maux de jambes par l'introduction dans l'os d'une tige avec une vis, par exemple — sont considérées comme barbares et rejetées, à priori. parce qu'elles proviennent « de l'ennemi ». L'occupation a donc causé, entre autres conséquences graves, la réduction de la recherche médicale et le ralentissement du progrès dans le domaine de la santé [24].

---

23. *Réunions de la 2ᵉ commission du Conseil municipal,* 22 octobre 1942, 6 juillet 1943 ; *Bulletin municipal* des 28 mai 1942 et 1ᵉʳ juillet 1944 ; témoignage de M. DI PACE, *La Vie de la France sous l'occupation, op. cit.,* t. I. p. 315-316.
24. Témoignage du professeur BÉNASSY et d'un haut fonctionnaire du ministère de la Santé.

8.

Crimes français, crimes allemands, crimes franco-allemands

Le monde de la criminalité, à Paris, sous l'occupation allemande, s'est adapté aux circonstances exceptionnelles vécues : des types de délits nouveaux sont apparus, provoqués par les difficultés de la vie quotidienne, insurmontables pour la plupart des Parisiens s'ils ne commettaient pas quelques accrocs à la réglementation tatillonne en vigueur. C'est ainsi que le nombre des vols a considérablement augmenté, et qu'ils portaient sur des objets que, en temps normal, chacun pouvait se procurer honnêtement.

Par contre, la criminalité crapuleuse a diminué, si on entend par là les actions répréhensibles — assassinats, viols — relevées et sanctionnées par la justice française. Non certes que la pègre parisienne ait été touchée par la grâce et qu'elle se soit, partiellement, moralisée ; mais l'occupant lui offrait la possibilité de se livrer impunément à des actes délictueux graves qu'il couvrait de son autorité, parce qu'il en tirait profit — gros trafics de marché noir, chasse aux Juifs, dénonciations de résistants. Sans parler des actes de brutalité, des tortures, et aussi des crimes contre l'esprit que représentaient les mensonges, effrontément répétés, de la propagande nazie.

Mise dans l'obligation de se défendre, la Résistance clandestine a préconisé et pratiqué des actes condamnables selon la morale des temps paisibles, mais légitimés par la lutte patriotique qu'elle menait : fabrication de faux papiers, sabotages de toutes sortes, attentats contre l'ennemi et ses amis. Il n'est d'ailleurs pas toujours possible de distinguer les actions véritablement effectuées par la Résistance de celles commises, sous son couvert et à son insu, par des délinquants professionnels, notamment dans les vols à main armée qui se sont multipliés à mesure que l'occupation se prolongeait ; cette activité de la Résistance sera étudiée dans le deuxième tome de cet ouvrage, en liaison avec le récit du développement de la clandestinité. A la libération, en outre, les criminels qui avaient tiré profit de l'occupation en exécutant les basses œuvres de l'occupant, seront poursuivis et condamnés par la Résistance triomphante, dans une vaste opération de répression qui, tantôt, prendra la forme d'une justice expéditive, tantôt d'une justice encore exceptionnelle mais conforme aux lois.

En définitive, la période de l'occupation se caractérise par un abaissement général de la moralité. Les témoins le constatent avec tristesse[1]. « Aujourd'hui, écrit Charles Braibant le 17 novembre 1943, les gens les plus honnêtes, les plus scrupuleux, sont obligés de vivre en état d'infraction permanente aux lois et aux règlements... Tout le monde est réduit à prendre l'habitude de la fraude, la mentalité publique va en s'affaissant[2]. » Deux explications à cette constatation : un excès de réglementation et d'interdictions a pour conséquence de transformer en délits des actes qui ne le sont pas dans l'esprit de leurs auteurs ; et une société qui est dans l'incapacité de pourvoir aux besoins élémentaires de ses membres en échange de leur travail les condamne à essayer de les satisfaire par tous les moyens à leur portée, la lutte pour la vie ayant force de loi, et s'accomodant mal de scrupules excessifs.

Meurtres, assassinats, viols et monstres

Les assassinats, les rixes, les querelles dues à l'ivresse, les jalousies et les conflits d'intérêts, ont causé la mort d'un nombre de Parisiens moindre pendant qu'avant ou après l'occupation allemande, du moins si on en juge par l'activité de la cour d'assises de la Seine, comme le montre le tableau ci-dessous.

Année	Personnes jugées	Total des morts violentes	Dont : assassinats	Viols
1938	98	54	12	17
1940	88	38	12	2
1941	69	29	8	6
1942	42	17	5	4
1943	47	18	6	4
1944	49	8	3	4
1945	58	17	6	2
1946	91	52	18	7

Les chiffres manquent pour 1939 ; ceux de 1944 sont incomplets, mais la baisse est constante, tant pour le nombre de personnes jugées que pour celui des morts violentes, et des assassinats. Cette diminution tient sans doute en

1. Jouhandeau constate, chez ses élèves, « la baisse de la discipline, du langage, de la tenue », et, de façon plus générale, que « la notion de propriété est particulièrement atteinte... Chacun semble penser que tout est à tout le monde »
2. Ch. BRAIBANT, op. cit., p. 355.

partie à l'absence des prisonniers de guerre et des requis du STO, catégories humaines qui comprenaient leur contingent de truands et de violents. Mais, surtout, elle s'explique par le fait que, seules, sont décomptées les affaires que la police française a pu transmettre à la justice française, et que celle-ci a jugées. Restent en dehors du compte toutes les exécutions, par l'occupant, d'otages et de résistants, pour la plupart effectuées au mont Valérien, dont nous parlerons au cours du 2e tome de cet ouvrage. N'ont pas été traduits non plus devant la justice française les auteurs de crimes appartenant aux corps des séides des Allemands, et par avance absous par eux, et intouchables, ni les Résistants, introuvables, qui avaient, pour la bonne cause, abattu un « collaborateur ». Enfin, le nombre de viols est certainement très inférieur à la réalité car, en la matière, la justice ne se met en marche qu'après dépôt de plainte, et il est fréquent que, toute honte bue, les victimes hésitent à se manifester. Il serait paradoxal que les Parisiens se soient moins entretués en temps de guerre qu'en temps de paix ; la vérité est que la notion de justice traditionnelle ne répond plus à la réalité criminelle engendrée par l'occupation, avec ses crimes impunis, gratuits ou dissimulés [3].

Mais que les temps troubles de l'occupation aient entraîné un déchaînement de violence et facilité la tâche des meurtriers, et même l'éclosion de monstres, est bien montré par les crimes commis par le Dr Petiot, que la presse a appelé le « docteur Satan » ; dans le sadisme de cet assassin aux multiples méfaits, on retrouve mêlées toutes les causes de la criminalité, la folie sanguinaire, comme la justification idéologique — du moins le prétexte, et l'occasion, qu'elle offrait.

Le 11 mars 1944, des voisins signalent à la police que, dans un hôtel particulier de la rue Lesueur, une fumée nauséabonde sort de la cheminée : les policiers accourus appellent les pompiers, ceux-ci enfoncent la porte et découvrent un poêle chauffé au rouge dans lequel des tronçons de corps humains achevaient de se consumer ; une main de femme pendait par la porte ouverte ; spectacle grand-guignolesque, tout autour, se mêlaient des tas de débris de cadavres, de cendres et de chaux ; dans des bocaux, sur des vitrines, des organes sexuels d'hommes et de femmes contemplaient la scène.

L'enquête révèle vite que le propriétaire de l'hôtel est un certain Dr Petiot, dont le cabinet est situé rue Caumartin. L'étrange personnalité du docteur se découvre peu à peu ; il est venu de l'Yonne s'installer à Paris après avoir été maire de son village, avoir commis quelques larcins et passé quelque temps dans un asile psychiatrique ; c'était aussi un charlatan, qui promettait à ses clients, par l'envoi de prospectus, la guérison des maladies les plus diverses et la suppression des douleurs les plus vives. Arrêté et jugé après la libération,

---

3. *Annuaire statistique de la ville de Paris ; rapports annuels du garde des Sceaux.* (Ces rapports, établis plusieurs années après les événements, figurent dans le *compte général de l'administration du ministère de la Justice*).

le Dr Petiot fut condamné à mort ; l'accusation lui attribua 27 crimes, mais ce paranoïaque affirma qu'il en avait commis 91. Et le mystère, dû aux circonstances, ne fut pas éclairci, tant du nombre réel que de l'identité de toutes les victimes.

Une chose était certaine, ses forfaits avaient procuré beaucoup d'argent au Dr Petiot — il avait acheté une vingtaine d'immeubles de rapport ; il était clair aussi que l'homme était à la fois un déséquilibré psychique et un être dépourvu de tout sens moral ; doté de dons d'hypnotiseur, de surcroît. Mais qui avait-il tué et pourquoi ? Ce qui compliquait tout, et rendait toute explication logique impossible, c'était le fait que le Dr Petiot avait été un temps interné par les Allemands, puis relâché par eux, et qu'il affirmait mordicus avoir été résistant. Effectivement, la presse collaboratrice qui pratiquait régulièrement l'amalgame, avait classé ce meurtrier hors du commun parmi « les anarchistes, les hors-la-loi », qui écoutaient Radio-Londres et recevaient armes et subsides de Moscou. Radio-Paris « révéla » que le Dr Petiot avait rejoint les maquisards « terroristes » de la Haute-Savoie, « parmi les assassins et les traîtres » ; d'autres dénoncèrent la main des francs-maçons... et des Juifs.

Or, la vérité fut découverte peu à peu. Petiot s'était fait, pour son compte et son profit exclusifs, l'auxiliaire de « la solution finale de la question juive ». Il faisait connaissance de Juifs riches, aux abois, désireux de fuir Paris par n'importe quel moyen. Il les faisait payer, leur promettant de leur fournir un asile sûr, obtenait qu'ils lui confient leurs biens, tout ou partie, les attirait chez lui, les tuait et brûlait les corps. « L'affaire Petiot » n'est qu'une page du martyre et de l'exploitation des Juifs ; la seule originalité du Dr Petiot, parmi les sordides bandits qui ont tiré d'horribles profits de cette détresse : il n'était pas au service de la Gestapo.

C'est ce qui lui permit d'expliquer ses meurtres par son appartenance à la résistance ; il prétendait avoir fait partie d'un réseau et, effectivement, lors de la libération de Paris, il était membre d'une unité de santé des FFI. Il affirma qu'il n'était pas un criminel mais, bien au contraire un justicier, qui avait fait disparaître des « salauds », inféodés aux Allemands. Et, s'il lui fut impossible de prouver ses affirmations, l'accusation se montra également incapable d'en démontrer la fausseté. L'ambiguïté de la période de l'occupation était telle, l'évolution des événements et des esprits si fluctuante, que toutes les affabulations étaient permises, tous les genres d'adhésions et de reniements possibles. Ainsi pouvaient impunément s'affirmer des personnalités de meurtriers hors du commun, anormales même, aptes à saisir les occasions de s'enrichir et d'assouvir leurs instincts, qui s'offraient de façon exceptionnelle, habiles à travestir leur appétit de lucre et leur goût du sang sous le masque de l'idéologie dominante du moment. Mais il faut bien dire que ce genre d'hommes n'appartint à la Résistance qu'en dissimulant sa vraie nature, tandis qu'ils proliférèrent, sans risques et avec de gros profits, dans les basses œuvres de la répression allemande et de la collaboration — parmi les tortionnaires de la Gestapo notamment[4].

Tout est bon à voler

Si la grande délinquance subit une diminution chiffrable quand elle était de type ordinaire, et connut par contre une augmentation, difficile à mesurer, quand elle s'adaptait aux circonstances politiques, la petite délinquance continua à relever, pour sa majeure partie, de la police et de la justice françaises ; elle s'accrut considérablement, en même temps que les types de délits se diversifiaient. Les préfets le soulignent régulièrement ; les statistiques le prouvent.

Année	1938	1940	1941	1942	1943	1944	1945
Nombre d'arrestations (par la Préfecture de police)	20 244	16 684	23 196	24 660	21 111	27 213	30 910
Dont femmes	2 441	3 233	4 554	5 352	4 448	6 795	5 864
Nombre de prévenus devant le tribunal correctionnel de la Seine	39 422	25 026	46 581	45 199	66 399	44 292	35 977
Délits commis en état d'ivresse	655	357	392	138	69	48	51

Si le nombre des arrestations n'augmente pas beaucoup sur le papier, c'est parce que celles des Juifs, des communistes et des résistants ne figurent pas sur ces comptes ; sinon, le total serait au moins doublé ; mais il est significatif que le nombre de femmes arrêtées triple presque entre 1938 et 1944, qu'il s'agisse de prostitution clandestine ou de divers délits ; dans les deux cas, la cause doit en être cherchée dans l'absence des maris ; elle contraint les femmes à prendre plus d'initiatives, qu'il s'agisse de rapports sexuels ou des difficultés quotidiennes à surmonter. Ou elle leur permet de s'affirmer. Significative aussi, est l'augmentation du nombre des jeunes délinquants, trop souvent livrés à eux-mêmes par l'absence du père ; en 1943, le tribunal pour enfants et le tribunal correctionnel de la Seine ont jugé 30 347 inculpés de moins de 18 ans, contre 13 310 en 1938. Et ce sont souvent, à l'étonnement des juges, des « fils de bonne famille ».

4. Le « Journal de la France », *Historia,* n° 205, 1973 ; J. PERRY et J. CHABERT, *L'Affaire Petiot,* Gallimard, 1957 ; Alomée PLANEL, *Dr Satan ou l'affaire Petiot,* Robert Laffont, 1978.

L'accroissement de la délinquance se lit à l'évidence dans le nombre de prévenus traduits devant le tribunal correctionnel ; s'il connaît en 1940 une diminution par rapport à l'avant-guerre, en raison de l'exode, il augmente de 10 % en 1941 et 1942, pour atteindre son maximum, 90 % environ de plus, en 1943. Et encore, ce qui n'apparaît pas dans ces chiffres, ce sont toutes les sanctions de simple police, se traduisant par des procès-verbaux, des retraits de cartes professionnelles, des fermetures de boutiques, et ne donnant pas lieu à des inculpations devant le tribunal correctionnel. Dans cette dégradation de la moralité publique, une petite lumière : les privations d'alcool ont la conséquence bénéfique de réduire le nombre de délits commis en état d'ivresse, comme avait diminué, nous l'avons vu, le nombre d'entrées de malades mentaux dans des hôpitaux psychiatriques[5].

Dans tous ces délits, les vols tiennent une grande place ; « leur multiplicité, écrit justement le préfet de la Seine, semble due aux circonstances créées par la guerre ». Effectivement, les vols à la tire, les cambriolages, sont aussi fréquents qu'en temps de paix ; la police continue à fermer des tripots clandestins — poker, banque, passe anglaise. On a continué à arrêter auprès des champs de courses des bookmakers qui grugent les gogos. Mais certains objets sont beaucoup plus convoités que par le passé ; en janvier 1941, 18 personnes, pour la plupart des garagistes, avouent avoir dérobé 200 vélos ; on a volé quatre fois le sien au Professeur Benassy, jusqu'au jour où la lourde ferraille qu'était le dernier n'a plus suscité de convoitise ; à l'automne de 1940, 22 000 bicyclettes ont changé de propriétaire. Plus que par le passé également, les cambrioleurs s'introduisent dans les boutiques pour s'emparer de victuailles, et dans les caves pour prendre du charbon. Les clients prennent l'habitude de quitter les chambres d'hôtels en emportant draps et serviettes. Un auxiliaire du ministère des Finances, avec la complicité d'un garçon de bureau, vole et revend des plaques de contrôle de bicyclettes ; dans un restaurant, le couvert est souvent consigné contre une somme d'argent. Ch. Braibant raconte qu'on a volé plusieurs centaines d'enveloppes dans le tiroir de sa secrétaire ; une jeune maman entre dans un magasin, laisse à la porte la voiture d'enfant avec le bébé dedans ; quand elle ressort, le bébé est sur un banc, la voiture a disparu. On a volé aussi des livres dans les bibliothèques, et ce sont les étudiants qui, souvent, commettent ces larcins, car les livres sont devenus rares et chers[6]*.

5. *Annuaire statistique de la ville de Paris ; rapports annuels du garde des Sceaux.*
6. *Rapports* des renseignements généraux ; Témoignage du Pr BÉNASSY ; AMOUROUX, *op. cit.*, t. II, p. 196 ; Ch. BRAIBANT, *op. cit.*, p. 212, 264.
* La police a remarqué que « des bandes organisées attendent chaque jour que soient exposés dans les magasins des articles recherchés par la clientèle, en font l'acquisition, et les revendent deux à trois fois plus cher dans les cafés voisins » (rapport de septembre 1941).

Ce sont les colis de ravitaillement qui sont le plus convoités, moins ceux envoyés par la poste que ceux acheminés par trains. Toutes les gares, et tous les entrepôts de la SNCF, sont écumés par des bandes organisées, qui opèrent la nuit à la faveur du black-out, et qui excellent à ouvrir malles et caisses, à remplacer beurre et jambon par de grosses pierres, et à les refermer, si bien que la substitution n'est constatée, trop tard, que par le réceptionnaire[7]. Le président du conseil d'administration cherche aide et secours auprès de Brinon ; les surveillants de la SNCF, se plaint-il, n'ont ni arme ni lanterne ; il a fallu renoncer aux chiens policiers, car ils s'en prenaient parfois à des soldats allemands ; la police, même renforcée, ne suffit pas ; « la situation est devenue si grave, continue le président, qu'elle compromet la sécurité des transports indispensable au relèvement économique ». Conclusion : il faudrait doter chaque gardien d'un revolver : mais les militaires allemands refusent ; les vols continueront[8].

Quand on ne trouve pas de victuailles à sa portée, on se rabat sur la monnaie scripturale des cartes et des tickets d'alimentation qui permettent de s'en procurer de façon apparemment licite. Certes, l'inscription obligatoire chez les détaillants rend plus difficile l'utilisation des coupons volés ; mais le contrôle n'est pas très strict, il y a toujours des arrangements possibles, et il existe dans Paris toute une foule de gens traqués — émigrés, Juifs, notamment — qui sont démunis de papiers ou munis de fausses cartes qu'il serait dangereux de montrer trop souvent à des yeux exercés. En janvier 1941, deux hommes volent dans une mairie 1 500 feuilles de tickets d'alimentation, qu'ils vendent entre 20 F et 50 F la pièce ; le même jour, on arrête un inspecteur des carburants qui a dérobé 1 000 tickets de la denrée la plus rare : ils valent cinq litres d'essence chacun. Un peu plus tard, ce sont 100 bons de transport de légumes secs qui disparaissent. Un ouvrier imprimeur a trouvé le moyen de payer ses dettes avec les tickets dérobés à son patron. Cette manne en papiers est si diverse et abondante qu'il n'y a que l'embarras du choix ; aussi bien le prix de la carte passe, de 50 F en 1941, à 100 F en 1942, et 200 F en 1943.

Pour limiter les dégâts, l'administration diminue le nombre de centres de distribution des cartes pour mieux les surveiller. Centralisés dans un magasin général rue de Castellane, les tickets sont transportés en auto, par la police, dans les mairies où, faute de coffres-forts, ils sont entreposés dans des armoires ; on munit celles-ci d'un système de détection très sensible, qui alerte le gardien ; mais, faute de matériel, on ne peut pas relier chaque centre, par téléphone, au commissariat de police le plus proche. Un conseiller

---

7. « Une grosse valise, relate Braibant, ne nous est pas parvenue ; elle contenait du linge et des effets impossibles à remplacer. »
8. *Lettre* du 16 mai 1941, dossier de Brinon au CDJC.

municipal suggère d'acheter des coffres-forts à la salle des ventes. Renseignements pris, on n'en vend plus à l'hôtel Drouot[9].

Fraudes et escroqueries en tout genre

Dès septembre 1939, un nouveau délit était apparu dans l'arsenal pénal de la
police ; la crainte des bombardements aériens exigeait, la nuit, un obscurcissement total de la ville, la moindre lumière pouvant être perçue du ciel pour
permettre à un avion ennemi de s'orienter. Pendant toute l'occupation, les
contraventions vont pleuvoir. Ainsi, pour ne prendre qu'un exemple, le 6
décembre 1940, le tribunal correctionnel de la Seine a prononcé, pour
infraction au camouflage des lumières, 6 condamnations à des peines de
prison, de huit jours à un mois, et 52 amendes de 16 à 100 F ; c'était sévère.
Les Allemands, exaspérés par l'obstination des contrevenants, finirent par
faire savoir qu'ils tireraient sans sommation sur toute fenêtre mal obturée.
Un des bruits familiers de la nuit de Paris devint les coups de sifflets stridents
des agents, à l'intention des Parisiens qui avaient, par distraction, laissé
passer un rai de lumière. Mais, désormais, c'était contre les raids des avions
alliés qu'il fallait mettre en garde les Parisiens.

C'est souvent aussi pour défaut d'éclairage que sont sanctionnés les
propriétaires de véhicules — parfois les cyclistes pour « défaut de peinture
blanche sur les cadres » — mais c'est plus encore pour avoir roulé sans
autorisation. Les automobiles, tout particulièrement, font l'objet d'un
examen sévère, fréquemment répété ; le 28 octobre 1940, après 12 000
vérifications, 64 voitures sont envoyées en fourrière ; les 15 et 16 novembre
de la même année, 474 contraventions sont dressées à des cyclistes, et,
suprême punition, 75 bicyclettes sont saisies ; mais, à la même date, 1 800
piétons ont également été punis — généralement pour ne pas avoir traversé
entre les clous. Cette sévérité, conjuguée avec des interpellations fréquentes,
devait porter ses fruits ; au cours des années d'occupation, le nombre de
contraventions transmises aux tribunaux de simple police ne cessa de
décroître. Il est vrai que si la police ne ménageait pas les collaborateurs pris
en défaut, une intervention de leurs protecteurs allemands levait automatiquement la sanction infligée[10].

Ce sont cependant les infractions à la réglementation du ravitaillement qui
suscitent le plus de vocations de fraudeurs, au point que, entre 1940 et 1942,
il a fallu quadrupler les moyens et le personnel des services de la répression

---

9 *Rapports des renseignements généraux ; compte rendu de la 5ᵉ commission du Conseil
municipal,* 2 juillet 1943.
10. *Bulletin municipal,* 15 décembre 1940 ; 25 novembre 1940

des fraudes. Le Comité départemental de surveillance des prix est sur les boulets. Le 2 novembre 1940, il transmet au Parquet 75 dossiers de majorations illicites ; le préfet de police décide la fermeture de 23 établissements et retire 7 autorisations de vente ; le tribunal correctionnel prononce 22 condamnations à des peines allant jusqu'à 3 mois de prison et 2 000 F d'amende. Rien n'y fait ; ce genre de délits ira en augmentant constamment. Pourtant, toute la police est pratiquement mobilisée — service de la répression des fraudes, police municipale, police judiciaire, renseignements généraux ; 8 000 personnes sont engagées dans la traque à la fraude. Et les peines prévues sont lourdes : emprisonnement de 6 jours à 2 mois, ou (avec) amende de 100 à 10 000 F ; fermeture des boutiques pendant parfois un mois ; en cas de récidive, prison de deux mois à un an et amende de 3 000 à 20 000 F avec publication aux frais du condamné. Pratiquement, tous les types de commerce sont pris en flagrant délit, les uns après les autres : chaussures, chemiseries, boulangeries, épiceries, boucheries, crèmeries, tailleurs, etc.

Ainsi, au cours de l'année 1943, 1 331 majorations illicites sont relevées, dont 713 sur flagrant délit ; elles donnent lieu à 961 arrestations, 153 fermetures de commerce (d'une semaine à un mois), des peines de prison allant jusqu'à 13 mois, 18 mois, 2 ans et même 7 ans, et de lourdes amendes s'élevant jusqu'à 100 000 et même 300 000 F. Un tel bilan pourrait donner à réfléchir à des récidivistes ou à des candidats à la fraude ; en fait, les chiffres demeureront dans le même ordre de grandeur jusqu'à la libération de Paris bien que, en juin 1944, aient été infligées des amendes de 500 000 et de 700 000 F. Les fautes commises sont des plus variées : non-déclaration de stocks, déclarations inexactes, vente de viande après abattage clandestin, vente sans carte professionnelle, substitution d'un produit à un autre. Ainsi, en mars 1944, trois personnes vendent 20 000 boîtes d'un pâté annoncé comme un pâté de foie, mais composé en réalité d'abats bovins et ovins ; des bestiaux, qu'on sait malades, sont tout de même amenés à l'abattoir et, de là, dans les boucheries et les filets des ménagères ; un poissonnier vend au prix fort des crustacés soi-disant arrivés dans des colis familiaux ; des commerçants font des réserves dans leurs arrière-boutiques et les vendent au prix fort ; ou bien ils ne cèdent un produit que si le client en achète un autre, invendable, etc.

Ce sont les restaurateurs qui sont le plus soupçonnés, car la plupart de leurs clients sont prêts à payer plus cher pour manger un peu mieux ; mais il a fallu que les restaurateurs se procurent d'abord les victuailles de façon illicite. Ainsi, entre le 26 juin et le 10 juillet 1942, la police effectue un millier de vérifications chez des restaurateurs, dresse 226 procès-verbaux, ferme 73 établissements. Les délits relevés étaient : plats supplémentaires ne figurant pas au menu, hausse des prix, qualité douteuse des produits, service de poisson ou de viande à des jours prohibés, appellation contrôlée attribuée à des vins rustiques, etc. [11].

Dans d'autres domaines que le ravitaillement, la surveillance très stricte a pour effet de faire baisser le nombre de contraventions ayant donné lieu à rapport d'agents, à moins que les délinquants ne soient devenus plus habiles à berner la police, ou encore, que les policiers ferment volontairement les yeux par une complicité tacite avec la population parisienne ; on ne saurait dire.

Année	Total des contraventions	Excès de vitesse	Bals clandestins	Ivresse	Profession sur la voie publique
1938	509 323	252	567	4 860	355
1939	556 239	579	865	4 209	266
1940	428 361	107	143	2 991	98
1941	328 580	228	219	3 720	16
1942	222 971	378	70	3 728	60
1943	207 931	456	30	2 412	30
1944	176 723	477	301	3 042	6
1945	264 828	1 718	141	4 791	88

Que les excès de vitesse soient si souvent réprimés peut étonner quand on sait que la circulation automobile a presque cessé ; mais les Allemands se plaignent que de nombreux cyclistes sont des dangers publics parce qu'ils roulent trop vite, et ils incitent la police française à sévir. Le nombre de bals clandestins diminue aussi car, en cas de découverte et de rafle, le risque est grand pour les jeunes de se retrouver dans un train ouvrier partant pour l'Allemagne ; on danse tout autant, mais chez soi, en petits groupes. La diminution des rations de vin ne produit vraiment d'effet sur l'ivresse publique qu'en 1943. Quant à la vente sur la voie publique, elle a pratiquement cessé puisqu'il n'y a plus rien à vendre, du moins de façon licite ; elle s'est transférée dans des lieux plus discrets, arrière-boutiques, entrepôt, ou loges de concierge.

Un délit de toujours, l'avortement, pratiqué clandestinement, ne peut pas donner lieu à statistique ; mais qu'il s'agisse de femmes que la guerre a laissées seules, ou des fruits d'amours coupables avec les occupants, tout le

11. *Compte rendu* de la 5e commission du Conseil municipal, 22 janvier 1942 ; *Bulletin municipal, passim*

monde s'accorde pour constater une véritable épidémie. Le nombre double en 1942 sur 1941, et en 1943 sur 1942, rapporte le préfet de la Seine. Dans les hôpitaux, les chirurgiens pratiquent de plus en plus de curetages. Pour lutter contre la dénatalité, une répression sévère est instituée ; dans les sept premiers mois de 1943, 605 affaires sont étudiées, 283 personnes inculpées, une dizaine de « faiseuses d'anges » arrêtées [12].

Mais l'occupation a suscité, dans l'imagination, et dans le comportement de nombreux Parisiens, toute une série de délits inhabituels, dont nous ne saurions dresser une liste exhaustive. En particulier, s'institue un trafic fructueux de faux tickets de toutes denrées. La méthode, qui devient classique, est celle d'escrocs qui promettent des livraisons de charbon, se font remettre tickets et argent et, ensuite, se proclament policiers et rançonnent leurs clients en leur faisant valoir qu'ils leur évitent ainsi la prison. Ou encore, des femmes enceintes, réelles ou fausses, se proposent pour faire la queue à la place de personnes âgées, et disparaissent ensuite avec les denrées ; de fausses infirmières prétendent quêter à domicile pour la confection de colis pour les prisonniers de guerre ; de faux employés du ravitaillement se font remettre les cartes des personnes dont ils ont appris la mort par la presse, sous menace de sanctions pour la famille ; des « spécialistes » volent et revendent des poussettes pour enfants. Un individu se procure du papier à en-tête d'une mairie, réussit à se faire délivrer un bon de déblocage à son nom, théoriquement pour des marchandises destinées aux hospices, et peut ainsi acheter 50 000 boîtes de sardines, qu'il revend trois fois plus cher. Une enquête permet de découvrir que des chevaux ne sont plus amenés au marché hippophagique de Vaugirard, mais dépecés dans une écurie voisine. Un chef d'îlot siffle lors d'une alerte, comme c'est son devoir, presse les gens de son quartier à se précipiter dans l'abri le plus proche, et cambriole leurs appartements tout à son aise. Un démobilisé substitue dans une mairie plusieurs feuilles de démobilisation et arrive à toucher 21 fois la prime. En mai 1941, on arrête 17 personnes spécialisées dans le vol et le recel de billets de métro. Sans oublier les faux-monnayeurs qui, las de fabriquer des francs dévalués, se sont reconvertis dans le mark. Des individus lisent dans les mairies les listes, avec noms et adresses, des personnes qui ont fait une demande de chaussures et, sous prétexte de vérifier si le demandeur n'en possède pas de neuves, procèdent à des visites domiciliaires, perquisitionnent, et emportent vêtements et denrées [13].

Certes, ce sont là des « faits divers », mais significatifs de l'époque de l'occupation. L'impression que laisse leur multiplicité, quand on la compare

---

12. *Annuaire statistique de la ville de Paris ; rapports annuels du garde des Sceaux ; Bulletin municipal* du 26 septembre 1943 ; témoignage d'un haut fonctionnaire du ministère de la Santé.
13. *Bulletin municipal,* 2 décembre 1940, 3 février 1941, 9 octobre 1941, 22 mars 1943, etc.

aux statistiques officielles, est que celles-ci sont fausses, parce qu'incomplè-
tes. Sur un point, les témoins de l'époque sont d'accord : il est impossible de
subsister à Paris si on respecte scrupuleusement la réglementation en
vigueur. La grande majorité des Parisiens est ainsi conduite, plus ou moins
fréquemment, selon les professions, l'occasion, ou le sens moral de chacun, à
tricher et à frauder. La plupart n'ont pas le sentiment, à part naturellement
les cas d'escroqueries cités plus haut, de s'être mis pour autant en froid avec
leur conscience ; c'est vrai, en particulier, lorsqu'ils se livrent au « marché
parallèle ».

Le marché parallèle : une obligation pour les Parisiens

Une règle de l'économie de tous les temps et qui n'a pas disparu dans les
régimes d'économie dirigée et de propriétés collectives, est qu'un produit
qui se raréfie à la production devient encore plus rare à la vente ; lorsqu'il
apparaît sur le marché, c'est à des prix plus élevés. A la réalisation de ce
phénomène se combinent une réalité économique et l'effet cumulatif d'une
réaction psychologique.

Sous l'occupation, ce phénomène dura quatre années, s'étendit à toute la
France, mais sévit surtout à Paris, plaque sensible de la vie nationale, où tout
événement prend ses proportions maximales. S'il y a des fabrications industrielles qui, nous l'avons vu, périclitent ou disparaissent, par contre, dans
le domaine agricole, chaque année apporte son renouvellement de la production et, en dépit des prélèvements allemands et du blocus, les denrées
alimentaires ne manquent pas ; mais, comme les transports fonctionnent
difficilement, les campagnes en regorgent et Paris n'en reçoit pas suffisamment. Un renversement de tendance s'effectue alors : la demande précède
toujours l'offre, et la dépasse. Les Parisiens vont chercher leur pitance à la
source ; les producteurs en profitent pour faire l'économie des expéditions au
marché, et ils stockent leurs marchandises pour en exiger à chaque vente un
prix plus élevé ; un prix que l'acheteur ne discute guère, d'autant plus
heureux de trouver à subsister qu'il ne sait plus trop que faire d'un argent
qui, s'il respecte la réglementation officielle, ne le nourrit, ne le chauffe et ne
l'habille plus.

Tout le monde, à Paris, pratique donc le « marché parallèle », puisqu'il
faut passer par lui pour se procurer l'indispensable. Il consiste, pour les
particuliers, tantôt à découvrir eux-mêmes la marchandise à vendre et à
l'acheter en catimini à des prix interdits, tantôt à pratiquer le troc — les non-
fumeurs cèdent leurs cigarettes contre de la viande, le diabétique son sucre
contre des pâtes, le buveur d'eau son vin contre n'importe quoi. Il n'y a rien

de véritablement frauduleux dans cette façon de procéder, mais simplement une sorte de réajustement des besoins et des possibilités de les satisfaire ; et comme tout le monde a ses préférences, ses interdits et ses contraintes, tout le monde, du haut en bas de l'échelle sociale, comme au jeu de cache-petit-blanc, se livre à la chasse au produit indispensable, avec un mélange d'angoisse au départ, une véritable fièvre dans la recherche, et une grande délectation à la découverte.

La fraude commence lorsque les circuits de distribution sont systématiquement détournés : en amont par le producteur qui ne livre qu'une partie de sa production au ravitaillement général, en aval par le détaillant qui ne délivre pas aux prix officiels toute la marchandise qu'il a reçue. Entre eux et les clients s'insère alors toute une série d'intermédiaires, tantôt d'honorables courtiers dont c'est la profession et que servent leurs relations, tantôt toute une faune qui ne se borne pas à prélever sa dîme de courtage mais qui, au passage, revend le produit pour son compte en faisant grimper les enchères. Ce type de commerce fuit toute publicité ; tout se dit de bouche à oreille : la nature et la qualité de la marchandise à vendre, où la trouver, à quel prix l'obtenir. Les bars des Champs-Elysées deviennent ainsi des sortes de paris mutuels clandestins, où on joue de l'argent, non sur des chevaux, mais sur des tonnes de viande, des hectolitres de vin, des kilomètres de tissus. Les uns vendent, et les autres achètent, sans avoir vu la marchandise, ce qui ne va pas sans d'âpres discussions et s'accompagne souvent, après coup, de règlements de comptes.

Les Parisiens entrent dans le circuit avec un peu d'émotion et beaucoup d'espoir. Ils se révèlent l'un à l'autre les noms des divinités bienfaisantes nouvelles qui les nourrissent — « Allez donc de ma part chez Mlle X... ou M. Y... » — et les adresses des lieux privilégiés où s'accomplit le miracle de la résurrection des denrées : le beurre chez la manucure si ce n'est la viande, le fromage chez le coiffeur, le bidon de lait dans la loge de la concierge, les boîtes de conserves derrière le comptoir du bougnat, qui ne vend plus de charbon, mais connaît un serrurier avec qui on peut s'arranger pour s'en procurer. Si les meneurs des opérations ne sont pas des saints et ne pensent qu'à réaliser des profits illicites, les Parisiens n'ont pas l'impression de mal se comporter, mais la satisfaction de bien se débrouiller. Et, comme tout le monde sait que l'occupant garde pour lui la grosse part, chacun se félicite de ce qu'il lui ôte : « C'est tant de pris aux Allemands... encore une bouteille que les Chleuhs n'auront pas. » D'autant plus que des occupants participent à l'action : des soldats qui traversent Paris ouvrent sur les trottoirs d'éphémères marchés où ils débondent les camions, remplis, dans les campagnes traversées, de denrées, payées ou saisies ; à Paris même, le trafiquant allemand se révèle parfois sous l'uniforme du soldat, et traiter avec lui donne la double sensation de rouler un ennemi, et d'être en même temps protégé par lui [14].

En réponse, le contrôle économique se montre de plus en plus strict, de plus en plus sévère. Il découvre de la viande et des salaisons dans de faux cercueils, du sucre dans des camions de la Banque de France... et des escalopes qui poussent sous les épinards dans les restaurants. Il multiplie enquêtes, perquisitions et poursuites. Pour ne donner que quelques exemples, au mois d'avril 1943, plusieurs milliers de visites ont conduit à 4 891 procès-verbaux, 392 arrestations ; on a découvert des trafics de fausses cartes de pain vendues entre 150 et 180 F ; 330 cartes ont été saisies ; des commerçants vendaient 100 F un tricot qui leur en coûtait 10 ; d'autres cédaient des tissus sans points textiles en contrepartie, mais les vendaient trois fois plus cher qu'ils n'en avaient le droit ; 89 restaurants ont été fermés pendant 1 à 5 mois ; 3 775 « transactions » ont été conclues, permettant à des fraudeurs de s'en tirer à l'amiable en payant une amende ; 120 condamnations ont été prononcées à des amendes, 27 à de la prison ; 20 fonds de commerce fermés ; 1 547 restaurants contrôlés et 217 verbalisés. Les enquêteurs se plaignent que les commerçants ou restaurateurs visités bloquent leurs portes pour avoir le temps de cacher la marchandise prohibée ; le préfet de police décrète que « cette façon de procéder sera sanctionnée automatiquement par la fermeture de l'établissement ».

Chaque mois se traduit, dans le *Bulletin municipal* et dans la presse, par des bulletins de bataille qui veulent être des bilans de victoires ; mais des victoires à la Pyrrhus, qu'il faut remporter à nouveau, à peine gagnées, contre d'autres adversaires, ou contre les mêmes. En avril 1944, ainsi, 5 796 procès-verbaux sont encore dressés, 216 « flagrants délits » constatés, 356 arrestations opérées, 420 condamnations décidées, 23 fonds de commerce et 63 restaurants fermés ; plus des « transactions » pour un montant de 8 millions de francs. Encore en juillet 1944, alors que les transports agonisent, que les marchés ne reçoivent plus rien, le « marché parallèle » révèle sa vigueur persistante par les coups qu'il reçoit et qu'il encaisse sans en être pour autant gravement incommodé : 4 386 procès-verbaux, 438 arrestations, 420 condamnations, etc. [15].

Rien n'y fait ; le « marché parallèle » renaît toujours de ses cendres. C'est la maladie économique de Paris occupé ; il est impossible de chiffrer son ampleur, les découvertes de la police n'en montrant qu'une infime partie ; mais les prises qui concluent les perquisitions montrent que, après les agriculteurs, les commerçants, les courtiers et les consommateurs, les industriels sont entrés dans la ronde pour se procurer des matières premières.

14. G. WALTER, *op. cit.*, p. 129-151 ; P. AUDIAT, *op. cit.*, p. 243-244.
15. *Bulletin municipal*, 14 mai 1943 ; 24 mai 1944.

Le paradoxe du commerce dans Paris occupé, c'est que les marchés officiels se vident, et que n'importe quel produit peut se trouver ailleurs, à condition d'avoir des relations et quelque chose à échanger. Aucun article ne manque au catalogue clandestin. Qu'on en juge par l'énumération de quelques saisies effectuées dans des entrepôts, arrière-boutiques, ateliers, appartements, etc. Les dates importent peu ; c'est de la nature et de la quantité des marchandises que cette sèche liste permet de se faire une idée.

En 1941, ont été ainsi saisis, entre bien d'autres : 3 lots de 50 000 m de tissu écru ; 100 tonnes de sucre ; 10 de pâtes ; 1 000 bouteilles de bénédictine ; 14 000 mètres de popeline ; 10 tonnes de cuivre et 11 de déchets de cuivre ; 2 300 kg de confitures ; 8 300 bouteilles d'armagnac, 3 600 de cognac, 2 000 de curaçao ; 1 000 peaux de renard ; 15 tonnes de produits vaselineux, etc. En 1943, notamment : 4 tonnes de papier, 10 tonnes de charbon de bois ; 3 400 paquets de saccharine ; 702 kg de laine à repriser ; 613 kg de savonnettes (la ration est de 100 g par mois) ; 6 000 litres d'huile ; 200 kg (*sic*) de tickets de viande, revendus 45 F le kg ; 4 860 litres de vin ; 1 500 stylos ; 1 tonne de biscuits ; 300 kg de beurre, etc. Mais le marché parallèle porte aussi sur : les bicyclettes, le chocolat, les légumes secs (700 kg de haricots saisis en janvier 1941), les volailles, le café, le thé, le cuir, l'huile d'olive ou de lin, les produits de nettoyage, les conserves (24 000 boîtes de sardines en février 1941), le miel, le bois de chauffage, le duralumin (pour les carrosseries d'automobiles), l'étain, les clous de girofle, le fer et la ferraille, le plomb (10 tonnes en juin 1941), les lentilles, les chaussettes, les blocs de sténo, le carbonate de soude, la résine, les pull-overs, la farine de sarrasin... et les biscuits vitaminés pour les enfants des écoles ; sans oublier les chaussures, les vêtements et la viande. Le marché noir à Paris, c'est un immense bazar aux succursales illimitées, où on trouve de tout ; lorsque les policiers entrent dans un entrepôt clandestin, ils éprouvent la même surprise qu'Ali Baba dans sa caverne. Et, avec le temps, les filières s'étant de mieux en mieux organisées, et le menu fretin mal aguerri ayant été éliminé, les quantités de produits se font plus grandes, leur nature se diversifie davantage.

Une double question se pose alors : à quoi sert le marché noir et à qui profite-t-il ? La réponse à la première est simple : le marché noir pallie les insuffisances du ravitaillement officiel, et c'est pourquoi tout le monde, plus ou moins, s'y livre, en faisant taire les scrupules de sa conscience. Tout le monde en tire donc un minimum de profit, sous la forme d'amélioration de la vie quotidienne. Mais, seule, une minorité de Parisiens en tire de gros avantages ; d'abord les trafiquants, qui réalisent des fortunes scandaleuses, ils se gavent dans les meilleurs restaurants [16], roulent en automobiles, placent

16. Selon Galtier-Boissière, les prix des repas dans les restaurants de marché noir ont quadruplé de décembre 1940 à janvier 1943, et décuplé au début de 1944 (*op. cit.*, p. 109). Et leurs vestiaires abritent des réserves d'alcools, de conserves, de champagne, de cigarettes...

leurs gains dans l'immobilier ; ensuite les gens riches qui, seuls, possèdent les moyens de se procurer, en y mettant le prix, à peu près tout ce qui leur fait défaut. Mais les ouvriers, les employés, les petits fonctionnaires, qui n'ont rien à échanger, et dont les revenus sont faibles, ne peuvent avoir recours au marché parallèle que pour parer aux plus graves carences : viande, chaussures, vêtements, et en se privant un peu plus sur le reste. Pour donner un seul exemple, un instituteur, en 1944, devait travailler au moins dix jours pour se payer un kilo de beurre, tout en se félicitant de l'aubaine. Le marché noir aggravait donc les inégalités sociales, et les vieillards, les chômeurs, les malades, ne pouvaient pas en bénéficier. En outre, en facilitant la spéculation, il jouait un rôle très grave de corruption de la moralité [17].

Le « gross marché noir » : une création des Allemands

En fait, si le marché noir avait pris d'aussi colossales dimensions, ce n'était pas uniquement par une sorte de développement spontané. Les Allemands s'étaient employés systématiquement à le structurer, de façon à utiliser au mieux les sommes énormes, dont ils ne savaient que faire, que leur procurait l'excessive indemnité pour frais d'occupation inscrite dans le diktat de Rethondes. Ils utilisèrent les trafiquants français comme des prospecteurs et des rabatteurs, en leur garantissant l'impunité totale vis-à-vis du contrôle français, et en leur fournissant toutes facilités pour « travailler » : cartes d'acheteurs, camions et autos, bons d'essence et autorisations de transport ; en acceptant aussi, par avance, toute opération illicite ou délictueuse, mais en expédiant dans des camps de concentration tout auteur d'un acte qui leur était dommageable. Les prospecteurs vont s'approvisionner à la source, c'est-à-dire que leur objectif est de décider industriels et fabricants, ainsi que les commerçants possédant des stocks, à réserver le plus possible de leur production à des acheteurs allemands, qui acceptent d'autant plus facilement de payer plus cher qu'ils paient avec de l'argent français.

Les premiers, et les plus nombreux, acquéreurs de produits français à Paris pour les acheminer outre-Rhin, sont les soldats, qui y tiennent garnison ou qui y viennent en permission. Ils bénificient de bons d'achat, délivrés par leurs chefs de corps, sans titre de rationnement, et ils paient avec des marks surévalués ; c'est eux qui dévalisent les magasins, surtout en articles de Paris et en articles pour dames. Les soldats partant en permission gare de l'Est emportent, à la colère des Parisiens, d'énormes paquets revêtus de cachets

---

17 A. SAUVY, op. cit., p. 128 et 242 ; collection du Bulletin municipal, rapports des renseignements généraux

pour leur assurer l'entrée en franchise douanière en Allemagne, ces achats sont petits, mais leur masse est considérable

Plus graves cependant, et moins spécialisés, sont les achats effectués par les services et unités militaires qui disposent à Paris de plusieurs équipes d'acheteurs, les *Dienstellen*, chacune affectée d'un numéro spécial de secteur postal. En principe, il s'agit de se procurer tous les objets nécessaires aux cantonnements ; ils donnent lieu à des factures qu'acquittent des fonctionnaires des finances et dont le montant est déduit des versements de l'indemnité d'occupation. Cette façon de procéder est tout à fait conforme aux prescriptions de la convention d'armistice, sauf que les responsables de ces bureaux d'achat sont insatiables, et qu'ils exigent que leur soient livrés, pour pouvoir expédier le surplus en Allemagne, beaucoup plus d'objets qu'ils n'en ont besoin.

Mais, en outre, toutes les grandes collectivités allemandes procèdent à des achats clandestins : Kriegsmarine, Luftwaffe, SS, parti nazi, Organisation Todt, Reichsbahn, Gestapo, se font attribuer de grands entrepôts et multiplient les bureaux d'achat ; Paris, qui en héberge la plupart, devient ainsi la plaque tournante du marché noir allemand en France ; Todt, par exemple, qui n'effectue que peu de travaux dans la région parisienne, vient y passer commande de pelles, pioches, camions, brouettes, boulons, rails, etc.

Pour inspirer confiance aux vendeurs français, ces bureaux sont dirigés par des Français, ou par des étrangers non allemands, qui travaillent sous des noms d'emprunt ; ils sont inconnus des services commerciaux traditionnels, mais ils se font accepter par eux facilement, puisque ils paient rubis sur ongle, sans rechigner à la dépense et que, après tout, avec eux, chacun peut se dire qu'il ne commerce pas avec l'occupant — bien qu'il faille beaucoup de cécité volontaire pour ne pas découvrir le pot aux roses. Les groupements de collaboration sont les grands fournisseurs de ce genre de main-d'œuvre, mais beaucoup de négociants, en difficulté, ou appâtés par le gain, offrent aussi les services de leurs compétences et de leurs réseaux de relations. Ces bureaux d'achat sont complétés par de nombreuses sociétés françaises indépendantes, créées pour la circonstance, sous des noms de fantaisie : « Bureaux d'études », « Union économique », « Sociétés industrielles ou commerciales ». Les acheteurs ne demandent aux vendeurs ni leurs identités, ni même leurs noms, seulement leurs prénoms ; c'est la marchandise qui les intéresse. Les vendeurs apportent des échantillons, indiquent l'importance des stocks, les font livrer à l'entrepôt qui leur est désigné — ces transports ne pouvaient être ni arrêtés ni contrôlés par la police française. Ils reçoivent alors un bordereau qui permet d'établir un bon de caisse payable sur-le-champ, sans autre forme de procès, en liasses de billets de banque neufs. Il est absolument impossible de déterminer, même par un simple ordre de grandeur, le montant de ces transactions A la Libération d'ailleurs, on ne retrouva que peu de papiers et on ne réussit à arrêter qu'une centaine de comparses. Ce qui est certain, c'est que les responsables de ces affaires réalisèrent des profits énormes, se montant à des centaines de millions pour ceux dont on put reconstituer une partie des comptes. Il est non moins certain qu'il fallait être bien naïf pour ne pas voir que ce pillage de la France n'avait pour but que de renflouer l'économie de guerre allemande.

Le contrôle économique a pu repérer, après la Libération, 220 bureaux d'achat, la plupart situés aux Champs-Elysées — la Gestapo avenue Foch, les mercantis du marché noir aux Champs-Elysées, voilà ce que devenaient les plus belles avenues de Paris sous l'occupation, les antres des plus basses et des plus viles besognes. En principe, ces bureaux sont spécialisés : par exemple, la société intercommerciale, 7, place Vendôme, achète des machines-outils, la société BDK des camions. Pour celle-ci, le procédé le plus usuel est le suivant : un officier rend visite aux garagistes possédant des camions, et les menace d'une réquisition ; après quoi un agent de la société arrive juste à point pour acheter les camions à un prix, en théorie, légèrement supérieur à celui de la réquisition. En fait, l'appât du gain conduit tous ces acheteurs à se concurrencer âprement sur un marché dont les possibilités en fournitures vont en se rétrécissant. C'est le bureau dit Otto, sous la direction de deux Allemands, qui remporte les plus fructueux succès dans ce genre de compétition ; il possède une trentaine d'officines satellites dans Paris, où travaille pour lui toute une meute internationale d'affairistes ; Otto achète tout ce qui passe à sa portée, les vins, les textiles, les cuirs, les métaux, l'outillage, les meubles ; il emploie deux cents manutentionnaires dans ses docks de Saint-Ouen, Saint-Denis et Nanterre. On a estimé, à la libération que, en 20 mois, Otto avait procédé à des achats pour un montant d'au moins cinquante milliards de francs. Ce que la méthode a de merveilleux, c'est que l'acheteur n'a pas besoin de faire appel à la violence, juste un peu à la menace de temps en temps ; l'appât du lucre suffit pour que se précipitent dans ses bureaux industriels des « hommes d'affaires » français pour qui l'argent n'a pas d'odeur, et le bénéfice pas de nationalité ; une collaboration sordide, puisqu'elle permet à quelques charognards de s'engraisser des dépouilles de l'économie française ; au détriment, bien sûr, de la majeure partie de la nation.

Le système mis au point par l'occupant, de pompe aspirante de produits français à plusieurs amorçages, paraissait donc construit pour que rien qui allât dans le sens de ses intérêts ne pût lui échapper. En fait, en procédant de la sorte, le service économique du commandement militaire s'aperçut que, contradictoirement, d'un côté il essayait d'imposer la stabilité des prix, et de l'autre, il en provoquait la hausse en multipliant les demandes. Il compromettait la bonne satisfaction de ses besoins par les difficultés occasionnées aux livraisons à moindre prix que devait lui faire un rabatteur d'une autre taille, le gouvernement de Vichy. Il en résultait un immense désordre, et une diminution possible des rentrées ordinaires.

Goering, responsable du plan de quatre ans, confia à un colonel d'aviation à la retraite, le colonel Veltjens, le soin de mettre de l'ordre dans ce gâchis, en réduisant la concurrence à laquelle se livraient les divers bureaux d'achat, qui avait comme première conséquence de faire flamber les prix. Un service de contrôle fut installé en juillet 1942 rue Velasquez, puis rue Auguste Vacquerie ; il centralisait les renseignements, éliminait les acheteurs peu sûrs et devait donner son autorisation pour qu'une affaire fût conclue. En fait, comme dans l'ensemble de la machine administrative nazie, le pullulement des chefs entraînait une rivalité dommageable dans tous les domaines. Par exemple, le bureau de la Sipo-SD, chargé en principe de la répression du marché noir, continua à le pratiquer à son profit exclusif, et nul ne pouvait l'en empêcher [18].

La conséquence immédiate du marché noir fut donc que l'immoralité inhérente au système avait contaminé les services allemands eux-mêmes ; ce n'était partout que corruption et vénalité. L'autre conséquence, à plus long terme, était que l'appauvrissement excessif de l'économie française diminuait de façon irrémédiable le rendement de son exploitation. En mars 1943, Goering supprima, sur le papier, les bureaux d'achat ; les envois en Allemagne de matières premières et d'outillages devinrent moins importants au moment même où la guerre d'usure en URSS en exigeait l'augmentation. Faut-il conclure que les Allemands avaient mal calculé leur coup en organisant le « gross marché noir » ? Certainement pas, car il avait drainé outre-Rhin d'énormes quantités de produits ; il était seulement victime de sa propre réussite ; mais la poule aux œufs d'or française continuait à pondre pour le bénéfice exclusif de l'occupant, grâce aux livraisons, en quantités régulièrement accrues, et à bas prix, que devait effectuer le régime de Vichy [19].

La pègre du marché noir

Les services de police de l'occupant s'étaient dotés d'équipes d'hommes de main, recrutés dans le « milieu » parisien, pour combattre la Résistance — nous reviendrons sur leurs « exploits » dans le second tome de cet ouvrage. Ces hommes à tout faire, proxénètes, repris de justice, truands de tous poils,

---

18. Il en était de même des SS, et des diverses armes, marine, aviation, armement.
19. Cf. sur ce sujet deux excellentes études : X... « Le marché noir allemand en France », *Cahiers d'histoire de la guerre*, nº 4, mai 1950, p. 46-73 ; J. DELARUE, *Trafics et crimes sous l'occupation*, A. Fayard, 1968, p. 30-125.

que seuls guidaient l'esprit de lucre et l'attrait de la violence, ne pensèrent qu'à profiter de leurs pouvoirs pour leur compte exclusif. Le marché noir, auquel leurs patrons les associèrent, fut pour eux une aubaine inespérée. N'ayant rien à redouter de la police française — en cas d'interpellation, il leur suffisait de brandir leur carte de policier allemand — le baromètre de leur conduite était le souci de ne pas trop déplaire à leurs maîtres ; ils eurent comme seul objectif de se remplir les poches et de mener grand train de vie, grâce aux « affaires » qu'ils avaient la charge de traiter. Leur procédé usuel fut d'acheter pour leur compte, de toucher leur commission, puis de s'arranger pour se faire verser par les Allemands des sommes supérieures à celles qu'ils avaient déboursées. Avec eux, toute affaire de marché noir devenait une escroquerie, ou une extorsion de fonds. Leurs principales victimes furent les malheureux Juifs qui, redoutant d'être spoliés, cherchaient à vendre leurs biens et à quitter Paris ; proies faibles, sans aucune possibilité de défense, ils étaient abusés, rançonnés, dépouillés et, finalement, arrêtés pour avoir enfreint les règlements de l'occupant ! Mais, comme cette époque dramatique est riche en paradoxes, il est arrivé que quelques Juifs réussissent à traverser toute l'occupation, non seulement sans être tracassés, mais en travaillant avec l'occupant et en s'enrichissant grâce à lui ; ce fut le cas notamment de la maîtresse d'un des patrons du service Otto, Brandl, du Juif roumain Joanovici, grand livreur de vieilles ferrailles, et du Juif russe Michel Szolnikoff [20].

Mais ces « affairistes roublards ne sont pas des tueurs ; l'étaient par contre les membres des groupes d'hommes de main dont la Gestapo sut s'assurer les services comme tortionnaires, notamment le « groupe des Corses », la « Gestapo de la rue de la Pompe » et « la Gestapo de la rue Lauriston ». Penchons-nous un moment sur cette dernière équipe, connue également, sous les noms de ses chefs, comme la bande « Lafont-Bonny ». Henri Chamberlin, dit Lafont, condamné à 10 reprises en 1939, qui devait être relégué à Cayenne, s'était évadé en juin 1940, en même temps que des agents de l'Abwehr à qui il offrit ses services, ainsi que ceux de criminels, qu'il avait connus en prison et qu'il avait fait libérer. L'Abwehr, par l'intermédiaire du capitaine Radecke, accepta sa proposition ; on confiera à ces hommes, qu'on tient par leur passé, les affaires les plus sales ; en échange on les laissera impunément piller ou spolier.

Dès septembre 1940, Lafont possède une carte de citoyen allemand ; en février 1941, il se fait naturaliser pour échapper à toute poursuite judiciaire française. Il travaille d'abord avec le service allemand de devises, « Deutsch devisen Kommando ». Le « travail » consiste à récupérer de l'or. Des

20. Cf. LE BOTÈRF, *La Vie parisienne sous l'occupation*, France-Empire, t. II, 1975, p. 180-187, et surtout, J. DELARUE, *Trafics et crimes sous l'occupation, op. cit.*

indicateurs rabattent vers Lafont des trafiquants d'or notoires, ou de simples particuliers désireux d'échanger des devises. Lafont se présente à eux comme un acheteur possible, puis se fait connaître comme policier allemand, rafle l'or et menace le partenaire d'arrestation s'il porte plainte. L'or est remis au service allemand DDK et, en récompense, Lafont et ses hommes reçoivent une prime variant entre 10 et 33 % de la valeur de la « récupération ». Au cours de son procès, Lafont reconnut avoir traité une quarantaine d'affaires de ce genre avant la fin de 1941 ; il avoua aussi que l'équipe gardait tout l'or pour elle quand elle avait affaire à des Israélites, trop heureux de n'être pas en outre arrêtés au double titre de Juifs et de contrevenants aux lois de l'occupant ; un banquier fut ainsi délesté de près de 2 millions de francs dans un café de la place de la Bourse.

Ayant fourni la preuve de sa « compétence », Lafont, fin 1942, installe ses « bureaux » 93, rue Lauriston, dans un immeuble de trois étages et loue pour son domicile un hôtel particulier qu'il meuble de façon extravagante, grâce à des achats à l'hôtel Drouot, et surtout grâce aux dépouilles de ses victimes. Fait capitaine SS, il reçoit somptueusement le « Tout-Paris allemand », collaborateurs comme Luchaire, hauts fonctionnaires français, et jusqu'à Abetz. Il offre à ses invités des parties fines dans un des plus réputés lupanars de Paris — une des caractéristiques de la pègre au service de l'occupant est qu'elle a mené une existence de débauche somptueuse au milieu du dénuement général. Lafont se lie alors avec l'ancien inspecteur de police Bony, rendu célèbre quelques années auparavant par l'affaire Stavisky, et révoqué de la police pour malversation ; il est probable que Bony apportait comme dot les quelques relations précieuses qu'il avait pu garder dans la police parisienne : il appartenait aussi au MSR de Deloncle.

Lafont quitte alors l'Abwehr, car le SD veut s'attacher les services de cet homme exceptionnel, et si efficace ! C'est d'ailleurs Lafont qui, presque quotidiennement, offre des cadeaux à Boemelburg, vêtements, victuailles, bijoux, une ristourne en somme sur les rapines auxquelles il a procédé. Lafont, sous les ordres de Knochen, bénéficie dès lors d'une certaine autonomie ; il « travaille » avec le général Von Beer, chef du service des affaires juives, à qui il indique les « affaires » à saisir ; il fréquente aussi le commandant Kieffer, chef du SD, et le capitaine Muller, chef du service allemand de liaison avec la préfecture de police ; il n'est pas ménager de son argent avec eux, il en gagne tellement ! Il offre une automobile Bentley à Knochen. La réputation de l'influence que possède Lafont devient telle que des conseillers municipaux, affairistes et collaborateurs, veulent coopérer avec lui ; il est en relations suivies avec la fine fleur de la collaboration, Déat, Darnand ; il se paie le luxe de demander, et d'obtenir parfois, la grâce de quelques Français imprudents, à ses maîtres allemands ; il a même dit à son procès qu'il était arrivé à Pierre Laval de s'adresser à lui quand le président du gouvernement de Vichy n'arrivait pas à faire aboutir ses demandes à l'occupant !

La bande « Lafont-Bony » s'agrandit jusqu'à comprendre 14, puis 27 hommes, presque tous repris de justice, dont l'ancien joueur de foot-ball Villaplane, arrêté pour tricherie aux courses de chevaux ; ce sont tous des gens d'humble extraction, de modestes ouvriers quand il leur est arrivé d'exercer un métier ; deux sous-officiers allemands font la liaison avec le SD et le MBF. Chaque homme reçoit une carte de policier allemand, une arme et, en principe, une voiture ; le salaire moyen de chacun est de 10 000 F par mois, plus les primes allouées lors des opérations réussies, et les bénéfices de celles que chacun a montées pour son propre compte et réglées à sa guise.

Lafont a plusieurs maîtresses, plusieurs voitures, un hôtel particulier acheté à Neuilly ; fastueux, il distribue à la ronde les billets de banque et les gros pourboires ; on a trouvé chez lui des uniformes allemands, de nombreuses décorations, dont la Légion d'honneur, et 47 brassards. Il pouvait ainsi se déguiser selon sa fantaisie, ou les besoins. Sa provision en banque, à la libération, s'élevait à un million de dollars et il avait constamment dans son coffre 10 à 12 millions d'argent liquide et autant de bijoux. A côté de lui, de Brinon était pauvre. Lorsqu'il sera arrêté, on trouvera sur Lafont 5 millions en numéraire, des passeports et des ordres de mission allemands, des papiers d'officier allemand, toutes sortes de faux papiers : cartes d'alimentation, d'identité, de travail (?), de recensement, toutes en blanc ; puis 16 cachets « officiels », français et allemands ; ce bandit était aussi un faussaire.

Ses plus gros profits, Lafont les tire essentiellement du marché noir ; mais, avec lui, toute négociation tourne à l'escroquerie ; il appâte le client et, ensuite, ayant profité de l'aubaine grâce à l'existence du marché noir, il en conserve tous les avantages pour lui seul, en portant condamnation sur le partenaire avec lequel il vient de s'accorder, au nom de la loi allemande et de la morale ! Un exemple permet de saisir sa méthode : il traite un achat de 400 imperméables, déclare le prix trop cher, reproche au vendeur de s'enrichir de façon illicite, lui fait la leçon sur un ton de moraliste, confisque la marchandise, impose une amende pour fraude à l'autre, penaud, et qui n'en peut mais, et revend pour son compte les imperméables à un prix plus élevé que celui qu'il avait refusé. A ce jeu, où il possède tous les atouts, il est gagnant à tout coup. On n'a retrouvé qu'une faible partie de ces escroqueries, que les papiers aient été détruits, que le spolié soit mort, ou qu'il n'ait pas osé se plaindre. Mais, à peu près dans les mêmes conditions, Lafont a saisi deux camions de caoutchouc, des cordages pour 7 millions, des tissus pour 4 millions ; une autre affaire a porté sur un wagon de chaussettes !

D'autres bénéfices sont réalisés par des opérations de banditisme à main armée pur et simple. La méthode consiste à opérer des perquisitions sous un prétexte quelconque, en mettant sous le nez des victimes la carte de policier allemand qui les laisse sans voix ; il est rare qu'on ne trouve pas quelque petite infraction à un règlement ; alors les visiteurs perçoivent une amende qu'ils déclarent réglementaire et, magnanimes, acceptent de ne pas conduire en prison leurs hôtes involontaires ; ils repartent avec l'argent, les bijoux, les tableaux. Parfois ce sont des cambriolages purs et simples, par exemple à l'ambassade des Etats-Unis, où les prises seront évaluées à 17 millions ; généreusement, Lafont offrira l'argenterie à Boemelburg. Une escroquerie courante consiste à vendre pour de l'or du cuivre recouvert d'une mince pellicule de métal précieux, et à arrêter l'acquéreur, pour trafic illicite, s'il découvre la supercherie. La bande en arrive aussi au crime crapuleux, en volant des titres dans une banque, en dépouillant des bijoutiers, en tuant pour le dévaliser un passant dans la rue.

Comme toujours entre truands, la grande épreuve est celle du partage des gains ; de violentes contestations s'élèvent ; un comparse est abattu dans un bois pour ne pas avoir été « régulier », puis deux autres pour être soupçonnés d'avoir consenti des révélations à la police française ; la police allemande fait interrompre les enquêtes ; mais c'est à elle que Lafont remet deux autres complices accusés d'avoir eu l'audace de tromper et les Allemands, ce qui serait à la rigueur admissible, et lui-même, Lafont, ce qui est pour celui-ci parfaitement inacceptable [21].

Bien sûr, ni l'ambassade allemande ni le commandement militaire ne sont à mettre dans le même sac que des gangsters comme ceux de « la rue Lauriston » ; mais n'étaient-ils pas au courant ? Ne laissaient-ils pas faire ? De pareilles turpitudes n'étaient-elles pas inévitables dans l'ambiance de violence généralisée engendrée par l'occupation ? De toute façon, l'affreuse nocivité de celle-ci se lit dans le fait qu'elle a eu pour effet de placer au sommet de la hiérarchie sociale, en faisant arriver le règne de la crapulerie, de parfaits truands transformés en policiers défenseurs de l'ordre que l'occupant voulait instaurer. Et ces actes de banditisme, dont les Juifs sont très souvent les malheureuses victimes, ne sont rien, comparés à l'immense crime, de génocide et de spoliation, dont se rendront coupables, au détriment de la même communauté juive, toutes les plus hautes autorités allemandes, et pas seulement quelques bandits de grand chemin à leur service.

Filles publiques, filles pour Allemands

En Allemagne le régime nazi s'était doté d'une coloration de moralisme en aggravant la réglementation réprobatrice qui, depuis la fin du XIXe siècle,

21. Dossier du procès de Lafont.

régissait et punissait la prostitution et ses bénéficiaires. Pour les autorités occupantes, Paris était la capitale de la luxure, au mieux une Capoue des temps modernes, plus vraisemblablement une Sodome et une Gomorrhe. Chacun, certes, se réjouissait de pouvoir y prendre le joyeux repos auquel a droit le guerrier, au retour de ses victoires. Mais comme la guerre continuait, il fallait éviter en même temps que l'énergie et la foi qui avaient animé le soldat allemand ne fondent dans les délices de la capitale française [22]. Aussi bien, constate-t-on à la fois, dans le comportement de l'occupant, un grand appétit de plaisir, et, en même temps, une peur extrême de pâtir de cette rançon de l'amour vénal que sont les maladies vénériennes.

La solution parut être de réserver les meilleures maisons de tolérance aux troupes allemandes, et d'y exercer un contrôle sanitaire exigeant et sévère, en mettant en garde les soldats contre les périls inhérents à toute copulation de rencontre ; dans ce domaine comme dans les autres, les Parisiens se contenteraient de ce que le vainqueur voudrait bien leur laisser. Comme, cependant, cette distribution des rôles n'empêchait pas que des soldats se fassent contaminer par des Vénus de carrefours ou d'arrière-salles de cafés, c'est contre ces corruptrices de la santé de la Wehrmacht que l'autorité militaire retourna son courroux et brandit ses menaces. L'ordonnance du 28 décembre 1942 décréta que serait punie de travaux forcés, tout simplement, « toute femme, qui, atteinte d'une maladie vénérienne contagieuse, et le sachant, aura eu des relations intimes avec un ressortissant allemand » [23].

Une quarantaine de bordels parisiens furent ainsi réservés à la Wehrmacht, les plus célèbres ou les mieux tenus étant attribués aux officiers, les hommes se contentant de ceux de moyenne réputation, et les Parisiens des plus sordides. La plus totale ségrégation dut être désormais respectée ; aucun Français n'était plus admis dans les lieux où s'ébattait le vainqueur, les maisons pour les seuls Français étant, en retour, formellement interdites aux occupants ; des écriteaux, en français et en allemand, apposés sur les portes, prévenaient toute confusion possible.

Le service sanitaire de la Kommandantur de Paris avait établi un contrôle très rigoureux par des médecins allemands, de style militaire impératif ; aucun soldat ne pouvait se présenter dans une maison de tolérance sans être muni d'un préservatif : il devait inscrire son matricule sur un registre à l'entrée et il repartait muni d'une carte portant le nom de la maison, celui de la pensionnaire, et la date de l'acte ; ainsi tout manquement à la discipline,

---

22. Après le débarquement en Normandie, Hitler avait ordonné que tous les soldats en état de combattre ne séjournent pas à Paris, sauf obligation de service.
23. *Vobif*, n° 82 du 2 janvier 1942.

constaté par l'éclosion de boutons suspects sur le patient, aurait comme conséquence une sévère punition pour la partenaire [24].

Cela étant, les maisons réservées aux Allemands devinrent de magnifiques affaires pour leurs propriétaires, d'autant plus que le régime de Vichy leur donna un statut légal en les intégrant dans son système corporatif, dans le cadre de « l'Amicale des propriétaires d'hôtels meublés de France et des colonies », elle-même rattachée au « Comité professionnel de l'Industrie hôtelière ». L'intention était double : morale et fiscale ; dans les « maisons », qui recevaient une sorte de monopole légal, la prostitution était cantonnée, donc moins visible, et le contrôle des filles plus facile ; d'autre part, les maisons de tolérance étaient, pour leurs impôts, assimilées aux spectacles de troisième catégorie.

On ne voit pas très bien comment un contrôle fiscal rigoureux pouvait y être exercé, à moins qu'obligation ait été faite aux tauliers, et autorisation accordée par les Allemands, de montrer aux contrôleurs du fisc les fiches remplies par leurs clients vert-de-gris. Mais il semble bien que les affaires aient été prospères, si on en juge par les sommes qui, à partir de 1942, apparaissent dans « l'état des recettes de l'impôt municipal pour les spectacles », à la ligne « maisons de tolérance » :

Année	1942	1943	1944	1945	1946
Impôts	4 024 729	6 160 702	5 471 804	6 954 512	10 356 311

La légère baisse de 1944 est due au départ précipité des meilleurs clients ; mais la reprise a été rapide grâce au retour en force des Français. Il faut ajouter que cette taxe, intention louable, était perçue au profit des œuvres pour les pauvres — le vice subventionnait la charité.

Les maisons réservées aux Allemands n'étaient pas seulement des lieux de luxure, mais aussi de grand luxe ; le champagne y coulait à flot ; ces dames ne manquaient de rien, étant largement approvisionnées en toutes matières par leurs galants visiteurs ; elles profitaient de leur pouvoir momentané pour se livrer, pour elles-mêmes ou au bénéfice de leurs protecteurs, à toutes sortes de trafics, dont celui, fructueux, des bons d'essence et des diverses autorisations de circulation, en automobile, la nuit, ou entre les deux zones. Aussi bien il n'est pas d'exemple de taulier qui ait abandonné son métier parce que sa clientèle de vainqueurs offusquait son sens national, et il semble bien que la Boule de Suif imaginée par Maupassant n'ait guère eu d'émule entre 1940 et 1944 à Paris : la Résistance n'a pas recruté non plus de Mata-

---

24. Le Boterf. *op. cit.*, t. II, p. 150-162 ; G. Walter, *op. cit.*, p. 81 ; P. Audiat, *op. cit.*, p. 59-60.

Hari en relations suivies avec les occupants ; mais il est arrivé que des résistants passent, à peu près tranquilles, dans une maison close réservée aux Français, et peu inspectée par la police allemande, une nuit qui aurait été pleine de périls ailleurs [25].

Par contre, les filles clandestines, des rues obscures, des hôtels borgnes, des cafés et cabarets, dans lesquelles les autorités militaires allemandes voyaient des pourvoyeuses, à 99 %, de syphilis pour les soldats, firent l'objet de nombreuses rafles, contraventions, internements et transferts à Saint-Lazare. Sur ce point, la police française et la police allemande coopéraient étroitement. La première, à elle seule, dressa à ces demoiselles 23 642 contraventions en 1940 et 26 430 en 1941 ; puis — surent-elles mieux se protéger, ou beaucoup d'entre elles se découragèrent-elles ? — le nombre diminua jusqu'à tomber à 8 957 en 1943. La même année, une bonne centaine de protecteurs de ces dames furent requis pour le STO, et quelques-uns, qui avaient conjugué leurs bénéfices avec ceux du marché noir, expédiés dans des camps de concentration où les résistants ne furent pas les moins surpris de les voir arriver. Mais il resta des milliers de femmes seules ou pauvres, de marginales de la danse et des spectacles, qu'aucun régime n'a jamais pu empêcher de se transformer, occasionnellement, en marchandes d'amour ; les difficultés insurmontables de la vie sous l'occupation ne pouvaient qu'en augmenter le nombre.

Les parias : le crime d'être communiste

Le parti communiste avait été dissous, ainsi que ses filiales, et leurs dirigeants frappés de diverses peines par le gouvernement du temps de guerre, présidé par E. Daladier, parce qu'ils avaient approuvé le pacte germano-soviétique et entrepris une campagne de démoralisation du peuple français, de la classe ouvrière en particulier, alors que la France était entrée en guerre, et que son indépendance était en jeu ; à ce moment le parti s'était placé lui-même en marge de la nation, par sa fidélité sans faille à l'URSS, et il est clair que, en période de péril national, même s'il n'y a pas véritablement trahison, toute propagande qui risque d'affaiblir le moral du pays doit être interdite et sévèrement sanctionnée. C'est une loi non écrite, valable pour tous les régimes politiques, et qui s'inscrit tout simplement dans la lutte des nations pour la vie.

Mais il est de règle aussi que, dans les systèmes de dictature, ou les époques de suppression des libertés, les possesseurs du pouvoir mettent leurs adversaires hors d'état de nuire, en leur imputant à crime le fait de professer

---

25. *Annuaire statistique de la ville de Paris* ; GALTIER-BOISSIÈRE, *op. cit.*, p. 72

des opinions différentes de l'idéologie officielle. Le parti communiste a milité pour le rétablissement de la paix jusqu'en juin 1941 ; le régime de Vichy en faisait autant après avoir signé l'armistice ; ils étaient donc d'accord sur le problème le plus important qui se posait alors aux Français, et un certain nombre de députés communistes, emprisonnés, l'écrivirent au maréchal Pétain lors du procès de Riom. Mais, pour les dirigeants de Vichy, le parti communiste portait la lourde responsabilité d'une ancienne et virulente campagne antimilitariste et d'un affaiblissement de l'effort de guerre ; il était soupçonné aussi d'être de mèche avec l'occupant ; surtout, il propageait une doctrine dont la finalité était la destruction de la société bourgeoise ; pour les tenants de la Révolution nationale, il était l'ennemi numéro 1 ; être communiste était un crime qui devait être puni.

Effectivement, la loi du 3 septembre 1940, rédigée par le ministre de l'Intérieur Peyrouton, permet de mettre tout communiste en état d'arrestation, sans jugement, par simple décision préfectorale. La propagande communiste est sévèrement punie : deux ans de prison pour distribution de tracts ou détention de documents et d'emblèmes (disques « séditieux », drapeau rouge, œuvres de Karl Marx). Les élus sont systématiquement placés en résidence surveillée. Les militants sont, soit pris en « flagrant délit », soit internés sur leur réputation, par mesure préventive [26].

C'est que la propagande communiste est dirigée plus contre le régime de Vichy que contre l'occupant, du moins jusqu'à la fin de 1940. Journaux et tracts clandestins incitent les femmes de prisonniers et les ménagères à harceler les maires des arrondissements de réclamations, de préférence collectives. La campagne est incessante contre la cherté de la vie, le chômage, les bas salaires, les rations insuffisantes — comme si les autorités françaises détenaient les remèdes adéquats et refusaient de les appliquer. Aussi bien, les arrestations de communistes ne cessent d'augmenter, à mesure que sont découverts de nouveaux centres de fabrication et de diffusion de tracts. Au mois d'octobre de 1940, 639 communistes parisiens ont été internés depuis août ; au 31 janvier 1941, ils sont 1 511 : au 31 mars, 1 964 ; au 21 juin, 2 411. Chaque semaine, un communiqué de la police annonce son contingent de prises, effectuées avec une telle facilité qu'on peut s'interroger sur la valeur du cloisonnement de l'activité clandestine du parti, et penser que la police avait infiltré ses agents dans l'organisation. A partir de l'entrée en guerre de l'URSS, le 21 juin 1941, la chasse aux communistes devient plus active encore, et la police occupante qui, jusque-là, avait laissé faire plus qu'elle ne s'en était mêlée, s'en occupe désormais avec vigueur. Mais le parti, dans son ensemble, rejoint alors, dans la lutte antiallemande,

26. H. MICHEL, *Vichy année 1940*, Robert Laffont, 1966, p. 147 ; H. MICHEL, *Le procès de Riom*, Albin Michel, 1979, p. 331-341.

quelques-uns de ses membres déjà engagés à titre personnel, et le récit de ses actions trouvera place dans le deuxième tome de cet ouvrage[27].

Le crime d'être juif

Pour les nazis, le Juif était le mal absolu, l'antirace ; il fallait extirper ce cancer du corps des nations saines et, pour commencer, l'empêcher de nuire. Le régime de Vichy, dans l'ensemble, a approuvé, après les avoir parfois discutées, les mesures prises par l'occupant contre les Juifs ; il a créé des services, dont le « Commissariat général aux questions juives », pour régler « le problème juif », en accord avec les autorités d'occupation ; la police française a eu la triste mission de procéder à des rafles et à des internements et à poursuivre les Juifs qui essayaient de se dérober aux lois d'exception qui les transformaient en parias de la société.

Ainsi, les Juifs furent éliminés, successivement ou simultanément : des professions libérales, de la fonction publique, de toute activité culturelle (presse, cinéma, radio), du commerce de gros et de détail, de l'hôtellerie, des assurances, des agences de voyages, des banques, de la publicité, de l'édition — la liste n'est pas limitative. Seuls échappaient à l'élimination les anciens combattants, mais leur nombre ne devait pas dépasser un certain pourcentage dans chaque profession, 2 % dans les professions libérales, 3 % chez les étudiants. Encore, dans le commerce, les Juifs qui continuaient à être employés, ne devaient-ils occuper que des postes subalternes et sans contact avec le public ; quant à ceux qui étaient licenciés, une ordonnance allemande interdisait de leur payer des indemnités.

Ainsi à Paris, en janvier 1942, 250 avocats juifs ont été exclus du barreau, sur 2 035 inscrits, au 10 juillet 1942, 250 médecins ont été suspendus, et ceux qui continuent à exercer n'ont pas le droit de posséder le téléphone ; les pharmaciens, les sages-femmes, les dentistes n'ont pas été épargnés. Les exposants au salon d'automne doivent présenter une attestation « d'aryanité ». Au conservatoire national de musique, les étudiants juifs ne peuvent pas participer à la distribution des prix ; les postes de radio diffusent des œuvres musicales tombées dans le domaine public pour ne pas avoir à payer des droits à des Juifs, etc[28].

C'est à Paris que la campagne antijuive atteint son maximum ; des chaires

---

27. *Rapports des renseignements généraux.*
28. Les brutalités sont nombreuses. Ainsi, en octobre 1941, à Champigny, cinq membres du RNP forcent la porte d'une synagogue, y trouvent trois Juifs, les injurient et les molestent. Les Juifs réussissent à appeler Police-Secours ; les policiers commencent par interpeller les « collabos » ; puis, sur intervention d'une autorité allemande, ils laissent la synagogue aux membres du RNP et emmènent les trois Juifs, pour « vérification d'identité ».

sont créées en Sorbonne pour étudier une soi-disant race juive, et déduire sa nocivité congénitale de ses signes distinctifs ; des expositions à grand spectacle dénoncent les innombrables méfaits des Juifs, que des publications ordurières, « Au Pilori » en premier, ne cessent d'insulter. Lorsque commencent les attentats, ce sont les Juifs qui sont d'abord punis, et de lourdes amendes leur sont imposées — un milliard de francs en décembre 1941.

C'est probablement à Paris également que se trouvaient le plus grand nombre d'entreprises et de commerces juifs. Le commandement militaire allemand ordonna aux préfets de police et de la Seine de les recenser et d'évaluer les stocks, ainsi que la valeur des immeubles. Ensuite, tous reçurent un administrateur provisoire. Le général de la Laurencie recommanda aux préfets d'obéir à l'occupant, pourvu que les administrateurs nommés soient français ; singulière aberration, qui transformait des Français en exploiteurs d'autres Français. Un service français, de « contrôle des administrateurs provisoires », fut créé et rattaché au « Commissariat général aux questions juives » ; il établissait des listes de candidats aux fonctions lucratives d'administrateurs ; sa police pourchassait les Juifs qui avaient essayé de se préserver ; au 12 septembre 1941, dans la Seine, 1 712 inspections avaient été effectuées. Mais l'occupant gardait le pouvoir de nommer des hommes à lui et d'annuler toute transaction immobilière, à son gré.

La mesure la plus grave consista à déposséder les Juifs, en « aryanisant » les entreprises, puis les immeubles dont ils étaient propriétaires ; en principe, l'opération avait la forme d'une vente forcée, à des prix imposés ; mais le Juif dépossédé ne pouvait pas réemployer à sa guise l'argent qu'il avait reçu et, dans les banques, il n'était autorisé à prélever sur son compte que de faibles sommes. On connaît le nombre d'administrateurs provisoires nommés dans la Seine ; à part quelques Allemands, la plupart, 2 159 en activité au 21 mars 1944, étaient français ; c'est un peu moins de la moitié de ceux qui exerçaient dans toute la zone occupée. On peut en déduire que près de 18 000 entreprises ou immeubles appartenant à des Juifs avaient reçu un administrateur provisoire (sur 42 227 en tout), et plus de 4 000 avaient été « aryanisés » (sur 9 680). Quant aux pertes ainsi subies par la communauté juive de Paris, elles sont impossibles à chiffrer, mais elles atteignirent certainement des totaux colossaux. Il est impossible à plus forte raison d'évaluer la somme de souffrances, de vexations, de désespoirs, de maladies nées de l'angoisse, de décès prématurés, que provoqua la punition de ce crime imaginaire : être né juif et vivre à Paris entre juin 1940 et août 1944. Difficile aussi de mesurer le crime énorme du génocide.

Le 23 mai 1942, Eichmann, responsable de la section antijuive de la Gestapo, ordonne, de la part de Himmler, Reichsführer SS, à Dannecker, responsable des affaires juives en France (Judenreferent), de déporter à Auschwitz 100 000 Juifs de France. « âgés de 16 à 40 ans pour 90 % »

Dannecker demande à Leguay, représentant à Paris du chef de la police française, Bousquet, de lui « faire, au plus tard pour le 29/6/1942, des propositions concrètes pour déporter 22 000 Juifs de la Seine et de la Seine-et-Oise ». Pour faciliter les choses, un service spécial chargé des questions juives a été créé à la préfecture de police début 1941.

Bousquet et Leguay font des difficultés ; ils ne veulent arrêter que des « éléments indésirables » ; les Allemands répondent qu'ils entendent « éliminer un grand nombre de Juifs se trouvant à Paris, et cela dans l'intérêt d'une plus grande sécurité des troupes occupantes », et ils exigent le concours à Paris d'au moins « 2 500 agents de police français en uniforme ». Laval commence par demander que les arrestations ne soient pas effectuées par la police française, mais finit par accepter qu'elles le soient si elles ne portent que sur des Juifs étrangers, et si les Juifs français en sont exclus ; les Allemands donnent leur accord à cette proposition, du moins provisoirement.

C'est dans ces conditions que, les 16-17 juillet 1942, sur la base des fiches établies par la police française — 25 334 pour Paris et 2 057 pour 25 communes de la banlieue — est effectuée la grande rafle qui conduira à Drancy les célibataires et les familles ayant des enfants de plus de 16 ans, et au vélodrome d'Hiver les familles ayant des enfants entre 2 et 16 ans ; en tout 12 884, parmi lesquelles 3 031 hommes, 5 082 femmes et 4 051 enfants.

Les Allemands sont furieux de leur relatif échec, car ils avaient prévu des trains pour 32 000 personnes. Les 6 000 adultes enfermés à Drancy sont déportés à Auschwitz dès juillet 1942 ; les autres le seront quelques mois plus tard, après un séjour à Pithiviers ou à Beaune la Rolande, dans le Loiret.

Les rafles continuent pendant des mois, interrompues seulement par le manque de matériel ferroviaire. Ainsi, en février 1943, la police française arrête d'elle-même à Paris 1 496 Juifs étrangers et apatrides, des vieillards pour le plus grand nombre ; un peu plus tard, ce seront les vieillards de l'hospice Rothschild. Plus tard, d'autres arrestations auront lieu, du fait des Allemands, ou de la Milice.

Combien de Juifs ont été ainsi arrêtés, puis déportés, dans la région parisienne ? Aucun chiffre précis ne peut être avancé, ni prouvé. On sait que, en octobre 1941, le recensement a donné 93 181 Juifs pour la région parisienne et que, en cinq rafles, entre le 14 mai 1941 et le 11 février 1943, 27 000 ont été déportés. Les choses deviennent plus imprécises en 1943 et 1944. Selon G. Wellers, expert en la matière, au moins 16 000 Juifs parisiens ont encore été déportés pendant ces deux années, ce qui ferait un total d'environ 43 000.

Un peu plus de la moitié des Juifs recensés aurait donc réussi à échapper à la déportation, et on peut penser que la plupart ont dû leur salut à l'aide que leur apporta la population parisienne. Mais sur les 43 000 malheureux qui ne purent échapper à leur sort fatal, si on prend en compte les proportions admises pour la France, on peut évaluer à 40 000 environ ceux qui ne sont pas revenus. 40 000 victimes innocentes de l'occupation allemande, de par la plus ignoble des actions de l'occupant, qui ont payé de leur vie le crime d'être nées juives[29].

29. Lettre du 15 mars 1981, de M. G. WELLERS, que nous tenons à remercier pour l'aide qu'il nous a apportée. Rappelons que, sous l'occupation, il ne se produisit à Paris qu'environ 200 crimes crapuleux ; on prend ainsi la mesure de l'abominable crime allemand, commis pour « la pureté de la race ».

9.

L'activité culturelle :
évasion ou soumission ?

Avant la guerre, Paris était l'incontestable capitale de la culture française ; Paris édictait la loi du beau et du goût, et la province suivait. Le découpage de la France résultant de la défaite diminua un peu ce rôle primordial, mais il ne le supprima pas. Certes, dans ce domaine aussi, les diverses lignes de démarcation se fermèrent comme des frontières hermétiques. Pour des raisons politiques plus que matérielles, bien que les difficultés de circulation aient joué un rôle négatif non négligeable, l'air de Paris ne se répandit plus comme autrefois vers tous les points cardinaux ; vu de Vichy, en particulier, il apparaissait trop chargé d'effluves allemands. D'autre part, de nombreux artistes et écrivains avaient quitté Paris pour chercher un refuge en zone non occupée. Enfin, le régime de Vichy protégea une activité culturelle inspirée par la Révolution nationale ; elle se traduisit en zone non occupée par des livres, des films, des représentations théâtrales, des émissions de radio ; un début de décentralisation, pour le théâtre notamment, provoqua une timide résurgence des cultures provinciales.

Mais Paris demeura un grand phare brillant de tous ses feux ; les grands journaux, sauf quelques exceptions[1], y étaient demeurés ou revenus ; les éditeurs étaient restés sur place ; les spectacles avaient repris ; la production de films également. Si, sur le plan matériel, l'appauvrissement de Paris, nous l'avons vu, devint tragique, par contre l'activité littéraire et artistique ne connut apparemment aucune restriction, ni diminution ; des œuvres fortes furent créées, de nouveaux talents s'affirmèrent, qui se confirmèrent après la Libération. Le contraste est frappant entre les boutiques vides de marchandises et les salles de spectacle bondées de spectateurs ; ce sont les livres qui se vendent comme des petits pains ; très rares sont les créateurs, écrivains, musiciens, peintres, sculpteurs, metteurs en scène, célèbres avant la guerre, qui estiment que les circonstances leur font un devoir de s'abstenir. Tous s'expriment, et bien.

Mais aucun ne peut le faire sans l'agrément de l'occupant. Cette liberté de création est une liberté surveillée ; cette floraison multicolore est sortie de

---

1. *Le Temps* et *Le Figaro,* notamment, repliés à Lyon.

semis allemands, qui ont nom autorisations, participations, subventions. Nous retrouvons dans ce domaine l'ambiguïté déjà relevée pour la mode. Faut-il voir dans cet épanouissement — le mot n'est pas trop fort — de la culture française, une volonté de survivre aux malheurs de la Patrie, et de ne pas ajouter, à la défaite des armes, celles des plumes, des tréteaux, des écrans et des palettes ? Ou, au contraire, puisque l'occupant encourageait de multiples façons cette affirmation de l'esprit français, puisque certainement il en tirait parti, ne convenait-il pas d'opposer à ses avances ce silence dans la dignité que Vercors a magnifiquement appelé le « silence de la mer » ? D'autant plus que des profits matériels de toutes sortes s'ajoutaient aux succès des livres, des expositions ou des concerts. Où était le devoir ? Quelle était la bonne voie ?

Les institutions allemandes

Dans le conflit qui opposait Ribbentrop à Goebbels pour la direction de la propagande allemande à l'étranger, Hitler avait tranché en faveur de Ribbentrop. C'est donc une directive du ministère des Affaires étrangères qui a précisé, le 30 novembre 1940, les caractères de la politique culturelle dans les territoires occupés ; elle ne devait pas poursuivre de buts propres, mais « agir selon des critères purement politiques ». Le but n'était pas, en exaltant la culture allemande et en la propageant, « de stimuler et d'inspirer les cercles artistiques de l'étranger », mais « d'éveiller chez ceux-ci des opinions de nature à *assurer à la politique étrangère allemande les meilleures conditions pour atteindre ses objectifs* ». Autrement dit, l'appui donné, le cas échéant, à une expression culturelle française, ne devait avoir pour but que de faire mieux accepter l'asservissement de la France à son vainqueur.

Sur ce principe, les diverses autorités allemandes sont pleinement d'accord ; elles divergent seulement sur les modalités tactiques d'application. Le 18 juillet 1940, les services de la propagande en France avaient été rattachés au commandant militaire (section I c des renseignements militaires). Lorsque Abetz fut intronisé comme responsable politique, il voulut évidemment assumer la responsabilité de la propagande, ce qui n'alla pas sans quelques heurts. Et, comme, en définitive, pour le matériel et les spécialistes dont ils avaient besoin, tous devaient s'adresser au ministère de la Propagande, l'influence de Goebbels, un troisième pouvoir, ne cessa de croître, pour souvent s'imposer. Mais encore une fois, sur le fond, tous étaient d'accord.

A Paris, les services de la *Propaganda Abteilung* étaient logés à l'hôtel Majestic ; la « propaganda staffel » du « Gross-Paris », 52, avenue des Champs-Elysées. Sous la direction du Dr Kaiser, celle-ci se composait de groupes (ou referaten) chargés respectivement de : la presse, la culture, la littérature, la « propagande active ». la radio et le film. Pour la diffusion de son matériel de propagande — collage d'affiches, distribution de tracts — elle disposait d'équipes « d'hommes de confiance » recrutés par la police secrète militaire, qui servaient également d'indicateurs en rapportant les conversations entendues, principalement sur les marchés. Un « lektorat » était chargé de collationner les articles de presse. Seuls les responsables centraux étaient des spécialistes, journalistes, écrivains, éditeurs ; les exécutants étaient des militaires qui devaient apprendre leur métier, ce qui n'allait pas sans maladresses ou erreurs.

Le but poursuivi est triple : informer le MBF, et par la suite Berlin, sur les sentiments et les pensées de la population française, de façon à instruire les « décideurs » ; exercer une vigilante censure pour couper court à toute expression d'une opposition ou d'une critique françaises à l'égard de l'occupant ; enfin, par une « propagande active », convaincre les Français de la puissance allemande et du caractère nécessaire de la « collaboration ». Ensemble de tâches qui impliquent une entente étroite tant avec les services de police qu'avec ceux du renseignement et du contre-espionnage. Il ne saurait être question d'art pour l'art, ni d'activité culturelle trouvant en elle-même sa fin.

Un but plus lointain, mais essentiel, et Goebbels y tenait beaucoup, devait être obstinément poursuivi : détruire l'influence intellectuelle de la France dans le monde, pour lui substituer l'influence allemande. De là, un plan de prise de possession des institutions de la culture (presse, radio, films), par l'investissement de capitaux allemands, afin de les dominer d'abord, pour mieux pouvoir les asservir ensuite ; de là aussi, la collusion de la propagande avec les organismes responsables du pillage des œuvres d'art, de façon, en la privant de ses richesses artistiques, à enlever à la France, et surtout à Paris, le grand prestige qu'elles leur conféraient dans les pays étrangers[2].

A l'Ambassade, le service de l'information était composé d'intellectuels, ou de diplomates, prompts à relever les erreurs commises par les militaires, et fort désireux de les remplacer. Après une période de rivalité entre les deux groupes, un accord fut conclu en juillet 1942. La Propaganda Abteilung qui, seule, possédait les moyens nécessaires pour rayonner dans toute la zone occupée, conserva l'essentiel, c'est-à-dire la censure, la « propagande active », la presse et la radio. Mais l'Ambassade reçut la charge des « relations et des échanges culturels », c'est-à-dire de la diffusion des films, des invitations en Allemagne, de la littérature et des conférences ; son action ne s'adressa pas à une masse française mal différenciée ; elle s'exerça de

2. E. DUNAN, « La Propaganda abteilung en France », *Revue d'histoire de la Deuxième Guerre mondiale*, n° 4, octobre 1951 ; Cl. LÉVY, « L'organisation de la propagande allemande », *ibid.*, octobre 1966 ; H. MICHEL, « Aspects politiques de l'occupation », *ibid.*, octobre 1964.

façon ponctuelle sur des personnalités dont le rayonnement était connu, et dont l'adhésion, rendue publique, pouvait déterminer celle de fractions importantes de la population. Si la Propaganda-Abteilung continua à dominer en province, l'ambassade régna sans contexte à Paris, au point que la « Propaganda staffel » du « Gross-Paris » fut supprimée le 15 novembre 1942 ; des mutations furent alors opérées. Il semble que les militaires n'aient pas réagi avec une extrême rigueur, peut-être parce qu'ils avaient l'intime conviction de n'avoir pas très bien réussi, ou que ces tâches ne les amusaient pas. Le major Schmidtke, « commandeur de la propagande », semblait le reconnaître quand il écrivait que, « de tous les peuples défaits, le peuple français était le plus difficile à influencer ; c'était le résultat d'un processus historique complexe ».

On pourrait résumer la tactique adoptée par les services de l'Ambassade par le dicton qu'on attrape plus de mouches avec du miel qu'avec du vinaigre. Si la censure demeura vigilante pour éliminer les influences anti-allemandes et juives ; si l'épuration des bibliothèques et des librairies fut activement poursuivie par l'exclusion d'ouvrages dont les auteurs figuraient sur des listes noires ; si on s'efforça de faire mieux connaître en France la culture allemande, en multipliant les concerts, les expositions, les représentations théâtrales, ou la projection de films, l'essentiel de la politique de l'ambassade consista à donner à l'intelligentsia française l'impression que, non seulement on ne recherchait pas sa disparition ni son effacement, mais qu'on s'employait même à faciliter sa permanence et son expression, pourvu qu'elle ne s'égarât pas trop en dehors des voies qui lui étaient tracées. L'idée conductrice est qu'une activité intellectuelle et artistique française peut être un exutoire au nationalisme et à un réveil de l'esprit de revanche ; elle peut jouer également le rôle de dérivatif des difficultés de l'existence quotidienne. Ainsi s'exprimait, dans le domaine culturel, la politique à l'égard de la France d'un Abetz désireux d'amener les Français à collaborer volontairement avec leurs vainqueurs[3].

C'est dans ce sens que fut définie la mission de *l'Institut allemand* à Paris. Sa direction fut assumée par le Dr Epting, responsable avant la guerre des échanges universitaires franco-allemands. L'Institut relève en théorie de l'Académie de Munich et du ministère de l'Instruction publique à Berlin ; en fait, son contrôle est confié à l'Ambassade. Il est divisé en « sections » concernant : les Eglises, la « question juive », la littérature, les publications sociales... et « l'augmentation du rendement ». Leur seul énoncé suffit à montrer l'intention politique masquée sous la couverture culturelle. L'Institut s'installe 54, rue Saint-Dominique ; l'adjoint d'Epting, K. H. Bremer,

---

3. Procès Abetz, CDJC.

y est l'œil et le bras d'Abetz — du moins jusqu'en 1942, où il sera envoyé sur le front russe.

L'Institut ouvre au public français la bibliothèque du service d'échanges universitaires, après avoir « épuré » ses 12 000 volumes[4]. Il organise des cours d'allemand gratuits à la Sorbonne, qui recueillent le premier mois 5 000 inscriptions. Il publie sa propre revue, *Deutschland-Frankreich* et diffuse des *Cahiers franco-allemands* édités à Karlsruhe. Il fait venir d'outre-Rhin d'éminents conférenciers, qui s'expriment en français, et qui replacent habilement le national-socialisme dans la tradition culturelle allemande, sous le signe rassurant de ces valeurs sûres que sont Goethe, Schiller ou Hölderlin, à qui sont consacrés des « cahiers » spéciaux. Le premier, le Dr Gross, vint parler le 25 octobre 1940 de l'organisation sociale du IIIe Reich ; le lendemain, le Dr Funke rappela la richesse de la poésie allemande. Ainsi alternent les thèmes sur l'Allemagne éternelle et sur la révolution nazie, le tout dans une habile et vaste entreprise de démythification des relations franco-allemandes au cours des siècles : « Les Germains étaient-ils des barbares ? L'Autriche et l'Allemagne dans l'histoire moderne ; la formation de l'unité allemande ; l'Europe voulue par Hitler » (une spécialité du « Professeur Grimm ») ; l'économie agraire du IIIe Reich ; la recherche médicale, les vitamines ; « faisons la paix franco-allemande », etc. Tout cela agrémenté de concerts, de prêts de livres, de traductions d'ouvrages allemands en français et d'ouvrages français en allemand.

Souvent les conférences ont lieu devant un public prédisposé à en faire son miel : le groupe « collaboration » par exemple ; ainsi Heinrich Von Srbik, prophète de « l'idée allemande totale » vient exalter le concept de « Volkstum » allemand. Mais c'est à des auditoires plus composites, plus huppés, et moins prévenus, que Fr. Sieburg offrit sa vision de la façon dont la France pouvait participer à la construction de l'Europe, et que « le professeur Grimm » termina sa démonstration sur le « destin commun de l'Allemagne et de la France » par une citation extraite de Victor Hugo : « L'Allemagne est le cœur de l'Europe, la France sa tête ; l'union des deux assurerait la paix du monde ».

Cette lente progression des thèmes allemands dans les esprits de l'élite intellectuelle française s'accompagne de mondanités, réceptions ou dîners, auxquels, en ces temps de restrictions alimentaires, peu refusent de participer. Dans un livre de souvenirs, le Dr Epting s'est fait un malin plaisir de citer les écrivains, les journalistes, les éditeurs, les artistes, tous de grand renom, qui se pressaient à ses invitations, chacun se rassurant par la présence des autres ; il n'y manque personne. A son procès, Abetz a proclamé que

---

4. HERZTEIN, « Le parti national-socialiste face à la France », *Revue d'histoire de la Deuxième Guerre mondiale*, octobre 1981 ; Pascal ORY, *op. cit.*, p. 55-56, 275-278 ; P. AUDIAT. *op. cit.*, p. 52-55 ; LE BOTERF, *op. cit.*, t. II, p. 192-193.

« l'activité scientifique et littéraire française était due, pour une grande partie, à la protection et à l'aide fournies par l'Institut allemand et, de façon générale, par l'Ambassade ». Il n'avait pas tort ; dans tous les domaines, l'emprise allemande s'était appesantie, les directives de l'occupant orientaient la production ; l'expansion culturelle était donc favorisée, mais à la condition de servir uniquement, non la conservation et l'affirmation de la culture française, mais les objectifs de la politique de l'Allemagne nazie. Et le succès obtenu fut incontestable, du moins tant que durèrent les victoires de la Wehrmacht.

Une presse dominée, orientée, servile et vénale

En 1940, la télévision balbutiait. C'étaient la Presse, la « Télégraphie sans fil » (TSF, ainsi était alors appelée la radiodiffusion) et, à un degré moindre, le cinéma, qui informaient l'opinion ; sur ces trois « médias », l'emprise allemande fut totale. Pour la Presse, elle se réalisa par la prise de possession des agences et des journaux, et alla jusqu'à l'achat des talents et des consciences, en passant par une censure très stricte et une direction très surveillée de l'information. Paris fut au centre de ces opérations.

Dès le 14 juin 1940, l'ancien directeur du bureau parisien de l'agence allemande DNB, installait au 114 des Champs-Elysées, sous la direction d'un Allemand, le capitaine Hermès, « l'Agence française d'information et de presse » (AFIP), à qui est attribué le monopole de l'information en zone occupée ; l'agence alimente les journaux par des « bulletins », une « correspondance politique » et des « lettres confidentielles ». Pour donner l'illusion d'un pluralisme d'interprétations des événements, seront fondées ultérieurement d'autres agences, moins lourdes, théoriquement privées, mais toutes entièrement soumises à la Propaganda-Staffel : « Inter-France-Information » du critique de disques et adhérent de « l'Action française », Dominique Sordet, et « Trans-Océan », carrément allemande, elle, et chargée de préparer le terrain pour une mainmise allemande durable après la guerre.

Le danger fut, bien sûr, clairement perçu à Vichy ; le gouvernement français essaya d'imposer en zone occupée la prééminence de « l'Office français d'information » (OFI), qui avait remplacé l'Agence Havas, nationalisée. Mais, là encore, il lui fallut passer sous les fourches caudines de l'occupant. En août 1942, celui-ci admit bien la présence de l'OFI à Paris, et il accepta même son contrôle théorique, mais contre la cession par l'Office de toutes ses agences à l'étranger. Ce qui n'empêcha pas une critique tatillonne de l'OFI, qui n'avait même pas la libre disposition des transmissions avec Vichy. Et ce qui devait arriver arriva. A force de voir ses papiers censurés, l'OFI se plia aux exigences allemandes avec une telle servilité que le Dr Eich, chef du « groupe presse » à la Propaganda Abteilung, louait ses dépêches commentées et les donnait en exemple. Ainsi l'occupant s'était assuré le contrôle total de l'information à la source[5].

L'autre branche de Havas, consacrée à la publicité, donna lieu à des tractations analogues conduisant à une identique conclusion. Dans une nouvelle société, 47,6 % des actions furent attribuées au groupe allemand Mundus ; il lui suffirait d'exercer quelques pressions sur les anciens propriétaires pour obtenir la majorité. Les Allemands imposèrent dès lors des administrateurs de leur choix, obligèrent l'administration française à réserver toute sa publicité à Havas, et achetèrent par celui-ci le journal financier *L'Information*. Quant à la diffusion de la presse, elle était assurée, avant-guerre, par les Messageries Hachette, qui écoulaient chaque jour 8 millions de feuilles ; dès juin 1940, l'occupant réquisitionna les bureaux et le matériel, et créa une « Coopérative des journaux français » qui, sous la direction du lieutenant Weber, s'assura le monopole du transport et de la diffusion des journaux en zone occupée. Enfin, le syndicat des journalistes fut dissous, et remplacé d'abord par une « Chambre de la presse », puis par une « Corporation », en juin 1941, créée en violation de la législation de Vichy, mais seule habilitée désormais pour régler les problèmes entre employeurs et employés.

Maîtres de la collecte et de la diffusion des nouvelles, de la publicité dans les journaux, de leur transport, et pratiquement du recrutement et des conditions de travail du personnel, les Allemands ont désormais tout intérêt à laisser paraître une presse abondante et apparemment diverse, d'autant plus que leur contrôle s'exerce dans toutes les étapes de sa parution. Ainsi il est nécessaire, d'abord, pour faire paraître un journal, d'obtenir l'autorisation de l'occupant, qui peut toujours la retirer, et il faut aussi remplir certaines conditions ; d'abord, certifier qu'on n'est pas Juif, ni franc-maçon, et qu'on n'est pas en relations d'affaires avec des Juifs ; et cela au cours de trois générations ; les mêmes assurances doivent être fournies pour le conjoint et les collaborateurs de la publication. Une enquête est alors entreprise, sur les antécédents politiques du postulant, par la police de sécurité militaire. L'autorisation obtenue, l'approvisionnement en papier journal, de plus en plus rare, et de plus en plus cher, ne peut être assuré que grâce à l'obligeance d'un service de répartition du MBF, régenté par le Dr Klecker ; cette attribution comporte un numéro de contrôle, qui doit être porté sur tout imprimé. Il ne reste plus qu'à trouver les locaux, ou les faire

5. Cl. Lévy, « L'organisation de la propagande allemande », in *Revue d'histoire de la Deuxième Guerre mondiale*, octobre 1966 ; M. B. Palmer, « L'Office français d'information ». *ibid.*, janvier 1976.

6. R. Aron, *Histoire de l'épuration*, op. cit., t. III, vol. I, p. 153-159 ; témoignage de J. Jeauffre, in *La Vie de la France sous l'occupation*, op. cit., t. I, p. 62-63 ; P. Audiat, *op. cit.*, p. 45 ; *rapport des renseignements généraux* du 7 octobre 1940.

réquisitionner, mais ce n'est guère possible qu'avec l'appui de l'autorité allemande[7].

Une fois lancé, le journal est attentivement suivi par toutes les bonnes fées allemandes qui se sont penchées sur son berceau. Toutes précautions sont prises pour qu'il marche droit et ne trébuche pas. Des conférences sont organisées deux fois par jour pour les questions politiques et militaires, et trois fois par semaine pour les questions économiques, et chaque journal doit y être représenté. Les assistants y reçoivent les consignes venues de Berlin, et écoutent les commentaires des responsables du service de presse de l'ambassade, dont ils doivent s'inspirer pour leurs relations, et leurs interprétations, des événements.

Pour s'assurer que tout le monde a bien compris, ou que personne ne fait la mauvaise tête, dès juin 1940 — décidément tout avait été prévu — une ordonnance a imposé aux directeurs de journaux — aucun pourtant ne paraissait encore à ce moment — de déposer leurs morasses au bureau de presse. La censure s'exerce sur les éditoriaux et la présentation des nouvelles surtout, mais aussi sur les reportages, les critiques (de livres, de théâtre, de films), les programmes de radio, les feuilletons. Comme toute censure, celle de l'occupant caviarde et découpe au ciseau ce qui lui déplaît. Cependant, malgré tout leur zèle, ses membres ne sont ni assez nombreux ni assez experts, pour que rien n'échappe à leur sagacité. Aussi bien, à partir de 1943, chaque rédacteur en chef est rendu personnellement responsable de la prose de ses collaborateurs. Pour mettre toutes les chances de son côté, il arrive que l'ambassade fournisse même la substance des articles de fond[8].

Dans ces conditions, comment s'étonner que le communiqué allemand figure toujours en bonne place à la première page ? D'autant plus que la meilleure façon d'éviter tout ennui, et tout risque, était, tout simplement, d'acheter les journaux et les hommes ; ce dont l'occupant ne se priva pas. C'est ainsi que, mandaté par la Propaganda Abteilung, un homme d'affaires nommé Hibbelen, qui se fait passer tantôt pour belge, tantôt pour sarrois, constitue un imposant trust de presse ; tout simplement, une autorisation de faire paraître un journal n'est accordée que si le fondateur accepte d'être financé par Hibbelen. Quant à ceux qui paraissent déjà, des accommodements sont toujours possibles avec les fanatiques ou les affairistes qui les dirigent. A la fin de l'occupation, Hibbelen contrôlait 8 sociétés anonymes, 14 sociétés à responsabilité limitée, et 49 journaux paraissant en zone occupée, dont 50 % de la presse parisienne. Il s'était introduit jusque dans les journaux de modes, les publications commerciales, les guides de

---

7. G. WALTER, *op. cit.*, p. 63-76 ; *Vobif* n° 61 13 mai 1942.
8. E. DUNAN, art. cit. ; Cl. LÉVY, art. cit., in *Revue d'histoire de la Deuxième Guerre mondiale*

tourisme, et les publications de vulgarisation scientifique, comme « Science et voyage »[9]

Lorsque la presse n'est pas totalement achetée, elle est subventionnée. Elle l'est par Vichy, avec des fonds provenant de la loterie nationale — les journalistes n'avaient pas besoin de prendre des billets pour gagner ! Ainsi, en 1943, le ministre des Finances Cathala accorde 4 120 000 F aux *Nouveaux Temps...* et directement, de la main à la main, 1 440 000 F à son directeur Luchaire ; 3 millions au *Petit Parisien* et 860 000 F au *Matin ;* mais Abetz qui, pour ses œuvres de charité bien ordonnées, dispose entre 300 millions et un milliard de francs par an, peut se permettre de se montrer encore plus généreux, en donnant deux millions au *Matin,* par exemple ; surtout, bénéficient de sa manne les journaux à qui leur anti-vichysme agressif ôte toute espérance du côté du gouvernement français — tels *L'Œuvre, La France au Travail,* puis *La France socialiste.*

Devant de tels arguments, comment les directeurs de journaux ne seraient-ils pas convaincus ? D'eux-mêmes, ils se ruent vers la servitude. Ainsi, le propriétaire du *Petit Parisien,* P. Dupuy, « bien avant l'entrevue de Montoire », avait-il coutume de rappeler, s'était entouré de collaborateurs « connus des Allemands » et s'était empressé de taxer Léon Blum « de sectarisme judéo-maçonnique » ; pour mettre tous les atouts de son côté, Pierre Dupuy avait aussi quémandé la protection de Mussolini, « dans un esprit de collaboration internationale pour une Europe pacifiée, laborieuse et prospère ». Il faut croire que *Le Petit Parisien* rendit encore à l'occupant plus de services qu'on ne peut en déceler puisque, en octobre 1942, quand son fondé de pouvoir se retira, il reçut « quitus... du chef d'état-major économique allemand, le Dr Michel »[10].

Dans ces conditions, la presse ne manque pas de collaborateurs, au double sens du mot ; rarement, elle a aussi bien nourri ceux qui la servent et servent les Allemands. En effet, alors que les salaires sont bloqués, la Corporation de la presse réussit à augmenter de 80 % ceux des rédacteurs, de 70 % ceux des ouvriers — ce qui ne leur permet cependant pas de rattraper le prix de la vie. Mais, pour eux-mêmes, les patrons haussent sensiblement les mises ; le barème corporatif, pour eux, n'est pas respecté ; ainsi un éditorialiste reçoit, en 1944, 150 000 F par an, au lieu des 83 000 réglementaires ; un rédacteur en chef, 24 000 F par mois, au lieu de 9 750 ; quant aux directeurs, des gains astronomiques ne leur sont certes pas interdits ; 50 000 F par mois, avec autant pour « leurs frais » ; plus les ristournes sur la publicité et les discrètes

9. *Procès Luchaire, op. cit.,* p. 447-448 ; Cl. LÉVY « La presse de la collaboration en zone occupée », in *Revue d'histoire de la Deuxième Guerre mondiale,* octobre 1970.

10. E. JÄCKEL, *op. cit.,* p. 17-18 ; *Procès Luchaire, op. cit.,* p. 445-457 ; Francine AMAURY, *Histoire du plus grand quotidien de la IIIᵉ République,* PUF, t. II, p. 1318-1322.

enveloppes « personnelles ». A quoi s'ajoutent tous les avantages de la « vie parisienne », plus brillante que jamais dans les réceptions, les grands restaurants, les boîtes de nuit — et aussi la possibilité d'échapper, pour leurs entreprises, aux multiples ennuis de l'occupation, à commencer par le STO.

L'habileté et la réussite de l'occupant se lisent dans l'éventail de la presse parisienne. On peut y percevoir à la fois la diversité et la continuité. Le Parisien tient à son journal ; aussi les titres et la présentation ne sont-ils pas changés pour ceux qui paraissaient avant-guerre ; chaque journal comporte toutes les rubriques que l'abonné attend ; à côté des articles politiques figurent ainsi des contes, des récits historiques, des analyses littéraires, la rubrique du sport, les échos mondains, avec une large place laissée aux conseils pratiques. Les journaux strictement allemands, la *Pariser Zeitung*, l'hebdomadaire *Signal*, ne cachent pas leur origine. Mais, pour les autres, la présence dominatrice allemande n'est pas visible à l'œil nu ; les 9 quotidiens politiques, les 16 hebdomadaires et revues, les quelques centaines de feuilles sportives, médicales, professionnelles, commerciales, financières, continuent à être, apparemment, la propriété de particuliers, souvent les mêmes qu'avant-guerre.

En fait, les changements sont profonds ; le même titre, l'*Œuvre* par exemple, sert une nourriture intellectuelle aux antipodes de celle à laquelle ses lecteurs étaient habitués. La presse n'exprime plus l'opinion, même si certains organes paraissent s'adresser à un public particulier, mais seulement ce que l'occupant veut, ou accepte, qu'elle dise ; de là, une grande monotonie, sous le semblant de variété. La presse ne vit plus selon les lois du marché ; son existence est garantie si l'occupant le veut, même si elle ne se vend pas, ou mal ; ses moyens en papier, en encre, en transports, en crédits, c'est l'Allemand qui les lui procure. En échange, sa mission, et sa survie en dépend, c'est d'orienter l'opinion dans le sens que son vrai patron lui a fixé.

Le thème essentiel, continuellement répété, que l'occupant lui impose, est le caractère bienfaisant de la victoire allemande — difficile à faire avaler par des vaincus qui crient famine, à défaut de pouvoir crier vengeance — et les lendemains radieux qu'entrouvre une collaboration volontaire et illimitée. Les variantes s'appellent : invincibilité de la Wehrmacht, méfaits du bolchevisme et de la démocratie, haine des Juifs et des « judéo-ploutocrates », condamnation du « gaullisme » et du « terrorisme », critique de Vichy. Pour cette besogne mercenaire, il est triste de le constater, les volontaires ne manquent pas ; les talents non plus.

Ni les outrances. Ainsi Georges Suarez, historiographe de A. Briand, connu pour son pacifisme avant-guerre, présente la défaite française « comme une de ces épreuves utiles, qui concourent au salut des peuples », et loue, à longueur de colonne, « le tact, la courtoisie, la civilité de l'occupant », pour faire ensuite l'apologie de la délation, dénoncer en de

Gaulle « le traître et le felon » et applaudir aux exécutions d'otages. Ainsi, le barde barbu, A. de Chateaubriant, exprime, dans son lyrisme délirant, de l'admiration pour « les traits équilibrés, les sens qui expriment le maximum de l'éveil, d'un Adolf Hitler qui a en lui l'Amour ». Son admiration va aussi « au dos plein et pur, du Führer, comme un tuyau d'orgue, pas cabossé par les seules passions de la politique ». Cette Presse a battu les records de la servilité et du délire verbal — il est d'ailleurs arrivé que ses censeurs allemands blâment ses excès de germanophilie.

Mais sa monotonie comme ses outrances ne l'ont pas servie. Elle a subi elle aussi, malgré tous les privilèges dont elle jouissait, les conséquences de la pénurie. Faute de papier, malgré les achats au marché noir, elle dut réduire son format ou sa longueur : *Le Matin* passa ainsi de 4 pages en 1941 à deux en 1944. Elle eut à pâtir de l'usure des machines, du manque de lubrifiants, de la raréfaction de l'énergie. La division de la France en zones hermétiques, les difficultés des transports, diminuent ses ventes en province ; ses recettes de publicité baissent de moitié en quatre ans. Surtout, ses lecteurs la boudent ; les périodiques spécialisés gardent leur clientèle ; mais, dans les autres, les Parisiens vont surtout chercher ce qui les intéresse pour la vie de tous les jours : les nouvelles du ravitaillement. Tous les journaux bouillonnent à 20 %, mais ceux qui expriment les mouvements de collaboration plus encore. Les journaux dits « d'information » résistent mieux, mais cependant leur tirage ne cesse de baisser (de moitié pour *Paris-Soir*). Quarante Parisiens sur cent achetaient un journal en 1939 ; 23 seulement le font en 1944. Une telle dégradation impose la conclusion d'un constat d'échec [11].

« Radio-Paris ment »

A la Propaganda Staffel de Paris, le groupe radio a la responsabilité des émissions de musique, du « journal parlé » et des variétés. Tout en continuant à payer le personnel, le gouvernement français mit à la disposition du Dr. Bofinger, ancien directeur de Radio-Stuttgart, trois postes d'Etat et deux postes privés, dont l'ensemble, ainsi regroupé, devint « Radio-Paris. » En outre quelques émetteurs furent laissés au service, directement, de la Wehrmacht. L'émission la plus importante était évidemment celle du « Journal parlé », alors très écoutée, confiée aux officiers Haefs et Morenschild ; les autres étaient conçues pour plaire aux auditeurs, en les dérangeant le moins possible dans leurs habitudes et en leur proposant les programmes,

---

11. H. MICHEL, Cl. LÉVY, « La presse autorisée de 1940 à 1944 », in *Histoire générale de la presse*, PUF, t. IV, 1975 ; réquisitoire au procès G. Suarez, Cour de justice de la Seine ; H. AMOUROUX, *op. cit.*, t. III, p. 210.

et les vedettes, dont ils avaient l'habitude ; mais le « journal parlé », inlassablement, s'employait à faire accepter la vérité allemande des événements.

Comme pour la presse, les collaborateurs français de la radio allemande sont bien payés, surpayés même ; les commentateurs ont leurs salaires quadruplés en quatre ans, alors que, nous l'avons vu, la masse salariale demeure à peu près fixe ; quant aux « artistes », on leur offre un pont d'or avec des cachets qui peuvent atteindre 60 000 F. Et ces gains ne sont pas déclarés au fisc.

Aussi bien, les volontaires ne manquent pas. Aux côtés du Dr Friederich, que Pierre Audiat décrit comme « insinuant et parfois spirituel », et dont les commentaires portent beaucoup sur le public, s'agite un homme de lettres suisse, G. Oltramare qui, sous le pseudonyme de « Dieudonné », apporte de soi-disant observations « d'un neutre » — une sorte de contrepartie aux commentaires, très écoutés, de R. Payot sur « Radio-Sottens » [12]. En janvier 1942, Hérold-Paquis fut engagé comme chroniqueur militaire.

La plupart des collaborateurs se font entendre à la tribune exceptionnelle qu'est pour eux Radio-Paris. Les plus assidus sont Robert de Beauplan, Jacques de Lesdain, Georges Suarez, Lucien Rebatet, Paul Chack, Ramon Fernandez et, surtout, Philippe Henriot. Les artistes à la mode se succèdent dans des « émissions de prestige », de théâtre, de chansons, de variétés ; tous répondent à l'appel des nouveaux dispensateurs d'argent et de gloire ; les noms de Maurice Chevalier, Tino Rossi, entre autres, reviennent souvent.

« Radio-Paris » dispense 7, puis 10 bulletins d'information par jour, plus une revue de Presse par Jean Loustau. Chaque matin, Haefs et Morenschild convoquent les éditorialistes et leur donnent connaissance des directives venues du ministère de la Propagande à Berlin ; ces conférences sont consignées sur un livre, à l'intention des absents ou des distraits. L'information est complétée par l'écoute des radios étrangères et par la lecture des communiqués allemands et de la presse étrangère. Cela permet de doubler les émissions programmées par un matraquage de « nouvelles » ou de « directives » à un rythme, lors de graves événements, de 3 à 4 fois par heure d'émission.

Dans les premiers mois, la plupart des émissions destinées aux troupes allemandes étaient diffusées en allemand. La « rose des vents » inaugura les émissions soi-disant françaises ; chacune était présentée sous la devise « Pour une France propre, dans une Europe unie » ; on y condamnait en bloc l'Angleterre, le bolchevisme, la démocratie, la République. Des causeries particulières étaient consacrées aux Juifs et aux francs-maçons ; la LVF eut son quart

---

12. Le gouvernement suisse envisagea d'ôter la nationalité suisse à Oltramare ; il ne le fit pas parce que, en somme, estima-t-il, il ne nuisait pas à son pays.

d'heure quotidien. Une habile méthode consistait à interroger les auditeurs sur leurs désirs, ce qui avait le double avantage de donner une impression de libéralisme et d'obtenir d'utiles renseignements sur ce que pensaient les Français. Un autre procédé alternait la propagande avec la récréation ; des comédiens commentent les événements en couplets ; sur le style des chansonniers montmartrois, « Au rythme du temps » ne manque ainsi ni d'esprit ni de verve. Les thèmes principaux de la collaboration sont régulièrement traités sous des titres qui, parfois, les annoncent franchement, mais parfois aussi les masquent, comme « A la recherche de l'âme française », « Les grands européens », « Le trait d'union du travail » ; à partir de 1943, la louange des travailleurs partis en Allemagne, et la sévère condamnation des « actions terroristes », reviennent régulièrement comme des leitmotive. De façon générale, toutefois, les coups de grosse caisse sont évités ; les arguments sont insinués, plus qu'affirmés ; la conviction alterne avec l'interrogation, ou le ton faussement dubitatif et objectif. On retrouve ainsi, en France, toute la perfection d'une habile technique mise au point, en Allemagne, par les services du Dr. Goebbels, et qui avait fait largement ses preuves sur le peuple allemand [13].

Le succès fut incontestable au début. C'est que la radio, aujourd'hui si banale qu'elle est perçue souvent comme une sorte de bruit de fond, gardait encore, entre 1939 et 1945, le halo de mystère que lui conférait le miracle de sa pénétration à domicile, dans les foyers. Les postes récepteurs, volumineux et lourds, trônaient comme des divinités familières dans les salles à manger. Les voix entendues, sans qu'apparaissent les visages, ne pouvaient être que des voix amies s'adressant à chacun en confidence, dans le secret de son intimité. Le pouvoir de persuasion du speaker agissait en proportion de la réceptivité de l'auditeur, et tous deux sans commune mesure avec ceux de la Presse écrite. Des associations d'auditeurs, un échange constant de lettres, permettaient de prolonger les causeries, en les diversifiant en dialogues.

Mais la radio est une arme à double tranchant. Le même poste récepteur est apte à capter aussi bien les voix ennemies que les voix amies. C'est pourquoi le monopole accordé à l'occupant dans ce domaine, et dont le centre était à Paris, était particulièrement fragile, au point d'obliger l'autorité allemande à interdire formellement l'écoute de toute radio « non allemande », à sanctionner le colportage des « nouvelles hostiles au Reich », et à installer des stations de brouillage. En octobre 1941, le MBF menaça même les contrevenants des travaux forcés, voire de la peine de mort. Le romancier Céline réclama « la suppression immédiate des postes de TSF » ; Marcel Déat fit chorus ; le gouvernement de Vichy décida en mars 1943

---

13. Cl. LÉVY, « L'organisation de la propagande allemande », art. cit. ; LE BOTERF, *op. cit.* t. II, p. 320-329 ; Pascal ORY, *op. cit., passim.*

d'interdire la vente des appareils récepteurs, et l'occupant ne vit plus d'autre solution, en 1944, que leur saisie chez leurs possesseurs.

Il était bien tard. Rien n'avait pu empêcher les Parisiens d'écouter Radio-Vichy, du moins tant qu'un peu d'espoir subsista d'un secours venu de zone libre, espoir définitivement évanoui en novembre 1942. Surtout, plus la guerre évoluait, plus la vérité sur la situation des armées leur paraissait exprimée, outre les radios suisses, par les émissions de la BBC, écoutées religieusement en famille, tous ses membres serrés à 20 heures autour du poste, comme autour d'un autel ; des émissions au cours desquelles la voix flexible de Jean Oberlé susurrait, avec une pénétrante conviction, sur l'air célèbre de « La Cucaracha » : « Radio-Paris ment, Radio-Paris est allemand »[14]. Mais, pendant des années, celles des victoires, la propagande allemande avait régné, sans partage.

Des films allemands « sérieux », des films français « frivoles »

En matière de cinéma, la *Propaganda Abteilung* avait la responsabilité de la censure des films, et de toutes les questions techniques les concernant, ainsi que tous pouvoirs pour l'organisation de la profession cinématographique. L'ambassade, en l'occurrence, ne disposait que de la matière que produisait son rival, et qu'elle devait utiliser au mieux.

C'est donc le chef de l'administration militaire qui prit toutes les décisions concernant le cinéma en zone occupée. Le 26 novembre 1940, le MBF décréta que « quiconque collabore à la production cinématographique sous toutes ses formes, tant du point de vue intellectuel que technique... qu'il soit amateur ou professionnel, société, autorité de l'Etat ou communale, doit recevoir une autorisation du commandement militaire », celle-ci n'étant accordée que « si nécessité existe » et s'il n'y a pas « d'objection à la personne du demandeur » ; autorisation révocable bien entendu. L'autorité du gouvernement français en zone occupée était ainsi, une fois de plus, bafouée.

D'autres ordonnances prescrivirent de retirer de la circulation « tous les films sortis avant le 1er octobre 1937 », une mesure globale qui évitait de faire immédiatement le tri de ceux peu favorables à l'Allemagne, ou imposèrent un type de programme obligatoire des séances « pour tirer le meilleur parti de la pellicule », à savoir : les actualités (allemandes, bien sûr), un documentaire, un grand film. Interdiction fut faite de fabriquer ou de tirer

---

14. P. Audiat, *op. cit.*, p. 170-173 et 49-51. L'influence décisive de ces émissions dites « anglaises » sera étudiée dans le second tome de l'ouvrage.

des négatifs de films, assortie de l'obligation de déclarer les déchets de films et les vieux films. Devaient être explicitement autorisés : l'exploitation d'une salle de cinéma, la distribution des films, la fabrication et la vente de caméras et d'appareils de projection, ainsi que, naturellement, toute production, même de bandes de format réduit. Les mêmes sévères interdictions étaient formulées à l'égard des photographies, autorisées seulement après déclaration et examen des sujets ou objets devant être photographiés ; clichés et épreuves pouvaient être, à tout moment, confisqués.

Le Dr. Dietrich, responsable du cinéma à la Propaganda Abteilung, invite les responsables de la profession cinématographique à se grouper pour chaque branche de l'industrie (producteurs, distributeurs, exploitants, techniciens, acteurs), dès juillet 1941. Il a ainsi en face de lui un organisme responsable, dont il désigne lui-même les dirigeants, et qu'il charge d'appliquer ses décisions. C'est eux qui servent d'intermédiaires pour le dépôt de demandes des autorisations diverses ; l'organisme perçoit une redevance sur ses membres... et en réserve une partie à l'autorité allemande. Mais c'est Dietrich qui décide de l'octroi des cartes professionnelles, des programmes de production, de la répartition des bons-matières.

Tout cela a été décidé en dehors du gouvernement français, qui n'a même pas été informé. Aussi bien, commence-t-il à protester. Mais, après tout, le système corporatif n'est-il pas une des pièces maîtresses de la Révolution Nationale ? Le ministère de l'information, de qui dépend le cinéma, s'incline en définitive — c'est une règle, nous l'avons vu — devant l'autorité allemande ; il se félicite même que l'industrie cinématographique ne soit pas gérée directement, comme il l'avait redouté, par l'autorité militaire ; avec la corporation, pense-t-il, les intérêts français, une fois regroupés, pourront mieux être défendus. L'occupant est d'un avis contraire, qui pense, à juste titre, qu'il lui sera plus facile d'imposer sa loi [15]. Et qui le fait.

Ayant déterminé ainsi le cadre de son action, et pris ses précautions pour pouvoir commander à sa guise, l'occupant va, comme dans d'autres secteurs de l'industrie, assurer confortablement sa mainmise sur le cinéma français. Sur le plan commercial le rouage principal de sa pénétration est une filiale française de la société allemande de production UFA, qu'on appelle « la Continental ». Elle produira 30 des 220 films français tournés sous l'occupation (zone non occupée comprise). Ces films sont distribués par une société allemande existant déjà avant la guerre, « l'Alliance cinématographique européenne » ; elle diffuse notamment les « actualités mondiales » et passe des contrats de trois ans avec les exploitants des salles — qui risquent des sanctions s'ils ne les projettent pas.

---

15. *Vobif* des 16 septembre, 5 octobre, 20 octobre, 7 décembre 1940, 25 mai 1941 ; Paul Léglise, *Histoire d'une politique du cinéma français*, t. II, Pierre Lherminier, 1977, p. 28-40.

Par ailleurs, la Continental se dote d'un réseau important de salles de spectacles, en offrant des prix élevés et en profitant de « l'aryanisation » de la profession. Pour cela, elle a créé une filiale, la SOGEC, dont tous les capitaux, comme pour la maison-mère, sont allemands. Une autre société, franco-allemande celle-là, « France actualités », dans laquelle les Allemands sont minoritaires, leur donne cependant un droit de regard sur les bandes d'actualités produites sous le contrôle du ministère de l'Information à Vichy. D'autres participations, parfois pour le total du capital, sont prises dans les sociétés Filmatone, Siemens-France, Société d'industrie cinématographique, Tobis Films. Au total, l'occupant s'est rendu maître de 10 sociétés en investissant un capital de plusieurs centaines de millions de francs... fournis comme de règle, par l'indemnité quotidienne d'occupation. Dans le domaine de l'industrie cinématographique aussi, la France donne de l'argent à son vainqueur pour qu'il la dépouille, sans peine, et sans qu'il lui en coûte un liard.

Il faut ajouter que les firmes allemandes, Agfa pour les pellicules et Tobis pour les appareils de projection, dominent le marché français et que la Continental s'est réservé le monopole de l'exportation des films, sous le contrôle de l'ambassade. Enfin, les stocks de pellicules et de matériel divers ont été saisis, comme prise de guerre, les studios loués ou réquisitionnés, les salles de projection autorisées à rouvrir sous condition de collaboration. Bref, la mainmise sur le cinéma est aussi totale que sur la radio. Conclusion : si on ne veut pas être chômeur dans le cinéma, il faut travailler pour les Allemands. Aucune société française ne peut concurrencer la Continental ; faute de copies positives, la distribution des films français devient difficile.

En outre, sévit une rigoureuse censure. Une centaine de films doivent être retirés de la circulation, dont les films américains et anglais, mais aussi des œuvres françaises à résonance patriotique, donc anti-allemande, pour une bonne part tournés pendant « la drôle de guerre » (« Hitler m'a dit », « La ligne Maginot », « De Lénine à Hitler », « Marthe Richard »). Des films de pure fiction sont aussi interdits, si la censure croit y déceler une pointe anti-allemande. L'interdiction porte sur des contrats en cours [16].

Pour les films nouveaux, la censure qui existait déjà mais qui, jusque-là, n'avait comme objectif que la défense des bonnes mœurs, s'exerce à trois niveaux, après octroi d'une autorisation préalable à titre précaire ; une commission française du Comité d'organisation examine la synopsis du film, puis le découpage. Elle supervise ensuite le dialogue et le tournage ; naturellement, en cours de fabrication, le film subit ainsi d'importantes, et parfois désastreuses, modifications. La censure allemande n'intervient qu'a-

---

16 P ARNOULT, *op. cit.*, p. 341-342 ; P. LÉGLISE, *op. cit.*, p 50-52 ; *Comptes rendus de la Délégation... op cit.*, t. I, p. 440-441

près la réalisation : comme son verdict est sans appel, les auteurs ont dû pratiquer une rigoureuse autocensure pour se préserver de ses foudres. Ainsi les bandes d'actualités, dites « françaises », sont montées à Paris avec des documents allemands et le commentaire est visé par la censure allemande[17]. Pour donner un exemple, lorsque Sacha Guitry veut tourner un film sur « Désirée Clary », son scénario est d'abord refusé ; quand il l'a remanié, le Dr Dietrich lui impose la coupure d'une scène où la devise britannique « Honni soit qui mal y pense » est trop « mise en valeur » ; par contre, un pont d'or est offert à Sacha Guitry pour tourner un film avec « La Continental ».

Dans ces conditions, les occupants font montrer et dire tout ce qu'ils veulent au cinéma français. Leur attention se porte surtout sur les « journaux d'actualités » ; ils en imposent les thèmes et choisissent les séquences ; Hitler apparaît ainsi à peu près toutes les semaines[18] sur les écrans français, plus que le maréchal Pétain ; les scènes du front dominent, et alternent avec celles qui montrent les collaborateurs français, la LVF en particulier. Cependant, si les Allemands imposent partout leur propagande, ils laissent une grande marge de liberté au cinéma français de fiction. C'est Goebbels qui en a ainsi décidé. En mai 1942, il avait donné des « directives très claires » pour que « les Français ne produisent que des films légers, vides, et si possible stupides... Il n'est pas besoin de développer leur nationalisme ».

La propagande politique sur les écrans français est donc laissée à des films produits en Allemagne. C'est le cas de la *Marie Stuart* de Carl Froelich, violemment anti-anglais, du *Jeune Hitlérien* et du *Président Krüger*, tous deux réalisés par Hans Steinhoff, et du *Juif Suss*, de Veit Harlan. Les groupements de collaboration, en particulier, les projettent au cours de leurs meetings. On emmène aussi, pour les voir, les enfants de prisonniers, incités ainsi à admirer les œuvres des geôliers de leurs parents.

Quelques films français illustrent également les grands thèmes allemands. Ainsi *Forces occultes* dénonce la pourriture maçonnique ; *les Corrupteurs* et le *Péril juif* s'en prennent à l'influence néfaste des Juifs ; les bombardements alliés sur Paris donnent lieu à un reportage filmé ; le dessin animé *Nimbus libéré* se moque des Français naïfs grugés par la propagande britannique ; *Prisonnier, Permissionnaires, n'oubliez pas, Travailleurs de France*, montrent la vie, sous des couleurs attrayantes, des prisonniers de guerre et des requis du travail en Allemagne. A partir de 1943, apparaissent des bandes qui montrent les résistants comme uniquement tentés par l'argent, faisant dérailler des trains par perversité, extorquant de malheureux paysans.

17. PEVZNER, « Les actualités cinématographiques de 1940 à 1944 » *Revue d'histoire de la Deuxième Guerre mondiale*, octobre 1966 ; Sacha GUITRY, *Quatre ans d'occupation*, L'Elan, 1947, p. 312-314.
18. Le journal cinématographique des actualités est hebdomadaire

Scénaristes et réalisateurs gardent un anonymat prudent ; mais, dans son ensemble, la corporation du cinéma ne semble pas avoir éprouvé beaucoup de scrupules à travailler avec l'occupant ; les plus grandes vedettes n'ont fait aucune difficulté pour aller montrer leurs sourires en Allemagne, et célébrer au retour les mérites de l'Allemagne nazie.

Il est vrai que les films de franche collaboration étaient relativement rares ; ce qui domine, ce sont les films policiers, les comédies, les adaptations de pièces de théâtre ou d'auteurs célèbres, Balzac tout particulièrement [19] ; c'est-à-dire de quoi distraire les Parisiens et leur faire un peu oublier leur triste état. Ce qui est remarquable, c'est la qualité de certains de ces films. Pourtant, les difficultés sont grandes, par le manque de pellicules, de tissus, de courant, de décors. Pourtant aussi, nombreux sont les grands professionnels du cinéma qui ont quitté la France ; réalisateurs comme J. Renoir et R. Clair, acteurs et musiciens (D. Milhaud). L'occupation révèle une génération nouvelle d'auteurs de films de grand talent, comme Clouzot, Bresson, Becker, Cayatte, Daquin, Autant-Lara. Et le film français fait preuve d'une belle vitalité en produisant, en 1943, 82 longs métrages contre 75 avant la guerre et 62 en Allemagne [20].

Que les professionnels français du film aient ainsi réagi contre l'adversité et accompli de belle manière leur tâche en dépit de toutes les difficultés à surmonter, témoigne incontestablement en leur faveur ; se croiser les bras, se retirer sous sa tente, n'aurait servi qu'à laisser toute la place aux « collaborateurs ». Mais qu'en agissant ainsi, en distrayant les spectateurs, ils soient allés dans le sens désiré par Goebbels est une autre constatation d'évidence ; s'ils n'ont heureusement pas produit les « films stupides » désirés par le maître de la propagande du Reich, ils ont été des pourvoyeurs d'évasion, voire d'illusions, non des mobilisateurs des énergies. Et l'attitude de beaucoup d'entre eux laisse penser que les animait plus un esprit de soumission que d'opposition ; du moins tant que durèrent les succès de la Wehrmacht.

Fureur d'écrire, autocensure, rage de lire

Ainsi, le cinéma et la radio ont été tels que l'occupant les désirait, le premier jouissant d'une demi-liberté surveillée. Qu'en fut-il de l'édition, concentrée elle aussi à Paris pour au moins 90 % des sièges des éditeurs comme des livres publiés ? En fait, dans ce domaine, l'occupant n'investit pas beaucoup,

19. Très méfiante, l'opinion voit cependant des signes de collaboration là où elle n'existe pas , par exemple, dans *Le Corbeau* de Clouzot, qui donne une sinistre image de la province ; ou dans *l'Eternel retour*, dans lequel Jean Marais est considéré comme un parfait jeune nazi.

20. LE BOTERF, t. I, *op. cit.*, p. 137-157 ; F. COURTADE et P. CADARS, *Histoire du cinéma nazi*, E. Losfell, 1972 ; P AUDIAT, *op. cit* , p. 177-178, 238 ; P ORY, *op. cit.*, p. 85-90.

et il connut même quelques déboires auxquels il sembla se résigner. Ses succès, il les remporta facilement par « l'aryanisation » des maisons d'éditions Fernand Nathan (devenue F.N.), Calmann-Lévy (devenue C.L., puis Balzac) et Ferenczi. Il put aussi, sans difficultés, prendre des participations dans les éditions Sorlot (associé à une maison de Leipzig), Denoël et Cluny, pour une moitié de leur capital. Il ouvrit, en plein Quartier latin, la librairie « Rive gauche », au boulevard Saint-Michel.

Mais une tentative pour s'emparer de la maison Dunod échoua. Dunod était spécialisé dans des ouvrages de technologie et la publication de revues comme la *Revue générale de chemins de fer* ou la *Revue automobile*. Il fut question d'une collaboration avec un éditeur allemand de même catégorie, mais, les directeurs de Dunod montrant assez peu d'empressement, la *Propaganda Abteilung* n'insista pas. Il en fut de même avec Gautier-Languereau, qui publiait *La Semaine de Suzette* et *La Veillée des Chaumières*, c'est-à-dire des périodiques à grand tirage permettant de toucher la « France profonde » ; après quelques contacts, l'affaire n'eut pas de suite ; même échec et même résignation avec *Le Petit Echo de la mode,* qui tirait à un million d'exemplaires. En tout l'occupant n'investit que deux millions de francs dans l'édition[21].

Comment expliquer cette absence, en matière de livres, d'un appétit d'appropriation qui, dans tous les autres domaines, s'était montré si vorace ? Est-ce le résultat de la politique conciliatrice d'Abetz dans une des activités culturelles qu'il connaissait le mieux ? Ou bien, faut-il penser que les faibles moyens en personnel compétent que possédait la *Propaganda Abteilung* lui interdisaient de s'aventurer dans la gestion directe d'un genre d'entreprise caractérisé par sa diversité ? A moins que, tout simplement, la *Propaganda Abteilung* n'ait trouvé d'autres moyens, moins visibles et tout aussi efficaces, de contrôler et d'orienter l'édition française ?

Effectivement, constatation fut vite faite que les directeurs de maisons d'éditions acceptaient, sans guère soulever d'objections, de se plier à ses exigences. Beaucoup d'entre eux avaient déjà édité des livres allemands ; pourquoi ne pas continuer ? Quelques-uns vont au-devant des désirs allemands. C'est le cas de Bernard Grasset qui se prononce dès juillet 1940 pour « l'armistice de l'esprit », en remerciant le vainqueur de laisser subsister un certain « ordre français » ; de bon gré, Grasset se fait ainsi l'éditeur de la collaboration, notamment dans une nouvelle collection à bon marché intitulée *A la recherche de la France*. Les autres suivent le mouvement, et multiplient les traductions d'ouvrages allemands, des grands classiques d'abord, des auteurs contemporains aussi. L'habileté de la *Propaganda Abteilung* fut, dans ses relations avec les éditeurs, d'utiliser les services

21. P. ARNOULT, *op. cit.*, p. 343-344 ; P. ORY, *op. cit.*, p. 217.

d'Allemands journalistes, critiques littéraires, auteurs ou spécialistes de l'édition, bien connus de leurs collègues français, leur inspirant confiance, leur donnant l'impression d'être plus des conseillers amis, voire des protecteurs, que des maîtres tyranniques. Comment ne pas s'entendre avec de vieux amis de toujours, qui admirent la culture française et grâce à qui, semble-t-il, elle peut continuer à s'affirmer ? Et du côté allemand, pourquoi imposer des mesures trop contraignantes à des hommes si évidemment désireux de s'adapter aux circonstances, pourvu que les apparences soient sauves et qu'un semblant de liberté leur soit laissé [22] ?

D'autant plus que la *Propaganda Abteilung* possède des moyens de pression pratiquement sans réplique. Le premier est une censure de caractère idéologique, qui s'exerce même, et avec quelle vigueur, sur la masse des ouvrages existant dans les bibliothèques et les librairies, de façon à les épurer radicalement de toutes les œuvres qui, pour une raison ou pour une autre, ne sont pas dans la ligne désirée, et imposée. C'est le rôle dévolu à la « liste Otto », établie en octobre 1940, élargie en juillet 1942 et en mai 1943, et dont les éditeurs ont la faiblesse d'accepter, qu'elle soit présentée comme une initiative de leur part pour « contribuer à la création d'une atmosphère plus saine, et dans le souci d'établir les conditions d'une appréciation plus objective des problèmes français... Les autorités allemandes », continue le syndicat des éditeurs, « ont enregistré avec satisfaction cette initiative ». Parbleu ! Comment ne pas se réjouir de ne pas avoir à imposer la servitude à des gens qui s'y ruent spontanément [23] ?

Ainsi un millier de titres d'avant-guerre sont interdits à la diffusion, plus les traductions d'ouvrages anglo-saxons, polonais et, naturellement, juifs. Le côté comique de cet autodafé affligeant est que, tant que dura la lune de miel entre l'Allemagne nazie et l'URSS bolchevique, étaient également prohibés les livres de tendance anti-stalinienne, ceux de Trotski d'abord ; certains seront réintroduits après le 21 juin 1941. Le côté piquant est que les éditeurs collaborationnistes sont touchés eux aussi par les amputations de leurs stocks et les inévitables diminutions ultérieures de leurs ventes (35 titres chez Grasset, 40 chez Sorlot). Dans quelle mesure les destructions prescrites furent-elles effectuées ? Officiellement, fin 1940, 2 242 tonnes de livres avaient été saisies et mises au pilon. En fait, un contrôle rigoureux de l'application des directives était impossible. Peu désireux de s'appauvrir, spéculant en outre sur l'attrait du fruit défendu, et la hausse de valeur qu'entraîne la rareté d'un produit, de nombreux libraires conservèrent des livres proscrits et les vendirent, à prix fort, sous le manteau. L'occupation

22. *L'Affaire Grasset, documents,* Comité d'action de la Résistance, Paris, 1949.
23. A l'exception de l'éditeur « de gauche » Emile-Paul, qui décida de se saborder.

allemande eut ainsi le résultat de faire du livre un objet de marché parallèle[24].

La censure joue évidemment encore davantage et plus facilement pour les livres en gestation. Pour éditer, il faut obtenir l'autorisation d'un Comité de publication qui, par exemple, selon des critères peu clairs, retient seulement trois titres sur les 17 que lui soumet le Mercure de France en 1942. Mais il est impossible aux censeurs allemands de lire avec compétence tous les manuscrits qui leur sont soumis, difficile de ne pas commettre de bévues en les interprétant. Le meilleur système est donc d'obliger éditeurs et auteurs à s'autocensurer ; le meilleur moyen pour les y contraindre est de mesurer les attributions de papier en fonction de leur docilité, et de les réduire au détriment de ceux qui se sont laissés aller à quelque écart. C'est d'autant plus facile que les 38 000 tonnes de papier utilisées annuellement par l'édition en 1938 se réduiront progressivement jusqu'à 1 524 pour les six premiers mois de 1944. Tout manuscrit doit être soumis à l'avis préalable d'une commission de contrôle du papier d'édition, qui peut limiter les tirages, mais aussi imposer son veto et retirer son autorisation[25].

La concurrence devient dès lors si rude que demeurer dans les bonnes grâces de l'occupant constitue pour les éditeurs une question de vie ou de mort. Aussi bien n'ont-ils pas protesté contre les mesures « d'aryanisation » de la profession, et se sont-ils imposé volontairement des tabous de publication pour tout ce qui concernait l'occupation, l'Allemagne, le fascisme, la guerre ; a contrario, ils ont multiplié les écrits sur les thèmes qui allaient dans le sens de la propagande allemande : les fautes de la IIIᵉ République, les bienfaits de la collaboration, l'Europe — la nocivité des Juifs ayant, comme de juste, priorité. Avec le minimum de prise de possession et de contraintes, l'édition rejoignait ainsi la radio et le cinéma dans une vaste entreprise d'intoxication de la population parisienne, avec le consentement et le concours des éditeurs.

Avec le consentement et le concours des écrivains aussi. Certes, quelques-uns, et non des moindres, se sont exilés — Jules Romains, Maurois, Bernanos, Bernstein — et A. Malraux se fait éditer à Genève. Mais, en face, combien de talents soutiennent la « collaboration », sous toutes ses formes, et en touchent les prébendes (traductions, conférences, articles dans la Presse, voyages en Allemagne) ! Tels, la liste n'est pas exhaustive, Céline, Montherlant, Jacques Chardonne, Henri Béraud, Benoist-Méchin, La Varende, A. Thérive, Jouhandeau, bien d'autres[26] ! En fait, à peu près tous

---

24. LE BOTERF, *op. cit.*, t. II, p. 202-207 ; GALTIER-BOISSIÈRE, *Mon journal pendant l'occupation*, La Jeune Parque, 1944, p. 16.

25. G. HELLER, *Un Allemand à Paris*, Le Seuil, 1981, 216 p. L'auteur était censeur littéraire.

26. Montherlant trouvait la censure allemande plus compréhensive que la censure française de 1939-1940 ! Selon Jouhandeau, Jean Giraudoux, qui pourtant, s'était prononcé contre l'armistice, allait répétant que « les pivots de la civilisation étaient la France et l'Allemagne. »

les écrivains, pour gagner leur vie, et parce qu'ils croient avoir quelque chose à dire, et que c'est leur raison d'être de le dire, écrivent sous l'occupation, en dépit de l'étroitesse de la marge de liberté qui leur est laissée. Outre quelques folliculaires qui en tirent de gros profits, et qui bénéficient d'une notoriété éphémère, les plus célèbres et les plus notoirement indépendants sollicitent de la Propaganda l'autorisation de publier, et se plient à ses exigences. On voit ainsi G. Duhamel, qui figure sur la liste Otto pour trois de ses livres, et qui ne va pas à l'ambassade, quémander l'agrément pour ses souvenirs de l'exode. F. Mauriac écrit *La Pharisienne* et accepte tant les observations du censeur que la traduction de son roman en allemand. Et Camus sort *Le mythe de Sisyphe,* et Paul Valéry *Variétés V ;* et Troyat, Guilloux, J. Cocteau, J. Green, A. Gide, J. Paulhan... Ils ne paraissent guère gênés par les attaques contre « les Juifs », Maurois, Proust ou Bergson. Ainsi J.-P. Sartre publiera *L'Etre et le néant* en 1943, et fera jouer *Les Mouches* et *Huis Clos*[27].

Beaucoup de ces écrivains se reprendront par la suite, se tairont dignement, ou écriront dans des journaux clandestins, avec l'absence de profits et les risques que cela comporte. Mais, au préalable, l'occupation allemande ne leur aura pas paru de nature à les obliger à la réserve, si leurs motivations ont été diverses, et s'ils ont par la suite évolué différemment. Ont-ils bien fait ? La réponse semble fournie par les œuvres fortes qui ont vu alors le jour, et à qui leur valeur intemporelle a valu l'oubli des circonstances de leur gestation. *L'Etranger* de Camus, *La Reine morte* de Montherlant, *L'Antigone* de Anouilh, *Le soulier de satin* de Claudel, on ne voit pas ce que leurs auteurs auraient gagné à ne pas les écrire, et on mesure le poids de leur apport dans le patrimoine culturel français.

D'autant plus que leurs lecteurs sollicitaient les auteurs ; on n'a jamais tant lu à Paris que sous l'occupation. Le nombre de bibliothèques publiques est passé de 60 en 1941 à 69 en 1944, et elles ont été ouvertes plus souvent et plus longtemps. Quant au nombre de livres prêtés, il n'a cessé de croître, allant de 1 200 000 en 1939 à près de trois millions en 1944. Les libraires vendent tout ce qu'ils ont sur les étagères et déplorent de ne pas pouvoir toujours servir leur clientèle ; les bouquinistes sur les quais vident leurs boîtes à un rythme inconnu et inespéré. Certes, les nuits sont longues et on ne sort guère ; les distractions sont devenues rares et coûteuses, et on ne voyage plus ; et les bibliothèques, accueillantes, sont chauffées. Mais si on considère la nature des ouvrages les plus demandés — l'histoire et le roman — on comprend que, ce que recherchent les Parisiens dans leurs lectures, c'est d'abord l'évasion, et pendant un bref temps, l'oubli de leur condition d'occupés. Là encore, comme pour le film, l'habileté de l'occupant est d'abord gagnante ; la littérature joue son rôle d'anesthésique de la douleur et de la colère des

27. Michel CONTAT, Michel RYBALKA, *Les Ecrits de Sartre,* Gallimard, 1970, p. 80-94

Français. Mais, comme pour le film, elle est également perdante ; car non seulement la culture française n'est pas étouffée, mais elle puise dans les malheurs du pays comme une force nouvelle. Et cette force, les Allemands ne l'avaient pas prévu, sera non seulement mise au service de la Résistance, mais contribuera à faire naître celle-ci, comme nous le verrons dans le 2ᵉ tome de cette étude[28]. Mais auparavant, et pour certains jusqu'à la fin, que de servilité, rampante parfois. Et combien tout aurait été plus digne si quelques grandes voix s'étaient tues, dès l'armistice signé.

Spectacles en tout genre

Tous les chroniqueurs, tous les témoins, sont d'accord : sous l'occupation allemande, les salles de spectacles ne désemplissent pas ; les Parisiens veulent se distraire, à tout prix. A. Sauvy a calculé que, en 1943, il y avait eu 25 % de spectateurs de plus qu'avant la guerre. Le rendement, en nette augmentation, de la taxe sur les spectacles, confirme, et dépasse, cette constatation ; elle a plus que doublé entre 1939 et 1945, et même triplé pour les cabarets et les boîtes de nuit, et, chiffre étonnant, quintuplé pour les musées[29]. Comme les prix des places, ou des entrées, étaient taxés, le spectacle était devenu un exutoire pour un pouvoir d'achat qui ne pouvait plus épuiser ses possibilités, de façon ordinaire, sur les marchés ; mais plus encore, tout instant passé à se divertir était autant de pris sur les affres et les difficultés de la vie.

La ville de Paris s'efforce de satisfaire, de façon noble, cet appétit d'évasion. Elle organise des concerts de musique classique en fixant très bas le prix des places, entre 3 et 5 F ; on y joue les œuvres de compositeurs prisonniers ; le tout se passe dans les salles de lecture des bibliothèques ou dans les salons des mairies ; parfois un récital de poésie accompagne celui de musique[30].

Dans ce domaine, l'occupant se contente de profiter au maximum des joies que procurent les spectacles parisiens — certains soirs, les salles sont à demi pleines d'uniformes allemands — et de propager en France des oeuvres allemandes ; il a seulement réservé pour son usage personnel un certain nombre de salles de cinéma et le « théâtre des Champs-Elysées ». Comme pour le cinéma, il fait appliquer ses directives pour le théâtre par le « Comité d'organisation des entreprises de théâtre », dont les présidents successifs

28. *L'Illustration*, mai 41 ; *Annuaire statistique de la ville de Paris*.
29. L'augmentation est de : 2,5 pour le théâtre ; 2 pour les music-halls ; et seulement 0,50 pour le cinéma, en raison de la suppression de nombreuses séances de projection pour réaliser des économies d'électricité.
30. A. SAUVY, *op. cit.*, p. 182 ; *Annuaire statistique de la ville de Paris* ; réunion de la 4ᵉ commission du Conseil municipal, 16 avril 1943.

sont J. L. Vaudoyer, administrateur de la Comédie française et René Rocher, directeur de l'Odéon. C'est ce Comité qui assure le contrôle et la réglementation de l'activité théâtrale, et qui répartit les matières premières ; il édite le mensuel *l'Officiel du spectacle*. C'est avec lui que les services de la *Propaganda Staffel* préparent la venue à Paris, et les tournées en France, de troupes ou de virtuoses allemands.

Dans les rues de Paris, la *Propaganda-Staffel* organise des concerts, notamment place de l'Opéra, place de la République, jardin des Tuileries, parvis Notre-Dame... écoutés parfois par un bon millier d'auditeurs, rapporte le préfet de police. Les plus grands chefs d'orchestre et solistes allemands viennent à Paris : E. Bochum, Cl. Krauss, W. Kempf, W. Mengelberg, l'orchestre philharmonique de Berlin, les troupes des opéras de Berlin et de Vienne. Certains concerts sont donnés dans des usines, ce qui est en France une grande nouveauté. L'apogée est atteint au printemps de 1941, par une représentation solennelle du *Vaisseau fantôme*, pour le centième anniversaire de sa composition à Meudon par Richard Wagner ; au pupitre, fait ses débuts à Paris le jeune Herbert von Karajan. En 1943, W. Mengelberg vient diriger l'exécution des neuf symphonies de Beethoven. L'objectif recherché est souvent atteint : convaincre les Parisiens que la culture allemande survit, s'épanouit même, dans le national-socialisme. Français et Allemands peuvent donc communier dans le même culte de la beauté ; c'est dans cet esprit que de jeunes compositeurs allemands viennent pacifiquement confronter leurs œuvres avec celles de leurs confrères français, et que des artistes français, avec à leur tête, le directeur de l'Opéra, Jacques Rouché, se rendent à Vienne pour participer à la célébration du 150e anniversaire de la mort de Mozart [31].

Certes, il s'agit là de manifestations relativement rares, mais elles sont organisées avec beaucoup de sens de la mise en scène ; le « Tout Paris » est présent pour témoigner de la supériorité culturelle allemande ; en particulier « l'ambassadeur » de Brinon et les deux préfets représentent les autorités françaises dans l'attitude de vassalité qui caractérise les relations des représentants du gouvernement français à l'égard de l'occupant. Toute la Presse célèbre l'événement ; le journal *Comoedia*, qui fait autorité en la matière et qui, pour cette raison, accueille les signatures de personnalités du spectacle — comme J.-Louis Barrault ou Jacques Copeau — accorde des pages entières à des auteurs ou des critiques d'Outre-Rhin.

Certes, en matière de théâtre, l'emprise de l'occupant se montre relativement légère, d'autant plus que les pièces qui ont le plus de succès auprès des Parisiens sont celles qui les amusent — *Phi-Phi, La Veuve joyeuse, Occupe-toi d'Amélie, Le mariage de Mlle Beulemans* — ils rient, donc ils paieront,

---

31. Témoignage de R. ROCHER, in *La Vie de la France sous l'occupation, op. cit.*, t. II, p. 965-967 ; G. WALTER, *op. cit.*, p. 86-97 ; P. ORY, *op. cit.*, p. 60-61

pourrait dire le MBF. Cependant le lieutenant Raedemacker, puis le lieutenant Lücht, dont Sacha Guitry écrit qu'il était « sans culture et sans éducation », régentaient l'activité théâtrale ; ils accordent les autorisations d'ouvrir les salles, et le feu vert pour jouer les pièces ; ils imposent des coupures ; ils font écarter les acteurs réputés « de gauche » ; ils changent le nom de l'Alcazar en Palace, les cadets franquistes de Tolède ne pouvant pas être associés à une boîte de nuit. Surtout, ils pratiquent la chasse aux Juifs ; Sacha Guitry, Harry Baur, E. Bourdet, Charles Trenet, doivent démontrer leur aryanité ! Le nom de Sarah Bernhardt ne doit plus être prononcé.

Mais ils n'ont guère de difficultés avec le monde français du théâtre ; non seulement tous les directeurs désirent, commerce oblige, et c'est humain, rouvrir leurs salles, mais tous les grands auteurs ne demandent qu'à être joués et, pour y parvenir, évitent soigneusement de déplaire ; Guitry, Bourdet, Claudel, Cocteau, Achard, Anouilh ; il n'est pas d'exemple d'un grand acteur non plus qui ait eu des velléités de refuser un rôle — Raimu, Victor Boucher, Gaby Morlay ; quant au célèbre quatuor de metteurs en scène — Baty, Dullin, L. Jouvet, P. Renoir — ils avaient accepté de coopérer avec la Propaganda Staffel avant que fût constituée la corporation du théâtre. Sans parler des scènes — ABC, Casino de Paris, Concert Mayol, Folies Bergère — qui se consacrent entièrement à distraire la troupe allemande sans en éprouver aucune gêne, et sans oublier les nombreux « artistes », à commencer par la fille de J. Luchaire, dont les liaisons avec des officiers allemands défraient les conversations du « Tout-Paris allemand ».

Cependant le public ne se montre pas toujours aussi résigné ; il cherche avidement, dans les répliques de scène, de quoi satisfaire son désir de fronde et manifester son refus de l'occupant. Il se délecte de l'ambiguïté, voulue ou non par leurs auteurs, de certaines pièces. Ainsi, la « Jeanne d'Arc » de Vermorel peut être aussi bien l'ennemie irréductible des Anglais que l'héroïne qui veut « bouter » l'étranger hors de France. La fameuse conclusion de « Huis Clos », « l'Enfer ce sont les autres », ramenée au niveau du présent, devient « les autres, ce sont les boches », et l'enfer, la vie qu'ils nous imposent. Si Créon est l'homme d'Etat type, un Pétain, un Hitler, l'Antigone de Anouilh prône aussi la révolte contre une tyrannie intolérable. « Les Mouches » de Sartre est attaquée par le critique de *Je suis partout*,... et louangée par celui du journal allemand *Signal*. Ces jeux, subtils, échappent en règle générale à l'occupant ou, s'il les comprend, il n'en a cure. L'important, pour lui, c'est que le théâtre, comme le cinéma, fournisse aux Parisiens assez de pâture de rêve pour qu'ils en soient chloroformés ; à défaut de pouvoir leur donner du pain, ce sont des jeux de cirque grâce auxquels il espère s'assurer leur tranquillité[32].

---

32. Sacha GUITRY, *op. cit.*, p. 146-203 ; LE BOTÈRF, *op. cit.*, p. 237-257

Dans le domaine artistique, liberté semble laissée aux créateurs. Chaque année de l'occupation voit se dérouler le cycle des manifestations habituelles : salon d'automne, salon d'hiver, salon des artistes français, salon des humoristes. De même, les principales galeries de peinture, comme la galerie Charpentier, organisent régulièrement des expositions sur des thèmes calmes et reposants — « Jardins de France », « Scènes et figures parisiennes » — qui jurent avec la noirceur du moment. A l'origine « l'œuvre d'entr'aide aux artistes » groupe 350 peintres, dont Marquet, Dufy, Marie Laurencin[33]. Cependant, lorsqu'un préfet procède à leur inauguration, il est toujours flanqué de quelques uniformes allemands ; de plus, au préalable, « les sujets » exposés ont été contrôlés, et quelques-uns, jugés subversifs, exclus. En outre, mais cela ne crée guère de remous, les artistes juifs sont interdits.

L'action allemande s'affirme par l'introduction d'œuvres d'artistes allemands. Ainsi, à l'Orangerie, Abel Bonnard, ministre de l'Education, inaugure, en juillet 1942, une exposition consacrée à Arno Breker, le sculpteur préféré de Hitler, un élève de Maillol aussi. Dans cette production démesurée et gigantesque, A. Bonnard voit « l'annonce d'une époque qui sera grande ». Tout le gratin de la collaboration est là, et aussi toutes les autorités françaises, les plus célèbres artistes français, et de nombreux officiers allemands en uniforme, qui multiplient les claquements des talons pour honorer les maîtres français. Les murs de Paris ont été couverts d'affiches, des conférences ont précédé puis accompagné l'exposition ; un livre lui a été consacré ; on a dansé à l'Institut allemand, et Abetz a invité à dîner le « Tout-Paris allemand ». Un événement qui a compté, et une incontestable réussite, cet hommage à un sculpteur dont le gigantisme dissimule mal la froideur de l'inspiration.

A la suite de cette visite, un certain nombre d'artistes français se laissent convaincre par Abetz d'effectuer une tournée en Allemagne ; Derain, Vlaminck, Despiau, Dunoyer de Segonzac, Othon Friesz parcourent ainsi le territoire du Reich et, tant au cours de leur périple qu'à leur retour, se laissent arracher des commentaires qui témoignent plus de leur naïveté et de leur manque de culture politique que d'un véritable enthousiasme pour le nazisme ; mais la Presse les monte en épingle et ils servent ainsi la propagande de l'occupant.

Surtout, celui-ci s'arroge le monopole de grandes expositions sur des thèmes qui ne laissent aucun doute sur ses objectifs. Ainsi, à Galliera, sont célébrés l'artisanat, la jeunesse, les souvenirs napoléoniens. Mais, surtout, les foules sont invitées à venir voir, en avril 1942, à la salle Wagram, un

---

33. Toutefois, c'est aux Etats-Unis que sont rendus les plus grands hommages à la peinture française : à Braque, à Washington ; à Picasso, à Chicago ; à Renoir et Van Gogh, à New York ; à Léger, à San Francisco .

montage de documents sur « le bolchevisme contre l'Europe » ; l'entrée est gratuite : on projette un film au titre éloquent, « Français, vous avez la mémoire courte », et on impose aux instituteurs d'y conduire leurs élèves.

Au Grand Palais sont organisées deux vastes expositions, deux années de suite, sur « la France européenne » et « la Vie nouvelle », que vient inaugurer, de Vichy, au nom du maréchal Pétain, le général Bridoux ; des stands de toutes sortes annoncent la vie des travailleurs dans une Europe unie, avec une vraie ferme, de vrais porcs, veaux et poules — dont les Parisiens disaient qu'ils aimeraient mieux les manger que les regarder. Des cinémas permanents — on projette un film sur la LVF — une salle de danse, un théâtre de 1 400 places, autant d'invitations aux visiteurs. Et la place de la France dans la future Europe est bien montrée par les éloges prodigués à la richesse de son terroir et à la douceur de son climat ; elle en sera le grenier et l'éden des vacances.

Au Petit-Palais, un million de Parisiens, selon la Presse, seraient allés voir une entreprise de démythification de la Franc-Maçonnerie, ex-société secrète vouée désormais à l'exécration publique. Et c'est une quinzaine après la grande rafle des Israélites, et leur internement au Vel'd'Hiv', que le Palais Berlitz abrite une démonstration des « méfaits » commis par la « race juive ». Ainsi, les grands objectifs de la politique allemande, la condamnation du passé et les rayonnantes perspectives de l'avenir, donnent lieu à des manifestations qui attirent plus ou moins de monde [34].

Si la plupart des chansons à la mode manifestent un refus des jours sombres (« Un jour de fête », « Ne troublez pas notre bonheur ») avec la prédominance des chanteurs de charme et des chansons d'amour, la propagande sait également utiliser des chanteurs célèbres pour assurer le succès de galas, nés d'une intention politique, consacrés à « La France européenne », aux requis du STO, aux prisonniers de guerre. Et certaines chansons allemandes sont sur toutes les lèvres, comme « Bel ami », leit-motiv d'un film tiré d'une œuvre de Maupassant qui dénonce la corruption des milieux politiques français de la IIIe République. Tous les soirs, Suzy Solidor ou Léo Marjane chantent « Lili Marlène », un refrain nostalgique attribué aux soldats de l'Afrika Korps de Rommel. Et une quarantaine de vedettes — Fréhel, Jeanne Sourza, Souplex, Lys Gauty, Chevalier, Gabriello — vont, pendant plus d'un mois, encourager, par leur présence et leurs talents, les ouvriers français travaillant dans les usines du Reich.

Les cirques aussi obtiennent des contrats alléchants pour effectuer des tournées outre-Rhin ; les fournitures en viande et en fourrage ne font pas défaut à ceux qui acceptent ; en contrepartie, le cirque allemand Bush prend une participation sur Médrano et le Cirque d'hiver, et Abetz et de Brinon

---

34. P. Audiat, *op. cit.*, 180-182 ; P. Ory, *op. cit.*, p. 61 ; *L'Illustration*, 14 juin 1941.

président la première d'une série de représentations données au Grand Palais par des gens du voyage allemands.

Les Allemands pénètrent donc de leur influence toute « la vie parisienne ». Mais leur domaine préféré, voire réservé, c'est celui des cabarets et des boîtes de nuit. La *Pariser Zeitung* a dressé un plan spécial pour les soldats permissionnaires. Ces lieux de plaisir ne manquent jamais de charbon, de foie gras ou de champagne. En 1942, l'annuaire du spectacle recense 102 boîtes de nuit, où on boit, on danse, on soupe, et on fait la connaissance de jolies femmes pas farouches. Voilà au moins une entreprise française qui tire de grands profits de l'occupation ! Son activité ne sera ralenti que par les restrictions d'électricité.

Autre affaire prospère, les courses de chevaux. Paradoxalement, il y a moins de réunions (253 en 1943 contre 311 en 1938), un peu moins d'entrées (3 200 000 en 1943 contre 3 500 000 en 1938) et, cependant, on joue six fois plus d'argent (respectivement 6 milliards et 1 milliard, les mêmes années) [35]. Bien sûr, le franc s'est un peu dévalué entre-temps ; la raréfaction des produits laisse aussi à chacun quelques réserves monétaires. Mais, surtout, cette prospérité des hippodromes, jointe à celle des cabarets, est à rapprocher, dans l'appauvrissement général, des gains illimités que procure le marché noir. L'occupation allemande accroît la misère du plus grand nombre, mais elle favorise aussi l'enrichissement criminel d'une minorité. En définitive, elle est bien un facteur d'immoralité publique.

***

Ainsi, à Paris, sous l'occupation allemande, la vie culturelle a été brillante et féconde, dans tous les domaines, y compris celui de la philosophie — les cours de la Sorbonne et du Collège de France ont continué sans interruption ; la logique avec Lalande, la métaphysique avec Lavelle et Le Senne, la sociologie avec Mauss et Gurvitch, n'ont pas connu d'éclipse, si le Bergsonisme a disparu avec son créateur ; l'existentialisme s'est épanoui avec Gabriel Marcel et Merleau-Ponty ; et Alain, Bachelard, Henri Wallon, ont continué à écrire et à publier — dans une totale indifférence de l'occupant à leur égard.

Le contraste est vif entre une presse et une radio totalement asservies, même si une apparence de diversité est maintenue, et le roman, le théâtre, le film, la peinture, où la création apparaît relativement libre, pourvu que soient respectés certains tabous, et comme sans rapport avec les événements, mise à part naturellement la cohorte, qui donne le ton, des écrivains et artistes collaborateurs. Des œuvres fortes et belles voient ainsi le jour, dont

---

35. G. WALTER, *op. cit.*, p. 86-97 ; *Annuaire statistique de la ville de Paris*.

le succès durera avec le temps. Ainsi est préservée la renommée de Paris, avec son prestige et son rayonnement. La culture française n'est pas mise sous l'éteignoir, et c'est un résultat qui peut paraître positif.

Il est dû à la volonté de penseurs et d'artistes français qui ont voulu surmonter leurs épreuves du moment et qui y ont réussi. Mais auraient-ils persévéré si l'occupant s'y était opposé ? En fait, la relative liberté laissée aux tenants de la culture française a été la conséquence d'un choix délibéré fait par Abetz et par les responsables des arts et lettres — dont le courtois comte Von Metternich — dans les services de la Propaganda. Ils ont estimé qu'ils avaient tout à gagner à conserver des amis français, à se montrer apparemment libéraux, à ne pas brutaliser les talents, mais à leur permettre de s'épanouir — pourvu, encore une fois. que les intérêts allemands n'aient jamais à en pâtir.

Si l'occupant l'avait voulu, toute activité culturelle aurait disparu en France — comme ce fut le cas en Pologne. Et s'il la laissait subsister, s'il l'encourageait même, c'est qu'il y percevait son profit. Cette grande habileté, nous l'avons vue, on la trouve dans les relations des Allemands avec les gens de l'écran, de la scène, du pinceau et du ciseau. Mais elle s'exprime aussi à l'égard des gens de science. Ainsi, les « savants » collaborateurs bénéficièrent de nombreux avantages ; par exemple, le Dr Martial, fondateur des cours libres d'anthropologie de la Faculté de médecine de Paris, eut toutes facilités pour démontrer la nocivité du métissage, que les nations doivent éviter pour conserver leur identité. Il en fut de même pour quelques champions du racisme et de l'antisémitisme installés en grande pompe à la Sorbonne.

Mais de grandes manœuvres furent effectuées aussi pour circonvenir de véritables savants français, présumés à priori hostiles. Ainsi, Joliot-Curie reçut la visite au Collège de France, de collègues allemands dont certains avaient été ses élèves ; lui qui avait, à l'armistice, fait passer en Angleterre le stock d'eau lourde détenu par la France, accepta — la science ne connaît pas de frontières — que son cyclotron refonctionnât sous la direction de spécialistes allemands, en se contentant de la vague promesse qu'il ne travaillerait pas pour la guerre [36] !

Après le succès des armées de l'occupant, il faut donc bien constater les succès de sa propagande. A vrai dire. plus que dans l'art, la littérature ou la science. elle s'épanouit dans ce que « la vie parisienne » a de brillant et de superficiel : les spectacles de toutes sortes, les plaisirs nocturnes, l'assouvissement des phantasmes et des vices, c'est-à-dire essentiellement dans une industrie et un commerce qui n'ont avec la culture que de lointains rapports.

---

36. *L'Illustration,* 9 janvier 1943 ; Spencer WEART. *La Grande Aventure des atomistes français,* Fayard, 1980.

Si, de la sorte, étaient assurés le repos des guerriers allemands, et le plaisir de leurs valets, par contre cette existence, luxueuse et sordide à la fois, n'était pas le lot quotidien de la masse de la population parisienne ; ne pouvaient guère y participer les banlieusards, qui n'auraient pas pu rentrer chez eux, ni les ouvriers, employés ou petits fonctionnaires, à qui les moyens financiers faisaient défaut.

En définitive, la brillante vie parisienne sous l'occupation n'est vécue que par une minorité de Parisiens ; ce sont les mêmes qu'on rencontre au pesage des hippodromes, aux premières des spectacles, dans les réceptions de l'ambassade, aux inaugurations d'expositions, dans les grands restaurants ou les cabarets à la mode. Les mêmes qui roulent en voiture et ne manquent jamais ni de chaussures ni de champagne. Ce sont ceux qui possèdent une parcelle de pouvoir politique, parce qu'ils favorisent les entreprises de l'occupant, ou qui détiennent le pouvoir financier, parce qu'ils trafiquent de tout dans le marché noir.

Cette flamme qui brille dans Paris, en définitive, elle est artificielle, et elle sent mauvais. Elle n'est qu'un refus de voir la tragique réalité ; elle s'accompagne de « l'aryanisation », de la « liste Otto », de la censure, de l'exploitation des ressources de la France ; bref, elle est plus que de la résignation à la défaite : la volonté d'en tirer égoïstement avantage. Distraire les Parisiens de leurs difficultés insurmontables était un des buts que poursuivait l'occupant ; tous ceux qui s'y prêtaient, même dans la conviction qu'ils ne lui devaient rien, se faisaient en définitive ses complices.

Après tout, si tout ce qui comptait en France comme talents avait décidé de se taire ou de ne pas travailler, si les manuscrits étaient demeurés dans les tiroirs et les toiles dans les cartons, du moins les choses auraient été plus claires, la masse des Parisiens n'aurait pas été abusée ; et, après quatre années d'extinction volontaire, combien aurait été plus pure et plus chaleureuse, à la Libération, la lumière d'une culture française qui, dans la capitale des arts et des lettres, aurait refusé toute souillure de la dépendance et de la collaboration.

Conclusion

La première conclusion qui nous paraît se dégager de l'étude de Paris sous l'occupation allemande, c'est l'échec de la politique adoptée par le gouvernement de Vichy, plus exactement la non-réalisation des espérances qu'il avait placées dans la signature de l'armistice, pour que soient préservés ses pouvoirs sur la zone occupée. Notre intention n'est, en aucune façon, de poser à nouveau la question : fallait-il ou non signer l'armistice ? Une question à laquelle on ne peut répondre que par des hypothèses, et un calcul des probabilités, pour le cas où la France aurait continué le combat hors de la Métropole ; personne ne peut dire avec certitude ce qui se serait alors passé.

Mais, ce qui est certain c'est que, en signant l'armistice, les dirigeants de Bordeaux ont cru qu'ils pourraient sortir la France de la guerre, préserver de la souillure de l'occupant une moitié de son territoire, et conserver quelque autorité sur la partie occupée. Sur le troisième point, leur déception a vite été totale ; si l'armistice laissait au gouvernement français, en théorie, l'administration des régions occupées, en réalité, nous l'avons vu, cette possibilité ne lui était reconnue que si, ce faisant, il consolidait, par son consentement et son concours, la mainmise allemande ; cette autorité n'était en fait que sujétion. D'autre part, il avait été prévu que le gouvernement français pourrait revenir s'installer à Paris, s'il le désirait ; mais on comprit vite à Vichy que ce serait au prix de la perte de la demi-indépendance conservée en zone sud. En définitive, aucune de ces deux facilités ne devint réalité.

Dans la zone occupée, l'autorité allemande régna donc sans partage. Si ses composantes — militaire, diplomatique, nazie — divergèrent parfois sur les méthodes, elles étaient parfaitement d'accord sur l'objectif à atteindre : maintenir l'ordre en France pour assurer la sécurité de la Wehrmacht, et mettre toutes les ressources de la France, en machines, en produits, en hommes, en matière grise, au service de son vainqueur pour lui permettre de gagner définitivement la guerre — que des milliers de camions Renault aient rendu l'âme dans la boue et la neige de la steppe russe est un des signes tangibles de la réussite de ce calcul ; une réussite incontestable, dans tous les domaines.

Le sort réservé à Paris s'inscrit dans ce cadre général. La ville n'était plus la capitale politique de la France, mais elle était restée le centre de la vie administrative, le foyer de l'activité culturelle, le cœur de la finance, en même temps que la première région industrielle française. L'effacement progressif du gouvernement français peut se lire dans la dégradation de sa représentation à Paris : à un véritable homme d'Etat de l'envergure de Léon Noël, succède comme délégué du gouvernement un général honnête et courageux, mais dont le domaine d'action est la mondanité et non la politique ; un beau figurant en somme ; et à ce militaire sans reproche, un homme vénal, depuis longtemps au service du vainqueur, de Brinon ; une simple boîte à lettres dans le sens Vichy-Paris, mais le dispensateur des ordres allemands dans le sens Berlin-Paris-Vichy.

La France n'est donc plus à Paris, ou Paris n'est plus en France, comme on voudra. La présence allemande est visible, ou sensible, partout, et partout dominatrice. Les préfets obéissent, la presse et la radio sont aux ordres, les auteurs et les éditeurs s'autocensurent, les banques ouvrent leurs coffres, les industriels quêtent les commandes, les ouvriers partent en Allemagne, et la police est engagée dans les plus sales besognes ; partout l'occupant se pavane : dans les rues où il impose ses écriteaux et circule, seul, en automobile, dans les meilleurs hôtels, les grands restaurants, les boîtes de nuit et les bordels de luxe ; partout, il commande, dans l'administration, dans les bureaux, les chantiers et les entreprises. Les quelque 600 000 ouvriers qui ne travaillent que pour lui ne sont qu'une partie de l'armée des hommes qui, à peu près tous, à des degrés divers, lui apportent une fraction de leur temps, de leurs avoirs, de leur intelligence.

Triste époque en vérité, la plus triste de la longue histoire de Paris. Que l'occupant donne directement ses ordres, ou que, plus habilement, il les fasse transmettre par « l'autorité » française ; qu'il traite avec les organismes institués à cette fin par le gouvernement français, ou qu'il les ignore et qu'il interpelle, individuellement, les partenaires de son choix ; qu'il agisse ouvertement en se montrant au grand jour, pour que nul n'en ignore, ou qu'il engage des hommes de sac et de corde pour ajouter la truanderie au pouvoir qu'il tient de sa victoire et que la rapine criminelle accroisse le prélèvement administré, le résultat est toujours le même : la région parisienne se vide de sa substance pour le seul bénéfice du Reich national-socialiste, et pour les besoins d'une guerre qu'il a étendue à toute l'Europe. De cette façon, un autre objectif recherché par le gouvernement français n'est pas atteint, lui non plus : la France n'est pas neutre ; à la saignée quotidienne de ses ressources par l'ennemi s'ajoutent, pour Paris, les blessures causées par les bombardements de l'allié.

En vérité, l'exploitation que subit la France est du type colonial le plus cynique. Le colonisateur nazi n'apporte rien, ni dans le domaine de la pensée ou de l'art, ni dans celui de l'économie. Il pille. Ses seules constructions sont quelques blockhaus qui déparent les monuments, et des fils barbelés qui interdisent aux Parisiens l'accès à son domaine réservé. Les Parisiens sont entrés dans l'ère du bourrage de crâne et des assiettes vides, propagande et ventre creux. Mais, si tous en souffrent, la masse des souffrances est inégalement répartie ; les principales victimes sont les plus démunis, les pauvres, les chômeurs, les vieux, les malades et, dans la population active, les ouvriers et les employés. L'occupation accroît les inégalités sociales, en même temps qu'elle ôte aux faibles les moyens légaux d'y remédier : la protestation, la manifestation, l'action syndicale, la grève. C'est pourquoi la libération se teintera de la pourpre, et s'ornera des espérances de la Révolution.

Est-ce à dire que le succès allemand est total, et la force de l'occupant d'une solidité à toute épreuve ? Dans les commencements, c'est incontestable, et la durée en aurait été illimitée si la guerre avait pris fin ; la situation temporaire imposée à Paris pendant l'occupation préfigurait celle, à longue échéance, qui lui était réservée pour l'après-guerre. Mais la guerre continuait et, au fil des batailles, la victoire hésitait à choisir son camp pour, à partir de 1943, jeter son dévolu sur celui des Alliés. En même temps que la Wehrmacht évacuait des territoires, l'occupant de Paris perdait de sa superbe, en passant du succès à l'échec. La première phase est celle où l'autorité appartient aux militaires et aux techniciens, et à côté d'eux, à l'équipe des « diplomates » d'Abetz ; c'est la période de l'euphorie de la « collaboration » — un mot qui prend des sens différents selon les partenaires, mais qui semble stabiliser leurs relations, et ouvrir des perspectives — et, par suite, de la « correction ». Tout change avec les premiers insuccès, et la guerre qui n'en finit pas en URSS ; les premières équipes demeurent en place, avec des fortunes diverses, mais le pouvoir de décision leur échappe pour échoir à des nationaux-socialistes bon teint, dont Oberg est le prototype. Commence alors l'ère des mesures brutales : les fusillades d'otages, les rafles pour le STO, les tortures des résistants arrêtés, et surtout la déportation des Juifs. Toute entreprise de colonisation s'accompagne toujours, à un moment donné, d'un massacre de population rebelle ; dans la colonisation allemande de Paris, ce massacre s'appelle le génocide des Juifs — sauf que les Juifs n'étaient pas des rebelles, mais, tout simplement, des Juifs, et que leur massacre a eu lieu, en définitive, loin de Paris, au terme d'indicibles souffrances physiques et morales.

La Gestapo a succédé à l'Abwehr, les SS aux militaires, les policiers aux diplomates, sans que, il faut le dire, les évincés aient beaucoup protesté contre leur éviction. Du côté français, les partenaires sont toujours quelques fanatiques et autres ambitieux, avec le même lot de politiciens corrompus et d'écrivains stipendiés ou en mal de copie, mais les préférés de l'occupant sont devenus les miliciens de Darnand, c'est-à-dire des hommes qui tuent, et avec eux, ou plus qu'eux encore, des hommes de sac et de corde, qui torturent et escroquent leurs victimes avant de les tuer. Le grand échec de l'occupation allemande de Paris c'est que, commencée selon les lois de la guerre, elle s'achève en faisant régner la loi du milieu ; la « collaboration » proclamée avec les autorités françaises, qui n'a jamais pris d'autre forme qu'une exploitation selon les règles, jette le masque, pour montrer un visage de crapulerie et de criminalité.

Il est incontestable que les Parisiens ont mis longtemps à comprendre ce qui leur arrivait. Ils sortaient à peine de l'effarement d'une défaite à l'ampleur inimaginable, ils se remettaient difficilement des fatigues et des peurs de la guerre ou de l'exode, et voilà qu'ils étaient plongés, jusqu'au cou, à s'y noyer, dans les insolubles problèmes de l'existence quotidienne. Ils ont été longtemps passifs, résignés ; nombreux ont été ceux à qui le sens civique a manqué ; trop nombreux ceux qui sont allés au-devant des désirs de l'occupant, en espérant recevoir de lui un bon pourboire. Leur excuse, c'est qu'ils n'étaient plus gouvernés par des Français, qu'ils se sentaient isolés et abandonnés ; et leur situation était si extraordinaire qu'ils ne trouvaient pas dans leur expérience, ni même dans leur histoire, de précédent dont ils puissent s'inspirer ; ils n'avaient pas besoin, dans leur détresse, et leur désarroi, d'entendre une grande voix, unanimement respectée, leur dire, de la nouvelle capitale de la France, qu'il leur fallait « collaborer avec le vainqueur », pour accomplir, en somme, leur devoir national ; pareille directive n'était certes pas faite pour leur insuffler l'esprit du refus, ou exalter leur fierté.

Aussi bien, leurs premières réactions ont-elles été toutes d'inspiration égoïste ; dans le grand désastre national, auquel personne ne voit comment il pourrait remédier tant il le dépasse, tous se sont préoccupés essentiellement de subsister et, si possible, de mieux vivre. Et lorsqu'ils sont allés, pour cela, au-devant de l'occupant, ce n'était pas, pour la plupart, par sympathie, et encore moins par complicité, mais par besoin. La preuve en est que, malgré les gros moyens de tous genres dont ils disposaient, les groupements de collaboration, qui affichaient et proclamaient leurs opinions et leurs objectifs, n'ont jamais rassemblé, nous l'avons vu, qu'une infime minorité de Parisiens, parmi lesquels dominaient les opportunistes et les profiteurs ; après tout, la bande de la rue Lauriston rassemblait moins de trente hommes, tous des truands.

Très vite, pour vivre, il fallut aux Parisiens ruser avec le règlement, c'est-à-dire tromper celui qui l'avait édicté et qui s'employait, par la menace et la sanction, à le faire respecter, à savoir l'Allemand. La moindre faute prenait ainsi le caractère, vengeur, satisfaisant pour la conscience, d'un bon tour joué à l'occupant, comme une sorte de petite revanche. Ainsi étaient justifiées bien des opérations de marché noir — de « petit marché noir » du moins ; c'était tant de pris sur l'ennemi, puisque, si on ne se défendait pas, il prendrait, et garderait tout, pour lui. Et le risque encouru, si peu grave qu'il fût, conférait à l'acte une autosatisfaction supplémentaire, comme un certificat de courage et d'audace.

Cependant, un général peu connu des Parisiens avait affirmé à Londres que la guerre n'était pas finie, et que la victoire ne s'était éloignée des Français un moment que pour mieux leur revenir s'ils savaient et osaient faire ce qu'il fallait pour la capter. Et la graine, semée outre-Manche, avait germé à Paris. Parmi ces Parisiens démunis de tout, affamés, transis en hiver, incertains des lendemains, affaiblis par leurs privations, divisés par leurs querelles, accablés par une propagande insidieuse et matraquante, totalement désarmés et non moins inexpérimentés, il en était que l'espoir continuait d'habiter et qu'inspirait la volonté de ne pas subir. Comment la faible troupe de ces nouveaux « Va-nu-pieds de l'an II », va peu à peu s'étoffer, inventer les règles de son combat, devenir une armée d'un type inédit, aux mille actions diverses ; comment, sous le « Paris allemand », a pris corps, souterrainement, un « Paris résistant » qui s'est aguerri dans d'obscures actions de propagande, de sabotages et d'attentats, avant de sortir de l'ombre et de prendre tout naturellement la forme de ces barricades qui, au cours de l'histoire de Paris ont jalonné ses colères et ses révoltes ; comment, enfin, le « Paris résistant » a vaincu et chassé le « Paris allemand » fera l'objet du prochain tome de cette étude.

Les sources

1) Le *Journal officiel allemand* (*Vobif*) contient les ordonnances prises par l'autorité militaire allemande pour le *Gross-Paris*. Le n° 1 est daté du 20 juin 1940, mais il comprend les ordonnances éditées à partir du 14 mai. Bilingue, le journal paraît une fois, et même deux fois, par jour. Les textes sont datés et numérotés. Il était en vente auprès de la Kommandantur au prix de 0,20 mark, puis 0,10 mark. Cette publication est évidemment d'un intérêt capital. Toutefois certaines ordonnances étaient diffusées par voie d'affiches ; d'autre part, avec le temps, la parution devint irrégulière, hebdomadaire, puis mensuelle. Enfin, l'intérêt baisse à mesure que diminuent les pouvoirs réels du MBF et que s'accroissent ceux d'Oberg, qui procède par actions directes, notamment à l'égard des Juifs.

Le « Comité d'histoire de la Deuxième Guerre mondiale » avait fait rentrer des Etats-Unis 800 bobines de microfilms de documents émanant pour la plus grande partie de l'autorité militaire allemande en France. Les décisions pour le seul Paris sont assez rares, mais les textes du Vobif peuvent ainsi être replacés dans l'ensemble de la politique allemande en France.

Le « Comité d'histoire de la Deuxième guerre mondiale » avait rassemblé aussi une collection *d'affiches allemandes* apposées sur les murs de Paris. Le Musée Carnavalet possède une remarquable collection de *photographies* et la « Bibliothèque historique de la Ville de Paris » un ensemble disparate de tracts et de brochures de propagande de l'occupant. Enfin, le « Centre de documentation juive contemporaine » (CDJC) s'est procuré les dossiers du *procès* intenté à *Abetz* après la libération.

2) En ce qui concerne les *autorités parisiennes*, la source documentaire essentielle est le *Bulletin municipal*, à parution irrégulière, qui contient tous les arrêtés des préfets : prix, rationnement, circulation, « aryanisation », nominations dans l'administration, tirages d'obligations. Toutes les quinzaines sont inscrites des statistiques sur l'évolution démographique de la ville. L'autorité occupante n'apparaît pas, sauf que le *Bulletin* reprend parfois ses décisions. Le *Bulletin* permet aussi de suivre la vie de la Cité, presque au jour le jour.

Les statistiques qui y sont insérées sont tirées de *l'Annuaire statistique de la Ville de Paris et du département de la Seine*. Elles sont très riches en informations de toutes sortes. La plupart concernent les mouvements de population (naissances légitimes et illégitimes, divorces, enfants placés en nourrice, mariages, décès avec leurs causes). D'autres statistiques renseignent sur la consommation et les prix de l'eau, du gaz et de l'électricité ; les constructions et démolitions ; la circulation du métro et des autobus ; les contraventions dressées par les agents de police ; les dépôts dans les caisses d'épargne ; les entrées et les enjeux aux courses. Des comparaisons sont rendues possibles par des tableaux résumés depuis 1893 ou 1900. La population de la ville est évaluée par la distribution des cartes de rationnement.

Ces statistiques peuvent être utilement comparées avec celles fournies par le *Journal de la société statistique de la Ville de Paris,* qui contient aussi les textes des communications présentées par les membres de la Société.

Les *circulaires* du préfet de la Seine aux maires et aux divers services concernent : les écoles, les opérations de récupération, la défense passive, les manifestations et cérémonies diverses, les bureaux de bienfaisance, la caisse des écoles, les bâtiments publics. Elles peuvent être complétées par les *comptes rendus des réunions des maires de Paris,* au cours desquelles leur application était discutée.

Les séances du *Conseil municipal* et du *Conseil général* donnaient lieu à des comptes rendus de plus en plus courts, pour des raisons d'économie de papier. On ne discutait guère dans ces chambres d'enregistrement, et les préfets s'y montraient avares de paroles ; mais les divers chefs de service y étaient appelés à présenter des rapports de gestion, bourrés d'informations utilement rassemblées pour la circonstance et qui permettent de faire le point sur l'administration de la Cité et ses divers aspects (hygiène, santé, voirie, circulation, instruction publique, budget, grands travaux...)

Tous les textes précités concernant les autorités parisiennes se trouvent à la « Bibliothèque administrative de la Ville de Paris » à l'Hôtel de Ville, à l'exception des *rapports* des préfets de la Seine qui sont aux Archives Nationales, et des *comptes rendus hebdomadaires des Renseignements généraux,* qui se trouvent aux archives de la préfecture de police.

Les *Archives départementales de la Seine* sont riches d'un très grand nombre de cartons, dont beaucoup contiennent les dossiers individuels du personnel. Mais on y trouve aussi le détail des réquisitions effectuées par l'occupant, la correspondance de divers services avec leurs contrôleurs allemands, les sentences prononcées par le tribunal militaire allemand.

3) Des dossiers de la *délégation générale* du temps de Brinon se trouvent au « Centre de Documentation juive contemporaine », qui possède aussi des pièces du procès intenté à de Brinon.

Les archives de *l'Assistance publique,* outre les arrêtés des divers ministres de la Santé du gouvernement de Vichy, sont riches de quelques rapports de gestion rédigés par le directeur général ; mais la collection est malheureusement incomplète.

L'ingénieur en chef directeur des PTT de Paris rédigeait également des rapports pour son ministre ; ils se trouvent à la bibliothèque du ministère des PTT, ainsi que les comptes rendus d'exploitation des divers bureaux de poste.

Le ministre de la Justice publie chaque année un *compte général de l'administration* qui est la somme, par cour d'appel, de l'activité des magistrats ; la publication est effectuée plusieurs années après les événements relatés ; on y trouve des statistiques sur la criminalité sous ses divers aspects.

4) Le dépouillement de la *Presse* est utile pour étudier le comportement des collaborateurs — pour le reste, elle ne fait que diffuser les communiqués allemands ou résumer et commenter les décisions officielles. Les périodiques contiennent cependant des articles ou des reportages relatifs à des aspects de la vie des Parisiens sur une période un peu plus longue — c'est notamment le cas de *L'Illustration*

La collection de « RNP Information » permet de suivre dans le détail l'activité du mouvement dirigé par Marcel Déat.

Les dossiers de la *Cour de Justice* de la Seine, devant laquelle ont comparu, à la Libération, la plupart des « collaborateurs » parisiens, se trouvent aux Archives Nationales.

5) Nous tenons à remercier tout particulièrement les acteurs et témoins de l'époque qui ont bien voulu nous donner un témoignage ou répondre à nos questions

M. l'Ambassadeur Léon Noël ; M. Roussié, ex-directeur de la Bibliothèque administrative de Paris ; M. le professeur Bénassy ; MM. les avocats Mouquin et Soisbault ; M. Gouriet, Président des retraités de Renault ; Mmes Béjot et Kaan ; Mme Hervé ; M. et Mme Lebrec ; sans oublier les cadres des banques et les hauts fonctionnaires qui ont voulu conserver l'anonymat.

Bibliographie

Il existe des centaines d'ouvrages dans lesquels il est question de Paris sous l'occupation allemande, mais peu qui ne traitent que de Paris. La difficulté dans ce domaine est de distinguer ce qui ne concerne que Paris de ce qui vaut pour toute la France, étant bien évident que ce qui s'est passé à Paris n'est compréhensible que replacé dans le contexte de toute la zone occupée, sinon de l'ensemble de la France.

C'est ainsi que le dépouillement des cinq tomes des *Comptes rendus de la délégation française auprès de la Commission allemande* est absolument indispensable (Costes, 1952 à 1959), ainsi que le recours aux actes du *Procès de Nuremberg**, surtout pour les mesures d'ordre économique. Mais on trouve aussi des informations sur les décisions politiques dans les *Documents on German Foreign Policy* (T. X et XI, Londres, HMSO). *La Gazette du Palais* juxtapose, en les analysant, les principaux textes du gouvernement de Vichy à ceux du commandement militaire allemand.

Un certain nombre d'études générales sont utiles pour replacer la vie des Parisiens dans le déroulement du conflit, tels : Henri MICHEL, *La Seconde Guerre mondiale* (2 tomes, PUF, 2ᵉ édition 1976-1977) ; A. SAUVY, *La Vie économique des Français de 1939 à 1945* (Flammarion, 1978) ; R. ARON, *Histoire de Vichy* (A. Fayard, 1954) ; H. AMOUROUX, *La Vie des Français sous l'occupation* (Robert Laffont, 4 tomes parus) ; P. DURAND, *La SNCF pendant la guerre* (PUF, 1968) ; R. PAUL, *Les PTT pendant la guerre* (exemplaire ronéotypé à la bibliothèque du ministère des PTT). Bien qu'ils soient très orientés, on trouve d'intéressants plaidoyers dans la *Vie de la France sous l'occupation* (3 tomes aux éditions Plon, 1958, par les soins de l'Institut Hoover) et une critique sévère de leur contenu dans le collectif *La France sous l'occupation* (PUF, 1959).

Spécialement consacrés à Paris sont les livres de : Gérard WALTER, *La Vie à Paris sous l'occupation* (Armand Colin, 1960), composé essentiellement de souvenirs et de choses lues et entendues ; et ceux de M. P. BOURGET, inlassable fouineur pour tout ce qui touche à Paris en guerre (*Histoires secrètes de l'occupation de Paris* en deux tomes, Hachette 1971) et, avec la collaboration de C. LACRETELLE, une publication d'affiches commentées, *Sur les murs de Paris* (Hachette, 1959)[1]. Les deux livres de Henri LE BOTERF, conformément à leur titre, relatent avec force anecdotes les scènes de *La Vie parisienne sous l'occupation* (Editions France-Empire, 1974 et 1975).

Parmi les ouvrages de souvenirs, se détachent, par l'acuité de la vision de leurs auteurs, ceux de J. GALTIER-BOISSIÈRE, *Mon journal sous l'occupation* (La Jeune

---

[1] Cf aussi la collection de photographies publiées par J. EPARVIER, *Sous la botte des nazis* (E Raymond Schall, 1944)

* Notamment les documents RF 183, 210 214 , PS 1 741-5 , RF 107, 108, 109, 262 ; PS 2 523, 2 263, 3 944, 1 765

Parque. 1944) de Charles BRAIBANT *La Guerre à Paris* (Corréa, 1945, qui ne commence qu'en novembre 1942), et de Pierre AUDIAT, *Paris pendant la guerre* (Hachette, 1946). S'ajoutent : G. BONAMY, *Souvenirs d'un pseudo-vaincu* (Debresse 1945) ; WEILL-CURIEL, *Le temps de la honte* (Editions du Myrthe. 1946), l'auteur. Français libre, revenait de Londres : Gilberte BROSSOLETTE, *Il s'appelait Pierre Brossolette* (Albin Michel, 1976), l'auteur avait résidé à Paris avant de partir à Londres ; R. RUFFIN, *Journal d'un J3* (Presses de la Cité, 1979) ; Marcel JOUHAN DEAU, *Journal sous l'occupation* (Gallimard, 1980), quelques observations sur la vie quotidienne noyées dans les éternelles protestations de l'auteur contre sa femme.

Si nous considérons un à un les chapitres de notre ouvrage, *l'entrée des Allemands* à Paris a été racontée par J.-Marc de FOVILLE, *Les Allemands entrent à Paris* (Calmann-Lévy, 1965). Sur les combats et les décisions contradictoires des autorités françaises, on peut se référer au récit des événements, jour par jour, de BENOIST-MECHIN, *Soixante jours qui ébranlèrent l'Europe* (Albin-Michel, T. II, 1956), ou à celui de W. SHIRER, *La chute de la IIIᵉ République* (Stock, 1970), ainsi qu'aux souvenirs de Paul REYNAUD, *La France a sauvé l'Europe* (Flammarion, T. II, 1947), du général WEYGAND, *Rappelé au service* (Flammarion, 1950), et de W. CHURCHILL, *La Deuxième Guerre mondiale* (Plon, T. II, Iʳᵉ partie, 1950) ; le tout complété par la déposition du général GEORGES devant la *Commission d'enquête parlementaire sur les événements de 1933 à 1945* (PUF, T. III). Sur les premiers jours de l'occupation, voir les souvenirs du préfet de police, R. LANGERON, *Paris juin 1940* (Flammarion, 1947), du colonel GROUSSARD, *Chemins secrets* (Bader-Dufour, T. I, 1948), de BENOIT-GUYOT, *L'invasion de Paris* (Le Scorpion, 1962) et du commissaire de police F. DUPUY, *Quand ils entrèrent dans Paris* (s. l. ni d.). Le meilleur livre sur l'exode reste celui de J. VIDALENC, *L'exode de mai-juin 1940* (PUF, 1957). Quant au comportement du parti communiste après la défaite, il a donné lieu, entre autres, à trois bonnes études : J. FAUVET, *Histoire du parti communiste* (Fayard, T. II, 1965) ; Ph. ROBRIEUX, *Histoire intérieure du parti communiste français* (Fayard, T. I, 1980) et, surtout, Stéphane COURTOIS, *Le PCF dans la guerre* (Ramsay, 1980).

La politique de Hitler avec la France a été excellemment étudiée par E. JÄCKEL, *La France dans l'Europe de Hitler* (Fayard, 1968) et les rouages de *l'administration allemande* ont été décrits par L. STEINBERG, *Les Autorités allemandes en France occupée* (Editions du Centre, 1966). O. ABETZ a exprimé son point de vue dans *Mémoires d'un ambassadeur* (Stock, 1953), et le Dr E. MICHEL, comme le ministre SCHLEIER, ont publié leur témoignage dans le T. III de *La Vie de la France sous l'occupation*. Un numéro spécial de la *Revue d'histoire de la Deuxième Guerre mondiale* a été consacré à « La France sous l'occupation », avec trois articles de : Henri MICHEL, « Aspects politiques », F. BOUDOT, « Aspects économiques », M. de BOUARD, « La répression ». Pour connaître les impressions d'un « occupant » bien intentionné, voir *le Journal* de E. JÜNGER (Julliard). Sur la Gestapo, il existe un bon livre de J. DELARUE, *Histoire de la Gestapo* (A. Fayard, 1954). Les diverses mesures successives contre les Juifs sont énoncées et datées dans le livre de L. STEINBERG [2]. Cl. LEVY et P. TILLARD ont relaté, avec la mesure et la sensibilité qu'il fallait, l'horrible opération de *la grande rafle du Vel' d'Hiv'* (Robert Laffont, 1967).

La *collaboration* a paru un thème assez étonnant pour tenter nombre de bons auteurs. M. COTTA a étudié la presse de *La collaboration* (A. Colin, 1969) ; PLUMYÈNE et LASIERA ont scruté, sous un angle psychologique et sociologique à la

---

2. Pour leur étude, voir les livres publiés par les « Editions du Centre » et, notamment, les trois tomes de J. BILLIG sur *Le Commissariat général aux questions juives* (1960).

fois, *Les Fascistes français* (Le Seuil, 1963). On trouve tous les noms et les précisions utiles dans le *Dictionnaire de la vie politique française* de Henry Coston (2 tomes, 1967). Mais le livre le plus complet, le plus récent aussi, est celui de Pascal Ory, *Les collaborateurs* (Le Seuil, 1976). Le *Bulletin* du « Comité d'histoire de la Deuxième Guerre mondiale » fournit des analyses détaillées du phénomène dans de nombreux départements, mais pas pour Paris. Dans l'étude qu'ils ont consacrée à un « éminent collaborateur », deux auteurs ont su dépasser leur sujet pour dégager une vue d'ensemble ; c'est le cas de Dieter Wolff, *Doriot, du communisme à la collaboration* (A. Fayard, 1967) et, surtout, de Claude Lévy, *Les Nouveaux Temps et l'idéologie de la collaboration* (A. Colin, 1974). La *Revue d'histoire de la Deuxième Guerre mondiale* a consacré plusieurs numéros spéciaux et de nombreux articles à « la collaboration », dont : A. Jacomet, « Les chefs du francisme, Marcel Bucard et Paul Guiraud » (janvier 1975) ; G. Allardyce ; « Jacques Doriot et l'esprit fasciste en France » (*ibid.*) ; S. Grossmann, « Le destin de Marcel Déat » (*ibid*) ; J. Mièvre, « L'évolution politique de Abel Bonnard » (octobre 1977). Le meilleur livre sur la LVF, et sur divers cas de collaboration économique, est celui de J. Delarue, *Trafics et crimes sous l'occupation* (A. Fayard, 1968). Un légionnaire anonyme a narré ses mésaventures sous le titre *Vae Victis ou deux ans dans la LVF* (La Jeune Parque, 1948), Delperrie de Bayac a écrit une *Histoire de la Milice* (A. Fayard, 1969) et B. Gordon a étudié le cas de J. Darnand dans « Un soldat du fascisme, l'évolution politique de J. Darnand », *Revue d'histoire de la Deuxième Guerre mondiale* (octobre 1977). Plusieurs *procès de la collaboration* ont donné lieu à une publication chez Albin Michel — l'accusation, l'interrogatoire, les témoignages, les plaidoiries — notamment ceux de Brinon, Luchaire, Darnand (1948).

Il n'existe pas d'étude sur *l'administration française* de Paris. Le point de vue allemand est donné par R. Herztein, « Le parti national-socialiste et la France » (*Revue d'histoire de la Deuxième Guerre mondiale,* juillet 1977) et par O. Abetz, *Histoire d'une politique franco-allemande* (Stock, 1953). Du côté français, on peut glaner quelques indications dans les souvenirs des hiérarques vichystes : Du Moulin de La Barthète, *Le Temps des illusions* (Editions du cheval ailé, 1946) ; P. Baudouin, *Neuf mois au gouvernement* (La Table ronde, 1948) ; J. Carcopino, *Souvenirs de sept ans* (Flammarion, 1953) ; M. Peyrouton, *Du service public à la prison commune* (Plon, 1950) ; Piétri, *Mes années d'Espagne* (Plon, 1954). Léon Noël a déposé sur son temps à la Délégation générale devant la *Commission parlementaire d'enquête* (T. IV). Pierre Taittinger et J. Romazotti ont publié un témoignage dans le tome I de *La Vie de la France sous l'occupation*, Saint-Charles dans le tome II et Gabolde dans le tome IV. E. Depreux a raconté comment on pouvait devenir conseiller de la Seine malgré soi (*Comment j'ai pu en décembre 1941 dire non à Pétain et à Hitler*, publié par l'auteur en 1979). Après son exécution a paru un plaidoyer de Brinon, *Mémoires* (LLC, 1949). Le général de La Laurencie a témoigné au procès de Brinon. Dans son livre, *La Simple Justice*, P. Arpaillange porte un jugement sévère sur la justice française de l'époque (Julliard, 1980)[3]. Comment on a découvert à Vichy ce qui se passait à Paris est relaté dans notre *Vichy, année quarante* (Robert Laffont, 1966).

Les méthodes de *l'exploitation de la France, et de Paris* ont été analysées dans l'article de P. Aube, « Une méthode, un bilan » (*Cahiers d'histoire de la guerre, nº 4,* mai 1950) et, surtout, dans l'ouvrage classique de P. Arnoult, *Les finances de la*

---

3 Cf aussi les souvenirs du bâtonnier Charpentier, *Au service de la liberté* (A. Fayard, 1949)

France et l'occupation allemande (PUF, 1951) ; P. ARNOULT a résumé ses conclusions dans deux articles parus dans le n° 4 des *Cahiers d'histoire de la guerre* et dans le collectif, déjà cité, *La France sous l'occupation*. Pleins d'intérêts sont les souvenirs des deux ministres des Finances de Vichy, Y. BOUTHILLIER, *Finances sous la contrainte* (Plon, 1951) et P. CATHALA, *Face aux réalités, la direction des finances françaises sous l'occupation* (Editions du Triolet, 1948). *La Commission consultative des dommages et réparations* a chiffré le coût de la mainmise allemande sur l'économie française dans des fascicules très précis, publiés par l'Imprimerie nationale. Dans son *Histoire de l'épuration* (A. Fayard, T. III, 1974), Robert ARON a tenté de voir clair dans les reproches faits, après la libération, aux banquiers et aux industriels. Dans la *Revue d'histoire de la Deuxième Guerre mondiale*, P. FACON et Françoise de RUFFRAY ont esquissé des « Aperçus sur la collaboration aéronautique franco-allemande ». Un ingénieur, F. PICARD a relaté le triste épisode que fut celui de l'occupation dans *L'Épopée de Renault* (A. Michel, 1976).

Pour connaître les conditions de *la vie quotidienne* des Parisiens, rien ne vaut la lecture de la Presse, remplie d'indications de rations, de distributions, de « tickets honorés » ou non. Les études d'A. SAUVY, R. ARON, H. AMOUROUX, contiennent de nombreux chiffres, et les souvenirs des auteurs déjà cités sont consacrés pour une bonne part à leurs besoins non assouvis. On peut leur ajouter les livres de : Mme LONGWORTH-CHAMBRUN, *Sans jeter l'ancre* (Plon, 1953) ; E. DUBOIS, *Paris sans lumière, 1939-1945* (Lausanne, 1946) ; Victoria KENT, *Quatre ans à Paris,* (Le livre du jour, 1947) ; Y. CAZAUX, *Journal secret de la libération,* (Albin Michel, 1975). Le ministre du Ravitaillement CHASSEIGNE, et le secrétaire général des PTT, DI PACE, ont publié des témoignages dans *La Vie de la France sous l'occupation,* dans le tome I, ainsi que le secrétaire général du Secours national, G. PILON, dans le tome II. Mais il arrive qu'un romancier de talent parvienne à rendre mieux que quiconque le climat social d'une époque ; c'est le cas de J. DUTOURD dans *Au bon beurre* (Gallimard, 1976).

Une excellente étude sur le *marché noir*, écrite par un fonctionnaire des finances a été insérée dans le n° 4 des *Cahiers d'histoire de la guerre*, sous le titre « Le marché noir allemand en France » ; en fait il n'est pas un ouvrage précédemment cité qui n'y fasse allusion. Quant aux crimes du Dr Petiot, ils ont été relatés et expliqués par J. PERRY et J. CHABERT, *L'Affaire Petiot* (Gallimard 1957) et A. PLANEL, *Docteur Satan ou l'affaire Petiot* (Robert Laffont, 1978). Pour les statistiques concernant le génocide des Juifs, le meilleur spécialiste est G. WELLERS, « Déportation des Juifs en France sous l'occupation, légendes et réalités » (in *Le Monde juif,* juillet-septembre 1980).

Une très bonne étude sur *la propagande allemande* a été publiée par E. DUNAN, sous le titre « La Propaganda Abteilung en France », dans la *Revue d'histoire de la Deuxième Guerre mondiale* (octobre 1951). La presse de la collaboration a été étudiée par H. MICHEL et Claude LÉVY, in *Histoire de la Presse française* (PUF, T. IV, 1974). F AMAURY a consacré quelques pages sur l'occupation dans un gros livre, *Histoire du plus grand quotidien de la Presse française, Le Petit Parisien* (PUF, 1972). Le cinéma dans ses aspects juridiques a été étudié par Paul LÉGLISE, *Histoire de la politique du cinéma français* (Pierre Lherminier, II, 1977) tandis que J.-P. BERTIN-MAGHIT procède à des analyses de films dans *Le Cinéma français sous Vichy* (Albatros, 1980). Sur tous les aspects de l'activité culturelle, les deux tomes de *La Vie parisienne de* LE BOTERF, déjà cités, sont de loin les plus complets. On peut puiser quelques anecdotes dans les souvenirs de Sacha GUITRY, *Quatre ans d'occupation* (L'élan, 1947). Une partie de la « collaboration » des savants français peut se lire dans Spencer WEART

Les Grandes Aventures des atomistes français (A. Fayard, 1980). Enfin, la *Revue d'histoire de la Deuxième Guerre mondiale* a consacré plusieurs articles au sujet, comme : Cl. LÉVY « L'organisation de la propagande en France » (octobre 1966) ; L. RICHARD, « Drieu la Rochelle et la Nouvelle Revue française des années noires » (janvier 1975), R. SOUCY, « Le fascisme de Drieu la Rochelle » (avril 1967), M. B. PALMER, « L'Office français d'information » (janvier 1976) ; GOUEFFON, « La guerre des ondes, le cas de Hérold-Paquis » (octobre 1977).

N. B. Les ouvrages et articles qui traitent de la Résistance des Parisiens à l'occupant seront recensés dans le deuxième tome de cet ouvrage.

Index

des noms de lieux, de personnes et d'organismes cités,
ainsi que des principaux sujets traités

ABD-EL-KRIM, 102.
ABETZ (Otto), 56, 57, 65, 74, 81, 87, 95, 99, 103, 108, 110, 113, 118, 127, 132, 135, 136, 140, 141, 142, 147, 150, 177, 244, 303, 318, 320, 321, 335, 342, 343, 345, 351.
Abwehr, 64, 75-81, 131, 302, 351.
ACHARD (Marcel), auteur dramatique, 341.
ACHENBACH, diplomate allemand, 69, 71, 114, 146.
Action française, 41, 50, 66, 95, 100, 102, 111, 115, 123.
ADAMOV, auteur dramatique, 116.
Aero-Bank, 184.
Afrique du Nord, 22, 102, 104.
Aiglon (l'), 141.
Aix-la-Chapelle, 55.
ALAIN, philosophe, 113, 116.
ALBERTINI, membre du RNP, 109.
Alger, 73, 101.
Alsace-Lorraine, 63, 183.
Alsacienne, usine, 40.
Alsthom, usines, 191.
ALTMAYER, général, 16.
Amboise, 28.
Amphitrite, société, 189.
Andelys (Les), 17.
Angleterre (ou Grande-Bretagne), 40, 58, 105, 111, 116, 139, 153, 175, 328.
ANOUILH (J.), auteur dramatique, 338, 341.
Antony, 19.
ARAGON (Louis), écrivain, 18.
Arc de Triomphe, 49, 121.
Argenteuil, 180.
ARLAND (Marcel), écrivain, 116.
Armistice (convention d'), 55-57.
Aryanisation, 62, 114, 346.
Assistance publique, 62, 155, 264-268, 279.
Atelier (l'), journal, 113.

Athènes, 9.
ATTILA, 37.
Aubervilliers, 32, 161.
AUDIAT (Pierre), journaliste, 26, 126, 272, 328.
Auguste-Vacquerie (rue), 301.
Aujourd'hui, journal, 236.
Austerlitz (gare), 30, 256.
AUTANT-LARA, metteur en scène, 334.
Auteuil (hippodrome), 230.

Babock et Wilcox, usine, 180.
BACHELARD (G.), philosophe, 344.
Bagatelle (jardin de), 220.
BALZAC (H. de), 333.
Banque de France, 44, 64, 183, 186, 187, 296.
Banque de Paris et des Pays-Bas, 186.
BARBÉ (P.), membre du PPF, 109.
Barbet-de-Jouy (rue), 41.
BARD (amiral), préfet, 155, 157, 158, 160.
BARDOUX (J.), sénateur, 17, 26.
BARNAUD, haut fonctionnaire, 144.
BARRAULT (J.-L.), acteur, 340.
BARTHÉLEMY (J.), ministre de Vichy, 243.
BASSOMPIERRE, 120, 125.
Batignolles (gare), 86, 243.
BATY, metteur en scène, 116, 341.
BAUDOUIN (P.), ministre de Vichy, 177.
BAUDRILLART (cardinal), 119.
BAUR (Harry), acteur, 341.
BBC, 132, 241, 245, 330.
Beauce, 210.
Beaujon (hôpital), 39, 264.
BEAUPLAN (R. de), journaliste, 328.
BECKER, metteur en scène, 334.
BEER (Von), fonctionnaire allemand, 87, 303.
BEETHOVEN, 38, 69, 95, 340.
BEJOT (Mme), institutrice, 245.

Belgique, 76.
BELL (Marie), actrice, 116.
BELMONDO, sculpteur, 116.
BENASSY, professeur, 288.
BENOIST-MÉCHIN, ministre de Vichy, 337.
BENOIT (Pierre), écrivain, 66.
BERAUD (Henri), journaliste, 337.
Bercy, 164, 197.
BERGER, gestapiste, 131.
BERGSON (Henri), philosophe, 340.
Berlin, 9, 57, 65, 68, 73, 79, 86, 147, 188.
BERNANOS, écrivain, 337.
Berne, 24, 155.
BERNHARDT (Sarah), actrice, 341.
BERNSTEIN (Henri), auteur dramatique, 337.
BERTRAND (Louis), écrivain, 66.
BEST (Dr), fonctionnaire allemand, 61, 78.
Blériot, usines, 40.
BLUM (Léon), 46, 69, 107, 113, 150, 153, 325.
BOCHUM (E.) musicien allemand, 340.
BOCK (Von), général allemand, 58.
BOEMELBURG, commandant SS, 80, 303, 305.
BOFINGER, fonctionnaire allemand, 327.
BOINELBURG-LANGSFELD, général allemand, 79, 118.
BOISSEL (Jean), collaborateur français, 100, 118.
BOISSIEU (de), haut fonctionnaire français, 147.
BOLO, fonctionnaire allemand, 71.
Bombardements, 192, 241-244.
Bondy, 32.
Bon Marché, magasins, 181, 193.
BONNARD (Abel), écrivain, ministre de Vichy, 43, 66, 112, 126, 160, 342.
BONNEFOY, fonctionnaire français, 154.
BONNET (Georges), ministre de la IIIᵉ République, 66, 177.
BONY, inspecteur de police, gestapiste, 131, 303.
BORDEAUX (Henri), écrivain, 66.
Bordeaux (ville), 29.
BOROTRA (Jean), ministre de Vichy, 102, 135, 168.
BOUCHER (Victor), acteur, 341.
BOUFFET, préfet, 84, 157.
BOUGLE (C.), sociologue, 107.
BOUHIER (Jean), poète, 116.
Boule de Suif, héroïne de Maupassant, 307

Boulogne (bois), 34, 76, 121, 159, 164, 220.
BOURDET (E.), auteur dramatique, 341.
Bourgogne, 245.
BOURMONT (de), 125.
Bourse de Paris, 183, 184, 204.
Bourse (place de la), 234.
BOUSQUET, préfet, 78, 129, 145, 155, 312.
BOUTHILLIER (Y.), ministre de Vichy, 144, 177.
BRAIBANT (Charles), écrivain, 198, 220, 222, 224, 228, 229, 232, 234, 239, 271, 284, 288.
Brandt, usines, 191.
BRAQUE, peintre, 342.
BRASILLACH (R.), écrivain, collaborateur, 66, 111.
BRAUCHITSCH (Von), général allemand, 58-60, 176.
BREKER (A.), sculpteur allemand, 342.
BREMER (Dr), fonctionnaire allemand, 320.
BRESSON, metteur en scène, 334.
Brest, 47.
Bretagne, 215, 222.
BRIAND (Aristide), 66, 326.
Briare, 18.
BRIDOUX, capitaine, 121.
BRIDOUX, général, ministre de Vichy, 121, 135.
Brie, 210.
BRIESEN (Von), officier allemand, 42, 59.
BRINK, commandant allemand, 32.
BRINON (de), 122, 135, 146, 149-153, 304, 343, 350.
Bronzavia, usine, 180.
BROSSOLETTE (Pierre), 66, 68, 245, 277
BROUT (Marcel), 113.
BRÜCKBERGER (R. P.), 124.
Bruxelles, 9, 136, 223.
BUCARD (Marcel), chef du francisme, 101, 125, 129.
Bührle, galerie d'art, 88.
BULLIT (W.), ambassadeur américain, 24, 26.
BUSSIÈRES, préfet, 155.

Caen, 18.
Caisse d'Epargne, 203.
Calmann-Lévy, éditeur, 335.
Calvados (département), 212.
CAMUS (A.), écrivain, 338.
CANARIS (amiral), chef de l'Abwehr 64 75.

Cangé, 19

CAPRON (Marcel), homme politique 113.

Carbone-Lorraine, usine, 181.

CARBUCCIA (H. de), journaliste, 66.

CARCOPINO, ministre de Vichy, 165-169.

CARON (Pierre), directeur des Archives, 85.

CASSIN (René), juriste, 66, 68.

CASTELLAZ (L.), 160.

CATHALA, ministre de Vichy, 186, 325

Caudron, usines, 242.

Caumartin (rue), 285

CAYATTE (André), metteur en scène, 334.

CELINE, écrivain, 329, 337.

Centre des organisations économiques franco-allemandes, 178.

Chabanais (le), 47.

CHACK (R.), écrivain, 328.

CHALLAYE (F.), philosophe, 113.

CHAMBERLIN (Henri), dit Lafon, 131, 132, 302-305.

Champerret (porte), 234.

Champs-Elysées, 10, 38, 48, 82, 99, 121, 132, 232, 250, 300, 322.

Chantiers de la Loire, usine, 180.

Chantilly, 16, 20, 153, 256.

CHARBONNEAU, 126.

CHARDONNE (J.), écrivain, 337.

Charpentier (galerie), 342.

Charte du travail, 109, 113.

Chartres, 47.

CHATEAU (René), journaliste, 113.

CHATEAUBRIANT (A. de), écrivain, collaborateur, 327.

Château-Thierry, 17.

CHAUTEMPS (Camille), 69.

CHEVALIER (Maurice), 328.

CHEVALIER, ministre de Vichy, 165, 343.

Chine, 83.

CHOLTITZ (Von), général allemand, 60, 81.

Chômage, 198-202.

CHURCHILL (Winston), 18, 24, 229.

Cinéma, 330-334.

Citroën, usines, 180.

CLAIR (René) metteur en scène, 48, 334.

CLAMAMUS, parlementaire communiste, 103, 113.

Clamecy, 18.

CLAUDE (Georges), savant, collaborateur, 115, 125.

CLAUDEL (Paul), écrivain, 338, 341.

CLÉMENCEAU (Georges), 15, 18.

CLEMENTI, collaborateur 100, '18, 122

Clichy, 132, 180.

Clignancourt, 34.

CLOUZOT, metteur en scène 334

Cluny, éditions, 335.

COCEA (Alice), actrice, 116

COCTEAU (Jean), écrivain, 116, 338

COLETTE, 126.

Colisée (restaurant), 48.

Collaboration, groupe, 113, 115

COLLINE (P.), chansonnier, 81

Colombes, 21, 24, 47, 180.

Combat, journal, 126.

Comité France-Allemagne, 66.

Comité ouvrier de secours immédiat (COSI), 114.

Comité secret d'action révolutionnaire 100, 101.

Commissariat à la lutte contre le chômage, 200-202.

Compagnie industrielle de construction d'appareils mécaniques, 180.

Compiègne, 16.

Concorde (place), 34, 162.

Conseil municipal, 67, 159-165.

Continental (la), firme cinématographique, 331, 332.

COPEAU (J.), metteur en scène, 340

Corbeil, 197, 255.

COROT, peintre, 205.

CORTOT (Alfred), pianiste, 117.

COSTANTINI, collaborateur, 100, 118

Courbevoie, 34, 228.

Cours martiales, 130.

COURTOIS (Stéphane), 19.

Crédit Lyonnais, 48, 186

Creil, 47, 256.

Créteil, 195.

Cri du peuple, journal, 103.

Crillon, hôtel, 34.

Croix de Feu, 102, 123.

Daimler-Betz, automobiles allemandes 191.

DALADIER (Edouard), 41, 50, 66, 153.

DALUEGE, général SS, 75.

DANNECKER, fonctionnaire allemand, 80, 89, 98, 311.

DAQUIN (Louis), metteur en scène, 334.

DARLAN (amiral), 101, 104, 141, 144, 145, 152, 155.

DARNAND (Joseph), chef de la milice, 72, 94, 106, 122-127, 129, 130, 303, 351.

DARQUIER de PELLEPOIX, collaborateur, antisémite, 160.

DAVID, commissaire de police, 129.
DEAT (Marcel), chef du RNP, 50, 69, 106-110, 113, 118, 123, 124, 141, 145, 148, 303, 329
DELAISI (F.), économiste, 113.
DELARUE (Jacques), 129.
DELAUNEY, collaborateur, 100.
DELLMESSINGEN (Kraft Von), 70.
DELONCLE, chef du MSR, 100, 101, 108, 118, 122, 303.
Denoël, éditeur, 335.
DENTZ, général, 18, 20, 24, 25, 32, 33.
DERAIN, peintre, 342.
DESPIAU, sculpteur, 116, 342.
Devisendeutschkommando, 64, 184, 302.
DEVOUGES, commandant, 32.
DIDIER, magistrat, 171.
DIETRICH (Dr), fonctionnaire allemand, 331.
Dijon, 18
DI PACE, secrétaire général des PTT, 143.
Dniepropetrovsk, 120.
Dole, 18.
DORIOT (Jacques), chef du PPF, 50, 101-106, 116, 118, 122, 123, 124
DORMOY (Max), ministre du Front populaire, 111.
DOYEN (général), 87.
Drancy, 312
DRIEU LA ROCHELLE, écrivain, collaborateur, 104, 112.
Drouant (restaurant), 240.
Drouot (hôtel des ventes), 204, 205, 290.
DRUMONT (E.), écrivain antisémite, 82.
DUCLOS (Jacques), communiste français, 18, 51.
DU FAUR, général allemand, 34.
DUHAMEL (Georges), écrivain français, 68, 338.
DULLIN (Charles), metteur en scène, 341
DULONG, haut fonctionnaire français, 143
DUMOULIN, syndicaliste, 113.
Dunkerque, 16, 147, 176.
Dunod, éditions, 335.
DUNOYER DE SEGONZAC, peintre, 342.
DUPUY (Pierre), propriétaire du Petit Parisien, 325
DURER (A.), peintre allemand, 69
Duval, usine, 242
Dyle, rivière, 147

EBERT, fonctionnaire allemand, 72
EBSTEIN-LANGWEIl (collection) 87

Ecoles (les), 43, 166-169, 279.
Ecouen, 32, 33.
Edouard VII (hôtel), 39.
EICH (Dr), fonctionnaire allemand, 322.
EICHMANN, 311.
Elbeuf, 17.
Elysée (Palais de l'), 19.
EMERY, universitaire et écrivain, 113.
EPTING (Carl), directeur de l'Institut allemand, 69, 320-322.
Ermenonville, 20.
ERNST, universitaire allemand, 87.
Esders, magasin, 193.
Est (gare), 33.
Etampes, 47, 255.
Etats-Unis (ambassade), 304.
Etoile (place de l'), 34.
Evreux, 17.

« FABIEN », résistant communiste, 171
FARGUE (Léon-Paul), écrivain, 49.
Farman, usine, 180.
FAURE (Paul), socialiste, 109.
FAUVET (Jacques), 18.
FAY (Bernard), écrivain, 43, 111.
FERDONNET, le « traître de Stuttgart », 116.
FERENCZI, éditeur, 335.
FERNANDEZ (Ramon), écrivain, 106, 328.
FEUILLÈRE (Edwige), actrice, 116.
FICHTE, philosophe allemand, 69.
Foch (avenue), 80, 300.
FOCH (maréchal), 18.
Fontainebleau, 40.
FOURNEAU, professeur, 115.
FRACHON (Benoît), syndicaliste communiste, 18.
France au travail (la), journal, 48, 114, 325.
Franc-Garde (la), 125, 126, 129.
France-Socialiste (la), journal, 117, 325.
Francisme, 101, 125, 129.
FREHEL, chanteuse, 343.
FRERE (général), 16.
Fresnes (prison), 79, 131.
FRIEDRICH (Dr), fonctionnaire allemand, 328.
FRIESZ (Othon), peintre, 342.
FROELICH, cinéaste allemand, 333.
Front Franc (Le), 100.
FROSCH, général allemand, 185.
FUNKE, conférencier allemand, 321

GABOLDE, magistrat, ministre de Vichy, 172

GABRIELLO, chansonnier, 343
Galeries Lafayette, magasins 181, 193
Galliera, musée, 342.
GALLIMARD (G.), éditeur, 116
GALTIER-BOISSIÈRE. journaliste, 41, 116.
GAMELIN, général 15.
GAULLE (Charles de), général, 9, 101, 127, 145.
Gaumont-Palace, 104.
GAUTHIER-LANGUEREAU, éditeur, 335.
GAUTY (Lys), chanteuse, 343.
Gennevilliers, 180, 181, 195.
GEORGES, général, 16, 22, 23.
GERLACH, fonctionnaire allemand, 71.
Gestapo, 68, 75-81, 101, 299.
GIDE (André), écrivain, 116, 338.
GIRAUD, ingénieur, 21, 144.
GIRAUDOUX (Jean), écrivain, 23, 24.
GITTON, communiste, 100, 113.
GLIÈRES (maquis des), 112.
Gnome et Rhône, usines, 40, 180.
GOEBBELS (Dr), ministre allemand de la Culture, 19, 26, 57, 64, 95, 230, 318, 329, 333, 334.
GOERING, maréchal allemand, 35, 57, 59, 61, 64, 72, 73, 74, 86, 88, 144, 147, 152, 176, 301.
GOETHE, 69, 95, 321.
Gonesse, 21.
Goodrich, usines, 180.
Gournay, 16.
GOSSMANN (Dr), fonctionnaire allemand, 70.
GOY (Jean), 108.
Granville, 47.
GRASSET, éditeur, 116, 335.
GREEN (J.), écrivain, 70, 338.
GRIMM, « professeur », 40, 69, 321.
Gringoire, journal, 66, 113.
GROUSSARD, colonel, 18, 21, 24, 26, 28, 33, 50.
GUILLEVIC, poète, 116.
GUILLOUX (L.), écrivain, 116, 338.
GUIRAUD (Gaston), collaborateur, 113.
GUITRY (Sacha), comédien et auteur dramatique, 333, 341.
GURVITCH, sociologue, 344.

Hachette (messageries), 323.
HAEFS, officier allemand, 327, 328.
HAGEN (Herbert), officier allemand, 79.
HALDER, général, 141.
HANESSE, général, 72, 82.
Havas, agence, 322.
HÉBERTOT, homme de théâtre, 116

HELLENS (Fr.), homme de lettres, 116
HEMMEN, diplomate allemand, 71, 177, 178, 188, 190.
HENRIOT (Philippe), 112, 125, 161, 328.
HERING, général français, 16, 17, 18, 20, 21, 23, 25, 26.
HERMES, capitaine allemand, 322.
HEROLD-PAQUIS, speaker à la radio, collaborateur, 111, 125, 328
HERRIOT (Edouard), 66, 69.
HERVE (Mme), 244, 245.
HIBBELEN, homme d'affaires allemand, 71, 324-326.
HIMMLER (H.), chef des SS, 64, 75, 77. 79, 124, 311.
Hispano-Suiza, usines, 40, 180, 188, 191.
HITLER (Adolf), 38, 56, 65, 69, 74, 77, 87, 88, 104, 113, 119, 123, 135, 136, 147, 149, 189, 321.
Hoffmann, galerie, 88.
HOLDERLIN, poète allemand, 321.
Hollande, 58.
HOLTZER, lieutenant, 32.
HOLTZEUER, major allemand, 180.
Hôtel de Ville, 62, 142, 162.
Hôtel de Ville (bazar), 181, 200.
HOTH, général allemand, 16.
HUARD (Serge), secrétaire général du ministère de la Santé, 143.
HUGO (Victor), 321.
Humanité (L'), journal communiste, 20, 50, 103, 113.
HUNTZIGER, général et ministre de Vichy, 140, 146.

Illustration (L'), journal, 48, 82, 155, 211.
Impôts, 203.
Incombustible (l'), usine, 189.
INGRAND, préfet, 143, 171.
Institut allemand, 320-322, 342.
Inter-France, agence de presse, 322.
Invalides (hôtel des), 33.
Issy-les-Moulineaux, 189, 197.
ISTRATI (Panaït), écrivain d'origine roumaine, 70.
Italie (porte d'), 31.

JÄCKEL (E.), 63, 70.
JAMOIS (Marguerite), actrice, 116.
Je suis Partout, 111, 113, 117, 125, 126.
JOANOVICI, trafiquant, 302.
JOLIOT-CURIE, 345.
JOUHANDEAU, écrivain, 284, 337.
JOUHAUX (E.), secrétaire général de la CGT, 41

JOUVET (L.), acteur, 341.
Juifs (les), 70, 78, 80, 87-90, 101, 114, 116, 127, 130, 264, 277, 283, 286, 302, 305, 310-313, 341, 351.
JÜNGER (E.), écrivain allemand, 60, 83.
Junker, usines d'aviation, 190.
Justice, 169-172, 237, 276, 287, 291.
Juvisy, 24, 242.

KAISER (Dr), fonctionnaire allemand, 318.
KARAJAN (H. Von), chef d'orchestre autrichien, 340.
KEITEL, maréchal allemand, 59, 90.
KEMPF (W.), pianiste allemand, 340.
KERENSKI, homme d'Etat russe, 19.
KERILLIS (Henri de), journaliste, 66.
KESSEL (J.), écrivain français d'origine russe, 70.
KIEFFER, fonctionnaire allemand, 80, 303.
KITZINGER, général allemand, 60.
Kléber (avenue), 81.
KLECKER (Dr), fonctionnaire allemand, 323.
KLUGE (Von), maréchal allemand, 79.
KNOCHEN, fonctionnaire allemand, 76, 78, 79, 110, 127, 303.
Komintern, 19, 97, 102.
KRAUSS (J.), musicien allemand, 340.
KREIFELD (Dr), fonctionnaire allemand, 62.
Kriegsmarine, 63, 82, 186, 201, 299.
KRUGER, fonctionnaire allemand, 62.
KULTERER, fonctionnaire allemand, 71.
KUTZSCHENBACH (Dr Von), fonctionnaire allemand, 71.

La Courneuve, 180.
LACRETELLE (J. de), écrivain, 115.
LAFAYE, parlementaire, 109.
Lagny, 47.
La Haye (ville), 9.
La Haye (convention de), 170
LALANDE, philosophe, 344.
LA LAURENCIE, général, délégué général du gouvernement à Paris, 17, 66, 141, 147-149, 311.
LANGERON, préfet, 19, 25, 28, 42, 44, 50, 51, 59, 146, 154-155.
Laon, 35.
LAO-TSEU, philosophe chinois, 59.
Lariboisière (hôpital), 39.
LARIVIÈRE (de), 126, 264.
LA ROCHEFOUCAULD (de), 125.
LA ROCQUE, colonel, chef du PSF, 102

LATTRE DE TASSIGNY (de), général, 20.
Lauriston (groupe de la rue), 131, 302, 305.
LAVAL (Pierre), 63, 67, 69, 72, 77, 89, 102, 106, 110, 122, 123, 141, 142, 145, 146, 150, 157, 161, 243, 251, 303, 312.
LA VARENDE, écrivain, 337.
LAVELLE, philosophe, 344.
Lazard (banque), 184.
Le Bourget, 140, 159.
LEFEBVRE, historien, 43.
LEGUAY, fonctionnaire français, 312.
Le Pecq, 24.
LESDAIN (J. de), journaliste, 328.
LE SENNE, philosophe, 344.
Lesueur (rue), 285.
Levallois, 180, 221.
LEVY (Claude), 115.
Libye, 192.
LIFAR (Serge), danseur, 117.
Loire, fleuve, 17, 25.
Londres, 24.
LOUSTAU (Jean), journaliste, 328.
LUBIN (Germaine), cantatrice, 117.
LUCHAIRE (Jean), journaliste, 66, 96, 325.
LUCHT, lieutenant allemand, 341.
Luftwaffe, 34, 59, 63, 82, 85, 201, 299.
LUGUET (André), acteur, 116.
Lutetia (hôtel), 76.
Luxembourg (palais du), 39, 83, 159.
Luxembourg (ville), 60.
LVF, 105, 118-122, 328, 333.
Lyon (gare de), 256.
Lyon (ville), 9, 204, 227.

MAC ORLAN, écrivain, 126.
Madeleine (place de la), 81, 194.
MAGNY, préfet, 156-157, 158, 159, 160
Maisons-Laffitte, 21.
Majestic (hôtel), 39, 82, 318.
MALRAUX (André), écrivain, 337.
MAN (Henri de), homme politique belge, 107.
Manche (département), 212.
MANDEL (Georges), homme d'Etat français, 19, 28, 41.
Marais (quartier du), 197.
MARCEL (Gabriel), philosophe, 344
MARION (P.), ministre de Vichy, 104
MARJANE (Léo), chanteuse, 342.
Marne (fleuve), 17, 20, 24.
MARTEL (Thierry de), chirurgien 49
MARTIAL (Dr), 345.
Masson, usine, 180.
Massy-Palaiseau, 21

MASUY, gestapiste, 131.
Matford, usines, 40.
Matignon (hôtel), 144, 202.
Matin (Le), journal, 48, 325, 327.
MAUBOURGUET, journaliste, collaborateur, 126.
MAULNIER (Thierry), écrivain, 66.
MAURIAC (François), écrivain, 338.
MAUROIS (A.), écrivain, 337.
MAURRAS (Charles), écrivain, leader de l'A.F., 95, 127.
MAUSS, sociologue, 344.
Maxim's (restaurant), 48.
MAYER (Daniel), 29.
Mayol (concert), 47.
Meaux, 32.
Médicis (carrefour), 83.
Medrano (cirque), 343.
MENGELBERG, musicien allemand, 340.
Mercédès, automobiles allemandes, 191.
Mercure de France, éditions, 337.
MERLEAU-PONTY, philosophe, 344.
Mers el-Kébir, 100, 158.
Métro (le), 29, 156, 233-235.
METTERNICH (comte Wolff), fonctionnaire allemand, 61, 87, 345.
Meudon, 340.
MICHEL (Dr Elmer), fonctionnaire allemand, 61, 62, 178, 325.
MIEGEVILLE, fonctionnaire français, 159.
MILHAUD (Darius), musicien, 334.
Milice (la), 110, 113, 117, 122-127, 129.
Monceau (plaine), 9.
MONNEUSE (de), 126.
MONTAGNON, parlementaire, 109.
Montargis, 255.
Montereau, 28.
MONTHERLANT (Henri de), écrivain, 337.
Montmartre, 48, 243.
Montmorency, 21.
Montoire (entrevue de), 72, 123, 136, 189.
Montparnasse (gare), 30, 256.
Montrouge, 191.
Montsouris (observatoire de), 223.
Mont-Valérien, 285.
MONZIE (A. de), ministre de la IIIᵉ République, 18, 66.
MORAND (Paul), écrivain, 126, 273.
MORENSCHILD, officier allemand, 327, 328.
Moret, 47.
MORLAY (Gaby), actrice, 341.
MOSER, aspirant allemand, 171.

MOULIN (Jean), préfet, 145.
MOULIN de LA BARTHETE (du), 96, 103, 124.
Moulins, 140.
Mouvement social révolutionnaire (MSR), 100, 101.
MOZART, 38, 340.
MULLER, capitaine allemand, 136, 303.
Mundus, groupe d'affaires, 323.
Munster, ville, 75.
Musée de l'Armée, 28, 87.
MUSSOLINI, 19, 58, 100, 103, 113, 325.

Nancy, 47.
Nanterre (prison), 154.
Nanterre (ville), 300.
Nathan (R), éditeur, 335.
Neuilly, 225, 304.
Neuilly-sur-Marne, 21.
NOËL (Léon), délégué général du gouvernement de Vichy, 42, 145-147, 191, 350.
Noisy-le-Sec, 243.
Nonette (la), rivière, 20.
Nord (département), 29, 43, 135, 163, 223.
Nord (gare du), 33.
Normandie, 84, 130, 210, 215.
Norvège, 58, 63.
NOSTITZ-WALWITZ (Von), 70.
Notre-Dame (parvis de), 148, 340.
Nouveaux Temps (Les), journal, 96, 115, 117, 212, 325.
Nouvelle Revue Française, 116.
Nuremberg (procès de), 90.

OBERG, général SS, 64, 74-81, 98, 104, 110, 122, 127, 129, 145, 155, 161, 351.
Œuvre (l'), journal, 107, 109, 110, 118, 325.
Oise (fleuve), 20.
OLTRAMARE (G.), speaker à la radio, 328.
Opel, automobiles allemandes, 192.
Opéra (place de l'), 34, 340.
Organisation Todt, 85, 86, 121, 179, 186, 201, 299.
Orléans (porte d'), 31.
Orléans (ville), 47, 255.
Orne (département), 212.
ORY (Pascal), 99.
Oslo, 9.
Otto (bureau), 76, 300.
Otto (liste), 336, 346.
Ourcq (canal de l'), 20, 195.
Ourcq (fleuve), 17, 20.

Palais-Berlitz, 342.
Palais-Bourbon, 159.
Palais (Grand-), 342, 343.
Palais (Petit-), 342.
PALMIERI, gestapiste, 131.
Pariser-Zeitung, journal allemand, 248, 326, 344.
Paris-Soir, journal, 48, 327.
Parti communiste, 18, 50.
Parti Populaire Français (PPF), 50, 101-106, 123.
Parti Social Français (PSF), 102.
Pas-de-Calais (département), 29, 43, 135, 163.
Pasteur (Institut), 43, 115, 220.
PAULHAN (Jean), écrivain, 338.
PAYOT (René), journaliste suisse, 328.
PECHEUX, 159.
Péreire (boulevard), 82.
PERRIN (Paul), homme politique, 113.
PERTINAX, journaliste, 23.
PÉTAIN (maréchal Philippe), 17, 72, 95, 102, 113, 119, 123, 127, 136, 139-145, 170, 189, 243.
PETIOT (docteur), 285, 286.
Petit Parisien (le), journal, 115, 153, 325.
PEYROUTON, ministre de Vichy, 144.
PICHOT-DUCLOS, général, 21.
Piéron et Poyet, usine, 181.
PIETRI (F.), ministre de Vichy, 144.
Pilori (Au), journal, 89, 111, 117, 311.
Pitié (hôpital), 39, 264.
Police, 128-132.
POLITZER (G.), philosophe, communiste, 18.
Pologne, 28, 58, 63, 123.
Pompe (rue de la), 131, 302.
Pontoise, 16.
Port-Marly, 24.
POSSE, fonctionnaire allemand, 61.
PRADE (G.), collaborateur, 162.
PREAUD, haut fonctionnaire français, 143.
Presse, 200, 212, 230, 243, 322-327.
Printemps, magasins, 181, 193.
Propaganda-Abteilung, 318-334.
Propaganda Staffel, 318-320, 340.
PROUST (Marcel), 340.
Prunier, restaurant, 240.
PTT, 36, 42, 47, 136-138, 204, 279.
PUCHEU, ministre de Vichy, 104.
Puteaux, 180, 181.

QUIRING, fonctionnaire allemand, 71

RADEMACHER, fonctionnaire allemand, 62, 341.
Radio-Paris, 111, 117, 118, 132, 286, 327-330.
Radio-Sottens, 328.
Radio-Stuttgart, 116, 327.
Radio-Vichy, 112, 330.
Radom, ville de Pologne, 74.
Rambouillet, 16, 47, 143, 255.
RAHN (R.), diplomate allemand, 70.
Rassemblement national populaire, 108-110, 117.
Ratier, usine, 191.
REBATET (L.), journaliste, collaborateur, 328.
Reichskreditkasse, 64, 184.
REILE (Cl.), officier allemand, 75, 78.
RENAULT (Louis), industriel, 191.
Renault, usines, 114, 180, 191, 192, 242.
RENOIR (Jean), metteur en scène, 334.
RENOIR (Pierre), acteur, 341.
République (place de la), 83, 340.
RETHONDES, 55, 139.
Revue économique franco-allemande, 15, 17, 19, 21, 22, 41, 66.
REYNAUD (Paul), homme d'Etat français, 15, 17, 19, 21, 22, 41, 66.
RIBADEAU-DUMAS, 160.
RIBBENTROP (Joachim Von), ministre allemand, 64, 65, 70, 72, 104, 149, 318.
RICHET, professeur, 267.
Riom (procès de), 109.
RIVET (Paul), ethnologue, 43.
Roanne, 227.
ROCHER (R.), directeur de théâtre, 340.
ROMAINS (Jules), 337.
ROOSEVELT, président des EU, 18, 153.
ROSENBERG, idéologue nazi, 64, 72, 87.
ROSSELLI (frères), italiens anti-fascistes, 101.
ROSSI (Tino), chanteur, 328.
ROTHKE, fonctionnaire allemand, 89.
Rotschild, banque, 87, 187.
Rothschild (hôpital), 264, 312.
ROTTEE, policier français, 129.
ROUCHE (J.), directeur de l'Opéra, 340.
Rouen, 16, 195.
Rouge et le Bleu (le), journal, 113.
ROUSSY, recteur de Paris, 43, 146.
Royale (rue), 82.
RUDOLF, officier allemand, 75, 78.
Rueil-Malmaison, 47.
RUNDSTEDT (Von), maréchal allemand, 78, 188.

Saint-Cloud (hippodrome), 220
Saint-Cyr, 140.
Saint-Denis, 21, 32, 41. 102, 258, 300
Saint-Florentin, 144.
Saint-Germain, 32.
Saint-Lazare (gare), 82.
Saint-Lazare (prison), 154, 308.
Saint-Martin (rue), 181.
Saint-Philippe-du-Roule, 194.
Saint-Pierre (marché), 193.
Saint-Quentin, 175.
SAINT-SIMON, économiste, 107.
Salmson, usines, 191, 242.
Salpêtrière (hôpital), 264.
Samaritaine, magasins, 10, 181, 193, 200.
SAND (George), 132.
Santé (prison), 30.
Sarcelles, 32.
SARTRE (Jean-Paul), écrivain, 338, 341.
Satory, 140.
SAUCKEL, gauleiter, 64, 71, 73, 106, 124, 202.
Saumur, 147.
Saussaies (rue des), 80, 129.
SAUVY (Alfred), 199, 222, 263, 339.
SCHACHT (Dr), économiste allemand, 182.
SCHAEFER (Dr Carl), fonctionnaire allemand, 183.
SCHAUMBOURG, général allemand, 59.
SCHILLER, 69, 95, 321.
SCHLEIER, diplomate allemand, 69, 71, 114.
SCHMIDT (Dr Jonathan), fonctionnaire allemand, 61.
SCHMIDTKE, major allemand, 320.
SCHUBERT (Franz), 38, 69.
SD, 74-81, 101, 104, 129, 130, 136, 301, 351.
Secours National, 200, 220, 221, 228, 248.
Sections Spéciales, 172.
Sedan, 176.
Seine (fleuve), 16, 17, 20, 23, 24, 28, 42, 44, 82, 195, 242, 255.
Seine (département), 35, 45, 59, 217.
Seine-et-Marne, 35, 59, 164.
Seine-et-Oise, 35, 59, 162.
Senlis, 16.
Sentier (quartier du), 181.
Service du Travail obligatoire (STO), 168, 201, 258, 309.
SIEBURG (Dr Fr.), journaliste allemand, 70, 321.
Sigmaringen, 98.
Signal, journal allemand, 326.

Simca, usines, 40, 190.
SNCF, 29, 36, 37, 45 136, 180, 215, 220, 222, 272, 289.
Société électrique de Paris, 188.
Société Nationale de construction de moteurs, 180.
SOLIDOR (Suzy), chanteuse, 343.
S.O.M.U.A., usine, 191.
Sorbonne, 311, 321, 344.
SORDET (Dominique), journaliste, collaborateur, 322.
Sorlot, éditions, 335.
SOUPLEX, chansonnier, 343
SOURZA (Jeanne), actrice, 343.
SPEER (A.), ministre allemand, 188.
SPEIDEL (A.), colonel allemand, 60, 144. 147.
SPINASSE, ministre du Front populaire. 113.
SS, 58, 64, 74-81, 85, 106, 124, 130.
STALINE, 20, 24.
STEINHOF (H.), cinéaste allemand, 333
STINST, colonel allemand, 80.
STRECCIUS, général allemand, 59, 147.
STREICHER, journaliste allemand, 111.
STÜLPNAGEL (Henri Von), général allemand, 60, 90, 136.
STÜLPNAGEL (Otto Von), général allemand, 59, 76, 77, 141.
STUTNITZ (Von), général allemand, 34.
SUAREZ (Georges), journaliste, collaborateur, 326, 328.
SUDHOF (Dr), fonctionnaire allemand 165.
SUHARD, cardinal, archevêque de Paris, 119, 142.
Syrie, 158.
SZOLNIKOFF, trafiquant, 302.

TAITTINGER (Pierre), président du Conseil municipal, 67.
Tanganrov, ville d'URSS, 120.
Taverny, 130.
T.C.R.P., 40, 137, 156.
THERIVE (A.), écrivain, 337.
THOMAS, général SS, 76.
Thomson, usines, 191.
THOREZ (M.), leader communiste, 19, 102.
TILLON (Ch.), communiste, 51.
Tobis-Films, 331.
TOERGLER, 20.
Toile d'avion, magasin, 193.
Tokyo, 9.
Tours, 18.

Trans-océan, agence de presse, 322.
TRENET (Charles), chanteur, 341.
Trianon-Palace, 141.
TROCHU, président du Conseil munici-
pal, 103, 160, 161.
Tuileries (jardin des), 44, 340.
Turbigo (rue), 181.
TURENNE, 125.
TURNER, général allemand, 36, 62.

UDET, général allemand, 190, 191.
Unic, usine, 181.
Université, 165-169.
URACH (prince Von), 191.
URSS, 24, 51, 118, 123, 175, 192.
UTRILLO, peintre, 205.

VALERY (Paul), écrivain, 338.
VALLERY-RADOT, 111.
VALOIS (Rose), modiste, 230.
VAUDOYER, homme de lettres, 340.
VAUGELAS, 125.
VEIT HARLAN, cinéaste allemand, 333.
Vélasquez (rue), 301.
Vélodrome d'hiver (Vel d'hiv'), 89, 119,
124, 312.
Vendée, 222.
Vendôme (place), 194, 300.
VERCEL (Roger), écrivain, 126.
VERCORS, écrivain, 48, 115, 317.
VERDIER, cardinal, 41.
VERMEIL (E.), germaniste, 68.
VERMOREL, auteur dramatique, 341.
Vernon, 17.
Versailles, 32, 47, 120, 140.
Vichy, 9, 24, 29, 42, 65, 67, 72, 95, 97,
107, 109, 119, 127, 128, 139-145, 165,
184, 211, 236, 239, 270, 317, 350.
VIDALENC (Jean), 29.
Vienne, 59, 87.
Villacoublay, 140.
VILLAPLANE, gestapiste, 304.

Villeneuve-le-Roi, 24.
Villeneuve-Saint-Georges, 24, 137, 243.
Villeparisis, 21.
Villette (abattoirs de la), 39, 154, 164.
Villette (porte de la), 33.
VILLEY, préfet, 28, 42, 44, 49.
Vincennes (bois), 83, 159, 223.
Vincennes (château), 41.
Vitry, 24.
VLAMINCK, peintre, 342.
VOLLARD-BOCKELBERG, général alle-
mand, 58.
Vosges, 227.
VUILLEMIN, général, 22.

Waffen SS, 125.
WAGNER (Richard), 340.
Wagram (salle), 123, 342.
WALLON (Henri), psychologue et péda-
gogue, 344.
WALTER (Gérard), 249.
WEBER, lieutenant allemand, 323.
WEILL (David), marchand de tableaux,
87.
WELLERS (G.), 312.
WELTZ (Dr), fonctionnaire allemand,
87.
WENTZEL, 80.
WESSERMANN (Mlle), 87.
WEYGAND (Maxime), général, 15, 16,
17, 19, 20, 22, 23, 24, 25, 32.
WILDENSTEIN, marchand de tableaux,
87.
Wiesbaden, 55, 64, 67, 70, 75, 141, 177,
187, 211.

Zazous (les), 250, 251.
ZEISSIG (R.), fonctionnaire allemand
96.
ZEITSCHELD (C.), fonctionnaire alle-
mand, 70, 87.
ZORETTI, professeur, 113.

Table

Préface   9

1. Le 14 juin 1940, Paris, comme un fruit mûr   13
2. Paris, capitale allemande de la France   53
3. Paris, capitale de la collaboration. Les « collabos »   91
4. Une Préfecture régionale 133
5. Travailler pour le roi de Prusse 173
6. La grande misère des Parisiens 207
7. La santé des Parisiens 253
8. Crimes français, crimes allemands, crimes franco-allemands 281
9. L'activité culturelle : évasion ou soumission ? 315

Conclusion 347

Les sources 355

Bibliographie 359

Index 365

Les Fascismes,
Presses Universitaires de France, 2ᵉ éd. 1979.

Pétain et le régime de Vichy,
Presses Universitaires de France,
coll. « Que sais-je ? », 2ᵉ éd., 1980.

Le Procès de Riom,
Albin Michel, 1979.

La défaite de la France (sept. 39-juin 40),
Presses Universitaires de France, 1980.

La Deuxième Guerre mondiale commence,
Editions Complexe, 1980.

La Libération de Paris,
Editions Complexe, 1980,

EN PRÉPARATION

Paris résistant

La composition de ce livre
a été effectuée par Bussière à Saint-Amand,
l'impression et le brochage ont été effectués
sur presse CAMERON
dans les ateliers de la S.E.P.C. à Saint-Amand-Montrond (Cher)
pour les éditions Albin Michel

AM

Achevé d'imprimer le 14 décembre 1981
N° d'édition 7418. N° d'impression 1405
Dépôt légal 4e trimestre 1981